Édito

Jonathan Chodjaï
Directeur de collection

Maeva Vilain
Directrice de la rédaction

Audrey Lorans
Directrice des ventes et du marketing

Montréal, ville culturelle, lieu de création et de diffusion, ville qui bouillonne, ville de la joie de vivre. Comment refléter ce dynamisme et partager avec nos lecteurs cette envie de créer, de sortir, d'avoir du fun ?

En vous proposant des idées d'activités, à faire en intérieur, en extérieur, en été ou en hiver. Une nouvelle section, constituée de mini-dossiers, vous donnera les meilleures adresses pour apprendre à cuisiner, à chanter, à faire du yoga ou pour réaliser des jeux de piste dans le Vieux Montréal.

En vous emmenant dans les bars, des plus simples, aux plus branchés. Bien sûr, on vous parlera de ceux qui passent de la musique latine, africaine, de ceux qui diffusent des spectacles d'humour et d'impro. Notre nouvelle section sur les sorties vous conduira aussi dans les salles de spectacles, de cinéma, de théâtre et à l'opéra.

En vous emmenant à la découverte de 4 continents, tout en restant à Montréal. Pour voyager en Amérique, en Asie, en Europe ou en Afrique, nous vous conseillons des activités culturelles ou culinaires : danser la salsa au Vieux-port, déguster un repas éthiopien, etc.

En faisant une plus grande place aux créateurs d'ici, notamment dans la section magasinage. Les jeunes designers de vêtements ont définitivement une place dans ce guide qui se veut novateurs et à l'affût des nouvelles tendances.

Vous retrouverez les sections habituelles (Repères, À table, Magasinage, Junior, Bio et Nature, Pense Futé), revisitées et actualisées aussi bien sur l'île que sur la Rive Sud et à Laval.

Il est temps à présent de vous remercier d'avoir fait l'acquisition de ce guide qui, nous en sommes sûrs, saura vous accompagner dans vos périples montréalais, et de vous souhaiter une bonne lecture. Et n'oubliez pas : on a toujours besoin d'un plus Petit Futé que Soi !

Portrait sur la photo de couverture : Ariane Moffatt © Lisa Roze

Sommaire

273

MAGASINAGE
Beauté et bien-être
Cadeaux
Maison
Mode
Librairies
Loisirs
Multimedia

337

BIO ET NATURE
Alimentation
Écologie au quotidien
Énergie et habitat
Jardinage et horticulture

357

JUNIOR
En attendant bébé
Magasinage
Activités pour enfants

393

PENSE FUTÉ
S'installer à Montréal
Services courants
Action communautaire

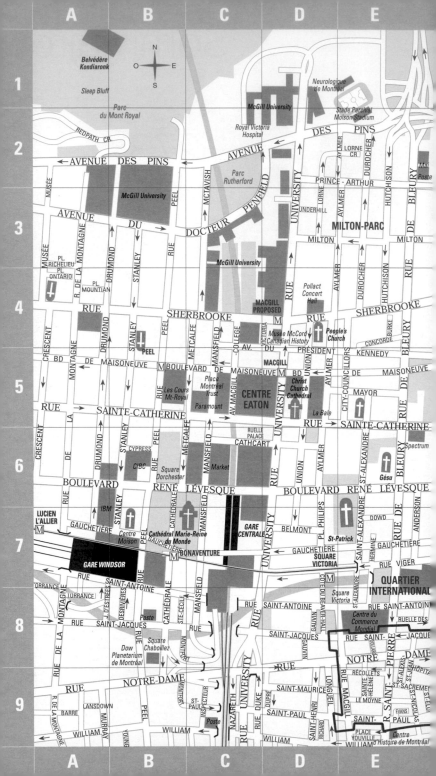

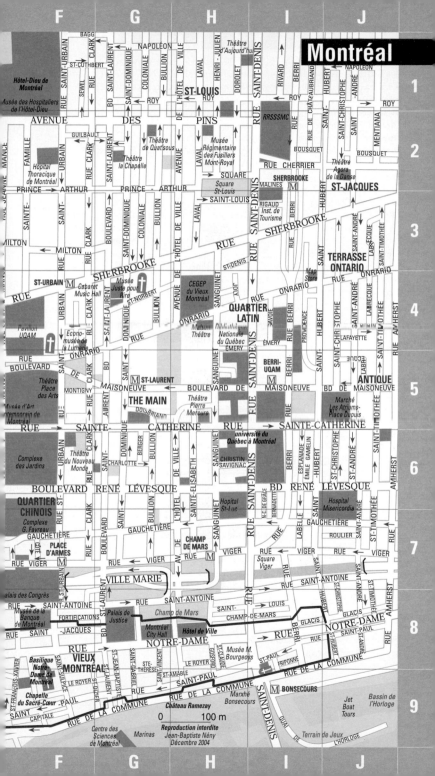

LE PETIT FUTÉ « MONTRÉAL 2007/2008 » **est co-édité par :**
Les Éditions Néopol Inc, 43 Av. Joyce, Montréal, QC, H2V 1S7. Tél : 514-279-3015. Fax : 514-279-1143. www.petitfute.ca. Courriel : redaction@petitfute.ca
Administrateurs : Gérard Brodin, Jonathan Chodjaï, Michael Galvez.
Au Québec. *Directeur de collection :* Jonathan Chodjaï.
Directrice de la rédaction : Maeva Vilain.
Directrice des ventes et du marketing : Audrey Lorans.
Design, infographie, photos et montage des publicités :* Noémie Roy Lavoie
Auteurs : Valérie Fortier, Alexandra Viau, Mélanie Alain, Cyril Beneche, Aurélie Berhault Lagel.
Régie publicitaire : Dominique Raymond, France Desrosiers, Marine Chiab.
Réviseure : Claire d'Hennezel.
Et par : Nouvelles Éditions de l'université © Dominique Auzias et Associés©.
14, rue des Volontaires – 75015 Paris Tel. 33 1 53 69 70 00 – Fax : 33 1 53 69 70 62.
Petit Futé, Petit Malin, Globe Trotter, Country guides et City Guides sont des marques déposées TM® ©.
En France : *Directeur des collections :* Dominique Auzias et Jean-Paul Labourdette.
Directeur des éditions voyage : Stéphan Szeremeta.
Responsables éditoriaux voyage : Patrick Maringe et Morgane Veslin.
Impression : Corlet, France *ISBN :* 9782746920361

REMERCIEMENTS

À toute l'équipe du Petit Futé au Québec, des graphistes aux correcteurs en passant par notre équipe commerciale, nous sommes fiers de vous avoir comme ambassadeurs. À nos partenaires dans cette aventure, à nos fidèles annonceurs sans qui ce guide ne serait pas ce qu'il est.

ENGAGEMENTS DU PETIT FUTÉ

• Les adresses sélectionnées englobent les endroits qui sont de notoriété publique mais aussi ceux qui gagnent à être connus et reconnus.
• Rien ne sert de courir, il faut penser futé. Tous les effort déployés pour ce guide sont le fruit d'un travail d'équipe visant à vous en faire profiter … Alors n'hésitez pas à en user et en abuser !
• Les guides du Petit Futé sont financés en partie par les ventes et en partie par la publicité.
• En aucun cas le contenu publicitaire ne dépassera 30 % du guide, et il n'aura pas d'influence sur les articles des annonceurs.
• Le Petit Futé n'est pas un distributeur d'étoiles, ni un donneur de notes, c'est l'expérience vécue que nous cherchons à retransmettre.
• L'honnêteté guide la description des auteurs, pour un contenu fiable et authentique et des adresses sélectionnées au service des lecteurs.
• L'utilisation du masculin dans ce guide est à titre générique et ceci pour alléger le texte.
• Votre avis, vos bons plans nous intéressent alors, écrivez-nous : redaction@petitfute.ca

avant-propos

Montréal gratuit

Parce qu'on ne peut pas tous les soirs se payer un restaurant ou une place au théâtre, voilà une liste d'activités gratuites à Montréal.

1. ENTRÉE LIBRE AUX MUSÉES

Musée des Beaux Arts. Entrée libre à tous moments à la riche collection permanente. (Par contre, les dons sont bienvenus)

Centre Canadien d'Architecture. Un bel édifice dans lequel des expositions explorent une facette méconnue de l'architecture de la ville. **Entrée libre le jeudi de 17h30 à 21h.**

Le Musée d'Art Contemporain. Entrée libre le mercredi de 18h à 21h.

Le Musée Redpath sur le campus de McGill. Consacré à l'histoire naturelle, il abrite plusieurs squelettes de dinosaures et des momies. Entrée libre en tous temps.

Musée de l'Oratoire Saint Joseph. Entrée libre en tous temps, ouvert tous les jours de 10h à 17h. Son exposition de 275 crèches différentes venant de 107 pays du monde est particulièrement impressionnante (novembre à février).

Musée de la Banque de Montréal. Entrée libre en tous temps, ouvert du lundi au vendredi de 10h à 16h. Son superbe hall et sa collection de pièces et de billets justifient une visite.

2. SPECTACLES

La programmation de la Tohu, Cité des arts du cirque, comprend de nombreux spectacles gratuits (cirque, musique, etc), de très bonne qualité. **Voir sur : www.tohu.ca**

En été, le Théâtre de Verdure, dans le parc Lafontaine diffuse des spectacles de danse, cinéma, théâtre qui attirent beaucoup de monde. **Pour la programmation : 514-872-2644.**

Les maisons de la culture, dans tous les quartiers organisent régulièrement des projections, spectacles de danse etc. **Programme sur : www.ville.montreal.qc.ca/ maisons**
Les quatre universités ouvrent leurs portes pour des projections de films, des conférences, des spectacles etc. **Vous trouverez les renseignements sur leur site :**
http ://www.mcgill.ca/calendar/
http ://www3.concordia.ca/events/
www.uqam.ca Puis cliquez sur événements
www.umontreal.ca Puis cliquez sur calendrier dans le cadre Actualités.
Les très nombreux festivals de Montréal offrent généralement des spectacles gratuits. C'est le cas notamment du Festival Montréal en Lumières en hiver et du Festival de jazz en été.

3. SPORTS
50 piscines intérieures (entrée libre ou peu chère), et de nombreuses piscines extérieures sont ouvertes aux nageurs.
Voir www.villemontreal.qc.ca
Six grands parcs nature sont accessibles au public. On peut y passer la journée, faire du ski de fond, du vélo, se baigner etc.
Voir www.villemontreal.qc.ca
Patinoires. En hiver, de nombreuses patinoires accueillent gratuitement les hockeyeurs et patineurs. Les deux plus grandes patinoires sont celle du Mont Royal et du parc Lafontaine.
Voir www.villemontreal.qc.ca
On trouvera sur le site l'état des patinoires.
Pistes cyclables. Il y a près de 350 km de pistes cyclables sur l'île de Montréal.

4. LECTURE LIBRE
La Bibliothèque nationale du Québec met en consultation une large sélection de journaux et magasines. **La section Actualités est ouverte tous les jours de 10h à minuit.**

La Bibliothèque nationale permet à ses adhérents d'emprunter des livres durant trois semaines. Il suffit de s'inscrire.
Le réseau des 55 bibliothèques municipales permet d'emprunter des livres et de lire des magasines sur place, près de chez soi.
Pour en savoir plus : www.ville. montreal.qc.ca/biblio/
Les quotidiens d'informations générales, Métro (distribués dans les stations de métro) et 24 heures (distribués à côté des stations) donnent une idée succincte de l'actualité.
Les hebdomadaires d'information sur l'actualité des sorties à Montréal (Voir, Ici, Hours) sont des lectures indispensables pour ceux qui veulent savoir ce qui se passe.

5. SURFER SUR LE WEB
Le réseau Île sans fils. Grâce aux conseils de cette association, une centaine de cafés et restaurants sont équipés d'antennes Wifi. Les détenteurs d'un ordinateur portable équipés d'une carte Wifi peuvent y surfer librement.
La Bibliothèque nationale du Québec et les bibliothèques municipales mettent des ordinateurs avec Internet à disposition des adhérents.

6. MUSIQUE ET FILMS
Une fois de plus, nous vous recommandons La Bibliothèque nationale du Québec et les bibliothèques municipales dont la collection de CD, DVD et cassettes vidéo est empruntable.
Visionner un film à la Bibliothèque nationale du Québec. Les adhérents peuvent réserver un poste de visionnement, sur place, et écouter un DVD.
Des projections de films ont lieu gratuitement, en été au Théâtre de verdure au parc Lafontaine. Il faut arriver très en avance pour avoir une place. **Programme : 514-872-2644.**

Asie

MIYAMOTO

Voir article p. 231

Quoi de mieux pour découvrir une culture que de cuisiner les plats traditionnels ? C'est pour cela qu'on vous recommande les cours de sushis chez Miyamoto. On apprend à faire des maki (rouleaux avec du poisson ou des légumes), des temaki (cylindre d'algue rempli de riz, de poisson cru et de légumes) et des nigiri (boule de riz avec une tranche de poisson par-dessus). Les cours ont lieu tous les dimanches et sont très populaires. Il est fortement conseillé de réserver à l'avance.

Quartier Chinois

MOKSHA YOGA

Voir article p. 241

Faire du yoga dans une belle salle avec vue sur le Mont Royal ... chauffée à 38° C ! La raison : reproduire les conditions climatiques dans lesquelles se pratiquait le yoga à ses débuts. Et puisqu'il est né en Inde, il fallait que la pièce soit très chauffée. Cela a de grands bienfaits sur le corps en aidant notamment à éliminer les toxines. La combinaison entre le yoga et la chaleur permet une relaxation intense.

Moksha Yoga

Magie des lanternes © Michel Tremblay

MAISON KAM FUNG

1111, rue Saint-Urbain, coin René-Lévesque
514-878-2888

Mº Place-d'Armes. 7h-15h brunch dim sum. 15 $. Sam-dim arriver avant 11h sinon 1h d'attente.

Une expérience vraiment exotique : un serveur apporte à chacun une assiette, des baguettes et un petit bol pour boire le thé. Ensuite, on repère les serveuses qui poussent un petit chariot. Dans chacun il y a un plat différent. Quand on voit quelque chose qui nous plait, on demande le plat, servi de suite ... à partager entre amis. On trouve des mets assez classiques, comme les bouchées vapeur à la crevette ou au porc, des nouilles sautées, des calmars à l'ail. Mais, si vous souhaitez pousser l'aventure et l'exotisme un peu plus loin, essayer les tripes de bœuf, vraiment bonnes ou encore les pattes de poulet.

MAGIE DES LANTERNES

Au Jardin Botanique
Septembre et octobre

Le Jardin de Chine du Jardin Botanique de Montréal se pare de centaines de lanternes de soie fabriquées à la main pour vous faire vivre une expérience des plus magiques. Pour souligner son 15e anniversaire, sous le thème « Entre Ciel et Terre », deux légendes chinoises servent d'inspiration pour cette exposition magnifique.

PAR CONTINENT

Afrique

AFRIQUE EN MOUVEMENTS

Voir article p 235

Une école de danse super chaleureuse et accueillante dans laquelle on découvre la diversité des danses et des percussions africaines. Une des activités très en demande présentement est le gumboots, une danse venue d'Afrique du Sud. Gumboots désigne les bottes en caoutchouc, qui se transforment pendant la danse en percussion : en dansant, on effectue des rythmes en tapant sur les bottes et dans les mains. Autre exemple d'activité originale : le baladi adapté aux femmes enceintes. Maya, la professeure montre, entre autre, comment balancer son bassin afin de vivre au mieux la grossesse et l'accouchement.

Spectacle @ Afrique en mouvements

NIL BLEU

Voir article p 136

Avez-vous déjà utilisé une crêpe pour piger vos aliments au centre d'un grand plat ? Si ça vous tente, on vous conseille de réserver une table au Nil Bleu. Ce restaurant éthiopien propose des mets délicieux que l'on a peu l'occasion de trouver ailleurs. La décoration est très sympathique et l'on mange assis par terre, autour d'une belle table ronde.

Les sens de Marrakech

LES SENS DE MARRAKECH

Voir l'article sur la boutique Planète Monde, p 15

Les sens de Marrakech, c'est une gamme de produits pour le corps absolument divins ! Des savons, des huiles, des gels douches et des gommages à base de sable du désert du Sahara. Les odeurs et les textures sont exquis. Chaque flacon contient de l'huile d'argane, produite exclusivement au Maroc et reconnue pour son action restructurante sur la peau, les ongles et les cheveux. Et que dire de l'emballage ? Chaque bouteille est revêtue d'une pièce de métal, faite à la main par des artisans marocains.

FESTIVAL NUITS D'AFRIQUE

12 au 22 juillet 2007
www.festivalnuitsdafrique.com

11 jours et nuits de folie sur des rythmes d'Afrique mais aussi des Antilles et d'Amérique latine. Le festival Nuits d'Afrique ne cesse de croître depuis sa création en 1987 par Laminé Touré : d'abord une seule journée, puis deux, puis trois, jusqu'à 11. Ce succès ne s'arrête pas là puisque aujourd'hui Nuits d'Afrique organise en fait un 'festival' permanent au Balattou. Une programmation à surveiller très régulièrement !

Festival Nuits d'Afrique

Europe

VISITES DES QUARTIERS ITALIENS ET PORTUGAIS

Voir l'article sur Kaleidoscope, p 260.
Les visites de chaque quartier se font séparément.

Quoi de plus passionnant que de se faire raconter les vagues d'immigrations tout en visitant la Petite Italie ou le quartier Portugais ? Dans chacun des quartiers, on fait le tour des instituions majeures : Églises, restaurants, boutiques etc. Ces visites sont organisées par Kaleidoscope, qui se définit comme « votre passeport pour la découverte des différentes cultures et des richesses patrimoniales de Montréal et de ses environs ». L'agence organise d'autres visites comme celles de temples bouddhistes, souffistes, siks et de différents quartiers (Vieux Montréal, Plateau Mont Royal, ville souterraine, etc)

VIEILLE EUROPE

Voir article p.117

Un concentré de tous les bons produits du Vieux Continent ! Des fromages délicieux, de la charcuterie, un large choix de chocolats, des biscuits, des cafés. Le tout pour des prix très raisonnables.

BALKANI

Voir article p. 119

Pour fêter l'arrivée de la Bulgarie et de la Roumanie dans l'Union européenne, on fonce chez Balkani. On y trouvera de nombreux produits typiques d'Europe de l'Est : pindjur (ratatouille aux légumes rôtis), marinades en conserves, cornichons polonais, sprats (petits poissons baltes), confiture d'églantine roumaine, pain d'épices russes et le shokata roumain (Fanta au sirop) qui ne peut être acheté qu'ici ! Les fins de semaine, on dégustera sur place de bonnes saucisses et de la choucroute.

MASSILLIA

Voir article p. 190

Que diriez-vous d'un bon verre de pastis dans une atmosphère du Sud de la France, avec en fond les cris du commentateur de foot lors des matchs de la Ligue des Champions ? Les plus sportifs pourront se « défouler » sur le terrain de pétanque, tandis que les chanteurs en herbe tenteront d'épater la galerie lors des soirées karaoké 100% français. Ambiance franchouillarde garantie en tout temps !

PAR CONTINENT

Amériques

OYEZ OYEZ PRODUCTION

www.oyez.ca

L'animation et la bonne boustifaille nous transportent aux prémisses de l'histoire du Québec ! Dans les deux restaurants l'Auberge du Dragon Rouge et le Cabaret du Roy l'ambiance nous transporte en Neuve-France. L'équipe de marmitons et d'animateurs peuvent également se déplacer pour donner une touche historique unique à votre événement.

SALSAFOLIE

www.salsafolie.com

Les amateurs de salsa trouveront leur bonheur avec les dimanches Salsafolie. En saison estivale, le Quai King-Edwards du Vieux-Port se transforme en piste de danse à ciel ouvert… muy caliente ! L'hiver, la fête déménage au Triplex du Forum Pepsi, question d'en profiter à l'année.

Tortillas @ Restaurant Mex-I

Restaurant Mex-I

SAMBA NO PÉ

Voir article p. 237

La Samba, danse nationale du Brésil, est depuis fort longtemps le symbole de la fête grâce à ses rythmes entraînants. On l'associe d'ailleurs fort souvent au très festif Carnaval de Rio. Que diriez-vous d'en faire pareil à l'école de danse Samba no pé (paillettes non comprises) ..

MEX-I

Voir article p.142

Un tout petit restaurant, une toute petite carte mais un grand coup de cœur pour ce resto mexicain du boulevard Saint-Laurent. La fratrie Martinez Ramos est si sympathique ! Les 3 sœurs et le frère, venus de la capitale du Mexique ont emporté avec eux la machine pour faire les tortillas. Autant vous dire que leur fraîcheur est garantie et qu'elles sont délicieuses. Preuve en est : des clients ont rapporté les tortillas de Mex-i en France, en Espagne et même aux Émirats Arabes Unis !

As de l'année

O.NOIR

1631, Sainte-Catherine O
514-937-9727
www.onoir.com

Lun-dim 17h30-24h, 1er service à
17h45 et 2e service à 21h. Ouvert le
midi pour les groupes de 15 et +. Ttes
les CC et Interac. TH midi 26-30$. TH
soir 30-37$.

Avez-vous déjà pensé à ce que vous
alliez ressentir en passant quelques
heures sans rien voir du tout ? Beaucoup
imaginent que nos sens se développent,
notamment le goût et le toucher. Pour
vous faire votre propre opinion, réservez
vite une table chez O.NOIR, un nouveau
restaurant dont la salle à manger est
plongée dans la noirceur totale. Avant
d'entrer dans la pièce on vous demande
de laisser tout ce qui pourrait éclairer :
briquet, allumette, cellulaire, etc.
Puis, vous serez guidé à votre table …
par un aveugle bien sûr ! L'équipe de
serveurs est constituée exclusivement de
personnel aveugle. 5 % des bénéfices du
restaurant sont versés à des associations
locales qui soutiennent des personnes
aveugles. Le concept d'O.NOIR a
remporté un grand succès en Europe, en
Australie, à Los Angeles et à New York.
L'idée est née d'une expérience originale
que faisait vivre Jorge Spielmann à
ses invités : ce pasteur suisse, aveugle,
bandait les yeux de ses hôtes pour leur
faire partager son expérience culinaire !

SPA LE FINLANDAIS

124, boul. Labelle
Rosemère
450-971-0055
www.spalefinlandais.com

Lun-jeu : 9h-21h, ven-sam 9h-22h,
dim :9h-21h. Entrée : 25 à 35$, en
fonction des horaires. Massage
(incluant l'entrée au spa) : 60 min : 80
–110$, 90 min : 145 –155$.

On en rêvait ! Un spa finlandais si
proche de Montréal qu'on pourrait y aller
le soir en sortant du travail. Le principe :
on passe du chaud (bain vapeur, sauna,
bain tourbillon) au froid (jet d'eau et
piscine extérieurs glacés) puis on se
repose dans une salle tempérée. Ce
passage du chaud au froid amène une
grande sensation de détente. Ce n'est
pas tout : ce nouveau spa est superbe.
L'architecture et le positionnement sur
la Rivière-des-Milles-Iles font que l'on
oublie complètement que l'on se trouve
à proximité d'un boulevard très passant.
Les vestiaires sont bien conçus, les salles
de repos ont une belle vue, certaines ont
même une cheminée. Autre atout : la
vitre dans le sauna et le bain vapeur. On
a beaucoup apprécié le silence qui règne
de toutes parts.

PLANETE MONDE

65, Fairmount O
514-504-9585
www.planetemonde.ca
Lun fermé, mar-mer 11-18 h, jeu-ven
11-20 h, sam 10-17h, dim 12-17h.

Planète Monde distribue de merveilleux produits pour le corps. Venus des quatre coins du monde, ils sont fabriqués dans des conditions socialement équitables et respectueuses de l'environnement. Ainsi les femmes du groupement Laafy sont payées décemment pour produire un savon au beurre de Karité. Les chaussures de la marque Worn Again sont faites principalement par des ouvriers chinois, correctement rémunérés. Ces chaussures sont fabriquées à partir de matériaux qui allaient être jetés, comme des tissus de parachutes militaires, des couvertures de prison, du cuir de sièges de voiture, etc ! Natyr, la branche beauté des Magasins du Monde Oxfam n'utilise que des produits naturels pour confectionner des crèmes, mousses nettoyantes, masques, etc. Beaucoup d'autres surprises à découvrir, dont des savons afghans ou un gommage fait à base de sable du désert du Sahara.

LE SAINT-BOCK

Voir article p. 203

Un nouveau venu sur la carte des brasseries artisanales, situé en plein cœur du sympathique Quartier latin. En attendant de pouvoir brasser ses produits sur place, le Saint-Bock se fait fier représentant des microbrasseries québécoises : Hopfenstark, Lièvre, Barberie, Trois Mousquetaires, … La liste des bières importées a de quoi faire saliver, et de nombreux produits rarissimes de ce côté de l'océan figurent au menu en tant qu'importations privées. Depuis son ouverture à l'automne 2006, l'endroit ne cesse de gagner en popularité et sa terrasse ouvrant sur la rue Saint-Denis est très prisée lors des beaux jours. Un service plus que courtois, une ambiance fort sympathique et d'excellentes bières pour tous les goûts… et tous les budgets. À mettre sur votre liste de bars à découvrir !

Tout le monde en parle

LES RETOMBÉES DU PREMIER PLAN STRATÉGIQUE DE DÉVELOPPEMENT DURABLE
http ://ville.montreal.qc.ca

La Mairie de Montréal vient de dévoiler son premier plan stratégique de développement durable qui vise à concilier la protection de l'environnement avec le développement responsable de Montréal. Rien de moins ! Concrètement, cela veut dire que la Mairie a pour objectifs : l'amélioration de la qualité de vie, une protection accrue de l'environnement et une croissance économique durable. Pour y parvenir, elle prévoit 36 actions. Parmi celles-ci, notons la réduction de la circulation automobile sur le Mont Royal, l'encouragement de l'autopartage, le remplacement de 500 automobiles de la ville par des véhicules plus verts, le développement de l'agriculture urbaine à Montréal, etc. Bref, on a bien hâte de voir les retombées de ce plan !

LE MONDE DU CORPS 2
Centre des Sciences de Montréal
Du 10 mai au 16 septembre

Après l'Europe, l'Asie et une partie de l'Amérique du Nord, c'est maintenant au tour de Montréal d'accueillir cette exposition, du 10 mai au 16 septembre 2007.

Gunther von Hagens a créé le Institute for Plastination en 1993 à Heidelberg, en Allemagne. Anatomiste de formation, ce scientifique se spécialise dans l'anatomie du corps humain d'une façon originale, plus que réaliste. Des corps humains morts sont dénudés de leur épiderme et les organes, muscles, tendons et autres, subissent le procédé de «plastination» pour leur conservation. Chaque corps effectue un mouvement différent, ce qui permet de comprendre le fonctionnement des muscles, des tendons, … Fascinante et captivante, cette exposition n'aura absolument rien de morbide et sera définitivement un « must-see » cet été.

Nouveautés de l'année

Les articles complets se trouvent dans les pages de ce guide.

À TABLE

UNE GRENOUILLE DANS LA THÉIÈRE
Un nouveau salon de thé dans lequel on se sent comme à la maison.

CAMELLIA SINENSIS
Ce salon de thé très renommé vient d'ouvrir une nouvelle boutique à côté du marché Jean Talon.

SAUM-MOM
Cette boutique spécialisée dans le saumon a ouvert une nouvelle boutique sur le boulevard Saint Laurent.

MAISON DES VINS ET BOISSONS ARTISANALES
Le Marché des Saveurs distribue depuis peu une belle sélection d'alcools québécois.

OLIVES ET CAFE NOIR
Une nouvelle épicerie fine spécialisée dans les produits du bassin méditerranéen.

M SUR MASSON
Un petit restaurant de Rosemont dont la qualité des plats assure une grande popularité.

LE PETIT BISTRO
Un nouveau bistro, au patron très chaleureux et à la cuisine délicieuse, pour des prix très raisonnables.

BISTRO L'AROMATE
Le bistro tenu par le célèbre Jean-François Plante vient d'ouvrir une deuxième adresse à Laval.

ROBIN DES BOIS
La cuisine et le service sont assurés par des bénévoles et les profits reversés à divers organismes de bienfaisance.

LIMON
Un nouveau restaurant mexicain, au design branché - mais pas trop - et à la cuisine traditionnelle.

PINTXO
Ce délicieux restaurant de tapas vient d'ouvrir une deuxième adresse, coin Saint Laurent et Sherbrooke.

ROSE BLANCHE
Cuisine viennoise, hongroise ou française dans un décor de maison de poupée.

LA PORTE
Une cuisine très raffinée et originale dans un cadre qui allie le charme de l'Orient avec la modernité de boulevard Saint Laurent.

NUANCES
Nouveau décor très design pour le restaurant du Casino de Montréal.

O.NOIR
Un concept très original : les clients mangent dans la noirceur totale afin d'expérimenter ce que toute personne aveugle vit au quotidien.

CHÂTEAU MÉDIÉVAL SIRE D'HOWARD
Ce « château » organise un dîner spectacle à saveur médiévale au cours duquel se déroulent de nombreuses épreuves d'adresse et un tournoi plein de rebondissements.

BARS

BENELUX
Brasserie artisanale spécialisée dans les bières d'inspiration américaine et belge.

LE SAINT-BOCK
Une nouvelle adresse à retenir pour les amoureux du houblon.

LOBBY BAR LOUNGE
Nouveau bar branché sur le Plateau avec menu de tapas et bar à martini.

MASSILLIA
Bar typiquement marseillais où le pastis et l'OM sont rois et maîtres !

BOUTIQUES

L'ATELIER GRIGORIAN
Une très vaste collection de CD de musique classique et de musique du monde.

RIEN À CACHER
Un bref coup d'œil sur leur collection de vêtements saura vous convaincre que se vêtir de bonne conscience ne se fait pas obligatoirement au détriment de la mode.

CRAZY LILY
Les consommateurs responsables y trouvent de très belles des créations québécoises pour hommes et femmes, fabriquées au Québec.

BLUME
Sophistiquée, chic et différente, cette boutique de fleurs saura ravir les plus exigeants.

MOLY KULTE
Une adresse éthique, rigolote et branchée pour hommes et femmes en quête d'originalité.

agenda

ÉTÉ 2007

BIENNALE DE MONTRÉAL 2007
Du 10 mai au 8 juillet 2007
514-288-0811
www.ciac.ca
Organisée par le Centre international d'art contemporain
de Montréal (CIAC), la Biennale 2007 présentera
les œuvres d'une soixante d'artistes sous le thème
« Remuer ciel et terre ».

GRAND PRIX DU CANADA
Du 8 au 10 juin 2007
514-350-0000
www.grand-prix.ca
Les meilleurs pilotes du monde se disputent une des étapes du
championnat du monde de Formule 1. À surveiller : les différents
événements entourant le week-end dont la journée portes ouvertes.

NUIT BLANCHE SUR TABLEAU NOIR
Du 7 au 10 juin 2007
514-522-3797
www.tableaunoir.com
Sur l'avenue du Mont-Royal. L'événement en arts visuels
de Montréal... dans la rue, les parcs et autres endroits
publics. À ne pas manquer : l'événement de « street
painting » durant la nuit du 7 au 8 juin.

FESTIVAL INTERNATIONAL DE JAZZ DE MONTRÉAL
Du 28 juin au 8 juillet 2007
514-871-1881
www.montrealjazzfest.com
Festival de renommée mondiale
regroupant les grands noms du
Jazz. Plus de 500 concerts, dont
350 gratuits, répartis sur 10 scènes
extérieures et en salle.

FÊTE NATIONALE DU QUÉBEC
Le 24 juin 2007
514-849-2560
www.fetenationale.qc.ca
Festivités organisées pour
la célébration de la St-
Jean dans de nombreux
quartiers de la ville ainsi
qu'un défilé de jour et le
Grand Spectacle au Parc
Maisonneuve.

MAI | JUIN

ST-AMBROISE FRINGE FESTIVAL
Du 7 au 17 juin 2007
514-849-3378
www.montrealfringe.ca
Festival international de l'expression libre qui
mêle théâtre, danse et musique. Plusieurs
spectacles, en anglais et en français,
proposés par plus de 80 troupes du monde
entier sur dix jours.

L'INTERNATIONAL DES FEUX LOTO-QUÉBEC
Du 20 juin au 28 juillet 2007
514-397-2000
www.internationaldesfeuxloto-quebec.com
Compétition d'envergure internationale d'art
pyromusical. Assistez à l'événement depuis
le pont Jacques-Cartier ou une des rives du
Fleuve Saint-Laurent : des places de choix
et gratuites !

FRÉNÉSIE DE LA « MAIN »
Du 14 au 17 juin 2007
514-286-0334
www.boulevardsaintlaurent.com
Festival de sons, de rythme et de saveurs qui célèbre la diversité culturelle de la « Main ». Dans
le cadre d'une promotion commerciale, vous pourrez profiter des aubaines de plus de 300
marchands. Terrasses, spectacles, musique du monde et plus encore.

PRÉSENCE AUTOCHTONE
Du 10 au 21 juin 2007
(site extérieur gratuit le 15-16-17)
514-278-4040
www.nativelynx.qc.ca
Ce festival présente des spectacles, concerts, projections de films, expositions, pièces de théâtre,
tous inspirés par des mythes et des coutumes ancestrales des Premières Nations.

FESTIVAL INTERNATIONAL NUITS D'AFRIQUE
Du 12 au 22 juillet 2007
(site extérieur : du 20 au 22 juillet)
514-499-9239
www.festivalnuitsdafrique.com
Un festival d'été unique en Amérique du Nord, regroupant les meilleures formations de la scène africaine, antillaise et sud-américaine.

FESTIVAL INTERNATIONAL DE LANAUDIÈRE
Du 7 juillet au 5 août 2007
450-759-7636
www.lanaudiere.org
Le festival d'été de musique classique le plus important au Canada où une trentaine de concerts sont présentés dans un cadre enchanteur, à 30 min de Montréal.

LES WEEK-ENDS DU MONDE
Les 14-15-21-22-28-29 juillet
et du 23 au 26 août 2007
514-872-1111
www.parcjeandrapeau.com/evenements/interculturel.asp
Une célébration de la diversité culturelle avec des spectacles, de la gastronomie venus de plus de 50 pays d'Asie, d'Afrique, des Caraïbes et d'Amérique latine. Le tout en plein air, dans le Parc Jean Drapeau.

LES FRANCOFOLIES DE MONTRÉAL
Du 26 juillet au 5 août 2007
514-876-8989
www.francofolies.com
Un événement musical avec des artistes francophones d'Europe, d'Afrique, des Antilles. Spectacles dans plusieurs salles et à l'extérieur.

JUILLET

FÊTE DU CANADA
Le 1er juillet 2007 - 514-866-9164
www.celafete.ca
La fête nationale est l'occasion de nombreuses activités familiales et gratuites : jeux, musique, spectacles et, les traditionnels feux d'artifice !

FESTIVAL INTERNATIONAL DE REGGAE
Du 13 au 15 juillet 2007
514-448-8383
www.montrealreggaefestival.com
Festival principalement dédié à la musique reggae mais qui comprend également d'autres styles musicaux ainsi qu'un volet pour les arts visuels, la poésie et la danse.

FESTIVAL FANTASIA
Du 5 au 23 juillet 2007
www.festivalfantasia.com
Festival dédié au film fantastique (fantastique, action, comédie, suspense et thriller).

FESTIVAL JUSTE POUR RIRE
Du 8 au 29 juillet 2007
(site extérieur : du 12 au 22 juillet)
514-845-2322
www.hahaha.com
L'un des festivals les plus populaires de Montréal qui fait vibrer le Quartier latin avec humoristes, amuseurs publics, troupes de théâtre de rue du monde entier.

FESTIVAL INTERNATIONAL DES COURSES DE BATEAUX-DRAGONS
Les 28 & 29 juillet 2007
514-866-7001
www.montrealdragonboat.com
Un événement sportif regroupant des équipes de partout dans le monde. Au programme également : spectacles, cuisine chinoise, artisanat.

ÉTÉ 2007

FESTIVAL INTERNATIONAL DE LANAUDIÈRE
Du 7 juillet au 5 août 2007
450-759-7636
www.lanaudiere.org
Le festival d'été de musique classique
le plus important au Canada où une
trentaine de concerts sont présentés
dans un cadre enchanteur, à 30 min
de Montréal.

LA FÊTE BIO PAYSANNE
Du 10 au 12 août 2007
514-376-8648
www.tohu.ca
Cette fête a pour but de promouvoir l'alimentation
biologique locale ainsi que l'environnement et
l'agriculture à dimension humaine. L'événement se
tient à la TOHU, la Cité des arts du cirque.

LES FRANCOFOLIES DE MONTRÉAL
Du 26 juillet au 5 août 2007
514-876-8989
www.francofolies.com
Un événement musical avec
des artistes francophones
d'Europe, d'Afrique, des
Antilles. Spectacles dans
plusieurs salles et à l'extérieur.

LES WEEK-ENDS DU MONDE
Les 14-15-21-22-28-29 juillet
et du 23 au 26 août 2007
514-872-1111
www.parcjeandrapeau.com/evenements/interculturel.asp
Une célébration de la diversité culturelle avec des
spectacles, de la gastronomie venus de plus de 50 pays
d'Asie, d'Afrique, des Caraïbes et d'Amérique latine. Le
tout en plein air, dans le Parc Jean Drapeau.

AOÛT

FESTIVAL DIVERS/CITÉ
Du 1er au 5 août 2007
514-285-4011
www.diverscite.org
Un des plus importants événements de
la fierté gaie et lesbienne en Amérique
du Nord, qui attire plus d'un million de
festivaliers. Communauté, culture, folie,
insomnie... et le fameux Défilé de la Fierté.

FESTIBLUES INTERNATIONAL DE MONTRÉAL
Du 9 au 12 août 2007
514-337-8425
www.festiblues.com
Rencontre des meilleurs artistes de blues en
provenance du Québec, du Canada et de
France sur deux scènes extérieures.

LA SÉRIE BUSCH DE NASCAR
Les 3 & 4 août 2007
514-397-0007
www.circuitgillesvilleneuve.ca
Grande première à Montréal pour la
compétition de course automobile de la Série
Busch de NASCAR.

OSHEAGA FESTIVAL MUSIQUE ET ARTS
Les 1er & 2 septembre 2007
www.osheaga.com
Osheaga regroupe les grands noms de la
musique, en plein air, au cœur du Parc Jean-
Drapeau.

MASTERS DE TENNIS DU CANADA - COUPE ROGERS
Du 4 au 12 août 2007
514-273-1515
www.rogerscup.com
Tournoi de tennis qui réunit les meilleurs
joueurs au monde sur le circuit
professionnel international.

FESTIVAL DES FILMS DU MONDE
Du 23 août au 3 septembre 2007
514-848-3883
www.ffm-montreal.org
Tous les pays et les genres se rassemblent pour cette
grande compétition cinématographique. Certains
films et spectacles se donnent gratuitement en plein
air, en face de la Place des Arts et d'autres sont
payants et joués en salle.

AUTOMNE 2007

LES JOURNÉES DE LA CULTURE
Du 28 au 30 septembre 2007
514-873-2641
www.culturepourtous.ca/journeesdelaculture
Depuis 1997, des centaines d'institutions et d'ateliers d'artistes
ouvrent leurs portes aux personnes curieuses de découvrir ou
de mieux connaître le milieu culturel de leur ville.

SALON INTERNATIONAL TOURISME VOYAGES
Du 26 au 28 octobre 2007
514-527-9221
www.salontourismevoyages.com
Plus de 100 pays viennent présenter leurs attraits
touristiques majeurs. Pratique pour acheter son prochain
voyage ou pour faire le tour du monde en une journée.

LA MAGIE DES LANTERNES
Du 7 septembre au 31 octobre 2007
514-872-1400
www.museumsnature.ca
Un événement magique où des centaines de lanternes de soie
fabriquées à la main en Chine sont exposées dans le magnifique
Jardin de Chine. Le jardin botanique ouvre exceptionnellement
jusqu'à 21h pour l'occasion.

FESTIVAL INTERNATIONAL DU FILM D'AVENTURE DE MONTRÉAL
Du 24 au 27 octobre 2007
514-277-3477
www.espaces.qc.ca/fifam/
Le FIFAM présente une
sélection des meilleurs courts
et longs métrages provenant
de partout dans le monde
avec en plus, des débats, des
conférences, des expositions
de photos, etc.

FESTIVAL DE MUSIQUE POP MONTRÉAL
Du 3 au 7 octobre 2007
514-842-1919
www.popmontreal.com
La scène internationale
musicale indépendante se
donne rendez-vous à POP
Montréal, un festival pour les
amoureux de la musique au
sens le plus pur.

SEPTEMBRE   OCTOBRE

FESTIVAL DU MONDE ARABE DE MONTRÉAL
Du 26 octobre au 11 novembre 2007
514-747-0000
www.festivalarabe.com
Ce festival multidisciplinaire comprend
spectacles, créations, débats et cinéma
favorisant l'exploration, la découverte et la
compréhension de la culture arabe.

FESTIVAL DE LA SANTÉ OASIS ET MARATHON INTERNATIONAL DE MONTRÉAL
9 septembre 2007
514-879-1027
www.festivaldelasante.com
Un évènement pluridisciplinaire populaire englobant
plusieurs activités portant sur l'importance de l'activité
physique et ses bénéfices pour la santé.

FESTIVAL BLACK & BLUE
Du 3 au 9 octobre 2007
514-875-7026
www.bbcm.org
Le Black & Blue regroupe une soixantaine
d'activités variées s'adressant à la
communauté gaie et à ses amis. Cette année,
le thème du party principal est « Power

LA GRANDE MASCARADE
Les 26-27-28 & 31 octobre 2007
www.grandemascarade.com
Une foule d'activités plus lugubres les
unes que les autres vous attendent
pour la 4e édition de ce festival
d'Halloween se déroulant dans les
rues et places du Vieux-Montréal.

FESTIVAL DU NOUVEAU CINÉMA DE MONTRÉAL
Octobre 2007
514-282-0004
www.nouveaucinema.ca
Ce festival est dédié à la diffusion et au développement des nouvelles tendances dans le domaine
du cinéma d'auteur, de la vidéo indépendante et des nouveaux médias.

AUTOMNE 2007

HIVER 2007-2008

RENCONTRES INTERNATIONALES DU DOCUMENTAIRE DE MONTRÉAL
Du 8 au 18 novembre 2007
514-499-3676
www.ridm.qc.ca
Une tribune unique en Amérique du Nord pour le cinéma documentaire de création ouvrant une réflexion sur les réalités du monde actuel.

SALON DES MÉTIERS D'ART DU QUÉBEC
Du 7 au 22 décembre 2007
514-861-2787
www.salondesmetiersdart.com
Exposition-vente d'objets d'art avec plus de 450 exposants présentant leurs créations. Une foule d'idées originales pour les cadeaux de Noël.

COUP DE CŒUR FRANCOPHONE
Du 1er au 11 novembre 2007
514-253-3024
www.coupdecoeur.qc.ca
Événement pancanadien, présenté dans une vingtaine de villes au Canada, dédié à la chanson francophone.

JOYEUX DÉCEMBRE
Du 7 au 24 décembre 2007
514-522-3797
www.joyeuxdecembre.com
L'Avenue du Mont-Royal célèbre le temps de fêtes, avec la Marche aux Flambeaux, des spectacles, des contes, un concert de Noël, etc.

NOVEMBRE

DÉCEMBRE

SALON DU LIVRE DE MONTRÉAL
Du 15 au 19 novembre 2007
514-845-2365
www.salondulivredemontreal.com
En plus de promouvoir la littérature québécoise, canadienne et internationale, ce salon vous emmènera au-delà de la lecture grâce à ses multiples activités : lancements, tables rondes, rencontres avec des auteurs, etc.

LES FÉERIES DE NOËL
Du 7 au 31 décembre 2007
www.lesfeeriesdenoel.info
L'événement du temps des fêtes à ne pas manquer au cœur du Vieux-Montréal et sur les Quais du Vieux-Port. Une foule d'activités durant tout le mois se clôturant par la célébration du Nouvel An, Place Jacques-Cartier.

IMAGE&NATION
Du 15 au 25 novembre 2007
www.image-nation.org
Festival de renommée internationale sur le circuit du cinéma indépendant gai et lesbien, regroupant les meilleurs films des quatre coins du monde.

THE WILDSIDE FESTIVAL
Du 8 au 19 janvier 2008
514-288-8575
www.centaurtheatre.com
D'excellentes performances théâtrales, souvent étonnantes, présentées par des créateurs d'ici et d'ailleurs. Représentations en anglais uniquement.

FESTIVAL VOIX D'AMÉRIQUE
Du 1er au 8 février 2008
514-495-1515
www.fva.ca
Le FVA, est renommé pour ses lectures, contes, la poésie performée sur scène ainsi que le « spoken word », le tout accompagné d'improvisation musicale.

FÊTE DES NEIGES DE MONTRÉAL
Du 26 janvier au 10 février 2008
(à confirmer) - 514-872-6120
www.fetedesneiges.com
Une foule d'activités attendent les amoureux de l'hiver et du plein air : glissade sur tubes, sentier des patineurs, traîneaux à chiens, sculpture sur glace et sur neige, etc.

FESTIVAL MONTRÉAL EN LUMIÈRE
Du 21 février au 2 mars 2008
514-288-9955
www.montrealenlumiere.com
Trois festivals en un qui réunissent les meilleurs talents d.ici et d'ailleurs dans des domaines aussi variés que la danse, le théâtre, la musique et les arts de la table. Site extérieur gratuit pour La Fête de la Lumière.

JANVIER

FÉVRIER

LES RENDEZ-VOUS DU CINÉMA QUÉBÉCOIS
Du 14 au 24 février 2008
514-526-9635
www.rvcq.com
Ce rendez-vous a pour objectif de promouvoir le cinéma québécois au Canada et à l'étranger par le biais de rencontres entre public et artisans du cinéma, d'évènements divers et d'une présentation de plus de 150 films ou vidéos.

PAPILLONS EN LIBERTÉ
De fin février à fin avril 2008
514-872-1400
www.museumsnature.ca
Des centaines de papillons volant librement autour de nous dans une grande serre au climat tropical, remplie de végétation dense parfumée par les fleurs exotiques.

FESTIVALISSIMO
Février ou mars 2008
514-737-3033
www.festivalissimo.net
Ce festival ibéro-latino-américain de Montréal vient réchauffer la ville chaque année au rythme de concerts et spectacles de danse, de projections des meilleurs films latinos, d'expositions, etc.

PRINTEMPS 2008

LE TEMPS DES SUCRES
Mars 2008
514-872-1400
www.museumsnature.ca
Tous les week-ends et durant la semaine de relâche, la Maison de l'Arbre du Jardin Botanique offre des dégustations des produits de l'érable.

NUIT BLANCHE À MONTRÉAL
Le 1er mars 2008
Dans le cadre du Festival Montréal en Lumière, toute une nuit durant, les noctambules peu frileux pourront profiter des nombreux parcours, activités et spectacles offerts dans toute la ville. Un service de navette gratuit relie les différents sites pendant la nuit.

BAL EN BLANC
Du 20 au 24 mars 2008
www.balenblanc.com
Durant quelques jours, musique, mode, danse et design sont à l'honneur de cet événement relié à la culture urbaine. Le point culminant : le Bal en Blanc, où plus de 10 000 personnes toutes de blanc vêtues, dansent au rythme des morceaux joués par les DJs invités.

FESTIVALISSIMO
Février ou mars 2008
514-737-3033
www.festivalissimo.net
Ce festival ibéro-latino-américain de Montréal vient réchauffer la ville chaque année au rythme de concerts et spectacles de danse, de projections des meilleurs films latinos, d'expositions, etc.

MARS

AVRIL

FESTIVAL INTERNATIONAL DU FILM SUR L'ART
Du 13 au 23 mars 2008
514-874-1637
www.artfifa.com
Projections de films sur la création artistique, que ce soit sur la danse, la peinture, la sculpture, l'architecture, le design, le théâtre, la photographie, le cinéma, l'histoire de l'art, la littérature et la musique.

FESTIVAL LITTÉRAIRE INTERNATIONAL DE MONTRÉAL - METROPOLIS BLEU
Avril 2008
514-937-2538
www.metropolisbleu.org
Metropolis Bleu réunit plus de 250 auteurs, musiciens, journalistes et éditeurs venus du monde entier pour cinq jours d'activités littéraires en plusieurs langues.

DÉFILÉ DE LA SAINT-PATRICK
Le 16 mars 2008
www.montrealirishparade.com
Célébration colorée en l'honneur de St-Patrick, le saint patron des Irlandais (à savoir que 4 millions de Canadiens ont des ancêtres irlandais). Plus de 4 000 participants, 40 chars allégoriques, 45 fanfares !

LES SYMPHONIES PORTUAIRES
Les 2 & 9 mars 2008 (à confirmer)
514-872-9150
www.pacmusee.qc.ca
Véritable tradition montréalaise, cette symphonie en plein air fait retentir sirènes de bateaux, sifflets de train, cloches d'églises, et bien d'autres.

JOURNÉES DU CINÉMA AFRICAIN ET CRÉOLE
Du 17 au 27 avril 2008
514-990-3201
www.vuesdafrique.org
Plus de 80 œuvres en provenance de 40 pays. Projections de courts et longs métrages, fictions et documentaires, suivis de débats avec les auteurs.

MUTEK, FESTIVAL INTERNATIONAL DE MUSIQUE, SON ET NOUVELLES TECHNOLOGIES
Du 28 mai au 1er juin 2008
514-392-9251
www.mutek.ca
Pour les adeptes de musique électronique et de création sonore issues des nouvelles technologies, le tout agrémenté de conférences et d'ateliers.

JOURNÉE DES MUSÉES MONTRÉALAIS
Le 25 mai 2008
514-845-6873
www.museesmontreal.org
Cette journée porte ouverte est l'occasion pour le public de découvrir la diversité et la richesse des musées montréalais et de développer le goût de les visiter tout au long de l'année.

PIKNIC ELECTRONIK
De fin mai à fin septembre 2008
www.piknicelectronik.com
Rendez-vous dominical pour les adeptes de musique électronique. Ambiance bon enfant l'après-midi et plus festive en soirée... bref, de bons moments à partager en famille ou entre amis !

COUPE DU MONDE CYCLISTE
Fin mai 2008
450-471-8214
www.coupe-du-monde-cyclisme.org
Étape montréalaise du circuit de la Coupe du Monde du cyclisme féminin,

MAI | JUIN

ELEKTRA, FESTIVAL ART NUMÉRIQUE
Mai 2008 - 514-524-0208
www.elektrafestival.ca
Manifestation culturelle de haut calibre alliant musique électronique de pointe et création visuelle (animation, robotique, installation).

LE MONDIAL DE LA BIÈRE
Du 28 mai au 1er juin 2008
514-722-9640
www.festivalmondialbiere.qc.ca
C'est l'événement montréalais pour les bièrophiles. On trouvera plus de 350 bières différentes, de cidres, d'hydromels, le tout agrémenté de délices du terroir québécois.

FESTIVAL PLEIN AIR
Mai 2008
514-277-3477
www.esapces.qc.ca/plein_air/
L'événement à ne pas manquer pour les amoureux du plein air et du tourisme : essais d'équipements, démonstrations d'activités, cours de perfectionnement, sorties guidées, etc.

À CHACUN SON QUÉBEC... AVEC LE

petit futé

On a tous besoin d'un plus **Petit Futé** que soi ...

Les Éditions Néopol, Inc.
43, avenue Joyce, Montréal (Québec) H2V 1S7

téléphone (514) 279-3015 fax (514) 279-1143 site internet www.petitfute.ca courriel redaction@petitfute.ca

découvrir
Montréal

Deuxième ville du Canada après Toronto, place financière et commerciale particulièrement dynamique, centre portuaire de tout premier ordre sur la voie fluviale reliant les Grands Lacs à l'Atlantique, Montréal est la seconde ville francophone du monde après Paris. Elle est la seule ville du Canada à avoir su concilier les influences du Vieux Continent et la modernité nord-américaine, à avoir pu réunir les communautés anglophone et francophone que l'histoire a longtemps opposées, et à avoir réussi à intégrer une mosaïque ethnique issue de l'immigration. C'est aussi un agglomérat de villes et villages jadis distincts et une métropole culturelle d'une grande vitalité.

HISTOIRE

Hochelaga, Ville-Marie, Mont-Royal

Avant l'arrivée des Français au Canada, la plupart des sites qui allaient devenir des lieux de colonisation étaient occupés par les Amérindiens, longtemps nommés Indiens puisque les découvreurs du Nouveau Monde s'étaient fixé comme objectif la découverte d'un passage vers les Indes. Premiers habitants de l'île de Montréal, établis dans le village d'Hochelaga, au pied du mont Royal, les Mohawks, appartenant à la nation iroquoise, étaient les alliés des colons français, quand ils ne choisissaient pas le camp des Anglais. Exemple de ces revirements d'alliances, l'incident qui eut lieu à Lachine et qui fut le plus sanglant qui ait marqué l'histoire du Québec : dans la nuit du 4 au 5 août 1689, les Iroquois détruisirent le village, brûlant la plupart de ses maisons et tuant, semble-t-il, 200 habitants.

À l'arrivée des Blancs se trouvait sur l'île une bourgade indienne, Hochelaga. Jacques Cartier, découvreur de la Nouvelle-France, visita l'endroit en 1535. Par ailleurs, un campement indien aurait été établi sur l'actuel campus de l'université McGill. C'est à Jacques Cartier que le mont Royal doit son nom. L'ayant gravi, il se serait exclamé, émerveillé par le panorama : « C'est un mont réal ! », alors que le baptême de l'île Sainte-Hélène, située juste en face de l'actuel centre-ville de Montréal, revient à Samuel de Champlain, fondateur de la ville de Québec. Le mont Royal, seule éminence visible à des kilomètres à la ronde, était déjà, et demeure le pôle d'attraction, l'élément qui caractérise le mieux Montréal. Une première croix y fut plantée par Maisonneuve en 1643, en remerciement pour le sauvetage de la colonie menacée d'inondation.

C'est à titre de mandataire de la Société de Notre-Dame que Paul de Chomedey, sieur de Maisonneuve, établit le 17 mai 1642 une première poignée de Français sur l'île de Montréal. Ce premier établissement, nommé Ville-Marie, était créé dans le but avoué de convertir les Indiens ou « sauvages », comme on avait alors l'habitude de les appeler. Ce qui allait devenir bien plus tard la métropole du Canada comptait, à ses débuts, une quarantaine de colons, parmi lesquels se trouvaient Marguerite Bourgeoys et Jeanne Mance. Cette dernière allait, la même année, créer un premier hôpital, l'Hôtel-Dieu. L'institution a perduré mais changé de site.

Marguerite Bourgeoys, devenue il y a quelques années la première sainte québécoise, ouvrit une école de jeunes filles en 1658. C'est ainsi que les femmes imprimeront très tôt leur marque dans l'histoire de Montréal. En 1731, Marguerite d'Youville fonda la congrégation des Sœurs de la Charité. Mieux connues sous le nom de Sœurs grises, celles-ci prirent en charge l'hôpital des frères Charron et bien d'autres œuvres.

Mais les femmes furent surtout les génitrices responsables du peuplement du pays, car le taux de natalité était très élevé au Canada. Ainsi, en 1660, Montréal comptait 400 habitants ; vingt ans plus tard, on en dénombrait 1 300, majoritairement canadiens. Vers 1700, la population atteignait 3 000 personnes.

En 1860, Montréal, communauté de 90 000 habitants, se concentrait autour de la place d'Armes et ne débordait pas de la rue Sherbrooke. Un siècle plus tard, le square Dominion (Dorchester) devenait le cœur de l'activité urbaine.

La Société de Notre-Dame, à l'origine de la fondation de Montréal, allait vite se ruiner dans cette entreprise mystique de conversion des Indiens : elle devra vendre la seigneurie de l'île de Montréal au séminaire de Saint-Sulpice, à Paris. Ce changement de propriétaire s'accompagnera d'un changement de statut instauré par le nouveau roi de France, Louis XIV. Montréal deviendra ainsi un comptoir commercial. Des conflits avec Québec, le chef-lieu, ayant éclaté, Maisonneuve, gouverneur de Montréal, devra rentrer en France où il finira ses jours.

La foi et la France

Les premières rues de Montréal sont tracées en 1672 par le supérieur du séminaire, Dollier de Casson, un fort gaillard de près de 1,92 mètre qui avait été d'abord soldat. Si le clergé et les communautés religieuses jouaient un rôle important dans le développement de la ville, créant des établissements hospitaliers et scolaires, la foi aidait à préserver la langue et la culture françaises face aux différentes vagues d'immigration et tentatives d'assimilation du Canada anglais.

Les guerres, menées à la fois contre les Indiens (en 1644, Maisonneuve avait dû tuer d'un coup de pistolet un Iroquois lors d'une confrontation à Pointe-à-Callière) et contre les Anglais, contraindront les autorités à fortifier la ville et ce, malgré la signature en 1701 par les Sulpiciens, seigneurs de l'île,

Vue du centre-ville depuis le sommet du Mont Royal

d'un traité de paix avec les Iroquois. Les vestiges d'un mur de pierre ont été mis au jour, derrière l'hôtel de ville, pour les célébrations du 350e anniversaire de la fondation de Montréal, en 1992. La ruelle des Fortifications témoigne encore de l'emplacement des murs du côté nord. Ces mesures de protection ne freineront cependant les convoitises ni des Anglais (signature de la capitulation de la Nouvelle-France à Montréal, en 1760), ni des Américains qui s'installeront à Montréal pour une brève période en 1775 et 1776. En fait, ces murs ne protégeaient pas vraiment dans la mesure où les maisons, construites sur un terrain en dos d'âne, les surplombaient.

C'est un Français, ami des Américains, Fleury Mesplet, qui créera, en 1778, le tout premier journal du Québec, la Gazette du commerce et littéraire pour la ville et le district de Montréal. Imprimé au Château Ramezay, ancienne résidence du gouverneur de Montréal et aujourd'hui musée historique, cet hebdomadaire bilingue est devenu The Gazette. Ainsi, le plus vieux journal de Montréal est aujourd'hui le seul quotidien anglophone de la ville.

Située à l'extrémité navigable du fleuve Saint-Laurent et au confluent des voies fluviales donnant accès à l'intérieur du continent et menant jusqu'à la Louisiane et au Pacifique, Montréal fut longtemps le centre économique, militaire et administratif du nouveau pays. Les premières institutions parlementaires y ont vu le jour. La première activité commerciale florissante fut celle de la fourrure.

Le deuxième port des Amériques

La situation insulaire de Montréal sur ce grand fleuve s'ouvrant sur une riche portion de l'Amérique industrielle contribuera au développement économique de la ville. L'année 1824 sera, à cet égard, une date importante : l'ouverture du canal de Lachine

permettant en effet de contourner les tumultueuses rapides du même nom. Des industries s'implantent aux abords de cette voie de navigation, qui lance l'ère de l'industrialisation. Sur le site aujourd'hui abandonné, on a aménagé des sentiers pédestres et une piste cyclable. Depuis 1959, c'est par la voie maritime du Saint-Laurent que les bateaux transocéaniques peuvent remonter le fleuve jusqu'aux Grands Lacs.

Au fil du temps et avec la croissance économique, le port va accaparer toutes les berges du fleuve et occuper jusqu'à 24 mètres de quais. Le Vieux Montréal est progressivement délaissé, ses bâtiments historiques sont convertis en entrepôts, tandis que la ville se répand de tout côté. Seule la montagne pourra résister aux assauts des spéculateurs et des constructeurs. Source majeure du développement de la ville en 1880, le port de Montréal ne cède qu'à New York le titre de plus grand port d'Amérique. Montréal est alors le terminus canadien du vaste réseau ferroviaire nord-américain. L'essor industriel a amené d'abord les Irlandais, puis les Italiens et les Juifs qui vont composer les importantes minorités culturelles de cette jeune métropole, redevenue francophone de plein droit beaucoup plus tard.

Une décision administrative prise en 1792 aura un impact important sur la ville, qui sera alors divisée en deux parties, Est et Ouest, à partir du boulevard Saint-Laurent. Traversant l'île du sud au nord depuis le début de son histoire, le boulevard Saint-Laurent constitue aujourd'hui la démarcation entre l'ouest et l'est de la ville, et sert un peu de frontière entre francophones et anglophones, alors que les communautés ethniques se sont établies le long de cet axe, au fil de leurs migrations.

Montréal sera administrée par des gouverneurs qui se succéderont jusqu'à ce que le roi William IV donne son accord au projet d'incorporation de la ville. En 1833, un premier maire, Jacques Viger (1787-1858), est élu par le premier conseil de ville. En 1844, Montréal

Quelques dates importantes

1535. Jacques Cartier explore le Saint-Laurent jusqu'à l'île de Montréal.

1642. Ville-Marie, la future Montréal, est fondée par Paul de Chomedey. Une petite colonie s'établit sur les berges du Saint-Laurent.

1701. Les Amérindiens signent la paix, et les colons se lancent dans la traite de la fourrure.

1760. Les troupes britanniques s'emparent de la colonie. La Nouvelle-France passe sous contrôle anglais.

1775. Le vent de la révolution passe par Montréal, les insurgés américains gagnent l'adhésion des colons.

1801. La vieille ville déborde de ses remparts que l'on doit démolir.

1945. Émergence de la communauté francophone de Montréal dans le domaine des arts, des sciences et du commerce.

1967. Exposition universelle

1976. Jeux Olympiques d'été.

---

devient, pour quelques années, la capitale du Canada-Uni. En 1849, l'édifice du Parlement est la proie d'un incendie criminel.

L'année 1824, qui a vu l'ouverture du canal de Lachine, est également marquée par le début des travaux de construction de l'église Notre-Dame qui, après avoir longtemps dominé le paysage urbain, est aujourd'hui un indispensable rendez-vous pour les visiteurs. On y apprécie les qualités des artisans québécois tout en retrouvant sur les vitraux l'histoire de la ville. En face, sur la place d'Armes, un monument représente le fondateur de Montréal, Maisonneuve.

Cent clochers et quelques ponts

Montréal a été marquée par la construction de tant d'églises qu'on l'a surnommée «la ville aux cent clochers». Mgr Bourget qui «régna» durant cet âge d'or de la foi (et de la croissance de la cité) voulut même que sa cathédrale, Marie-Reine-du-Monde, fût érigée en plein fief anglophone, à l'ouest de la ville, et qu'elle fût une réplique, à plus petite échelle, de Saint-Pierre de Rome. Une autre église importante, l'oratoire Saint-

Joseph, construite vers 1930 sur le flanc nord du mont Royal, résulte de l'ardente vision d'un thaumaturge, le frère André, béatifié depuis. Haut lieu de pèlerinage, l'oratoire Saint-Joseph reçoit des visiteurs du monde entier, et son dôme est le deuxième plus grand au monde. Du parvis, on découvre une vue grandiose sur une partie de la métropole.

Le premier pont à traverser le fleuve Saint-Laurent fut construit entre 1854 et 1859. Le pont Victoria était alors considéré comme l'une des sept merveilles du monde. Bien des immigrants irlandais sont morts au cours des travaux. Ce pont est encore parcouru par les trains et les automobiles, et les Irlandais forment toujours une communauté locale importante. Récemment restaurée, la cathédrale Saint-Patrick témoigne bien de leur participation à l'évolution de Montréal.

En 1876, le mont Royal est aménagé en parc. Pour ce faire, la ville se porte acquéreur de terrains au coût d'un million de dollars, ce qui était une somme énorme pour l'époque. De l'aspect original de ce haut lieu montréalais, on n'a conservé que le sommet de Westmount, situé dans la ville du même nom, tout juste derrière l'oratoire Saint-Joseph. L'année suivante, on inaugure l'hôtel de ville.

Caractéristiques géographiques :

- 500,1 km2 - superficie
- 50 km - longueur maximale de l'île de Montréal à vol d'oiseau
- 16 km - largeur maximale de l'île de Montréal à vol d'oiseau
- 17 m - altitude
- 12 m au-dessus du niveau de la mer : la surface de l'île de Montréal, à son plus bas niveau

COORDONNÉES GÉOGRAPHIQUES :
- 450 30 - latitude nord
- 730 30 - longitude ouest

DONNÉES CLIMATIQUES :
Les records :
- la plus importante tempête de neige, le 4 mars 1971 : 102 cm
- la plus importante chute de pluie en 24 heures, le 14 septembre 1979 : 81,9 mm
- le jour le plus froid, le 15 janvier 1957 : -37,8 0C
- le jour le plus chaud, le 1er août 1975 : 37,6 0C

LES PRÉCIPITATIONS MOYENNES ANNUELLES (ENTRE 1971 ET 2000) :
- chutes de pluie : 760,1 mm
- chutes de neige : 214,2 mm

TEMPÉRATURE MOYENNE (ENTRE 1971 ET 2000) :
- température moyenne annuelle : 11 0C
- température moyenne en janvier : -10,4 0C
- température moyenne en juillet : 20,9 0C

Source : Ville de Montréal

Vers la fin du XIXe siècle, le développement de Montréal est marqué par l'annexion de plusieurs villes et villages voisins, qui n'en conservent pas moins leurs caractéristiques. Toutefois, les vieux quartiers ouvriers ont été transformés depuis par le réaménagement urbain (construction de logements sociaux et de tours d'habitation) et par le retour d'une partie des citadins dans le centre-ville, tandis que les banlieues hors de l'île continuent d'attirer les industries et les jeunes ménages.

C'est avec l'inauguration, en 1887, de la première ligne de chemin de fer transcontinentale que s'amorce le début d'un âge d'or pour Montréal.

Les résidences-palais qui surgissent témoignent de la richesse d'une ville qui concentrait alors plus de 70% des fortunes du pays.

Durant la prohibition américaine, Montréal est très courue par les Américains. C'est le début des grands cabarets de nuit qui vont lui faire une joyeuse réputation. Montréal accueille des artistes venus de partout, et quelques Français choisissent de s'y établir lors de la Seconde Guerre mondiale. Plus tard, le développement d'un authentique show business québécois amènera la consécration de vedettes telles que Félix Leclerc, indéniablement le père de la chanson québécoise (un monument lui est dédié dans le parc Lafontaine), et, plus récemment, Roch Voisine et Céline Dion.

En 1967, Montréal accueille l'exposition internationale Terre des Hommes, ce qui lui permet de marquer à nouveau sa vocation internationale, alors qu'elle est en passe de perdre son titre de métropole du Canada. À la faveur d'un renouveau nationaliste, les francophones occupent plus de place dans les administrations; on se bat (les débats se poursuivent encore) pour le fait français. On ira jusqu'à légiférer sur la langue d'affichage des commerces. La montée du nationalisme est marquée par des attentats terroristes, culminant avec l'enlèvement d'un diplomate britannique et l'assassinat d'un ministre québécois lors de ce qu'il est convenu d'appeler la Crise d'octobre. Cela se passe en 1970, au lendemain de la commission d'enquête sur le biculturalisme et le bilinguisme, commission qui a constaté la situation d'infériorité économique des francophones, et au début de la réforme de l'enseignement collégial.

Résultat : le Québec va changer d'allure avec la venue au pouvoir à Québec du Parti Québécois. Aux réformes sociales qui aboutissent à la nationalisation de l'électricité et de l'assurance-santé s'ajoute une loi sur la langue qui fait encore parler. Le visage de Montréal devient de plus en plus français; les francophones accèdent à des postes de direction dans les grandes entreprises et les anglophones sont de plus en plus nombreux à quitter la ville pour l'ouest du Canada. Tel est le résultat de la Révolution tranquille amorcée dans les années 1960. Mais les enfants de l'après-guerre n'ont pas suivi les traces de leurs parents en matière de naissances et, depuis les années 1970, ce sont les immigrants qui font croître la population. Les statistiques concluent à une baisse de la population anglophone et à une augmentation des allophones (du grec allos = autres), principalement à Montréal.

Deuxième ville francophone au monde, Montréal a longtemps été la deuxième plus grande ville anglophone du Canada. Elle était administrée par des anglophones qui tenaient les commerces et les industries, et c'est en anglais qu'on affichait partout en ville. Autour du mont Royal, on avait vu s'implanter, d'un côté, l'université McGill (anglophone) et de l'autre, l'université de Montréal (francophone). Parallèlement, les riches résidences des anglophones se concentraient à Westmount et celles des riches francophones à Outremont. Les choses ont bien changé depuis. Aujourd'hui, des francophones habitent dans le bastion anglophone de Westmount, tout comme dans les villes de l'ouest de l'île, longtemps désigné comme le West Island.

Personnalités marquantes

Jacques Cartier. Le découvreur du Québec est immortalisé par un buste trônant fièrement à l'entrée de l'île Sainte-Hélène, sur le pont qui porte son nom. Une statue de Jacques Cartier avait aussi été érigée, en 1896, dans le square Saint-Henri. Ce parc, caractéristique du début du siècle, se distingue des autres en ce qu'il fut conçu dans une ville aujourd'hui disparue. Dans le parc de l'université McGill, au 805 Sherbrooke O, une plaque commémorative rappelle que Jacques Cartier se rendit à cet endroit pour visiter le village indien d'Hochelaga, abandonné en 1600. Maisonneuve. Le fondateur de Montréal, debout, brandissant la bannière de la France, se dresse sur la place d'Armes, face à l'église Notre-Dame, rendez-vous des touristes. Au pied de ce monument, chef-d'œuvre de Louis-Philippe Hébert, un guerrier iroquois, Jeanne Mance, Le Moyne et Lambert Closse, personnages historiques de Montréal, lui tiennent compagnie. Marguerite d'Youville. La fondatrice des Sœurs grises a donné son nom à la place d'Youville où s'élève un obélisque portant les noms de tous ceux qui vinrent s'établir dès les débuts de la fondation de Montréal.

Reine Victoria. Sa statue se dresse dans le square Victoria, près de la tour de la Bourse. À noter, l'une des bouches de la station de métro Victoria est typiquement parisienne : c'est un don de la Ville de Paris. La reine Victoria a aussi donné son nom au plus vieux pont reliant Montréal à la rive sud.

Nelson. Sa colonne, sur la place Jacques-Cartier, fut en 1890 l'un des premiers monuments de Montréal. Sa statue, qui surmontait naguère la colonne, a été enlevée.

GÉOGRAPHIE MONTRÉALAISE

Une montagne dans une ville sur une île dans un fleuve. Montréal occupe une superficie de 500 km2. Sa population est majoritairement francophone, mais aux importantes communautés anglo-saxonne, chinoise, italienne, irlandaise et juive sont venus s'ajouter des immigrants grecs et portugais; plus récemment, les communautés haïtienne, vietnamienne et cambodgienne ont enrichi cette mosaïque qui forme le caractère multiethnique du Montréal d'aujourd'hui. On compte près de 80 ethnies.

La ville de Montréal regroupe 19 arrondissements et des villes autonomes où vivent en tout près de 2 millions d'habitants. Toutefois, Montréal rayonne hors de l'île : sa sphère d'influence s'étend sur un rayon d'environ 100 km, pour former la région métropolitaine de Montréal qui couvre 3 300 km2 et compte 3,4 millions d'habitants.

Montréal est desservie par un aéroport qui accueille le trafic aérien, tant national qu'international : l'aéroport Pierre Elliott Trudeau situé à quelques kilomètres du centre-ville.

Situé à 1 600 km de la côte atlantique, le port de Montréal, toujours très actif, s'étend sur 24 km et compte 117 postes à quai. Le trafic maritime y est assuré toute l'année, même en hiver. Parmi les 5 000 navires qui y passent chaque année, un bon nombre fait la navette entre Montréal et les ports des Grands Lacs.

Faisant partie d'un archipel, l'île de Montréal est la plus grande, suivie de l'île Jésus, sur laquelle est bâtie la deuxième plus grande ville du Québec, Laval, née de la fusion de tous les villages égrainés autour de cette île. Ces deux îles divisent le fleuve Saint-Laurent en trois embranchements qui vont du nord au sud : la rivière des Mille Îles (entre l'île Jésus et la rive nord); la rivière des Prairies (entre les îles de Montréal et Jésus); le fleuve Saint-Laurent, qui coule impétueusement sur une partie de son parcours entre l'île de Montréal et la rive sud.

Des ponts enjambant ces fleuves et rivières constituent les grandes voies d'accès où se bousculent les banlieusards, matin et soir. Le développement urbain à l'extérieur de l'île a d'ailleurs suivi la construction des différents ponts.

S'ORIENTER

La ville est divisée en deux parties, Est et Ouest, par le boulevard Saint-Laurent (la « Main »), qui traverse l'île du sud au nord, frontière entre les anglophones et les francophones. Mais attention, l'Est et l'Ouest ne se définissent pas par rapport aux points cardinaux mais bien par rapport au boulevard Saint-Laurent. Ainsi, vous verrez le soleil se coucher au nord selon la définition montréalaise de l'Est et de l'Ouest ! Les numéros se correspondent exactement d'une rue à l'autre (le 1110 Sainte-Catherine Est équivaut au 1110 Sherbrooke Est). Difficile de se perdre dans Montréal, la ville étant construite en damier (comme toutes ses homologues nord-américaines). En revanche, il faut faire attention aux coupures de certaines rues qui reprennent un pâté de maisons plus loin.

Les quartiers de Montréal ne sont pas toujours clairement délimités. Les arrondissements, qui sont des subdivisions électorales, comprennent quelques quartiers (ou districts). Pour s'y retrouver, on doit se représenter la ville en damier, quadrillée de rues qui, pour les unes, vont dans la direction nord-sud, pour les autres dans la direction est-ouest. Font exception les rues qui

Les points de vue

A l'exception du 737, ce bar très select situé à la Place Ville Marie, dont la terrasse en croix surplombe la ville, aucun des gratte-ciels de Montréal n'offre d'accès à une plate-forme permettant d'apprécier un panorama de la ville.

On se rendra donc, dans l'est, au Parc olympique 514 252 4737 (M° Viau; en voiture, stationnement au 3200, rue Viau). Élément bien particulier du paysage montréalais, le funiculaire qui monte au sommet de l'audacieuse tour du stade olympique, inclinée à 45°, vous permettra de contempler, sous vos pieds, à travers les vitres, un panorama imprenable, surtout par beau temps (175 mètres de hauteur. Prix : 14 $. Fermé de début janvier à mi-février. Tous les jours de 9h à 19h en été et jusqu'à 17h le reste de l'année).

Une autre façon de découvrir la métropole d'en haut est de se rendre au mont Royal. Le belvédère Camilien-Houde – directement accessible en voiture par l'avenue du même nom ou avec l'autobus 11, à partir de la station de métro Mont Royal – constitue un excellent point de vue sur l'est de Montréal, dominé par la tour inclinée du Stade olympique, avec, dans le lointain, les collines montérégiennes, au sud, et les premières hauteurs des Laurentides, au nord. Un autre belvédère, le belvédère du Chalet – accessible à pied seulement à partir de l'aire de stationnement – est une terrasse d'où l'on a une vue directe exceptionnelle sur les gratte-ciels du centre-ville.

L'oratoire Saint-Joseph, qui donne sur l'autre versant du mont Royal, offre de sa terrasse une superbe vue sur la partie nord de la ville et le Grand Montréal.

Le Vieux-Port de Montréal présente, lui aussi, un beau point de vue sur la vieille ville et ses gratte-ciel en arrière-plan. Le bassin Bonsecours (en face du marché) offre la meilleure perspective. Belle vue également depuis la terrasse-observatoire de l'église Notre-Dame-de-Bon-Secours.

Du parc de l'île Sainte-Hélène, même panorama que celui du Vieux-Port mais avec plus de recul.

---

serpentent autour et dans la montagne, notamment le chemin de la Côte-Sainte-Catherine et le chemin de la Côte-des-Neiges, qui contournent le mont Royal par le nord.

Quant aux adresses, la numérotation des rues dans le sens est-ouest commence au boulevard Saint-Laurent. Pour les rues perpendiculaires dans la direction nord-sud, la numérotation débute à partir du fleuve.

LES RUES

La rue Sainte-Catherine, d'est en ouest, est la principale artère commerçante où l'on trouve les grands magasins Les Ailes de la Mode, La Baie et Ogilvy.

Les plus animées sont : à l'est, la rue Saint-Denis et la rue Duluth, au cœur du Quartier latin et du Plateau; au centre, le boulevard Saint-Laurent, très branché; et, à l'ouest, la rue Crescent, où se presse la jeunesse anglophone dès le soir venu.

D'autres artères commerçantes ont fleuri dans les différents quartiers, tout particulièrement la Plaza Saint-Hubert, sur une section de la rue du même nom, située plus au nord de la ville. À cette allée marchande s'ajoutent la promenade Ontario dans l'est (secteur Hochelaga); la promenade Fleury, à l'est également, mais plus au nord; la promenade Masson, dans la rue du même nom; la rue Laurier, depuis le boulevard Saint-

La ville souterraine en chiffres

31,5 km de corridors, places intérieures et tunnels reliant :

- 10 stations de métro
- 2 gares ferroviaires
- 2 gares régionales d'autobus
- 62 complexes immobiliers
- 7 grands hôtels
- 1 615 logements
- 200 restaurants
- 1 700 boutiques
- 37 salles de cinéma et d'exposition
- 2 universités
- 1 collège
- 10 000 espaces de stationnement intérieur public
- 178 points d'entrée sur rue
- 500 000 personnes y circulent chaque jour

Source : Ville de Montréal et Tourisme Montréal

Laurent jusqu'à Outremont, en allant vers l'ouest.

LES QUARTIERS

Westmount est à l'ouest du centre-ville ; Outremont au nord de la montagne ; le plateau Mont-Royal à l'est de la montagne ; et Maisonneuve davantage à l'est. Les quartiers de la Terrasse-Ontario et le parc Lafontaine sont au sud du plateau Mont-Royal, un peu à l'est du centre-ville.

Le quartier chinois est au centre-ville, au sud de la rue Sainte-Catherine, dans la rue de la Gauchetière (angle du boulevard Saint-Laurent). La Petite Italie se trouve au nord. Elle englobe le marché Jean Talon, le plus grand marché de la ville. Le Quartier latin se concentre dans la rue Saint-Denis, depuis le boulevard de Maisonneuve jusqu'à la rue Sherbrooke. Enfin, l'université McGill occupe un espace au nord du centre-

ville, face à la place Ville-Marie. Et le célèbre Mille Carré Doré lui est mitoyen à l'ouest, entre la rue Sherbrooke et la montagne.

LE CENTRE-VILLE

Enserré par la montagne et le fleuve, le centre-ville de Montréal est le lieu par excellence des affaires et du « shopping ». La rue Sainte-Catherine, qui le traverse d'est en ouest, est l'artère principale du centre où se concentrent les grands noms de la mode, les restaurants et bars ainsi que les boutiques en tout genre. L'architecture y est aussi diversifiée : les gratte-ciels imposants côtoient les bâtiments d'époque. Le centre-ville englobe plusieurs « sous-quartiers » : le Centre des affaires, le Quartier International et Chinatown (qui côtoient le Vieux-Montréal) et le Quartier des spectacles (qui englobe de nombreuses salles autour de la Place des Arts). Mais le centre-ville ne se trouve pas qu'en surface… Une ville souterraine s'étend sous nos pieds avec plus de 30 km de couloirs et passages piétonniers empruntés chaque jour par pas moins de 500 000 personnes !

LE MILLE CARRÉ DORÉ

Situé au nord-ouest de l'actuel centre-ville, le Mille Carré Doré était le lieu de prédilection de la bourgeoisie anglophone qui, au début du siècle, dominait l'économie canadienne. C'était surtout de riches marchands écossais dont plusieurs résidence-palais n'en ont pas moins été démolies pour faire place à l'expansion du centre-ville.

L'hôtel Ritz-Carlton (angle de la rue Sherbrooke et de la rue Drummond) est, depuis le début du siècle, le rendez-vous d'une certaine élite. En plus des nombreuses galeries d'art, le Mille carré doré est aussi le pied-à-terre de plusieurs grands designers et couturiers.

VIEUX-MONTRÉAL ET VIEUX-PORT

Le Vieux-Montréal, c'est l'histoire même de notre ville, lieu de fondation de Ville-Marie en 1642 par Paul de Chomedey. Malgré les nombreux incendies ayant fait disparaître les plus anciens bâtiments, plusieurs travaux de restauration et d'aménagement ont donné un nouveau souffle à la vieille ville et au port qui accueillent dorénavant des milliers de touristes charmés par ce style européen. Boutiques, restaurants, musées et galeries d'art, places et promenades, bref, on a amplement de quoi remplir une journée. Le Vieux-Port a été, quant à lui, converti en parc récréo-touristique s'étendant sur 2.5 km et offrant une vue imprenable sur le majestueux fleuve Saint-Laurent. Le projet de réaménagement du canal de Lachine a permis la revitalisation des berges qui servent maintenant de terrain de jeux aux Montréalais (kayak, vélo, etc.). La piste cyclable qui se rend du Vieux-Montréal au Lac Saint-Louis suit le canal et est agréablement aménagée.

QUARTIER CHINOIS

Les Irlandais ont d'abord occupé ce quartier situé juste à l'est du centre-ville et qu'on peut repérer par son nouvel hôtel chinois à l'architecture typiquement… chinoise. Les premiers arrivants chinois vinrent s'établir à Montréal dans les années 1860, fuyant la dureté des conditions de travail dans les mines d'or de l'Ouest ou dans les chantiers de construction des chemins de fer.

Pris en étau entre les imposants édifices du complexe Desjardins et le palais des Congrès, entre le Vieux-Montréal et les hôpitaux Saint-Charles-Borromée (ancien Montreal General Hospital) et Saint-Luc, le Quartier chinois continue de bourdonner de son activité particulière, bien que la population chinoise ait reflué en banlieue. Toutefois, des logements ont été prévus pour la population chinoise dans le nouveau complexe Guy-Favreau (1984) que le gouvernement fédéral a construit entre le palais des Congrès et le complexe Desjardins. Il offre, à l'intérieur, un superbe atrium fait de pierre et d'acier inoxydable et, à l'extérieur, une petite esplanade donnant sur le palais des Congrès, agrémentée de

Quartier Chinois de Montréal

fontaines et bacs de fleurs, où il fait bon se reposer loin de l'agitation de la rue.

Si les nouveaux arrivants de Chine préfèrent vivre ailleurs, ils se retrouvent toutefois dans ce quartier pour y manger, travailler et faire leurs courses. Le quartier chinois, qui est surtout composé de commerces asiatiques, a été embelli ces dernières années par la réfection de la rue de la Gauchetière partiellement réservée aux piétons. On remarquera les deux arches chinoises qui l'enjambent. Dans la rue Saint-Urbain, des sculptures murales illustrent des légendes chinoises, dont celle du Roi-Singe. On notera aussi le petit parc dédié à Sun Yat Sen et la maison Wing (1009, rue Côté), la plus ancienne du quartier.

UNIVERSITÉ MCGILL

En plein cœur de la ville et tout près du mont Royal, la plus ancienne université de Montréal et du Canada doit son nom à un riche marchand de fourrures écossais du nom de McGill qui avait légué à l'Institution royale une coquette somme d'argent afin que soit fondé un établissement d'enseignement supérieur : c'est ainsi que fut créé le Collège McGill en 1821. Depuis, l'université a connu un essor considérable. Elle compte aujourd'hui 25 facultés et 30 000 étudiants répartis sur plusieurs campus. Plusieurs des riches propriétés du Mille Carré Doré ont été léguées à cette université, qui a décidé dans un premier temps d'en détruire quelques-unes pour construire des pavillons universitaires, et plus tard d'en conserver certaines. La visite du campus de l'université (accès par le portail Roddick de style néoclassique grec) permet de découvrir l'histoire architecturale de Montréal à travers la diversité des styles de ses nombreux bâtiments, et d'apprécier tous les contrastes culturels de la ville, les gratte-ciels faisant face à ce campus à l'anglaise où ont été formés plusieurs éminents prix Nobel.

QUARTIER LATIN

Le Quartier latin est un concentré de lieux de culture et de savoir. Les étudiants de l'Université du Québec à Montréal (UQAM) et du CEGEP du Vieux Montréal donnent au quartier un air jeune et festif. D'importantes institutions culturelles comme le Théâtre Saint-Denis, la grande Bibliothèque, la Cinémathèque québécoise, l'Office national du film attirent un public averti. Résultat : un quartier renommé pour ses

Le mont Royal en chiffres ✳ ✳ ✳

- 1876 : année d'inauguration
- 3 000 000 de visiteurs par année
- 40 km de chemins et sentiers
- 700 espèces végétales
- 150 espèces d'oiseaux
- 30 mètres: hauteur de la croix

---

cafés, bistros, brasseries artisanales et de belles terrasses.

TERRASSE ONTARIO

Ce quartier ouvrier évoque l'époque où les brasseries et les grandes industries de la chaussure, du vêtement et du tabac y fleurissaient. Il a subi une cure de rajeunissement dans les années 1970. Aujourd'hui, c'est un quartier assez défavorisé. Une des principales activités : la télévision. En effet, TVA, Radio-Canada et Télé-Québec y ont leur siège.

Le quartier est délimité au nord par le parc Lafontaine. En face, rue Sherbrooke, on ne peut manquer la bibliothèque municipale. Inaugurée en 1916 par le maire Médéric et le général Joffre, qui fit grand effet dans sa tenue de campagne, cette bibliothèque à la monumentale façade classique et aux colonnes monolithiques de granit poli a fini par ployer sous le poids des livres.

LE VILLAGE

Situé en plein cœur de la Terrasse Ontario, le Village gai se veut un lieu d'ouverture d'esprit et de joie de vivre. La station de métro Beaudry affiche fièrement les couleurs du quartier. Jouissant d'une excellente notoriété auprès de la communauté gaie à travers le monde, il accueille chaque année de milliers de touristes. Et pour cause! La rue Sainte-Catherine, artère principale du Village, est le pied-à-terre de nombreux cafés, bars, restaurants et boîtes de nuit. La communauté gaie est aussi à la tête de la tenue de plusieurs événements festifs tels que le Black &

Blue, Divers/Cité, Montréal en Arts et le Week-end Red. Un quartier haut en couleur où la liberté d'être prime avant tout.

HOCHELAGA-MAISONNEUVE

Autrefois quartier ouvrier et populaire, Hochelaga-Maisonneuve garde les traces de ce passé. D'ailleurs, des visites guidées mettent en valeur ce patrimoine et cette page d'histoire fort importante dans l'essor industriel de Montréal.

Une des principales attractions du quartier est le Jardin Botanique avec ses 22 000 espèces et cultivars de plantes, ses 10 serres d'exposition et sa trentaine de jardins thématiques. Il est d'ailleurs classé parmi les plus importants et les plus beaux jardins au monde! Autres attraits : l'Insectarium, le Biodôme, le Château Dufresne et le parc Olympique qui accueilli les jeux d'été en 1976.

PLATEAU MONT-ROYAL

Composé de quatre villages autonomes (Saint-Jean-Baptiste, Saint-Louis du Mile End, Coteau-Saint-Louis et Côte-de-la-Visitation) ce quartier de Montréal – le Plateau comme on l'appelle familièrement – a connu un développement rapide au début du siècle. Il est aujourd'hui habité par une population assez jeune et très branchée. Beaucoup de ses vieilles résidences ont été rénovées ou sont en passe de l'être.

La rue Saint-Denis et l'avenue Mont-Royal qui la croise en sont les principales artères. Le quartier touche au Quartier latin au sud et au quartier Saint-Louis à l'ouest. Près du carré Saint-Louis, on retrouve la rue Cherrier qui mène au parc Lafontaine et à la bibliothèque municipale.

SAINT-LOUIS

Ce quartier, qui s'insère dans celui du Plateau Mont-Royal, est l'un des plus dynamiques de Montréal. Plusieurs communautés ethniques s'y côtoient, contribuant au caractère cosmopolite de la ville. S'il s'agit d'abord d'un quartier résidentiel – touchant au grand centre-ville – on y trouve tout de même quelques lieux institutionnels au sud.

Jusqu'à la naissance de la Confédération canadienne en 1867, ce quartier était composé de prés et de vergers. Ce seront d'abord des commerçants et une bourgeoisie naissante qui viendront s'y établir. Cette population anglophone émigrera par la suite vers Westmount et Ville Mont-Royal, après la Première Guerre mondiale. Des ouvriers viendront alors «occuper» le quartier.

La Place des Arts et le complexe Desjardins constituent les grands bâtiments du quartier Saint-Louis, dans sa limite sud, mitoyenne du quartier chinois. Sur le boulevard René-Lévesque se dressent de nombreux grands édifices. Reliés par des couloirs souterrains à la place Desjardins, au complexe Guy-Favreau, au palais des Congrès et à deux stations de métro, ces centres commerciaux doublés d'un certain nombre d'institutions gouvernementales font office de pôles urbains où passent des milliers de gens, travailleurs et consommateurs, tout en tenant lieu de places publiques, en été comme en hiver.

La place des Arts constitue le plus grand complexe culturel de la ville où se côtoient les arts de la scène et les arts visuels (5 salles). Ainsi, elle se compose de trois édifices : au centre, une imposante salle de concert (salle Wilfrid-Pelletier), pouvant accueillir jusqu'à 3 000 spectateurs ; à l'est, un complexe théâtral (1967), et à l'ouest un musée d'Art contemporain (1992), qui se rassemblent autour d'une vaste esplanade

©Croix du Mont-Royal

aménagée et agrémentée de bassins et fontaines. Chaque année s'y déroulent de nombreuses manifestations culturelles, dont le célèbre Festival international de jazz de Montréal.

Les deux points les plus caractéristiques du quartier sont le boulevard Saint-Laurent, l'artère la plus cosmopolite de Montréal, avec ses nouvelles boîtes de nuit, discothèques, bars, restaurants et commerces ethniques, et la rue Prince-Arthur, transformée en zone piétonne, bordée de restaurants et terrasses. Jour et nuit, ces deux rues sont envahies par une foule bigarrée. Le boulevard Saint-Laurent, baptisé familièrement La Main (pour Main Street), est l'une des vieilles rues de Montréal. D'abord chemin, elle fut ouverte au 19e siècle sous le régime français. L'arrivée massive de juifs russes, qui s'y installèrent à partir de 1881, fera du yiddish la langue d'usage dans cette zone. D'autres groupes ethniques s'installeront sur ce boulevard qui comporte une section portugaise, espagnole, juive, italienne, etc.

LA PETITE ITALIE

Bien nommée, la Petite Italie accueille de nombreux immigrants d'origine italienne. Les premières vagues d'immigration italienne du début du 19e siècle furent suivies d'autres arrivées à la fin du même siècle. Mais les arrivées les plus importantes furent celles suivant la Seconde Guerre mondiale. C'est alors que des milliers d'ouvriers et de paysans s'installèrent à Montréal et notamment dans ce quartier.

De nos jours, la population tend à s'y mélanger : Maghrébins, Sud-américains, Africains s'installent dans ce quartier. En s'y promenant, on ne manquera pas de faire une halte au marché Jean-Talon, le plus vaste marché d'alimentation de Montréal. Il est ouvert en été comme en hiver et on y trouve des spécialités québécoises, des produits bios et toutes sortes de fruits et légumes exotiques. Un arrêt s'impose également dans un des nombreux cafés, trattorias et commerces des rues Saint-Laurent et Dante.

POPULATION SELON CERTAINES ORIGINES ETHNIQUES DANS LA RÉGION DU GRAND MONTRÉAL

Italienne	224 460
Haïtienne	69 945
Irlandaise	161 235
Libanaise	43 740
Vietnamienne	25 605
Chinoise	57 655
Marocaine	16 130
Grecque	55 865
Portugaise	41 050
Polonaise	38 615

Population selon certaines origines ethniques, par régions métropolitaine de recensement.
Source : Statistiques Canada, recensement 2001.

SAULT-AU-RÉCOLLET

Bien que fort éloigné du Vieux-Montréal, de l'autre côté (au nord) de l'île, le Sault-au-Récollet a une bien vieille histoire. C'est ici, en 1615, que fut célébrée la première messe en Nouvelle-France par le père récollet Joseph Le Caron qui accompagnait Samuel de Champlain. Le quartier fut ainsi baptisé en souvenir du père Nicolas Viel, missionnaire récollet et premier martyr du Canada. Selon les uns, le bon père fut jeté par les Iroquois dans les rapides (sault) de la rivière des Prairies en 1625 ; selon les autres, il s'y noya tout simplement. Le nom de la rivière est attribué à François des Prairies, lequel accompagnait Champlain lorsqu'il découvrit le cours d'eau qu'avait déjà emprunté Jacques Cartier en 1535.

Le bâtiment le plus intéressant de ce quartier est l'église de la Visitation (boulevard Gouin), sans doute la plus vieille de Montréal, construite entre 1749 et 1751, qui mérite d'être visitée pour la richesse de son décor intérieur, notamment ses sculptures en bois dont une superbe chaire et quelques tableaux d'époque. C'est la seule église qui ait survécu à la période du régime français, les autres ayant été démolies ou rasées par le feu. Devant l'église s'élèvent les monuments du père Nicolas Viel et de l'Indien Ahunstic, tous deux martyrisés et assassinés par les Iroquois.

En face, sur l'île de la Visitation, on verra les ruines de vieux moulins qui connurent diverses fortunes. Le premier fut construit par les Sulpiciens en 1726 ; le dernier, le moulin à carton de la Black River Paper, fonctionna jusqu'en 1960. Convertie en parc régional, l'île est un havre de paix où l'on peut découvrir quelques rares maisons de bois du siècle dernier.

En quittant l'île par la rue Du-Pont, en se dirigeant vers l'est sur le boulevard Gouin, on croise la rue du Pressoir où se trouve (au n° 10865) une maison de style normand, la maison du Pressoir (qui se visite), construite en 1806 et restaurée par la Communauté urbaine de Montréal. Il ne reste plus que cinq exemplaires de ce style en Amérique du Nord.

OUTREMONT

Situé, comme son nom l'indique, sur l'autre versant (nord) de Montréal, Outremont se caractérise par ses imposantes résidences, tout particulièrement le long du chemin de la Côte-Sainte-Catherine qui longe le flanc de la montagne. Ville résidentielle, Outremont compte plusieurs beaux parcs et peu de commerces. Elle est délimitée par le chemin de la Côte-Sainte-Catherine, l'avenue du Parc et par une voie de chemin de fer.

Tout comme Westmount, elle est entièrement encerclée par Montréal. Fondée en 1875, progressant au rythme du développement des transports, elle a vu sa population quadrupler entre 1901 et 1911. Aux francophones qui composaient l'essentiel de sa population, s'ajouteront les juifs qui quittaient alors le quartier Saint-Louis.

Parmi les édifices dignes d'intérêt, on notera la façade Beaux-Arts de l'académie Querbes (215, rue Bloomfield) ; l'église Saint-Viateur (rue Laurier) dont la façade sculptée est considérée comme insurpassée à Montréal ; et le pensionnat du Saint-Nom-de-Marie qui abrite l'école de musique Vincent-d'Indy. L'immeuble se caractérise par une colonnade surmontée d'un fronton et d'un dôme.

LINCOLN-TUPPER

A l'ouest du centre commerçant de Montréal, juste avant d'arriver à Westmount, le secteur Lincoln-Tupper (délimité par le boulevard René-Lévesque et les rues Atwater, Guy et Sherbrooke) est un quartier résidentiel, longtemps propriété des prêtres de Saint-Sulpice, première communauté religieuse installée à Montréal. On y retrouve donc quelques grandes institutions religieuses, dont la maison mère des Sœurs grises. On y découvre surtout, construit en 1857, en style néoclassique, le Grand Séminaire (rue Sherbrooke, côté nord, face à la rue du Fort) devant lequel se dressent deux tours aux toits en poivrière, récemment restaurées, qui sont parmi les plus anciennes constructions de Montréal. Ici, en effet, un fort bâti par les Sulpiciens et datant de la fin du 17e siècle abrita une mission amérindienne. On aperçoit presque en face un temple maçonnique datant de 1929. Un peu plus à l'ouest, voici l'un des premiers édifices de style néobaroque de Montréal, avec des pilotis inspirés de Le Corbusier.

On peut visiter la chapelle et le musée consacré à mère Marguerite d'Youville, fondatrice de la communauté. Le maître-autel et le chemin de croix sont remarquables (passer par le n° 1185, de la rue Saint-Matthieu).

Les férus d'architecture trouveront, dans la petite rue Baile (coin René-Lévesque), le Centre canadien d'architecture dont le corps de bâtiment est une annexe de la maison Shaughnessy, du nom de l'un de ses propriétaires qui fut président d'une compagnie de chemins de fer.

WESTMOUNT

C'est sur l'un des trois sommets voisins qui forment le mont Royal, à l'ouest comme son nom l'indique bien, que s'est établie cette ville à majorité anglophone dont la population est la plus riche du pays. Aujourd'hui, entièrement entourée par la ville de Montréal, elle devient de plus en plus francophone. On y

Tour du Stade Olympique

trouve, à flanc de montagne, de riches propriétés (l'ex-Premier ministre Brian Mulroney y a acheté une résidence de 2 millions de dollars pour prendre sa retraite politique). Au sommet, un bois a été conservé dans son état sauvage pour rappeler l'aspect du site originel. Pour visiter Westmount, il faut être bon marcheur, car plusieurs rues sont en pente raide : n'oublions pas, nous sommes à flanc de montagne.

Presque toutes les maisons de Westmount ont été construites au 19e siècle. On y trouvera cependant une maison de ferme du 18e siècle (503, chemin de la Côte-Sainte-Catherine). Ce chemin était à l'origine un sentier qu'empruntaient les Indiens.

Westmount regorge de maisons de tous les styles, leurs riches propriétaires s'étant ingéniés à rivaliser d'originalité. L'église Saint-Léon-de-Westmount (angle de la rue Clark et du boulevard de Maisonneuve) est remarquable pour sa décoration intérieure, de style roman, avec une mosaïque florentine, des bronzes et des sculptures en bois.

Dans la rue Elm, on découvrira une série de maisons inspirées des châteaux médiévaux, dont l'hôtel de ville. Le fait est que Westmount, qui tranche sur le reste de l'île de Montréal, est une ville où les résidences ne manquent pas de fantaisie. En son centre, le parc Westmount est l'un des plus beaux de Montréal par son aménagement. La bibliothèque municipale, à proximité, mérite une visite pour ses sculptures, fresques et vitraux.

PETITE BOURGOGNE

Ainsi nommé parce que, avant d'être urbanisé, ce territoire évoquait la province française du même nom avec sa vaste plaine, ses ruisseaux et ses rivières, ce quartier (situé entre le canal de Lachine au sud et l'autoroute Ville-Marie au nord, entre la rue Atwater à l'ouest et la rue Peel à l'est) s'est développé avec l'ouverture du canal de Lachine qui entraîna la création de la ville de Sainte-Cunégonde, fruit de la révolution industrielle. Entre 1825 et 1897, on assista à la détérioration rapide de l'habitat en milieu ouvrier, la présence des voies ferrées et de nombreuses industries ne contribuant pas à l'hygiène publique…

En 1965, l'administration municipale de Montréal a entrepris un vaste programme de rénovation dans ce secteur guère éloigné du centre-ville. Quelques grands bâtiments industriels à proximité du canal de Lachine ont été transformés en habitations. La Petite Bourgogne n'en est pas moins restée marquée par une forte concentration de chômeurs et de familles à faibles revenus.

Deux églises constituent les seuls édifices d'intérêt du quartier : ce sont l'église Saint-Joseph et l'église Sainte-Cunégonde, cette dernière remarquable par ses vitraux et son gigantesque dôme sans aucun appui.

SAINT-HENRI

Située au sud-ouest du centre-ville et formant un arrondissement urbain avec ses voisins de la Petite Bourgogne, de la Côte-Saint-Paul et de Ville-Émard, cette ancienne ville, née de l'essor industriel favorisé par le canal de Lachine, n'offre en fait d'originalité que le parc Georges-Étienne Cartier et le square Saint-Henri, ce dernier avec son monument dédié à Jacques Cartier. Clôturés et ornés d'une magnifique fontaine, ces parcs sont représentatifs du siècle passé, comme les façades des maisons qui les enserrent. Pour le reste, Saint-Henri est plutôt tombé en désuétude, les industries l'ont abandonné et ses résidents se sont appauvris de concert avec l'habitat.

Le quartier Saint-Henri est délimité par le canal de Lachine au sud, la rue Atwater à l'est, l'échangeur routier Turcot à l'ouest, alors qu'au nord, en remontant, on arrive à la riche ville voisine de Westmount.

POINTE SAINT-CHARLES

L'installation des ateliers du chemin de fer du Grand-Tronc a favorisé le développement de ce quartier. Mais aujourd'hui, le rail canadien ayant nettement tendance à réduire son personnel, plus de cent ans après la belle époque des trains canadiens, le quartier a mal vieilli et les usines ont fermé les unes après les autres.

L'un des rares vestiges du passé français dans ce secteur est une maison typiquement canadienne : la métairie, établie en 1662 par Marguerite Bourgeoys, accueillait les «Filles du Roy», ces jeunes orphelines françaises protégées du roi et venues pour se marier avec un colon. En 1965, elle a été transformée en musée (Maison Saint-Gabriel) où est exposé du mobilier d'époque.

LACHINE

Situé à l'ouest de Montréal, bordée par le Lac Saint-Louis, Dorval, Saint-Laurent, Côte-Saint-Luc, Montréal Ouest et LaSalle, Lachine est accessible par l'autoroute 20 ou par la rue Notre-Dame et le boulevard Saint-Joseph (dans Lachine).

Les rapides de Lachine, en face de la ville de LaSalle, constituaient un obstacle infranchissable qui obligeait les navires à accoster à Montréal. Pour poursuivre leur route en amont, les voyageurs devaient donc se rendre jusqu'à Lachine qui devint le lieu d'embarquement pour de très nombreuses activités.

Lachine doit son nom au fait que LaSalle, se fiant aux récits des Indiens, crut qu'en remontant le fleuve Saint-Laurent il atteindrait la Chine. Avant l'ouverture, en 1824, du canal de Lachine qui entraîna son développement industriel, Lachine était le lieu de rencontres et d'échanges des trappeurs et des Indiens venus vendre leurs fourrures. Attirés par ce commerce lucratif, les compagnies du Nord-Ouest et de la Baie d'Hudson y établirent leurs quartiers, tandis que le départ annuel des coureurs des bois donnait lieu à de grandes réjouissances.

VISITER

ITINÉRAIRE VIEUX-MONTRÉAL

Situé au sud du centre-ville, le Vieux-Montréal longe le fleuve, ou plutôt le port, car l'ancienne rive a été comblée par la construction du port actuel. La rue de la Commune, qui constitue la limite sud du Vieux-Montréal, correspond aux délimitations de l'enceinte des anciennes fortifications. Quelques rues, et parmi elles la plus ancienne, la rue Saint-Paul, ont conservé leur pavement ancien sur une partie de leur parcours. Ces fortifications n'ont guère servi, les édifices étant construits sur une hauteur qui leur permettait de les dominer. Les murs d'enceinte, assez fragiles, se sont avérés encombrants pour les commerçants et ont été détruits.

De nombreux édifices anciens se trouvent dans ce secteur qui fut jadis aussi le centre des affaires. La visite du musée de Pointe-à-Callière, musée d'histoire et d'archéologie, construit en 1992 sur le lieu même de la fondation de Ville-Marie, et celle du Centre d'Histoire, tout à côté, sont une excellente introduction à la visite de ce quartier historique.

La Pointe-à-Callière fut le lieu de débarquement et d'implantation des premiers «Montréalais». À côté, s'étend la place Royale, première place publique d'abord connue comme place d'Armes. C'est ici que, en 1611, le fondateur de Québec, Samuel de Champlain, construisit un mur, premier ouvrage français dans l'île. Au 201 rue de la

Commune se trouve le site de l'ancienne taverne Joe Beef, propriété de 1870 à 1889 de l'Irlandais Charles McKiernan qui gardait des animaux vivants dans sa cave...

Un peu plus au nord, la rue Saint-Paul (du nom de Paul de Chomedey de Maisonneuve), l'une des toutes premières rues de la ville, participe à l'histoire de Montréal depuis plus de trois siècles. Plusieurs journaux ont vu le jour dans cette rue autour de laquelle se trouvaient de nombreuses imprimeries. Le quotidien The Gazette a toujours un pied dans le quartier, mais sur la rue Saint-Jacques, tout comme le quotidien La Presse. La rue Saint-Jacques a perdu l'éclat de l'époque où elle était le pendant canadien de Wall Street, mais on y voit encore l'édifice restauré de la Banque de Montréal, une institution vieille de 175 ans qui est aussi la première banque du Bas-Canada. Autre institution financière, la Bourse logeait non loin de là, rue Saint-François-Xavier. L'édifice a été transformé en théâtre. Au 430 de cette même rue, on verra l'immeuble qui abritait la Bourse à ses débuts.

L'édifice le plus visité du Vieux-Montréal est sans doute la Basilique Notre-Dame. Avec sa décoration intérieure recherchée et ses œuvres d'art, elle est l'une des plus remarquables d'Amérique du Nord. Peintures et vitraux y relatent quelques faits de l'histoire locale. Elle a longtemps dominé le paysage urbain de Montréal. C'est le plus imposant, le plus coloré et le mieux en vue des édifices construits pour témoigner de la foi des francophones de la ville. La basilique fut bâtie en style néogothique, entre 1824 et 1829, par un architecte irlandais immigré à New York, James O'Donnell (son corps est enseveli sous l'un des piliers de la basilique). La décoration intérieure, œuvre de l'architecte canadien-français Victor Bourgeau, date de 1876 et constitue son attrait majeur: abondance de sculptures, boiseries et dorures, retable du chœur, chaire en noyer noir sculptée par Louis-Philippe Hébert particulièrement remarquable, orgue

Place Jacques-Cartier © Denis Tremblay

de Saint-Sulpice, grands seigneurs de l'île durant de nombreuses années. C'est non seulement l'un des rares vestiges du régime français mais aussi la plus ancienne construction de l'île (1685).

Devant la Basilique Notre-Dame se trouve la place d'Armes, troisième place de ce nom, au centre de laquelle se dresse la statue du fondateur de Montréal, Paul de Chomedey de Maisonneuve. Des calèches y sont garées, proposant des tours du quartier aux touristes.

En suivant la rue Notre-Dame vers l'est, on rencontre trois édifices qui ont successivement abrité le palais de justice, le dernier, d'allure très moderne, comportant un mur sans ouverture.

Quadrilatère formé par les rues Saint-Paul, Saint-Dizier, de Brésoles et Le Royer, le Cours Le Royer occupe le site de l'ancien Hôtel-Dieu de Montréal, où furent construits, vers 1860, une série d'entrepôts sur les plans de Victor Bourgeau. Convertis en immeubles d'habitation dans les années 1980, ils participèrent à la rénovation du Vieux-Montréal en le transformant en un quartier résidentiel.

En continuant la rue Saint-Paul vers l'est, on atteint le marché Bonsecours, construit pour abriter le premier marché intérieur de Montréal. L'édifice de 1845, qui occupe le site de l'ancien palais de l'Intendant, est une élégante construction de style palladien que l'on remarque encore plus du côté du fleuve, avec sa longue façade en pierre de taille et surtout son dôme impressionnant. Après l'incendie du Parlement en 1849, il fut un temps le siège de l'assemblée du Canada-Uni, puis servit d'hôtel de ville. Aujourd'hui, il donne asile aux boutiques d'artisanat québécois et aux expositions temporaires.

Juste à côté, la chapelle de Notre-Dame-de-Bon-Secours fait face à la rue Bonsecours où se trouvent les plus anciennes maisons de Montréal. Au 401, la maison datée 1725 qui appartint à Pierre Calvet, marchand français établi à Montréal en 1758, emprisonné en 1780 pour haute trahison pour avoir épousé la cause des Américains en 1775, constitue le meilleur exemple de la maison urbaine

monumental dû aux frères Casavant de Saint-Hyacinthe et qui serait l'un des plus grands du monde (concerts d'orgue), baptistère décoré par Ozias Leduc, beaux vitraux de la partie inférieure. Notons qu'on y trouve, derrière le chœur, la chapelle du Sacré-Cœur, reconstruite en 1982, à la suite d'un incendie qui a fait disparaître d'admirables œuvres d'artistes québécois. Elle se singularise par une voûte en acier recouvert de bois de tilleul, et surtout par un gigantesque retable de bronze, œuvre contemporaine de Charles Daudelin. Les tours jumelles, celle de la Tempérance et celle de la Persévérance, dominèrent longtemps du haut de leurs 68 mètres le paysage montréalais. Le site est particulièrement intéressant car on aperçoit, en face, la Banque de Montréal (rue Saint-Jacques), occupant un édifice néoclassique dans le style du Panthéon de Rome (cela vaut vraiment la peine d'entrer pour jeter un coup d'œil à l'imposante salle bancaire au superbe plafond à caissons), et, juste à côté, le vieux séminaire (rue Notre-Dame, visite possible) des Messieurs

traditionnelle québécoise, avec ses hautes cheminées érigées sur de larges pignons. Elle abrite aujourd'hui un restaurant. Un peu plus loin, la maison Papineau (au 440), de 1785, à la porte cochère et au toit pentu percé de deux rangées de lucarnes, appartint à la famille Papineau, celle de Louis-Joseph Papineau, chef du parti des Patriotes qui y résida entre 1814 et 1837. De là, la vue embrassant la chapelle de Notre-Dame-de-Bon-Secours est certainement l'une des plus photographiées de la ville. Cette vieille église du milieu du 17e siècle, remarquable par son clocher de cuivre et sa monumentale statue de la Vierge haute de 9 mètres, ouvrant les bras en direction du fleuve, rappelle, par ses ex-voto laissés par les marins, le passé maritime de Montréal. Elle fut construite par Marguerite Bourgeoys avec l'aide des premiers colons de Ville-Marie. L'histoire de Marguerite Bourgeoys, béatifiée en 1982, est racontée dans un petit musée qu'elle avait fait construire dans le sous-sol. De la terrasse (accessible par la tour), on découvre un beau panorama sur le fleuve, l'île Sainte-Hélène, le pont Jacques-Cartier et le Vieux-Port.

On revient vers l'ouest pour remonter la place Jacques-Cartier jusqu'à la rue Notre-Dame où l'on trouve, à droite, le château Ramezay, construit en 1705 pour Claude de Ramezay, gouverneur de Montréal sous le régime français. Il a servi à bien des fins avant de devenir un musée consacré à l'histoire politique, économique et sociale de Montréal. La Compagnie des Indes y établit ses quartiers pendant quelques années, puis ce furent les gouverneurs britanniques du Canada qui l'occupèrent de 1764 à 1849. Lors de l'occupation américaine (1775-1776), le château servit de quartier général à l'armée de Montgomery, et Benjamin Franklin, en mission diplomatique, y fit alors un bref séjour. Ce fut ensuite une cour de justice et un bâtiment universitaire.

En face, se trouve l'hôtel de ville, de style Second Empire, conçu sur le modèle du château français de Maison-Laffitte par l'architecte H. M. Perreault.

Incendié en 1922, il fut reconstruit. On y voit le balcon d'où le général de Gaulle lança son célèbre «Vive le Québec… libre!», le 24 juillet 1967.

En parcourant le Vieux-Montréal, on remarquera plusieurs plaques commémoratives apposées sur les murs pour rappeler un personnage illustre ou un fait historique. C'est parce que bien des édifices du passé ont complètement disparu, telle la propriété qu'occupaient les jésuites sur le site actuel de l'hôtel de ville. Mais il reste beaucoup à découvrir dans cet espace réduit, le seul qui rappelle le côté européen de cette métropole nord-américaine.

Le Champ de Mars, situé derrière l'hôtel de ville, dans le prolongement de la place Jacques-Cartier, est redevenu une place publique, après avoir été transformé en parc de stationnement. De même, on pourra juger de la conservation de vieux édifices dans des constructions récentes.

DÉTAILS SUR LES MONUMENTS POUVANT ÊTRE VISITÉS:

MUSÉE DE LA BANQUE DE MONTRÉAL
129, Saint Jacques O
514-877-6810
Lun-ven, 10h-16h. Entrée libre.
Le splendide hall bancaire justifie que l'on y fasse un tour. Le musée numismatique, situé dans le passage reliant la succursale principale et le siège social, expose billets et pièces, accessoires et photographies de différentes époques.

CENTRE D'HISTOIRE DE MONTRÉAL
335, Place d'Youville
514-872-3207
www.ville.montreal.qc.ca (tapez «centre histoire» dans la zone Recherche)
Mar-dim, 10h-17h. Adultes 4,50$, étudiants/aînés & 6-17 ans 3$, gratuit pour les moins de 6 ans. Pour en savoir plus, référez-vous à la section Musées.

Les visites incontournables

Voici la liste des attraits touristiques que nous vous conseillons de visiter si vous ne disposez que de quelques jours à Montréal. Sans les faire tous, choisissez-en quelques-uns.

LE VIEUX-MONTRÉAL
Musée Pointe à Callière
Musée du Château Ramezay

LE CENTRE-VILLE
Cathédrale Marie-Reine du Monde
Centre Bell (pour les amateurs de hockey)
Centre Canadien d'Architecture
Chinatown
Musée d'Art Contemporain
Musée des Beaux-Arts
Musée McCord
Place Ville-Marie
Université McGill
Ville souterraine

AU NORD DU CENTRE-VILLE
Parc du mont Royal

À L'EST DU CENTRE-VILLE
Biodôme
Jardin Botanique et Insectarium
Parc Olympique
Quartier latin
Village (Le)

LES ÎLES SAINTE-HÉLÈNE ET NOTRE-DAME
Casino de Montréal
Musée Stewart

ESPACES VERTS ET PARCS
La ville de Montréal est gâtée en termes de parcs et d'espaces verts, et c'est tant mieux! Pour pratiquer vos sports ou activités de plein air préférés, ou simplement pour un petit moment de détente sous le soleil, consultez la section Activités de ce guide afin de découvrir ou redécouvrir ces petits havres de paix citadins.

BASILIQUE NOTRE-DAME DE MONTRÉAL
110, Notre-Dame O
514-842-2925
www.basiliquenddm.org
Lun-ven, 8h-16h30; sam, 8h-16h15; dim,12h30-16h15. Adultes 4$, 7-17ans 2$, gratuit pour les moins de 7 ans.

MARCHÉ BONSECOURS
350, Saint-Paul E
514-872-7730
www.marchebonsecours.qc.ca
Ouvert tous les jours dès 10h mais fermeture entre 18h et 21h selon la saison.
Plusieurs galeries, dont celle des métiers

d'art et celle de l'Institut de Design de Montréal ainsi que différents produits d'artisans d'ici et quelques restaurants, dont le fameux Cabaret du Roy.

MUSÉE DU CHÂTEAU
280, Notre-Dame E
514-861-3708
www.chateauramezay.qc.ca
Lun-dim, 10h-18h (été); mar-dim 10h-16h30 (hors saison). Adultes 8$, aînés 6$, étudiants 5$, 5-17 ans 4$, gratuit pour les 4 ans et moins. Pour en savoir plus, référez-vous à la section Musées.

MUSÉE MARGUERITE-BOURGEOYS & CHAPELLE NOTRE-DAME-DE-BONSECOURS
400, Saint-Paul E
514-282-8670
www.marguerite-bourgeoys.com
Fermé de mi-janvier à fin février. Ouvert mar-dim de mai à octobre 10h à 17h30, novembre à mi-janvier & mars et avril 11h à 15h30. Entrée libre dans la chapelle. Entrée au musée: adultes 6$, étudiants/aînés 4$. Site archéologique (tarif incluant la visite du musée): 8$. Pour en savoir plus, référez-vous à la section Musées.

MUSÉE POINTE-À-CALLIÈRE
350, Place Royale
514-872-9150
www.pacmusee.qc.ca
Lun-ven, 10h à 18h; sam-dim 11h à 18h (été) / mar-ven, 10-17h; sam-dim, 11h-17h (hors saison). Adultes 12$, aînés 8$, étudiants 6.50$, 6-12 ans 4,50$, gratuit pour les moins de 5 ans. Pour en savoir plus, référez-vous à la section Musées.

MUSÉES

MUSÉES D'ART

CENTRE CANADIEN D'ARCHITECTURE
1920, Baile
514-939-7026
www.cca.qc.ca

M° Atwater ou Guy Concordia. Ouvert mer-dim 10h-17h (jusqu'à 21h le jeudi); fermé lun-mar. Adultes 10$, aînés 7$, étudiants 5$, 6-12 ans 3$, gratuit pour les moins de 6 ans. Entrée libre le jeudi à partir de 17h30.
Ce musée a été créé avec la conviction que l'architecture fait partie du quotidien de tous. Il va sans dire que l'édifice constitue à lui seul un lieu agréable à visiter. Le bâtiment conçu par Peter Rose et Phyllis Lambert s'est vu décerner de nombreux prix depuis son inauguration en 1989. En plus des salles d'exposition, les salles de réception et le jardin d'hiver sont accessibles au public. Elles abritent la plus large collection au monde de plans, dessins, photographies d'architecture, maquettes, livres etc.

MUSÉE D'ART CONTEMPORAIN
185, Sainte-Catherine O
514-847-6226
www.macm.org
M° Place-des-Arts. Ouvert mar-dim, 11h-18h (jusqu'à 21h le mercredi); fermé lun (sauf lun fériés). Adultes 8$, aînés 6 $, étudiants 4$, gratuit pour les moins de 12 ans. Entrée libre le mercredi de 18h à 21h.
Le musée d'art contemporain fait la promotion de l'art d'aujourd'hui en exposant des œuvres québécoises, canadiennes et étrangères. Il organise des créations multimédias, performances, nouvelle danse, théâtre expérimental, musique actuelle, etc. La collection permanente regroupe plus de 7000 œuvres datant de 1939 à nos jours, dont la plus importante collection d'œuvres de Paul-Émile Borduas. Dans les autres salles, des artistes invités se partagent temporairement la vitrine. On peut rapporter un peu du musée avec soi en flânant à la boutique, qui offre un choix intéressant d'objets dérivés.

MUSÉE DES BEAUX-ARTS DE MONTREAL
1379, Sherbrooke O (pavillons Hornstein et Stewart)
1380, Sherbrooke O (pavillon Jean-Noël Desmarais)

Carte
Musées Montréal

C'est un passeport offrant aux visiteurs un choix de 30 musées et attraits montréalais ainsi que la libre utilisation du transport en commun pendant trois jours consécutifs, le tout pour seulement 45 $ (35 $ sans le transport en commun).

Renseignements : www.museesmontreal.org

Points de vente : La carte est disponible dans les centres d'information touristique, les musées et attraits participants ainsi que dans certaines auberges et hôtels de la ville.

514-285-2000
www.mbam.qc.ca
Mº Peel ou Guy-Concordia.
Ouvert mar, 11h-17h ; mer-ven, 11h à 21h (fermeture des collections permanentes à 17h le mercredi) ; sam-dim, 10h-17h. Accès gratuit aux collections permanentes. Expositions temporaires : adultes 15 $, étudiants/ aînés 7,50 $, gratuit pour les moins de 13 ans. Moitié prix le mercredi à partir de 17h (adulte seulement).

Ce musée est réputé pour ses expositions au succès international telles que « Picasso érotique », « Hitchcock et l'art », « de Dürer à Rembrandt », « Riopelle » ou encore « Égypte éternelle ». La collection permanente recèle de pièces des plus intéressantes. Plus de 30 000 objets forment une des collections les plus riches d'Amérique du Nord : antiquités, collection d'objets précolombiens et asiatiques, tableaux de maîtres européens du Moyen-âge à nos jours (Memling, Mantegna, Rembrandt, Monet, Cézanne, Matisse, Picasso, Dali..), art contemporain (Robert Rauschenberg, Alexander Calder, Riopelle…). On y trouve également une collection d'art canadien exceptionnelle, peintures, sculptures, arts décoratifs retraçant l'histoire du Canada, de la Nouvelle France à nos jours. Enfin, à ne pas manquer, la collection d'arts décoratifs regroupant 700 objets et couvrant plus de 6 siècles de design.

MUSÉE MARC-AURÈLE FORTIN

118, Saint-Pierre
514-845-6108
www.museemafortin.org
Mº Square-Victoria. Ouvert mar-dim, 11h-17h ; fermé le lun. Adultes 5 $, aînés 4 $, étudiants 3 $, gratuit pour les moins de 13 ans.

L'architecture simple de ce musée rappelle l'époque où le bâtiment servait au stockage de marchandises. Un décor propice aux peintures de Marc-Aurèle Fortin. Ce peintre paysagiste, natif de Sainte-Rose (région du Saguenay), affectionnait particulièrement le Vieux-Port de Montréal. Le musée met en valeur ses toiles représentant des paysages mouvementés, des villages, des petites maisons ou de grandes rues. Trois à quatre fois par année, le musée accueille les œuvres d'artistes contemporains.

MUSÉES D'HISTOIRE

CENTRE COMMÉMORATIF DE L'HOLOCAUSTE

1, Carré Cummings (5151, Côte Sainte-Catherine)
514-345-2605
www.mhmc.ca
Mº Côte Sainte-Catherine. Angle Westbury. Ouvert lun-mar & jeu, 10h-17h ; mer 10h-21h ; ven 10h-15h, dim 10h-16h ; fermé le sam et lors des fêtes juives et congés fériés. Adultes 8 $, étudiants 5 $.

L'exposition permanente retrace la vie religieuse, culturelle et communautaire juive d'avant-guerre ainsi que la dévastation engendrée par l'Holocauste. Des objets, des photos ainsi que des documentaires témoignent du drame de la Shoah. Témoignages de survivants de l'Holocauste proposés, sur rendez-vous uniquement.

CENTRE D'HISTOIRE DE MONTRÉAL
335, Place d'Youville
514-872-3207
www.ville.montreal.qc.ca (tapez «centre histoire» dans la zone Recherche)
M° Square-Victoria. Mar-dim, 10h-17h. Adultes 4,50$, étudiants/aînés & 6-17 ans 3$, gratuit pour les moins de 6 ans.

L'exposition permanente du Centre d'histoire de Montréal: «Montréal en cinq temps» vous fait revivre cinq époques mouvementées de la ville, de 1535 au boom culturel des années 60 et 70, tout en mettant l'emphase sur le 20e siècle. L'accent est mis sur l'histoire sociale de Montréal, c'est-à-dire l'histoire des hommes et des femmes qui ont vécu à Montréal et qui à travers faits divers ont crée son histoire. Des expositions temporaires ainsi que des visites guidées sont aussi proposées.

COMMERCE-DE-LA-FOURRURE-À-LACHINE
1255, Saint-Joseph, Lachine
514-637-7433 (été) / 514-283-6054
http://www.pc.gc.ca/lhn-nhs/qc/lachine/index_f.asp
Bus 195. Ouvert de début avril à fin novembre ; lun-dim, 9h30-12h30 & 13h-17h ; fermé lun-mar de mi-octobre à fin novembre. Adultes 3,95$, aînés 3,45$, jeunes 1.95$, gratuit pour les moins de 6 ans.

Ce lieu national historique vous fera revivre l'épopée de la traite de la fourrure dans un site enchanteur, au confluent du canal de Lachine et du fleuve Saint-Laurent. L'entrepôt datant de 1803 a été construit sur ordre d'Alexander Gordon, ex-commis et actionnaire de la Compagnie du Nord-Ouest, bâtiment qui a d'ailleurs été racheté en 1833 par la Compagnie de la Baie d'Hudson. Le site historique est dorénavant géré par Parcs Canada.

MAISON DE MÈRE D'YOUVILLE
138, Saint-Pierre
514-842-9411
M° Square-Victoria. Ouvert mar-ven, visite sur rendez-vous seulement.
Entrée libre

Les murs de 1693, les aménagements d'époque et les salles d'expositions permanentes retracent l'histoire des frères Charron et Marguerite d'Youville, fondatrice de la Congrégation des Sœurs Grises. La visite de cette «Maison de Charité», habitée par la Mère d'Youville et les Sœurs Grises en 1747 est assurée par les religieuses. Le mobilier de l'époque est resté intact. Toute la vie de cette «maison» a été reconstituée. Les visites sont gratuites, mais des dons sont toujours les bienvenus, d'autant que ces femmes d'exception continuent à aider les plus démunis. On leur doit également l'Accueil Bonneau.

MAISON SAINT-GABRIEL
2146, Place Dublin, Pointe-Saint-Charles
514-935-8136
www.maisonsaint-gabriel.qc.ca
Angle Favard. De mi-janvier à mi-avril, sur réservation seulement ; horaires variables selon la saison mais toujours fermé le lundi. Adultes 8$, aînés 6$, étudiants 4$, enfants 2$, gratuit pour les enfants de moins de 7 ans. Entrée gratuite le samedi à 11h et 12h durant la saison estivale.

En compagnie des Filles du Roy, les visiteurs remontent le temps du 17e siècle à nos jours. La maison de ferme de Marguerite Bourgeoys (1668) et les moindres petites histoires qui l'ont animée y sont racontées. Tout le mobilier et les accessoires servent de prétexte à de nombreuses anecdotes. Tous les dimanches d'été, artisans, comédiens, musiciens de l'Ensemble Claude-Gervaise et dégustations sont au menu

L'INTERNATIONAL DES FEUX LOTO-QUÉBEC

PRÉSENTÉ PAR **TELUS**

VENEZ VOIR TOUT CE QUE VOUS MANQUEZ

DU 20 JUIN AU 28 JUILLET

CASCADES DE LUMIÈRE

BOUQUETS AU SOL

RÉFLEXIONS SUR LE LAC

EXPÉRIENCE SONORE AMBIOPHONIQUE

À PARTIR DE
SEULEMENT

38,79 $

PROFITEZ D'UN SIÈGE RÉSERVÉ
POUR LES FEUX D'ARTIFICE
EN PLUS DES MANÈGES TOUTE LA JOURNÉE!

BILLETS EN VENTE À LA RONDE
LES JOURS DE FEUX ET
SUR LE RÉSEAU ADMISSION

514-790-1245
1-800-361-4595
ADMISSION.COM

DÉTAILS SUR WWW.LARONDE.COM OU
AU 514 397-2000

 québec
bonjourquebec.com

SAQ

LOTO QUÉBEC

Mercredi 20 juin	ESPAGNE
Mercredi 27 juin	ANGLETERRE
Samedi 7 juillet	MEXIQUE
Mercredi 11 juillet	HONG KONG, CHINE
Samedi 14 juillet	ÉTATS-UNIS
Mercredi 18 juillet	CANADA
Samedi 21 juillet	FRANCE
Mercredi 25 juillet	ALLEMAGNE
Samedi 28 juillet	CLÔTURE LA RONDE

Musée
STEWART
Museum ▪ ▪ ▪

UN PONT VERS L'HISTOIRE

Le Fort, Île Sainte-Hélène, Parc Jean-Drapeau
20 mai - 9 octobre : tous les jours, de 10 h à 17 h
Hors saison : 10 h à 17 h, fermé les mardis

Info : (514) 861-6701
Stationnement (P7) — www.stewart-museum.org

---

sur le site de la Maison Saint-Gabriel.
Ne manquez pas de visiter le jardin
de ferme ainsi que la grange en pierre
datant de 1880.

MUSÉE DU CHÂTEAU DUFRESNE

2929, Jeanne-d'Arc
514-259-9201
www.chateaudufresne.qc.ca
*Mᵒ Pie-IX. Ouvert jeu-dim, 10h-17h ;
fermé les autres jours. Adultes 7$,
étudiants/aînés 6$, enfants 3,50$,
gratuit pour les moins de 6 ans.*
Classé monument historique depuis
1976, le Château Dufresne fut construit
entre 1915 et 1918, en pleine 1ère Guerre
mondiale, par les frères Oscar et Marius
Dufresne. Témoin de la nouvelle classe
bourgeoise francophone de l'époque, le
musée abrite la collection de meubles et
d'objets des fondateurs et sert également
de centre de diffusion en arts visuels. À
voir : l'intérieur peint par l'artiste profane
Guido Nincheri.

MUSÉE DU CHÂTEAU RAMEZAY

280, Notre-Dame E
514-861-3708
www.chateauramezay.qc.ca
*Mᵒ Champ-de-Mars. Ouvert lun-ven,
10h-18 (horaire d'été) ; mar-dim, 10h-
16h30 (horaire d'hiver). Adultes 8$,
étudiants 5$, aînés 6$, enfants 4$,
gratuit pour les moins de 5 ans.*
Le Musée du Château Ramezay est
le premier édifice classé monument
historique et le plus ancien Musée
d'histoire privé au Québec. Depuis plus
de 110 ans, il présente des expositions
à caractère historique et organise des
activités culturelles, scientifiques
et muséologiques.

MUSÉE MARGUERITE-BOURGEOYS & CHAPELLE NOTRE-DAME-DE-BONSECOURS

400, Saint-Paul E
514-282-8670
www.marguerite-bourgeoys.com
Fermé de mi-janvier à fin février.

Ouvert mar-dim de mai à octobre 10h à 17h30, novembre à mi-janvier & mars et avril 11h à 15h30. Entrée libre dans la chapelle. Entrée au musée: adultes 6$, étudiants/aînés 4$. Site archéologique (tarif incluant la visite du musée): 8$.

Ancien lieu de campement des Amérindiens, cet emplacement est maintenant l'hôte d'une chapelle tricentenaire, un musée d'histoire et un site archéologique. C'est d'ailleurs autour de cette chapelle que s'est développé le premier faubourg de la ville. Le musée est dédié à Marguerite Bourgeoys, une femme d'exception qui joua un grand rôle dans l'administration de la colonie au 17e siècle.

MUSÉE MᶜCORD

690, Sherbrooke O
514-398-7100
www.musee-mccord.qc.ca
Mᵒ McGill. Ouvert mar-ven, 10h à 18h; sam-dim, 10h à 17h; lundi en été et jours fériés, de 10h à 17h. Adultes 12$, étudiants 6$, aînés 9$, enfants 4$, famille 22 $gratuit pour les moins de 5 ans.

Le musée raconte l'histoire à travers les objets, héritage du collectionneur David Ross McCord. L'histoire canadienne se ranime à travers les objets des Premières nations, des photographies, des jouets, des robes et des tableaux. L'exposition permanente « Simplement Montréal » représente le Montréalais avec ses jouets, ses costumes et équipements sportifs. Les autochtones et les premiers colons sont des sujets récurrents. À la boutique, on peut trouver des objets souvenirs intéressants.

MUSÉE STEWART

20, Chemin Tour de l'Isle
Ile Ste-Hélène
514-861-6701
www.stewart-museum.org
Mᵒ Jean-Drapeau. Ouvert mer-lun 10h-17h (octobre à mi-mai); lun-dim, 10h-17h (mi-mai à mi-octobre). Adultes 10$, étudiants/aînés 7$, gratuit pour les moins de 6 ans.

Situé dans l'ancien fort de l'Île Ste-Hélène, ce musée accueille des expositions de qualité à caractère historique. La collection permanente contenant des pièces militaires, des témoignages de la vie de tous les jours ainsi que des objets scientifiques (de navigation, astronomie, arpentage, cartographie etc.) est fort instructive. Le site permet en été d'admirer les démonstrations de la compagnie franche de la Marine. Les spectacles extérieurs sont gratuits. Le panorama sur Montréal est merveilleux, d'où la recrudescence de pique-niques lors des belles journées ensoleillées.

MUSÉE DE L'ORATOIRE SAINT-JOSEPH

3800, chemin Queen Mary
514-733-8211
www.saint-joseph.org
Mᵒ Côte-des-Neiges. Tous les jours de 10h à 17h (première messe à 7h). Entrée libre.

Au cœur de l'Oratoire Saint-Joseph, le musée présente divers moments de la vie quotidienne des deux grands héros de l'Oratoire, Saint-Joseph et frère André, qui ont été reconstitués grâce à quelques toiles et coupures de journaux. À l'année, l'incontournable crèche internationale permet aux visiteurs d'en apprendre un peu plus sur les traditions des autres peuples. Visite guidée de l'oratoire sur rendez-vous.

MUSÉE POINTE-À-CALLIÈRE

350, Place Royale
514-872-9150
www.pacmusee.qc.ca
Mᵒ Place-d'Armes. Ouvert mar-ven, 10h à 17h; sam-dim 11h à 17h (jusqu'à 18h en juillet et août). Adultes 12$, étudiants 6.50$, aînés 8$, enfants 4$, gratuit pour les moins de 6 ans.

Sur les lieux mêmes de la fondation de Montréal, ce musée met en valeur d'importants vestiges architecturaux et une collection unique d'objets et d'artefacts trouvés sur le site lors des fouilles archéologiques. Fondé en 1992 lors des célébrations du 350e de Montréal, le site fût le théâtre de nombreuses fouilles dans les années

80 menant à la découverte de 1 000 ans d'activité humaine. Aujourd'hui, la visite du musée commence par un spectacle sons et lumières sur l'histoire de la ville. On passe ensuite sous-terre pour découvrir les fondations de la ville. Le musée abrite également des expositions temporaires, généralement très intéressantes.

MUSÉE SIR GEORGE-ÉTIENNE-CARTIER
458, Notre-Dame E
514-283-2282
www.pc.gc.ca/cartier
M° Champ-de-Mars. Fermé de janvier à avril. Ouvert mer-dim, 10h-12h & 13h-17h (hors saison); lun-dim, 10-18h (saison estivale). Adultes 3,95 $, jeune 1,95 $, aînés 3,45 $, gratuit pour les moins de 6 ans.

Chacune des expositions temporaires recrée l'atmosphère de la maison familiale de sir George-Étienne Cartier, un des pères de la Confédération canadienne. Les visiteurs se sentent impliqués et revivent des scènes de la vie de l'époque : leçon d'étiquette, préparatifs d'une réception mondaine ou l'art de vivre bourgeois. Une façon très amusante et divertissante de remonter le temps.

RIVE-NORD

L'ÎLE DES MOULINS
Coin boul. des Braves et rue Saint-Pierre, Vieux-Terrebonne
450-471-0619
Maison de Pays : 844, Saint-François-Xavier
450-471-0049
www.ile-des-moulins.qc.ca

Les moulins à farine et à carder la laine construits sous l'administration du seigneur Joseph Masson au 19e siècle font revivre leurs fantômes en offrant des tours guidés costumés et de l'animation historique lors de divers événements durant l'année : kiosques d'artisans, démonstrations de danse et de musique traditionnelles, travail de la laine, dégustations de tire sur neige. La Maison de Pays, construite en 1760,

offre différents produits du terroir et des métiers d'art. On peut aussi faire un tour de ponton (reproduction d'un bateau à vapeur de 1855) sur l'écluse des Moulins. Finalement, une aire boisée réjouit les piétons à l'année longue, et l'hiver, les sportifs peuvent aller glisser ou chausser leurs patins pour profiter de l'étang gelé.

MUSÉES DES SCIENCES

BIODÔME DE MONTREAL
4777, Pierre-De Courbertin
514-868-3000
M° Viau. Ouvert lun-dim, 9h-17h (jusqu'à 18h en été), fermé le lundi en automne. Adulte : 16 $, aînés :12 $, étudiants : 12 $, 5 à 17 ans : 8 $, 2 à 4 ans : 2,50 $.

Les écosystèmes les plus extraordinaires ont été reconstitués : forêt tropicale, forêt laurentienne et même les mondes polaires Arctique et Antarctique. Le principe est de sensibiliser la population à la précarité de notre environnement. On recommande la visite de la forêt tropicale du Biodôme en plein hiver. Cet écosystème truffé d'amphibiens, de reptiles, d'oiseaux et de poissons aux couleurs paradisiaques provoque un véritable choc culturel. Pour ceux et celles qui désirent voir un castor ou des pingouins, c'est aussi le meilleur (sinon le seul) endroit à Montréal.

JARDIN BOTANIQUE & INSECTARIUM DE MONTRÉAL
4101, Sherbrooke E
514-872-1400
www.ville.montreal.qc.ca/jardin
M° Pie IX. Tous les jours de 9h à 17h (horaires plus tardifs durant la haute saison du 15 mai au 31 octobre). Le jardin ferme lun de janvier à mai.
Tarifs pour le billet insectarium + jardin botanique (variation selon la saison et le lieu de résidence) : adultes 11,50 à 16 $, aînés et étudiants 8,75 $ à 12 $, de 5 à 17 ans 5,75 $ à 8 $.
Service de navette gratuit.

Les citadins viennent s'y ressourcer à coup d'air pur et de verdure. Grâce à ses 75 hectares, ce vaste poumon de la métropole procure un dépaysement tel que le visiteur a l'impression de flâner au cœur de la Chine, ou encore, dans un délicat jardin japonais. À la Maison de l'arbre, le grand végétal est mis à l'honneur au cœur d'un arboretum de 40 hectares. Au jardin des Premières Nations, tout végétal à son importance utilitaire, alimentaire et médicinale. Décidément, il faut aussi choisir les sentiers pour apprécier ce grand jardin. Nombreuses activités et expositions proposées au fil du changement de saisons. À surveiller!

PLANÉTARIUM DE MONTRÉAL

1000, Saint-Jacques O
514-872-4530
M° Bonaventure. Consultez leur site Internet pour les horaires complets selon les saisons. Adultes 8$, étudiants/aînés 6$, enfants 4$, gratuit pour les moins de 5 ans.
Les merveilles de l'univers et de l'exploration spatiale présentées dans un langage clair et imagé. Les spectacles du Planétarium explorent le temps et l'espace : de la voie lactée aux confins de l'Univers.

BIOSPHÈRE

160, Chemin Tour de l'Isle
Île Ste-Hélène
514-283-5000
www.biosphere.ec.gc.ca
M° Jean-Drapeau. Ouvert lun-dim, 10h-18h (saison estivale); lun & mer-ven, 12h-18h (dès 10h sam-dim), fermé le mardi. Adultes 9,5$, étudiants/ aînés 7,5$, jeunes 5$, gratuit pour les de moins de 6 ans.
Inaugurée en 1995, dans l'ancien pavillon des États-Unis de l'expo 67, la Biosphère d'Environnement Canada est devenue au fil du temps le premier centre canadien d'observation environnementale. Unique musée en Amérique du Nord dédié à l'eau et plus particulièrement au fleuve Saint-Laurent et aux Grands Lacs.

CENTRE DES SCIENCES DE MONTRÉAL

Quai King-Edward, Vieux-Port
514-496-4724
www.centredessciencesdemontreal.com
M° Place-d'Armes. Ouvert lun-ven, 9h-16h; sam-dim, 10h -17h (salles d'exploration). Consultez leur site Internet pour les horaires du cinéma IMAX et du ciné-jeu ainsi que pour la grille de tarification.
Les mordus de sciences et de technologies apprécieront l'exploration du centre des sciences. Par des expositions interactives amusantes et étonnantes, la visite vous permettra d'en apprendre un peu plus sur la culture scientifique et technique, et l'impact de ses applications dans notre vie individuelle et collective. À surveiller durant l'été 2007 : Le Monde du Corps 2, une exposition anatomique des plus originales qui explore l'anatomie humaine de façon… authentique!

Centre des Sciences de Montréal

Le magasinage
à portée de
main

Cafés | Bars | Restos | Boutiques idées cadeaux | Antiquaires | Brocantes

Escapade sur la rue Sainte-Catherine Est

LES POINTS FORTS

DES COMMERÇANTS ENGAGÉS
Utilisation de matériaux recyclés, commercialisation de produits équitables et valorisation de produits québécois sont des expressions qui reviennent souvent dans la bouche des commerçants de la rue Sainte-Catherine Est. Un engagement social et environnemental que le Petit Futé se plaît à rappeler!

LA DIVERSITÉ DE L'OFFRE
De sympathiques cafés en face d'un grand théâtre, des librairies de qualité, un joli parc, des boutiques originales. Côté assiette, les amateurs de bons plats seront gâtés. Bref, une offre variée, originale et de qualité.

LE RAPPORT QUALITÉ-PRIX
L'excellent rapport qualité-prix dans les boutiques et les restaurants justifie que l'on explore un peu à l'extérieur du centre-ville.

ACCÈS

EN VOITURE
Une des dernières artères commerciales où l'on peut encore stationner facilement en raison du nombre de places libres et du faible prix du stationnement.

EN TRANSPORT EN COMMUN
On vous recommande de prendre le métro jusqu'à la station Pie IX, puis le bus 139 direction Sud ou le métro jusqu'à la station Viau puis le bus 34.

PISTE CYCLABLE
Les sportifs ont le choix entre la piste cyclable sur Notre-Dame ou sur Rachel. Ils bifurqueront sur Pie IX pour se retrouver au cœur des activités de la rue Sainte-Catherine Est.

RESTAURANTS

 LA BÉCANE ROUGE
4316, Sainte-Catherine Est
514-252-5420
www.labecanerouge.com
En été : lun-ven, midi et soir (sauf le lundi soir), sam-dim, le soir seulement. En hiver : lun-sam, midi et soir (sauf le lundi soir) ; fermé en hiver dim, TH midi : 8-16 $, TH soir : 18-35 $.
La brique, le bois et le tissu rouge créent une très belle atmosphère dans ce bon resto français situé juste en face du théâtre Denise-Pelletier. Au menu, une bonne cuisine, inventive, qui fait honneur à la bonne qualité des produits utilisés. Le jour de notre visite, nous avons eu la chance de goûter à une pizza dont la pâte intégrait délicatement les saveurs de l'huile d'olive. Le chef se plaît à utiliser beaucoup de produits du terroir québécois et notamment du gibier. Le tout à des prix très raisonnables.

 BENE MANDO
1418, Aird
514-680-5526
www.benemando.com
Lun-ven, 7h-19h, sam-dim : fermé. TH midi : à partir de 8,95 $ (comprenant la soupe, un plat, le dessert et le café). Sur place, à emporter et service de traiteur.
Bene mando signifie bien manger en latin. Et, ce n'est pas pour rien que Laurent Bilodeau, le propriétaire, a choisi ce nom. Son objectif : faire une cuisine équilibrée et saine. Un exemple : rajouter des carottes dans le pâté chinois. Dans sa grande cuisine, ouverte sur la salle à manger, il fait lui-même ses bouillons et cuisine à l'huile d'olive. La spacieuse salle à manger, avec ses murs très colorés, nous garantie un repas dans une ambiance joviale et ensoleillée. À souligner : c'est le propriétaire lui-même qui a réalisé tous les travaux, en utilisant des matériaux recyclés pour faire les murs, les comptoirs, etc. « Un lieu 100 % Kyoto », comme il le dit avec humour.

Un bistro sur la rue Sainte-Catherine Est

🍹 CABOTINS DANS LA MERCERIE
4821, Sainte-Catherine Est
514-251-8817

Ouvert le midi du lun-ven, pour le souper du mar-sam et pour le brunch en fin de semaine. Fermé le dim et lun soirs. TH midi : 9,75-15 $, TH soir : 18,50-25,50$ et brunch 15$. Recommandé pour les familles.

Un des endroits les plus fous que l'on ait jamais visité ! Il suffit de voir les lampes à l'envers suspendues au plafond pour comprendre qu'ici, tout est possible, tant au niveau de la déco, que du service ou de l'assiette. Occupant une ancienne mercerie, les proprios ont décidé d'en garder les traces : ici on trouve de vieux mannequins, des murs décorés de boutons et des tee-shirts d'enfants … sur la tête des serveurs ! Une grande majorité du personnel est liée au monde du théâtre, ce qui explique leur sens de l'humour et du jeu. Côté assiette, la créativité n'est pas en reste. Les subtiles alliances de sucré-salé, l'utilisation du foie gras, du canard, du gibier, raviront les gourmets.

PANDA SUSHI EXPRESS
4283, Sainte-Catherine Est
514-255-5388

Lun-mer 11h-22h, jeu-ven 11h-22h30, sam 12h-23h, dim 15h-22h. TH midi : 6,75-12,25$ + 1,50$ pour une soupe et une salade. Sur place, à emporter ou livraison.

Un tout petit local, avec quelques tables seulement mais une grande variété de sushis, sashimis et de makis, tous plus délicieux les uns que les autres. Le poisson est de grande qualité et très frais. Il faut demander au chef de vous faire goûter ses spécialités comme le tartare de thon ou de saumon, épicé, servi sur un petit cracker. Encore plus original : le Angkor : du saumon épicé, de l'avocat, une feuille shiso et le tout couvert d'hamachi grillé. Bref, de la grande qualité et des recettes originales dans un lieu sans prétention.

CAFÉ

CAFÉ LUBU
4556, Sainte-Catherine Est
514-253-5828
www.lubu.ca
Mar-ven 9h-18h, sam-dim 9h-17h.
Un café-librairie qui sort de l'ordinaire.
Pour commencer, les serveurs sont
malentendants! (et pas muets :
contrairement à ce qu'on pense souvent,
la plupart des malentendants ne sont pas
muets). Pour vous faire comprendre, pas
de problème : ils liront sur vos lèvres ou
bien vous opterez pour le langage des
signes. Au menu : de délicieux cafés,
des biscuits moelleux, des sandwichs,
des soupes. On savoure tranquillement
ces petits délices dans un cadre très
chaleureux, agrémenté de nombreuses
toiles : chacun des artistes qui a exposé
ici a laissé une de ses créations. Ce bel
espace se prête bien à de nombreux
évènements, à la fois pour les familles
(voir article dans la section junior
pour les détails) et pour les adultes.
Deux fois par mois, le collectif Identité
Québécoise, invite un spécialiste pour un
cours d'histoire ou pour une conférence.
On ne repartira pas sans avoir fait
un tour dans l'espace librairie qui ne
présente que des ouvrages publiés au
Québec. Le choix de livres, magazines et
BD est très intéressant.

CULTURE

THÉÂTRE DENISE-PELLETIER
4353, Sainte-Catherine Est
514-253-8974
www.denise-pelletier.qc.ca
La mission première de ce théâtre
est d'initier les jeunes au théâtre.
Pour cela, il crée une variété d'outils
pédagogiques et des activités pour les
jeunes (conférences, ateliers, visites
du théâtre) et leurs professeurs. Les
représentations pour adultes ne sont pas
en reste. La programmation fait la part
belle aux pièces de répertoire classique et
contemporain, d'ici et d'ailleurs.

IN VIVO – BISTRO CULTUREL ENGAGÉ
4731, Sainte-Catherine Est
515-223-8116
www.bistroinvivo.coop
*Lun-jeu 11h-22h, ven 11h-24h, sam
10h-24h et fermé le dim. Ouvert
jusqu'à 1h les soirs de spectacle.*
Comme son nom l'indique, ici
l'engagement est pris au sérieux!
Engagement musical d'abord, car ici
les spectacles se succèdent sans temps
mort. C'est presque chaque soir qu'un
artiste différent monte sur scène. La
programmation favorise les auteurs-
compositeurs de la relève québécoise.
Parmi les rendez-vous réguliers, notons
les jeudis jazz. Autre engagement :
la consommation locale. Ainsi, au
menu des bières, les micro-brasseries
québécoises ont l'exclusivité (Boréal,
Alchimiste, Trois Mousquetaires, etc).
Autres boissons faites au Québec :
l'hydromel et les trois cidres. Enfin,
engagement gastronomique : un menu
abordable (plats de 6,25 à 10,75$) qui
comprend des paninis, des pizzas, des
pâtes, des pierogies, des quiches ou un
plat de cuisine du monde.

LIBRAIRIE WITKACY
4747, Sainte-Catherine Est
514-256-9292
www.librairiewitkacy.com
*Mar-mer 11h-17h30, jeu-ven 11h-20h,
sam 12h-17h, dim-lun fermé.*
Une librairie spécialisée dans la
littérature slave, ça ne se trouve pas à
chaque coin de rue! Et pourtant il y a
tant de poésie et de philosophie dans les
ouvrages des auteurs russes, polonais,
tchèques... Autre originalité de Witkacy :
le large choix de livres, DVD et CD
en polonais, qui fait de la librairie le
lieu de référence pour la communauté,
relativement importante à Montréal.
D'ailleurs, beaucoup de Polonais se
sont installés dans ce quartier, lors de
leur arrivée au début du siècle. Le très
sympathique libraire se fera un plaisir
de vous orienter parmi ces ouvrages
passionnants.

BOUTIQUES

LA COCCINELLE JAUNE – LA BOUTIQUE SYMPATHIQUE
4236, Sainte-Catherine Est
514-259-9038
www.coccinellejaune.com
Lun-mer 11h-18h, jeu-ven 11h-20h, sam-dim 11h-17h.

Cette boutique aux couleurs vives et joyeuses est un incontournable pour qui veut trouver un cadeau sympathique et à un prix raisonnable. Des exemples parmi tant d'autres : de belles assiettes avec des messages rigolos, des sacs colorés, des cartes de vœux et de beaux bijoux. Pour les enfants, il y a beaucoup de jolies choses comme des gigoteuses faites à la main et des robes de chambre miniatures (trop cutes!). Sur les étagères, des étiquettes indiquent quelles sont les pièces faites par des artisans québécois et celles provenant du commerce équitable. Bonne nouvelle : la boutique vient de déménager afin de proposer encore plus de belles choses!

L'OISEAU BLEU
4146, Sainte-Catherine Est
514-527-3456
www.loiseaubleu.com
Lun-mer 9h30-18h, jeu-ven 9h30-21h, sam 9h30-17h, dim 12h-17h.

Tout le nécessaire pour les créateurs et amateurs d'art se trouve dans cette immense boutique, bien connue à Montréal. Bien sûr, c'est le paradis des âmes créatives : beaucoup de coffrets pour s'initier à la porcelaine, à la peinture, à la construction en bois, à la fabrication de porte-clés et de nombreuses autres choses. Le choix des puzzles est lui aussi très vaste. Les adultes apprécieront le très large choix de peintures (huile, gouache, etc.), les pelotes de laines, le nécessaire pour faire ses bougies, les kits de broderie, le choix de papier cadeaux. Est-il nécessaire de préciser que c'est un incontournable pour les amateurs de scrapbooking ?

FOLLE GUENILLE
4039, Sainte-Catherine Est
514-845-0012
Lun 12h-18h, mar-ven 10h-18h, sam 10h-17h, fermé dim.

Fripes et créations faites à partir de tissus récupérés et vêtements recyclés se partagent les rayons de cette boutique, bien originale. Les vêtements, bijoux et accessoires d'une quarantaine de créateurs québécois y sont exposés. Tout le monde y trouve son compte, que l'on cherche une grande taille, un vêtement pour enfant ou même une robe de bal. De plus, au fond de la boutique, l'atelier Vio-li est tenu par une ancienne costumière qui aujourd'hui crée des vêtements sur mesure, modifie des habits et fait des altérations.

repères
hébergement

LES JOURS FÉRIÉS DE 2007 ET 2008

Beaucoup de commerces et de centres d'intérêt touristique restent ouverts les jours fériés.

• LUNDI 25 JUIN. **Congé en raison de la Saint Jean Baptiste** *(le 24 juin, qui tombe un dimanche en 2007. Le lundi est donc chômé)*

• LUNDI 2 JUILLET. **Congé en raison de la fête du Canada (le 1er juillet qui tombe un dimanche en 2006. Le lundi est donc chômé)**

• LUNDI 3 SEPTEMBRE. **Fête du travail**
• LUNDI 8 OCTOBRE. **Jour de l'Action de grâce**
• LUNDI 12 NOVEMBRE. **Jour du souvenir**
• MARDI 25 DÉCEMBRE. **Jour de Noël**
• MERCREDI 26 DÉCEMBRE. **L'après noël**
• MARDI 1ER JANVIER. **Jour de l'An**
• VENDREDI 21 MARS. **Vendredi Saint**
• LUNDI 24 MARS. **Lundi de Pâques**
• LUNDI 19 MAI. **Journée des Patriotes et Fête de la reine**

LE CLIMAT

En raison de sa latitude et de son emplacement, le Québec connaît un climat continental caractérisé par des hivers rigoureux et des étés relativement chauds. Bien que les températures saisonnières varient selon les régions du Québec, à Montréal, elles atteignent une moyenne maximale de 27°C l'été, alors que la moyenne maximale hivernale est de -15°C. La plupart des nouveaux arrivants sous-estiment les rigueurs de l'hiver québécois. En effet, il n'est pas rare d'enregistrer des températures de -25°C à -30°C (les températures peuvent atteindre les -45°C à -50°C avec le facteur vent) et la neige est généralement abondante. Par contre, le mercure dépasse souvent 27°C en été.

TEMPÉRATURES MOYENNES ANNUELLES À MONTRÉAL (°C), 2006	
janvier	-4.5
février	-6.8
mars	-0.6
avril	7.6
mai	14.5
juin	19.2
juillet	22.6
août	19.3
septembre	15.0
octobre	7.9
novembre	4.4
décembre	-1.2

Source : CRIACC (Centre de Ressources en impacts et adaptation au climat et à ses changements)

PRÉVISIONS MÉTÉOROLOGIQUES ENVIRONNEMENT CANADA

514-283-3010 / 1-900-565-4000 (0,95 $/minute)
www.meteo.ec.gc.ca/

MÉTÉOMÉDIA

1-900-565-6383 (1,50 $/minute)
www.meteomedia.com

LES DOUANES

BUREAU DES DOUANES

1-800-959-2036
www.cbsa-asfc.gc.ca

ALCOOL ET TABAC

Vous pouvez importer en franchise de droits une certaine quantité de boissons alcooliques et de produits de tabac, pourvu que vous satisfassiez aux exigences relatives à l'âge (18 ans au Québec). Si vous avez 18 ans ou plus, vous pouvez :
• importer 200 grammes de tabac fabriqué (7 onces), 50 cigares ou 200 cigarettes.
• apporter 1,14 litre de spiritueux (40 onces impériales), ou 1,5 litre de vin, ou 24 cannettes ou bouteilles de 335 ml (12 onces) de bière (ou l'équivalent, soit 8,5 litres) sans qu'aucune cote douanière ne s'applique.

Pourboire

Le service n'est pas inclus dans le prix de votre repas ou de votre boisson, ni dans les restaurants, ni dans les bars. Il faut donc rajouter 15 % de l'addition au moment de régler la note. Une astuce pour votre calcul : additionnez le montant des deux taxes qui se trouvent sur le ticket. Vous obtiendrez ainsi la somme à laisser pour le service.

LA MONNAIE CANADIENNE

La monnaie utilisée au Québec est le dollar canadien ($). Il se divise en 100 cents et se présente sous les formes suivantes :

PIÈCES MÉTALLIQUES :
1¢, 5¢, 10¢, 25¢, 1$ et 2$

BILLETS DE BANQUE :
5$, 10$, 20$, 50$ et 100$.

Si vous n'avez pas pris la précaution de vous munir d'un peu d'argent en monnaie canadienne avant votre départ, vous pourrez le faire aux bureaux de change qui se trouvent dans les aéroports mais aussi dans le centre-ville de Montréal. Ce service est offert par les courtiers en devises et certaines succursales des banques et des caisses populaires.

Note : la plupart des magasins refusent désormais les billets de 100$ et certains ceux de 50$.

LES TAXES À LA CONSOMMATION

Presque tous les biens et services font l'objet de taxes à la consommation, imposées par les gouvernements du Canada et du Québec :
• la taxe sur les produits et services (TPS) du Canada : 6%
• la taxe de vente du Québec (TVQ) : 7,5% sur le prix de vente plus la TPS. Sauf exception, ces taxes ne sont pas incluses dans les prix indiqués. Ne soyez donc pas surpris à la caisse si on vous annonce un autre montant de 14,5% plus cher !

LES HEURES D'OUVERTURE DES COMMERCES

La loi autorise la plupart des commerces à ouvrir au public :
• de 8h à 21h du lundi au vendredi
• de 8h à 17h samedi et dimanche

Dans les faits, la plupart des commerces ouvrent :
• de 8h à 18h du lundi au mercredi
• de 8h à 21h du jeudi au vendredi
• de 8h à 17h samedi et dimanche

Les établissements tels que les marchés d'alimentation, les petites épiceries de quartier, les pharmacies, les stations-service et les entreprises récréatives ou touristiques (restaurants, cinémas, musées et hôtels, etc.) peuvent offrir un horaire plus souple.

CONSULATS

CONSULAT GÉNÉRAL D'ALGÉRIE
3415, St Urbain
514-846-0442   www.
consulatalrgeriemontreal.com

CONSULAT GÉNÉRAL D'AUTRICHE
1350, Sherbrooke O
514-845-8661/514-849-3708

CONSULAT GÉNÉRAL DE BELGIQUE
1010, Sherbrooke O
514-286-1581
www.bruxelles-canada.com

CONSULAT GÉNÉRAL DES ETATS-UNIS D'AMÉRIQUE
1155, Saint Alexandre
514-398-9695

CONSULAT GÉNÉRAL DES PAYS-BAS
1002, Sherbrooke O
514-849-4247
www.dutchconsulatemontreal.org

CONSULAT GÉNÉRAL DE FRANCE

1 Place Ville-Marie, bureau 2601, 26ème étage
514-866-6511
www.consulfrance-montreal.org
info@consulfrance-montreal.org
Lun-ven de 8h30 à 12h

CONSULAT GÉNÉRAL DE GRANDE-BRETAGNE

1000, rue de la Gauchetière O
514-866-5863
www.britainincanada.org
montreal@britainincanada.org
Lun-ven de 9h à 12h

CONSULAT GÉNÉRAL DE GRÈCE

1170, Place du Frère André
514-875-2119
www.grconsulatemtl.net

CONSULAT GÉNÉRAL DU LIBAN

40, Chemin Côte Sainte Catherine
514-276-2638

CONSULAT GÉNÉRAL DE LA RÉPUBLIQUE FÉDÉRALE D'ALLEMAGNE

1250, René Lévesque O, suite 4315
514-931-2277
www.montreal.diplo.de

CONSULAT GÉNÉRAL D'ESPAGNE

1, Carré Westmount
514-935-5235

CONSULAT GÉNÉRAL DE SUISSE

1572, Docteur-Penfield
514-932-7181
www.eda.admin.ch/canada
vertretung@mon.rep.admin.ch
Lun-ven de 10h à 13h

CONSULAT GÉNÉRAL D'ITALIE

3489, Drummond
514-849-8351

CONSULAT GÉNÉRAL DU LUXEMBOURG

3706, Saint-Hubert
514-849-2101

CONSULAT GÉNÉRAL DU PORTUGAL

2020, University
514-499-0359

CONSULAT GÉNÉRAL DU ROYAUME DU MAROC

1010, Sherbrooke O
514-288-8750

CONSULAT GÉNÉRAL DE TUNISIE

511, Place d'Armes
514-844-6909

SE RENDRE À MONTRÉAL

EN AVION

De nombreuses compagnies permettent de se rendre depuis les grandes villes européennes en Amérique du Nord. Les vols depuis les capitales européennes sont généralement directs. Voici les coordonnées des principales compagnies.

Vieux port, automne © Claude Vilain

Transport depuis / vers l'aéroport Pierre-Elliott-Trudeau

NAVETTE AÉROBUS
514-842-2281
La Navette Aérobus qui relie l'aéroport au centre-ville de Montréal fonctionne 7 jours sur 7. Elle quitte la station centrale Berri toutes les 20 minutes de 4h à 23h et l'aéroport de 7h à 2h.
Durée du trajet : environ 40 minutes
Coût : 14 $CAN, aller simple centre-ville

TAXIS disponibles sur place, aucune réservation requise.
Coût d'un taxi : 31 $CAN vers le centre-ville (le prix est fixe).

AIR FRANCE
www.airfrance.fr

AIR CANADA
www.aircanada.ca

AIR TRANSAT
www.vacancesairtransat.fr

AMERICAN AIRLINES
www.aa.com

CORSAIR
www.corsair.fr

ZOOM AIRLINES
www.flyzoom.com
Une toute nouvelle compagnie qui propose des vols à petits prix depuis/vers l'Europe.

BRITISH AIRWAY
www.britishairways.com

US AIRWAYS
www.usairways.com

EN BATEAU

MER ET VOYAGES
9 rue Notre Dame des Victoires
75002 Paris, France
(+ 33) 1 49 26 93 33 –
(+ 33) 1 42 96 29 39
www.mer-et-voyages.com
Traverser l'océan Atlantique à la manière des plus anciens navigateurs, ça vous tente ? Plutôt que d'arriver sur le continent américain en l'espace de quelques heures et de subir le décalage horaire, profitez de ce voyage pour prendre votre temps et vivre une croisière inoubliable à bord d'un navire de commerce (cargos, vraquiers, porte-conteneurs, bateaux de courriers, navires océanographiques, bananiers, etc.). Au départ d'Anvers (Belgique), d'Amsterdam (Hollande) ou de Gênes (Italie), naviguez à bord d'un navire et rejoignez les côtes canadiennes en 11 ou 14 jours de traversée transatlantique. Pour les puristes, il est également possible d'embarquer grâce à cette agence sur des brise-glaces et de voyager vers l'Arctique et l'Antarctique. Compter autour de 100 euros par jour et par personne. Maximum de 12 passagers à bord. Autorisation de voyager avec 100 kilos de bagage.

VOYAGER DEPUIS MONTREAL

EN VOITURE

CO-VOITURAGE

ALLO-STOP
4317, Saint-Denis
514-985-3032
www.allostop.com
Ouvert tous les jours de 9h à 18h. Adhésion annuelle 7$ pour un automobiliste et 6$ pour un passager. À titre indicatif, quelques destinations courantes avec leur coût par personne: Québec 16$, Chicoutimi 32$, Sherbrooke 11$.
Un système pour globe-trotters, écolos, ou sans autos qui a fait ses preuves.

Permis de conduire

RENSEIGNEMENTS SUR :
WWW.SAAQ.QC.CA

Les touristes possédant un permis de conduire rédigé en français ou en anglais peuvent conduire au Québec avec ce permis, pendant une durée de 6 mois. Cette date passée ou si vous avez un permis rédigé dans une autre langue, vous aurez besoin d'un permis international.

À l'achat d'une carte de membre annuelle, Allo-stop garantit un service de transport fréquent sur les destinations canadiennes les plus prisées. Pour les autres destinations, vérifiez les disponibilités. Il est préférable de réserver deux jours à l'avance. Plusieurs bureaux à travers le Québec assurent le relais.

Note : Allo-stop a été contraint de cesser ses activités vers l'Ontario suite à une plainte des compagnies d'autobus.

COMMUNAUTO

514-842-4545
www.communauto.com
Permanence téléphonique du lundi au vendredi entre 9h et 17h.
Établie dans la métropole depuis 1994, cette société d'abonnement à la location de véhicule constitue un moyen astucieux pour l'usage ponctuel d'une voiture pour la durée et le nombre de kilomètres souhaités. Étant donné qu'il faut s'abonner pour une année, nous le conseillons aux résidents de Montréal et non aux visiteurs de passage. Plus de 400 voitures uniquement à Montreal, et 114 stationnements dans les régions de Montréal, Québec, Sherbrooke et Gatineau sont à la disposition de ses 10000 abonnés. Trois formules annuelles sont proposées (l'assurance et l'essence sont incluses dans les tarifs): tarif au kilomètre (de 16¢ à 29¢ selon le forfait de cotisation annuelle choisi), tarif à l'heure (mardi à jeudi 1,50$/heure, vendredi à lundi 2$/heure) ou à la journée (mardi à jeudi 18$/jour, vendredi à lundi 24$/jour). L'adhésion implique une caution de 500$ rendue à l'adhérent après une période minimale d'un an si vous ne désirez pas renouveler l'expérience. Une solution à la fois économique et écologique qui contribue à la rationalisation de l'usage de l'automobile, sans les embarras de l'entretien.

LOCATION DE VOITURES

Il faut compter entre 70$ et 85$ la journée pour la location d'un véhicule de catégorie A, tarif variable selon les spéciaux en vigueur, les saisons et la distance parcourue, le kilométrage étant souvent illimité. Faire quelques appels, c'est mieux et tellement profitable. Nous indiquons ci-après les principales succursales des grandes chaînes, à vous de les contacter pour avoir l'adresse de l'agence la plus proche.

AVIS

1225, Metcalfe
514-866-2847 / 1-800-321-3652
Aéroport Trudeau 514-636-1902
5185, Papineau 514-789-2847
505, de Maisonneuve E (dans le terminal de bus)
www.avis.ca
Automobiles et camions. Plusieurs autres adresses dans Montréal.

DISCOUNT

607, de Maisonneuve O
514-849-2277
2250, Guy
www.discountcar.com
Tarif journalier, en semaine (200 km inclus): compacte 39,95$, standard 49,95$. Tarifs week-ends (900 km inclus): compacte 89,94$, standard 119,94$.

Qualité/Prix

Rouler l'esprit libre...

No1 et spécialiste de la location de voitures pour les loisirs au Canada, Alamo vous offre encore plus de choix, avec des agences de locations bien situées dans la ville de Québec.

Alamo propose des forfaits tout compris (taxes, assurances, kilométrage illimité) afin de vous rendre la location de voiture plus facile.

Vos vacances vont "rouler" l'esprit tranquille.

Centre de Gestion des Déplacements du Centre Ville ✳✳✳

WWW.VOYAGEZFUTE.CA

Initialement prévu pour les entreprises auxquelles il offre des services d'audits et de conseils en transports urbains, Voyagez Futé Montréal est devenu une mine de renseignements utiles pour les particuliers. La vocation de cet organisme gouvernemental est de réduire les nuisances liées aux usages excessifs de la voiture en centre ville. Pour ce faire, il centralise toutes les informations sur les modes de déplacement « alternatifs », du transport en commun à la trottinette en passant par le co-voiturage. On y trouvera donc tous les conseils pratiques, les liens, et une foire aux questions particulièrement bien garnie, pour changer notre manière de concevoir nos déplacements.

EUROPCAR

3850, Masson
514-722-5678
www.europcar.ca
Tarif journalier, en semaine (kilométrage illimité): compacte 37,84 $, luxe 149,39 $.

HERTZ

Aéroport Trudeau 514-636-9530
1475, Aylmer 514-842-8537
1073, Drummond 514-938-1717
www.hertz.ca
M° McGill, angle de Maisonneuve.
Une société fiable, qui offre en location des voitures de l'année. Le premier prix est de 46$ par jour, kilométrage illimité. Des garanties en cas de dépannage, des assurances intéressantes, surtout si on part aux États-Unis. En principe, l'auto doit être remise avec le plein d'essence, mais on peut également payer le prix du plein et c'est l'agence qui s'en charge.

EN AUTOBUS

STATION CENTRALE D'AUTOBUS

505, de Maisonneuve E
514-842-2281
M° Berri-UQAM. Renseignements tarifs et horaires au numéro indiqué. Service téléphonique 7 jours sur 7, de 6h à 00h.
Pour toutes les destinations d'Amérique du Nord situées à plus de 35 km de Montréal. Possibilité d'acheter un Rout-Pass (www.routpass.com), donnant droit à des trajets illimités, pendant une période de 7 ou 14 jours (prix : 230 et 287 $). Il est valable au Québec et en Ontario (mais pas pour se rendre à l'aéroport Montréal-Trudeau). Également forfait de 18 jours Québec-Ontario, comprenant New York (355 $). Voici quelques destinations avec leur durée et leur fréquence :

QUÉBEC 2H40
Départs toutes les heures entre 6h et 20h, puis 21h30, 22h30 et 00h15.

TORONTO 6H50
Départs toutes les deux heures de 7h30 jusqu'à 17h30. Puis départ à 21h et 00h15.

OTTAWA 2H20
Départs toutes les heures entre 6h et 00h, à l'heure pile.

NEW YORK 8H30
Départs tous les jours à 7h45, 9h30, 16h15, 22h30, 23h45

TRAIN

VIA RAIL

Gare centrale de Montréal
514-989-2626 / 1-888-842-7245
www.viarail.ca
M° Bonaventure. Billetterie ouverte lun-ven et dim de 6h à 23h30, sam de 6h à 21h. Répondeur jour et nuit et service téléphonique de 8h à 22h. Face à la place Bonaventure. Néanmoins, certains départs sont possibles de la gare de Dorval pour

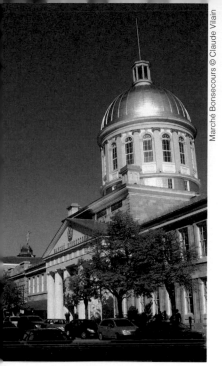

Marché Bonsecours © Claude Vilain

OTTAWA 2H
5 trains par jour en semaine,
4 le week-end.

QUÉBEC 3H
2 à 5 trains par jour.

NEW YORK 9H50
1 train par jour au départ de Montréal
à 9h50

CIRCULER DANS LE GRAND MONTRÉAL

ORIENTATION

La ville est divisée en deux parties, Est et Ouest, par le boulevard Saint-Laurent (la Main), qui traverse l'île du sud au nord, frontière entre les anglophones et les francophones. Les numéros se correspondent exactement d'une rue à l'autre (le 1110 Sainte-Catherine Est équivaut au 1110 Sherbrooke Est). Difficile de se perdre dans Montréal, la ville étant construite en damier (comme toutes ses homologues nord-américaines). En revanche, il faut faire attention aux coupures de certaines rues qui reprennent un pâté de maisons plus loin.

Au sud, le Vieux-Montréal, rénové de fond en comble pour le 350ème anniversaire de la ville, est devenu le site touristique par excellence avec, notamment, sa très belle place Jacques Cartier. Le milieu des affaires reste bien concentré au centre-ville, ses gratte-ciels imposants construits autour du square Dorchester et de la Place Ville-Marie laissant cependant une petite chance à l'Est avec la Place des Arts, les complexes Desjardins et Guy Favreau, le Palais des Congrès et la grande tour de Radio-Canada.

CENTRE INFOTOURISTE
1001, square Dorchester
www.tourisme-montreal.org
M° Peel, angle Peel et Sainte-Catherine. Ouvert 1er juin-4 septembre de 8h30 à 19h30, 3 septembre-31 mai de 9h à 18h.
N'hésitez pas à y passer un moment

les destinations de l'Ouest, comme Toronto et Ottawa.
Le train dessert notamment l'Abitibi, la Gaspésie et le lac Saint-Jean, Québec, Ottawa, Toronto et Halifax. Pour les détails sur les types de tarifs et de billets, voir la section organiser son séjour, à la fin du guide.

AMTRAK
895, de la Gauchetière O
Gare Centrale
1-800-872-7245
www.amtrak.com
Billetterie ouverte lun-dim de 7h30 à 19h.
Compagnie ferroviaire américaine assurant notamment les liaisons entre les États-Unis et le Canada. Il faut réserver à l'avance. Si vous arrivez à la dernière minute, le prix double quasiment. Possibilité de se rendre jusqu'à Washington.

TORONTO 5H
6 trains par jour en semaine,
5 le week-end.

Un site pour les gens pressés : www.stm.info

Le site de référence pour gagner beaucoup de temps quand on se déplace en transport en commun. Avec l'option Tout azimut de ce site Internet, vous tapez votre lieu de départ, votre lieu d'arrivée et l'horaire (arrivée ou départ) et vous obtenez la combinaison de bus et métro qui vous fera arriver à destination au plus vite. Très pratique !

---

pour planifier l'ensemble de votre séjour. L'accueil est très professionnel et le « fonds documentaire » imbattable.

BUREAU D'INFORMATION TOURISTIQUE DU VIEUX-MONTRÉAL

174, Notre-Dame E
www.vieux.montreal.qc.ca
M° Champ-de-Mars. Ouvert début avril-3 juin de 9h à 17h ; 4 juin- 4 septembre de 9h à 19h ; 5 septembre-31 octobre de 9h à 17h; 1er novembre-début avril, mer-dim de 9h à 17h.
Informations uniquement sur Montréal. On peut s'y procurer des cartes routières et cartes téléphoniques, la carte-musées et la carte des pistes cyclables.

AUTOBUS OU MÉTRO

STM
800, de la Gauchetière O
514-786-4636
www.stm.info
Le réseau de transport de la métropole. Infos, objets trouvés, etc.

TRAINS DE BANLIEUE
Il existe cinq lignes de trains qui rejoignent le centre-ville de Montréal à la banlieue montréalaise :
• Montréal/Dorion-Rigaud
• Montréal/Deux-Montagnes
• Montréal/Blainville
• Montréal/Mont-Saint-Hilaire
• Montréal/Delson

Gare de trains de banlieue :
• Lucien l'Allier
• Vendôme
• Gare Centrale

AGENCE MÉTROPOLITAINE DE TRANSPORT (AMT)
500, place d'Armes
514-287-TRAM
www.amt.qc.ca
Renseignements sur les trains de banlieue, les Circuits Express métropolitains ou les cartes mensuelles TRAM. Le train représente une alternative de qualité aux engorgements quotidiens sur les ponts de la Rive Nord et de la rive Sud.

La TRAM est une carte mensuelle intégrée qui permet d'accéder aux réseaux de trains de banlieue, de bus et de métro de la région métropolitaine. Les Express Métropolitains : il s'agit d'un service de bus qui offrent un accès rapide au centre-ville et à ses environs. L'Express TCV90 relie le stationnement Brossard-Chevrier au terminus centre-ville en moins de 24 minutes. L'Express Le Carrefour 902 relie le terminus Le Carrefour au M° Côte-Vertu en moins de 23 minutes.

RIVE-NORD

STL (SOCIÉTÉ DE TRANSPORT DE LAVAL)
450-688-6520
www.stl.laval.qc.ca

RIVE-SUD

RTL (RÉSEAU DE TRANSPORT DE LONGUEUIL)
450-463-0131
www.rtl-longueuil.qc.ca
Le Réseau de transport de Longueuil compte 70 lignes de bus, incluant la desserte de Saint-Bruno-de-Montarville (lignes 91, 92, 93, 98, 99) et la desserte métropolitaine (ligne 90). Le RTL exploite aussi 11 lignes de taxi collectif, qui offrent un service de taxi collectif

Plan du métro de Montréal

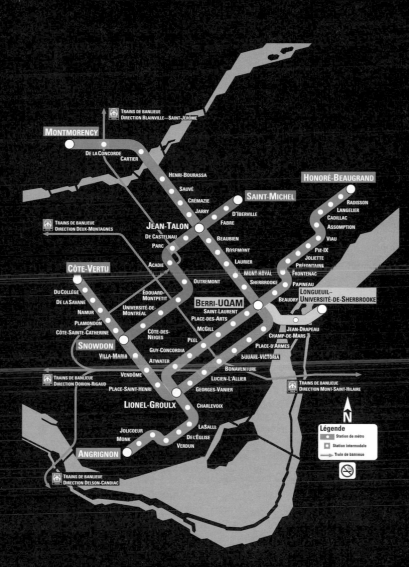

Trains de banlieue
Direction Blainville—Saint-Jérôme

MONTMORENCY

De la Concorde

Cartier

Henri-Bourassa

Sauvé

Crémazie

Jarry

Trains de banlieue
Direction Deux-Montagnes

SAINT-MICHEL

D'Iberville

JEAN-TALON

Fabre

De Castelnau

Parc

Beaubien

Acadie

Rosemont

Laurier

HONORÉ-BEAUGRAND

Radisson

Langelier

Cadillac

Assomption

Viau

Pie-IX

Joliette

Préfontaine

Frontenac

Mont-Royal

Papineau

Outremont

Sherbrooke

**LONGUEUIL—
UNIVERSITÉ-DE-SHERBROOKE**

Beaudry

CÔTE-VERTU

Du Collège

De la Savane

Namur

Plamondon

Côte-Sainte-Catherine

Édouard-
Montpetit

Université-de-
Montréal

BERRI-UQAM

Saint-Laurent

Place-des-Arts

McGill

Côte-des-
Neiges

Peel

SNOWDON

Villa-Maria

Guy-Concordia

Atwater

Jean-Drapeau

Champ-de-Mars

Place-d'Armes

Square-Victoria

Vendôme

Bonaventure

Lucien-L'Allier

Trains de banlieue
Direction Dorion-Rigaud

Place-Saint-Henri

Georges-Vanier

Trains de banlieue
Direction Mont-Saint-Hilaire

LIONEL-GROULX

Charlevoix

N

Joliceur

LaSalle

Monk

De l'Église

ANGRIGNON

Verdun

Trains de banlieue
Direction Delson-Candiac

Légende

Station de métro

Station intermodale

Train de banlieue

Le service
«Entre deux arrêts»

La STM a mis en place un service favorisant la sécurité des femmes le soir. Le principe est simple : en montant dans le bus, demandez au chauffeur s'il peut s'arrêter entre deux arrêts, si cela est plus proche de chez vous. Ce service est disponible à partir de 19h30 de septembre à avril et dès 21h de mai à août.

aux résidents de certains secteurs éloignés des lignes de bus régulières. On prend le taxi collectif comme on prend le bus, aux mêmes arrêts, en utilisant les mêmes titres de transport, aux mêmes tarifs. Le taxi vous conduit alors au point de correspondance le plus proche.

LIMOUSINES
Pour ces occasions où le luxe s'impose...

AMBIANCE LIMOUSINES
514-251-0888 / 1-866-947-5466
www.ambiancelimousines.com
Tarifs: 100$/heure, sujet à modification selon les périodes de l'année.
Limousines Rolls-Royce, Cadillac, Lincoln et Mercedes, ainsi que des voitures anciennes datant des années 20 comme la Plymouth, la Ford ou la Hudson. Maximum de six à huit passagers selon les modèles.

NITE LIFE LIMO
514-881-6000
www.limoecono.com
Tarifs: 100$/heure, 475$/8h avec chauffeur à disposition.
Un service grand luxe avec environ 70 véhicules haut de gamme Rolls-Royce, Cadillac, Lincoln et même une Coccinelle allongée de Volkswagen! Toutes ces beautés disposent d'un intérieur en cuir, de téléviseur et de l'air climatisé. Pour les grandes occasions, comme pour un coup de folie!

PARTY LIMOUSINES
514-666-5466 / 1-888-593-5235
www.partylimo.info
Service disponible 24h/24. Tarifs: 125$/heure; voiture de mariage

(anciennes) 325-475/5h. V, MC.
Limousines de tous types dont SUV. La compagnie peut également se charger de faire vos réservations d'hôtel et de restaurant.

NAVETTES FLUVIALES

NAVETTES MARITIMES DU SAINT-LAURENT
Quai Jacques-Cartier, Vieux-Port
514-281-8000
www.navettesmaritimes.com
Service de navettes maritimes entre l'île de Montréal, le Parc Jean-Drapeau et Longueuil de mai à octobre. Départ toutes les 60 minutes, de 10h35 à 18h35 (9h35 à 22h35 en juillet et août) depuis Montréal. Aller simple 4,50$, passe Inter-rives (8 passages) 36$.

SOCIETE D'ANIMATION DE LA PROMENADE BELLERIVE
514-493-1967
www.promenadebellerive.ca
Une navette relie le parc Bellerive (M° Honoré Beaugrand) aux îles de Boucherville, en été, les fins de semaine seulement. Adulte 3,50 $, comprenant l'entrée au parc des îles.

TAXIS
Attente moyenne de 6 minutes lors des heures d'affluence, 10 (sinon 15) tard le soir.

SUR MONTRÉAL :

CHAMPLAIN
514-273-2435

TAXI CO-OP
514-725-9885

TAXI DIAMOND
www.taxidiamond.com
514-273-6331

RIVE SUD :

RADIO TAXI UNION
450-679-6262

NIC TAXI
450-659-9292

HÉBERGEMENT

AUBERGES DE JEUNESSE

AUBERGE ALTERNATIVE DU VIEUX MONTRÉAL
358, Saint-Pierre
514-282-8069
www.auberge-alternative.qc.ca
M° Square Victoria. 18-20$ la nuit en dortoir et 55$ en chambre individuelle. 4$ le petit déjeuner bio et copieux, compris dans le prix des chambres individuelles.
Une auberge très charmante, au cœur du quartier historique de Montréal, ça ne se refuse pas ! Le lieu est idéal pour se faire des compagnons de voyage. L'auberge adopte une philosophie 'alternative' : pas de télévision ni de distributeur de sodas. Par contre, le café et le thé équitables sont offerts. Les employés de l'auberge et les voyageurs sont encouragés à s'exprimer sur des panneaux muraux et à échanger sur leurs expériences de vie.

AUBERGE DE JEUNESSE DE MONTRÉAL
1030, MacKay
514-843-3317 ou 1-866-843-3317
www.hostellingmontreal.com
M° Lucien L'Allier. Pour membres, 25,75$ la nuit, en dortoir, draps et serviette inclus mais taxe en sus. 30$ pour les non-membres. 65-75$ pour une chambres privées.
Située à quelques mètres de l'Université Concordia et non loin de l'Université McGill, cette auberge accueille des visiteurs du monde entier et de tous les

âges. Les chambres individuelles et les dortoirs de cette grande auberge ont, entre autre, une connexion internet WIFI et une salle de bains privée. Côté ambiance, on peut rester anonyme ou socialiser en participant aux diverse sorties proposées par les animateurs. Le soir, une cafétéria prépare un excellent menu à des prix très raisonnables. Une cuisine est à la disposition de ceux souhaitant concocter leurs propres repas.

AUBERGE MAEVA
4755, Saint-Hubert
514-523-0840
www.aubergedejeunessemaevamontreal.com
M° Laurier. Entre 20$ et 22$ la nuit en dortoir et entre 40$ et 50$ en chambre individuelle.
Idéal pour ceux qui veulent retrouver une ambiance familiale. Car, dans cette petite auberge, tout se passe autour de la table de la cuisine, que l'on partage avec les propriétaires et les autres résidents ! Les petits dortoirs offrent plus d'intimité que ceux des grandes auberges. L'été, on profite de la petite terrasse fleurie. L'auberge se trouve sur le Plateau, un quartier résidentiel à la mode. Y séjourner, c'est découvrir un Montréal un peu hors du cœur touristique.

COUETTE & CAFÉ

AUBERGE BONSECOURS
355, Saint-Paul E
514-871-0299
www.aubergebonsecours.com
M° Champ-de-Mars. V, MC, AE & Interac. Occupation simple entre 125 et 195$, occupation double 195$ à 285$, personne supplémentaire 30$ à 35$. Air climatisé.
Située dans le Vieux-Montréal, et à proximité de toutes les activités du centre-ville, l'Auberge Bonsecours est une ancienne écurie réaménagée en hôtel-boutique, qui vous propose sept chambres alliant confort et tranquillité dans un cadre chaleureux : murs de briques apparentes et boiseries, ainsi qu'une cour intérieure pour se relaxer. Une jolie petite adresse!

B&B BOULANGER BASSIN

4293, de Brébeuf
514-525-0854
www.bbassin.com
M° Mont-Royal. Entre 106$ et 180$
selon la période et la chambre.
Venez découvrir la vie du Plateau Mont-Royal, le quartier résidentiel à la mode de Montréal. Ken Ilasz vous accueille dans sa charmante demeure. Le grand soin qu'il apporte à ses invités rivalise avec sa discrétion. Le matin, il se met au fourneau pour vous confectionner un incroyable petit déjeuner. Même les succulentes viennoiseries sont faites maison. Mais, n'oubliez pas de goûter à la salade de fruits frais, aux jus pressés, aux œufs… Après ce copieux petit déjeuner, vous aurez sûrement envie d'aller courir au Parc Lafontaine, situé à deux pas de l'auberge. Les trois chambres sont décorées avec goût. Vous choisirez entre 'Sunrise' et 'Sunset'. Elles disposent toutes d'une prise Internet (l'une d'entre elles a même un ordinateur), de l'air climatisé et d'une salle de bains privée. Les enfants sont les bienvenus.

CHEZ TAJ B&B

2033, Saint-Hubert
514-738-9410 / 1-800-738-4338
www.bbmontreal.com
M° Berri-UQÀM. Dans le Quartier Latin et proche du centre-ville. Accès à internet sans fil. Stationnement disponible. Occupation simple de 60$ à 105$, occupation double de 70$ à 150$, petit déjeuner inclus.

Marian Kahn est la «grand-mère» des gîtes à Montréal et a été la première à ouvrir un réseau de gîtes en 1980. Elle vous accueille dans sa maison victorienne et met à votre disposition trois chambres dont la décoration est inspirée de ses nombreux voyages à travers le monde: bleu antique, jaune soleil et framboise avec salle de bain ensuite. Confort et tranquillité sont les maîtres mots de ce B&B, et Marian sera aux petits soins pour rendre votre séjour le plus agréable possible.

CHEZ PHILIPPE B&B

2457, Sainte-Catherine E
514-890-1666 / 1-877-890-1666
www.chezphilippe.info
M° Papineau. Entre 55$ et105$ par nuit. V, MC.
Philippe propose trois chambres au décor à la fois simple et moderne. Dispersées sur deux étages, chacune porte le nom d'un fruit, dont la couleur correspond à l'ambiance donnée : ananas, kiwi et mangue. Commodités d'usage et deux salles de bains à partager. Après une bonne nuit de sommeil, l'hôte de la maison se charge de vous préparer un petit déjeuner dont vous nous direz des nouvelles, préparé avec des produits frais, et dans la mesure du possible biologiques et équitables : jus de fruits frais pressé, crêpes, gaufres, pudding et mousses de fruits, accompagnés d'un café, d'un thé ou d'un chocolat chaud. Bref, de quoi passer un séjour des plus agréables !

PETITE AUBERGE LES BONS MATINS

1401, Argyle
514-931-9167 – 1-800-931-9167
www.bonsmatins.com
M° Lucien L'Allier. De 119 à 399$
la nuit, pour deux, petit déjeuner
copieux inclus. Site Internet
permettant de choisir la chambre le
plus à son goût.

Séjourner dans cette auberge absolument
charmante plaira tant aux familles
(possibilité de louer une maison) qu'aux
jeunes mariés (suites magnifiques,
convenant aux nuits de noces) et aux gens
d'affaire (Internet sans fil). Située dans
une ruelle calme, à la sortie d'une bouche
de métro et à deux pas du centre-ville,
l'emplacement est idéal pour les touristes
et les gens d'affaire. Les chambres, aux
couleurs chaudes, décorées avec de beaux
tissus et un carrelage de goût, sont très
confortables et raffinées. Certaines
possèdent même une cheminée en état
de fonctionnement. Le personnel se met
en quatre pour ses hôtes. Des petites
attentions égayent le séjour : apéritif
offert tous les soirs, biscuits, thé et café
à disposition dans des petites cuisines
situées à plusieurs endroits de l'auberge
… Le petit déjeuner servi dans une
salle très chaleureuse, aux connotations
orientales, est copieux et délicieux.
Aux murs des chambres et des parties
communes, admirez les toiles de Benoît
A. Côté, frère du propriétaire.

PETITS HÔTELS FUTÉS

ARMOR MANOIR SHERBROOKE

157, Sherbrooke E
514-845-0915 / 1-800-203-5485
www.armormanoir.com
M° Sherbrooke ou Saint-Laurent.
Chèque de voyage, MC, V. 18
chambres (standard, supérieure ou de
luxe) et 4 suites de 99$ à 139$, petit
déjeuner continental inclus. Personne
additionnelle 10$.

Dans une vieille demeure de la rue
Sherbrooke, 22 chambres au cachet
unique vous attendent. Les suites
disposent d'un bain tourbillon. La
convivialité du lieu est indéniable,
avec son magnifique escalier en bois et
le soin accordé aux détails de chaque
pièce. Un accueil courtois complète
l'expérience, recommandée par beaucoup
de voyageurs.

L'ABRI DU VOYAGEUR

9, rue Sainte-Catherine O
514-849-2922 / 1-888-302-2922
www.abri-voyageur.ca
M° Saint-Laurent/Place-des-Arts. V,
MC & Interac. 28 chambres de 42$ à
69$, studio lit double avec cuisinette
et salle de bains privée de 64 $ à 99$.
Personne additionnelle 10$, gratuit
pour les enfants de 12 ans et moins,
stationnement 10$/jour. Salles de
bain partagées.

Qui aurait cru qu'au coin de Saint-
Laurent et de Sainte-Catherine, on
puisse se loger à si bas prix, dans

www.armormanoir.com

un confort plus que correct ? La réceptionniste réserve un sourire chaleureux à chaque nouveau venu. Comme il s'agit d'un lieu historique (construit en 1876), les propriétaires n'ont pu rénover suffisamment pour offrir une salle d'eau pour chaque chambre. Ceci étant, les nombreuses salles de bains partagées, à chaque étages, sont grandes et propres. Chaque chambre est munie d'un lavabo, d'un climatiseur et d'une télévision. Bref, tout ce qu'il faut pour ceux qui veulent se la couler douce sans prétention.

ANNE, MA SŒUR ANNE HÔTEL STUDIO

4119, Saint-Denis
514-281-3187 / 1-877-281-3187
www.annemasoeuranne.com
Mᵉ Mont-Royal ou Sherbrooke.
Occupation simple de 70$ à 180$,
occupation double de 80$ à 265$,
café et croissant inclus.
V, MC, AE, JBC & Interac.

Situé au cœur du Plateau Mont-Royal, cet hôtel dont l'édifice date de la fin du XIXème siècle dispose de 17 chambres studios modernes, avec cuisinette et salle de bain privée. Les cuisines sont équipées d'un micro-onde, d'un petit four et de deux plaques chauffantes. Les chambres aux couleurs chaudes sont très agréables. Certaines d'entre elles ont une terrasse privée, pour les autres, vous pourrez profiter de la cour intérieure ombragée. Offrant des services de base tels l'air climatisé, l'accès à Internet (branchement et sans-fil), l'hôtel a l'immense avantage de donner sur l'une

des rues les plus animées de la ville, à proximité du centre-ville, tout en étant remarquablement insonorisé.

AUBERGE BONAPARTE

447, Saint-François-Xavier
514-844-1448
www.bonaparte.ca
Cette auberge 4 étoiles dans le Vieux-Montréal comprend une trentaine de chambres et une suite dont les prix s'échelonnent de 145$ à 355$ (selon les chambres, les saisons et les taux corporatifs) en occupation double.

Certaines des chambres ont une vue sur les magnifiques jardins de la Basilique Notre-Dame et toutes sont non-fumeurs. Une terrasse sur le toit permet aux clients de prendre une bouffée d'air frais. Les petits déjeuners complets sont inclus et servis dans la salle du restaurant du même nom, un restaurant gastronomique hautement prisé qui permet de satisfaire la panse et les fines bouches. Situé dans un bâtiment historique, ce luxueux hôtel aux draperies riches et meublé selon le style Louis-Philippe offre de nombreux services, dont le nettoyeur et le service de conciergerie pour massages, esthétique, service de garderie, réservations de théâtre (Le Centaur est à côté), etc. Un bar dessert les clients entre l'auberge et le resto.

AUBERGE LE POMEROL

819, de Maisonneuve E
514-526-5511 ou 1 800-361-6896
www.aubergelepomerol.com
Mᵉ Berri-UQAM. V, AE, DC & MC.
27 chambres, poste internet gratuit

dans le salon et accès gratuit à une connexion internet dans toutes les chambres, appels locaux gratuits. Stationnement garanti à l'arrière, 14$ la journée. Chambres économiques : 89-150$ et chambre la plus haut de gamme : 155 –215$.

C'est dans une maison centenaire, en plein cœur du centre ville qu'un personnel très souriant se fait un plaisir d'accueillir ses hôtes. Le livre d'or ne fait que renforcer notre impression sur la gentillesse et la disponibilité du personnel. Mais, ce n'est pas tout : les chambres sont décorées avec beaucoup de soin et de goût, dans des tons ocres et carmins. Autre bon point : l'originalité des options pour le petit déjeuner. Un panier est posé devant la porte de la chambre. On choisit de le déguster sur place ou de le descendre dans la salle à manger. Autres petites intentions à souligner : le feu de foyer dans le salon en hiver et la collation offerte en après-midi, tout au long de l'année. Pas étonnant que cette auberge ait reçu de nombreux prix.

CHÂTEAU DE L'ARGOAT
524, Sherbrooke E
514-286-2791
www.hotel-chateau-argoat.qc.ca
M° Sherbrooke. V, MC, DC & AE. Occupation double : chambre entre 80$ et 140$, suite entre 150$ et 160$, personne additionnelle 10$, petit déjeuner continental inclus et stationnement gratuit. Salon Internet accessible gratuitement pour les clients.

En plein cœur de Montréal, la façade victorienne de ce charmant hôtel accroche le regard. On y trouve un excellent accueil, 24 chambres et 1 suite d'un grand confort. Outre leur jolie décoration, certaines sont équipées de bains tourbillon. Télévision câblée disponible dans chacune d'elle, air conditionné et copieux petit-déjeuner continental.

AUBERGE DE LA FONTAINE
1301, Rachel E
514-597-0166 / 1-800-597-0597

www.aubergedelafontaine.com
M° Mont-Royal. V, MC, DC, AE, & Interac. 18 chambres de 119$ à 295$, 3 suites de 153$ à 360$ (dont une avec vue sur le parc), personne additionnelle 20$. Plusieurs forfaits disponibles (romance, charme et gastronomie, Montréal à bicyclette, etc.). Petit déjeuner buffet inclus. Internet disponible par WIFI. 3 espaces de stationnement gratuit. Salle de réunion pour 10 personnes.
Une chambre au rez-de-chaussée avec accessibilité totale pour les personnes handicapées. Située en face du magnifique parc Lafontaine, cette auberge largement primée offre un décor et un service dignes des grands hôtels. Une maison victorienne datant de 1908 avec un décor moderne, différent d'une chambre à l'autre. Les couleurs chaudes et les murs en briques créent une ambiance montréalaise. Au total 21 chambres divisées en chambres régulières, supérieures et suites. Toutes les chambres sont très bien équipées avec air climatisé. Une terrasse accessible pour tous les clients au troisième étage, un libre accès à la cuisine pour collation gratuite (fromages, fruits, pâtés) de midi à minuit et une piste cyclable passant en face de l'Auberge, pour les sportifs. Sans aucun doute la plus futée des auberges en ville!

HÔTEL CHAMP DE MARS
756, Berri
514-844-0767 / 1-888-997-0767
www.hotelchampdemars.com
M° Champ-de-Mars. V, MC, Eurocard, DC, JBC, AE & Interac. Chambres de 155$ à 219$, suite 310$, petit déjeuner inclus. Personne additionnelle 25$, 10$ pour un enfant. Salle de sport.
La localisation de ce charmant hôtel, au pied des fortifications, en fait un endroit de choix pour le calme et la détente. 26 chambres et suite coquettes et originales tiennent compte du passé dans leur agencement. Le petit déjeuner américain, l'accès à l'Internet et à la salle de gym Énergie-Cardio sont inclus. Restaurant de cuisine méditerranéene Blues Café sur place.

HÔTEL DYNASTIE
1723, Saint-Hubert
514-529-5210/ 1-877-529-5210
www.hoteldynastie.com
M° Berri/UQÀM. V, MC & Interac. 5
chambres non-fumeurs de 65$ à 85$,
petit déjeuner inclus, 8$/personne
additionnelle.
Ce petit hôtel nous a été recommandé
par plusieurs voyageurs français, et il
nous a en effet bien plu! Les voyageurs
sans automobile apprécieront la
proximité de la gare routière. Sans être
luxueux, cet établissement propose
des chambres confortables, spacieuses,
propres et silencieuses pour des tarifs
fort abordables. Enfin et surtout, le
propriétaire de ces lieux, Pierre, est
accueillant et disponible. Il est incollable
sur tout un tas de renseignements
bien utiles concernant Montréal,
pour les touristes un peu perdus ou
tout simplement curieux: moyens
de transports, informations et petits
services, bonnes adresses en ville, etc.
De plus, si l'envie vous en prenait, Pierre
peut également discuter politique ou
relations Franco-Québécoise, histoire de
bien vous mettre dans le contexte! Pour
les sportifs, 2 bicyclettes sont mises à
votre disposition gratuitement.

HÔTEL DE PARIS
901, rue Sherbrooke Est
514-522-6861
www.hotel-montreal.com
M° Sherbrooke. De 80 à 150$ la
chambre.
Ce manoir historique transformé en

hôtel il y a vingt ans se situe à deux
pas du parc Lafontaine, du centre-
ville et du Plateau. Si les chambres du
bâtiment principal sont toutes réservées,
on vous trouvera une chambre dans
un des immeubles attenants. Le petit
restaurant dans lequel on petit déjeune
ou l'on déjeune bénéficie d'un bon
ensoleillement. En été, la terrasse est
très agréable.

HÔTEL MANOIR DES ALPES
1245, Saint-André
514-845-9803 / 1-800-465-2929
www.hotelmanoirdesalpes.qc.ca
M° Berri-UQAM. V, MC, JBC, AE &
Interac. Occupation simple à partir
de 70$, occupation double à partir
de 78$ petit déjeuner inclus. Taxes
en sus. Personne additionnelle 8$.
Stationnement gratuit.
Un petit hôtel familial trois étoiles de
style suisse, situé dans une petite rue
calme du Quartier latin. 30 chambres
rénovées, très bien équipées avec une
salle de bains privée dont quelques-
unes disposent d'un bain à tourbillons.
Téléphone, climatisation, télé câblée
sont disponibles dans chaque chambre.
Vous prendrez le petit-déjeuner
continental dans une salle commune
conviviale. L'accueil est chaleureux et les
propriétaires sont très au fait de toutes
les bonnes choses à ne pas rater pendant
votre séjour à Montréal.

HÔTEL LE ROBERVAL
505, René Lévesque E
514-286-5215 / 1-877-552-2992
www.leroberval.com

Mᵒ Berri-UQAM. V, MC, AE & Interac. 76 chambres de 99$ à 129$ et suites de 119$ à 179$, petit déjeuner continental inclus. Personne additionnelle 15$. Une salle de réunion pouvant accueillir jusqu'à 80 personnes, stationnement intérieur payant.

Situé au centre ville, à quelques pas du Vieux-Montréal et de tous les festivals, cet hôtel est idéal pour les touristes ou les hommes d'affaire de passage à Montréal pour quelques jours. Ils y trouveront le confort d'une suite avec chambre à coucher fermée, petit salon et cuisine équipée. De plus toutes les chambres sont climatisées et comprennent la télévision, un téléphone, une boite vocale programmable, ainsi qu'une prise réseau ethernet. On se sentira comme chez soi durant ce séjour que le personnel de l'établissement rendra agréable. Un excellent rapport qualité-prix.

HÔTEL DU MANOIR SAINT-DENIS
HÔTEL VIGER

1001, Saint Hubert
514-845-6058 ou 1-800-845-6058
www.hotel-viger.com
Les deux hôtels sont au Mᵒ Berri-UQAM et les chambres sont à partir de 45 $ pour le premier et de 49 $ pour le second.

Deux petits établissements appartenant au même propriétaires. Tous deux très pratiques car en plein cœur du Quartier latin (quartier de l'Université du Québec à Montréal, de la Grande Bibliothèque, de beaucoup de cafés, bars et de belles terrasses). Les prix sont très intéressants étant donné la localisation et les atouts de chaque chambre : salle de bain privée, TV, câble et téléphone.

HÔTEL Y DE MONTRÉAL
1355, René-Lévesque O
514-866-9942
www.ydesfemmesmtl.org
Mᵒ Guy-Concordia ou Lucien Lallier, angle de la Montagne. Occupation simple de 65 à 75$, occupation double 75$ à 85$, occupation quadruple 95 à 105$. V, MC & Interac.

REPÈRES ET
HÉBERGEMENT

Cet hôtel jouit d'une situation idéale, puisque à proximité du centre-ville. Des chambres confortables et accueillantes, et quelques services comme la salle à manger collective et le centre de conditionnement physique (piscine chauffée incluse), feront de votre séjour un des plus agréables. Les hommes sont bienvenus au Y !

LES GRANDS HÔTELS

HÔTEL FOUR POINTS SHERATON

475, Sherbrooke O
514-842-3961
www.fourpoints.com
M° Peel. V, MC, DC, AE & Interac. 114 chambres et 82 suites à partir de 109$ en basse saison et 139$ en haute saison. Personne additionnelle 20$.Centre d'affaires avec 13 salles de réunions pouvant accueillir jusqu'à 120 personnes, sauna, restaurant, bar.

Membre de la famille Sheraton, cet hôtel offre 114 chambres et 82 suites spacieuses et modernes. De multiples forfaits sont disponibles, tant pour la clientèle d'affaires que touristique. L'hébergement des enfants de 17 ans et moins est gratuit lorsqu'ils partagent la chambre des parents. Certaines chambres ont une cuisinette complète. Pour les entreprises, le Four Points dispose de 13 salons pouvant accueillir de 10 à 150 invités. Le restaurant bistro Le Monde offre une cuisine internationale. L'accès gratuit à une piscine et à un spa à proximité (un hôtel voisin) est inclus dans le séjour.

HÔTEL TRAVELODGE

50, René-Lévesque O
514-874-9090 / 1-800-363-6535
www.travelodge-mtl.com
M° Place-des-Arts/Place-d'Armes. V, MC, DC, AE & Interac. Chambre simple de 79 à 109$ et double de 139 à 199$, buffet déjeuner continental inclus. Salle de réunion accueillant jusqu'à 40 personnes. Stationnement 13$ (plus taxes) par jour. Au cœur de Montréal, à deux pas du quartier chinois et à proximité des principaux événements qui rythment la cité montréalaise été comme hiver, l'hôtel n'offre pas moins de 244 chambres réparties sur 10 étages entièrement non-fumeurs, dont trois spécialement équipées pour personne à mobilité réduite. Outre le fait que chacune des chambres dispose d'une télévision câblée et d'internet sans fil, le thé et le café sont offerts gracieusement ainsi que les journaux locaux.

NOVOTEL MONTRÉAL CENTRE

1180, de la Montagne
514-861-6000
www.novotelmontreal.com
M° Peel/Lucien L'Allier. Chambres entre 110$ et 350$, suites entre 250$ et 1 500$. Petit déjeuner 15,5$. Stationnement 15,5$ pour 24h. Salle de gym. Cet hôtel de la chaîne Novotel offre 226 chambres et 2 suites spacieuses en plein cœur du centre ville.

On bénéficie de la proximité des rues Crescent et Sainte Catherine. L'hébergement pour les enfants de moins de 16 ans est gratuit. L'ambiance y est chaleureuse et les employés sont aux petits soins. L'hôtel abrite le restaurant l'Ö ainsi que des salles de réunion dont 4 salles multimédia très bien équipées.

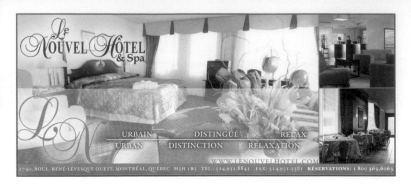

LE NOUVEL HÔTEL & SPA

1740, René-Lévesque O
514-931-8841 / 1-800-363-6063
www.lenouvelhotel.com

M° Guy-Concordia. Chambres exécutives de 129$ à 189$, studios avec cuisinette de 139$ à 209$ et lofts de 199$ a 400$, petit déjeuner, stationnement intérieur 14,95$/jour. Prise intégrées pour ordinateurs, piscine extérieure, salle de conditionnement, spa, massage, salon de coiffure, restaurant, bar.
Situé à quelques pas du Centre Bell et de la rue Crescent, au cœur de la vie nocturne de Montréal, cet hôtel offre des chambres confortables en plein centre-ville. Ses sept salles de réunion, entièrement rénovées pouvant accueillir jusqu'a 450 personnes, en font un lieu intéressant pour les voyages d'affaires.

LES HÔTELS DE PRESTIGE

HÔTEL GAULT

449, Sainte-Hélène
514-904-1616 / 1-866-904-1616
www.hotelgault.com

M° Square-Victoria, angle des Récollets. V, MC, AE, DC & Interac. 30 chambres. Tarifs incluant le petit déjeuner, gym et accès internet : Essentiel 109-349, Terra 259-449, Etcetera 279-549, Studio 329-649, Loft 579-749.
Dans cet imposant bâtiment se cache un hôtel-boutique des plus charmant. De style contemporain, le mobilier offre une touche unique qui fait des chambres comme du bar-salon des endroits à l'ambiance à la fois conviviale et intime. L'hôtel propose plusieurs catégories de chambres, toutes aussi confortables et lumineuses les unes que les autres. Certaines disposent d'une terrasse privée et aménagée, et toutes d'une connexion Internet haute vitesse, d'un lecteur CD et DVD, d'un poste de travail pour les gens d'affaires et d'un lit Queen ou King. De plus, une salle d'exercice est à disposition de la clientèle. À proximité du centre-ville et du Vieux-Montréal, l'Hôtel Gault est un choix de qualité pour un séjour des plus agréables.

HÔTEL LE GERMAIN

2050, Mansfield
514-849-2050 / 1-877-333-2050
www.hotelgermain.com

M° Peel. V, MC, DC, AE & Interac. 99 chambres et 2 appartements, de 210$ à 475$, petit déjeuner continental inclus. Forfaits «Découverte & dégustation» et «Luxe & détente». Restaurant, bar et lounge.
L'originalité de cet hôtel est sa merveilleuse simplicité. Le concept : un hôtel design qui s'adapte au gré du temps, beau, zen, tout confort. Le luxe à l'état pur, mais pas clinquant. Trois pommes vertes à chaque étage vous rappellent que vous êtes bien dans un hôtel Germain. Les 2 suites-appartements sont de toute beauté, la classe et le confort deux en un, elles laissent rêveur. Le restaurantLe B.G , installé en mezzanine, offre une vue sur la rue Président-Kennedy en plus d'une

«cuisine du marché».

HÔTEL GODIN
10, Sherbrooke O
514-843-6000 / 1-866-744-6346
www.hotelgodin.com
M° Sherbrooke, angle Saint-Laurent. Chambres de 179$ à 500$. 123 chambres et 13 suites pour répondre aux besoins de chacun, avec téléviseur muni d'un ordinateur et internet sans fil, entre autres. Une quinzaine sont adaptées pour les personnes à mobilité réduite. Des services de bases sont offerts, ainsi qu'un spa urbain, une salle d'exercice, un restaurant sur place et le bar Godin, avec terrasse.

Un hôtel-boutique aux allures branchées, au style design contemporain, au cachet unique. Voilà ce à quoi est dédié cet hôtel, et ce qu'il dégage. Mission réussie! À l'image des établissements modernes, l'Hôtel Godin est synonyme de confort et de luxe. Le choix des matières (boiseries, marbres, etc.) et des tissus sont le reflet de la qualité et du bien-être offerts à la clientèle. Mobilier design, atmosphère minimaliste.

HÔTEL NELLIGAN
106, Saint-Paul O
514-788-2040 / 1-877-788-2040
www.hotelnelligan.com
M° Place-d'Armes. V, MC, DC, JBC, AE & Interac. 35 chambres de 190 à 295$, 28 suites de 295$ à 2 000$. Petit déjeuner continental et cocktail inclus, ainsi que tous les services d'un grand hôtel. Restaurant, bar, stationnement intérieur, salle de sport, 4 salles de réunions pouvant accueillir jusqu'à 90 personnes.

Situé dans le vieux port cet hôtel est à un pas de la Basilique Notre-Dame, du Palais de justice et du palais des Congrès. Il a vu le jour en juin 2002 et porte le nom du célèbre poète québécois Émile Nelligan. Dans les chambres règne une ambiance poétique, mêlant coins lectures, foyers et vers d'Émile. Les couleurs orangées, les murs de pierres et les plantes font du lobby l'endroit de détente idéal après une longue journée de travail. La soirée commencera par

un vin et fromage offert par la maison dans son magnifique bar à ciel ouvert et se terminera par un dîner au fameux restaurant Verses. Un séjour mémorable !

HÔTEL PLACE D'ARMES
701, côte de la Place d'Armes
514-842-1887 / 1-888-450-1887
www.hotelplacedarmes.com
M° Place-d'Armes. V, MC, DC, AE, JBC & Interac. 135 chambres de 225 à 265$, 4 suites de 375 à 565$, penthouse : à partir de 1200$. Personne additionnelle 25$. Restaurant, salle de sport, connexion internet haute vitesse dans les chambres, 4 salles de réunion et 1 salle de banquet.

Derrière cette façade néoclassique se cache un hôtel-boutique des plus modernes et luxueux de la ville. Les poutres et les plafonds originaux ont été conservés, les éléments décoratifs sont d'un design contemporain qui respecte l'esprit initial de cette splendide demeure. Ainsi les boiseries, les textures, le marbre et les tapisseries rappellent celle de l'époque et constitue la démarcation de cet établissement. Les chambres sont spacieuses, les couleurs sont chaudes et l'ambiance y est intime. Le lobby est d'une beauté et d'une intimité incontestable. L'été les clients pourront profiter d'une magnifique terrasse qui domine le Vieux port. Un coucher du soleil inoubliable !

INTERCONTINENTAL
360, Saint-Antoine O
514-847-8525 / 1-800-361-3600
www.montreal.intercontinental.com
357 chambres, dont 23 suites. Chambres entre 165$ et 550$. Suites entre 330$ (suite Tourelle) et 3 000$ (Suite Présidentielle). Petits déjeuners : continental à 18$, buffet complet à 27$. Un passage souterrain relie l'hôtel au palais des congrès. 18 salles de conférence. Un restaurant, un bistro & un piano-bar.

Idéalement situé dans le Vieux Montréal, à 5 minutes de marche du centre-ville, le Nordheimer, immeuble de style victorien, vous propose une gamme complète de salles pour vos réunions et vos réceptions. Ce superbe édifice avec accès sur l'attrayante ruelle des Fortifications, a été construit sur trois magnifiques voûtes en pierre de taille. Sa construction remonterait au milieu du 18ème siècle. Entièrement restaurées, ces voûtes constituent un cadre intime et de bon goût pour recevoir vos invités.

RITZ-CARLTON

1228, Sherbrooke O
514-842-4212
www.ritzcarlton.com/hotels/montreal
M° Peel. V, MC, DC, AE. Chambres de 169$ à 325$, suites junior 195$-395$ et suites bureau 195-455, suite royale 4 500$. Tarifs corporatifs sur demande. Petit déjeuner continental 16$, américain 22$. Personne additionnelle 40$. Stationnement journalier 25$.
Plusieurs forfaits offerts pour tous les goûts (romantique, culturel, familial ou affaires). 12 salles de réunions pouvant accueillir de 10 à 600 personnes.

Le Ritz fête cette année ses 95 ans. Au total, 229 chambres dont 181 de luxe, une suite royale et 47 suites exécutives sont à disposition. Cuisine gastronomique et raffinement à l'européenne sont au rendez-vous dans le restaurant Café de Paris. L'été, le Jardin du Ritz allie le charme et l'élégance en servant une cuisine contemporaine dans un très joli jardin agrémenté d'un bassin. Le Ritz reste sans aucun doute un des coins les plus cossus de la ville. Pour se distraire, une salle de sport remplie d'une dizaine d'appareils demeure disponible, et un service de massage sur demande est proposé en sus.

LE SAINT SULPICE

414, Saint-Sulpice
514-288-1000 / 1-877-785-7423
www.lesaintsulpice.com
M° Place-d'Armes. V, MC, DC, JBC, AE & Interac. Suite supérieure entre 145$ et 405$, de luxe de 245$ à 655$, exécutive de 259$ à 2 000$,

Vieux port à l'automne © Claude Vilain

petit déjeuner continental inclus.
Personne additionnelle 25$. 5 salles
de réunions de 10 à 100 personnes.
Restaurant, centre de santé, salles de
réunion, garderie et jeux d'enfants.
Stationnement intérieur avec valet:
24$ à 30$/jour.
Affilié au groupe européen Concorde
Hotels, le Saint Sulpice est une des
merveilles du Vieux-Montréal. Ce
magnifique hôtel-boutique offre tous
les services d'un grand hôtel. Le lobby
annonce déjà l'ambiance qui règne dans
cet hôtel par l'harmonie du mélange
beige marron et des poutres orangées.
Au milieu, un foyer de bois autour
duquel se dresse un charmant coin de
lecture. Une fois dans notre chambre, le
rappel de cette harmonie beige marron et
des murs en pierres créent une ambiance
intime et chaleureuse. Le bâtiment en
U abrite 108 suites supérieures, de luxe
ou exécutives. Chaque suite est équipée
d'un coin bar-cuisine, de fenêtres
françaises pleine ouverture et d'une
couette en plume. Certaines disposent
d'un foyer de bois et d'une terrasse privée
qui donne sur le quartier historique ou
la cour intérieure. Les salles de bains
sont luxueuses et pour les connaisseurs
elles offrent les produits de beauté
Annick Goutal! Le tout dans un design
moderne avec cette touche classique
qui caractérise les hôtels Concorde. Le
Restaurant, quant à lui, offre une cuisine
inventive avec un large choix de viandes
mais aussi de fruits de mer, le tout servi
dans une ambiance branchée. Le séjour
ne serait pas complet sans un détour
par le Centre de santé «Essence» qui,
en plus de proposer une salle de sport,
offre les services de massages et de soins
esthétiques dans un cadre reposant.

W MONTRÉAL
901, Square Victoria
514-395-3100
www.starwoodhotels.com/whotels
Chambres de 289$ à 239$, suites
urbaines 759$, suites 2 500 à 4 000$.
Le W est un de ces hôtels qui vous
charme par sa classe et son côté
contemporain à la fois. Lignes épurées
et design intérieur qui en séduiront plus

d'un par ses formes originales et ses
couleurs (bleu électrique, rouge vif). Les
chambres offrent confort, distinction
et sérénité allant jusqu'au moindre
petit détail. Téléviseur à écran plat,
accès Internet haute vitesse et lecteur
DVD ne sont que quelques unes des
commodités offertes par l'hôtel. Sachez
aussi que l'établissement joue sur le côté
«indiscret» des chambres, sans mur de
séparation avec la salle de bain, histoire
de mettre tout l'espace à profit. Le reste
de l'hôtel regorge de lieux agréables,
voués à la détente et à la rencontre,
comme le living room avec ses lumières
tamisées et ses chutes d'eau ou encore
le Wunder bar avec ses fauteuils et
banquettes relaxants, son jeu de lumières
et son bar en verre poli. Enfin, pour
boucler la boucle, le restaurant Otto,
petit dernier du groupe Bice, propose
une cuisine fusion à tendance italienne.
Services de massage dans les chambres
disponibles 24h/24 et de location de
téléphone portable sur demande. Centre
de conditionnement et spa sur le site.
Quand le traditionnel vous ennuie,
laissez vous envoûter par le W et son côté
psychédélique. Un séjour inoubliable!

HÉBERGEMENT TEMPORAIRE

PARC SUITES
3463, du Parc
514-985-5656, 1-800-949-8630
www.parcsuites.com
Mᵒ Place-des-Arts. Prix par nuit pour
occupation double : 1er novembre
au 15 avril: suite junior 99$, suite de
luxe 129$. 16 avril au 31 octobre : suite
junior 120$, suite de luxe 150$.
Situé juste à côté du centre-ville, Parc
Suites, dont les portes ont ouvert en
2006, a décidé d'embrasser l'idée des
appart-hôtels. Seulement huit suites
desservent les clients, ce qui permet
de fournir un service plus intime et
personnalisé. Les sept suites de luxe
sont pleinement fournies avec cuisine
et petits salons, et l'unique suite junior
accommode les clients de la même façon,
mais sans salon. Quelques-unes possède
un petit balcon pour les fumeurs et

chacune a une touche unique (draperies différentes, douche ou bain, …). Parmi les services offerts : Internet haute vitesse sans fil, appels illimités au Canada et aux États-Unis, téléphone avec répondeur, articles complets de cuisine, etc. Le stationnement peut être difficile.

STUDIO MONTRÉAL
514-831-8753
www.studiomontreal.com
A partir de 1015$ par mois. Cette compagnie propose des solutions d'hébergements, principalement sur une base mensuelle, en studios et appartements entièrement meublés et équipés au centre-ville. La plupart ont été complètement rénovés et offrent toutes les commodités : lit double ou Queen, draps et couvertures, cuisinette avec électroménagers, vaisselle et ustensiles, salle de bains avec baignoire (serviettes incluses), téléphone (gratuit pour les appels locaux) et télévision couleur avec câble. Bref, rien ne manque ! La disposition et la décoration varient, et la propreté est garantie. L'équipe est sérieuse et les studios idéalement situés (sur Durocher, Sainte-Famille et Lorne-Crescent). Une recommandation futée pour les nouveaux arrivants et les touristes de longue durée !

HÔTEL LES SUITES LABELLE
1205, Labelle
514-840 11 51 / 1-866-602-1151
www.hotellabelle.com
M° Berri-UQAM. Chambres de 99$ à 169$ et suites de 199$ à 425$ (hors taxes). Salles de réunion.
De beaux studios neufs vous attendent dans cet hôtel ouvert depuis peu. Situés en plein cœur du centre-ville, ils vous rapprochent de toutes les commodités de la vie urbaine (Grande bibliothèque, UQAM, boutiques…). Les chambres, entièrement meublés, sont toutes équipés d'une petite cuisine et d'un accès à Internet. Les suites possèdent en plus un jacuzzi pour deux personnes. Les logements sont spacieux. Bref, un rapport qualité prix excellent, et des chambres qui sentent le neuf !

RÉSIDENCE INN - MARRIOTT
2170, Lincoln
514-935-9224 / 1-800-678-6323
www.residencemontreal.com
Piscine, petit-déjeuner style buffet, accès gratuit à internet.
On connaît les hôtels Marriott pour la qualité de leur hébergement et la variété de leurs services à la clientèle. Avec cette volonté de séduire et cette exigence pour l'hébergement, le Marriott Westmount de Montréal vous offre un vrai environnement de travail « à domicile ». Car dans ces chambres spacieuses, avec Internet haute vitesse et boîte vocale privée, vous êtes chez vous. De la première seconde à la dernière, le personnel bilingue sera à votre service, pour tous vos besoins. Après y avoir goûté une fois, vous songerez même à y vivre à l'année! Alors, que ce soit pour un court séjour ou pour un déplacement professionnel, voici le choix futé à faire!

à table

PRODUITS GOURMANDS

BOULANGERIES-PÂTISSERIES

AU PAIN DORÉ

5214, chemin de la Côte-des-Neiges
514-342-8995
www.aupaindore.com
*Lun-mer de 8h à 19h, jeu-ven de 8h à
19h30, sam de 8h à 18h, dim de 8h à
17h30. V, MC & Interac.*
Est-il encore nécessaire de présenter les
boulangeries Au Pain Doré ? Il faut en
tous cas leur réserver la place qu'elles
méritent dans ce guide. Le concept a
fait ses preuves au fil des ans et on se
presse toujours avec enthousiasme pour
acheter un pain fabriqué à la française.
Baguettes, boules de campagne,
pâtisseries, un choix de charcuterie et
de fromages, le tout cohabitant dans
une ambiance chaleureuse. *Autres
boutiques : 556, Sainte-Catherine
514-282-2220 ; 1236, Greene,
Westmount 514-846-0067 ; 1145
Laurier O 514-276-0947 ; 3895, Saint-
Denis 514-849-1704 ; 1357, Mont-Royal
514-528-1218 ; 3611, Saint-Laurent
514-982-2520.*

AUX PLAISIRS DU PALAIS

4977, chemin Queen Mary,
coin Décarie
514-343-0333
*M° Snowdon. Lun-mer 7h-20h, jeu-ven
7h-21h, sam-din 7h-19h. Toutes CC.*
Envie de bonnes brioche, encore
chaudes, à la confiture ? Envie
d'entendre croustiller la baguette fraîche
sous la pression des doigts ? Par chance,
Corinne et son époux ont importé leur
savoir-faire traditionnel français, avec
fougasses, pains aux multiples farines et
céréales. Avec ceci ? Des viennoiseries.
Ce sera tout ? Non, on goûterait bien un
mille feuilles ou un éclair au chocolat !

AUTOUR D'UN PAIN

1253, Beaubien E 514-276-0880
1459, Mont-Royal E 514-526-3305
100, Mont-Royal O 514-843-0728
http ://pages.infinit.net/painsbio
*Ouvert tous les jours. Interac
et comptant.*
La plupart des pains de cette boulangerie
artisanale sont confectionnés à base
de farine biologique, mis à part ceux
fait de farine blanche. Pour satisfaire
votre curiosité, les voilà tous : pains de
campagne, 9 grains, blé concassé, noix,
olives, tomate, raisin, choco-date, choco-
raisin, levain, épeautre, tournesol, seigle.
Les gros gourmands se procureront
un petit bout de plaisir extra parmi la
belle sélection de fromages québécois.
Les viennoiseries, qui sont fabriquées
selon des méthodes artisanales, avec des
produits naturels mais non bios,
sont vivement recommandées !
Légère restauration sur place
possible également.

BOULANGERIE LES CO'PAINS D'ABORD

1965, Mont Royal E
514-522-1994
M° Mont Royal. Lun-mer-sam de 7h à

Aux Plaisirs du Palais
Boulangerie
Pâtisserie
Chocolaterie

Corinne & Pascal
Bonnet   Tél.: 514-343-0333
4977, Queen Mary, Montréal, Qué. H3W 1X4

19h, jeu-ven de 7h à 21h, dim de 8h à 18h. Interac et comptant.
Ce petit café/boulangerie/pâtisserie de quartier sent bon la Bretagne ! En effet, le patron vient de cette magnifique région et prépare des merveilles. Les croissants sont parmi les meilleurs de la ville. Vous apprécierez tous les produits artisanaux, faits maison : viennoiseries pur beurre, le pain artisanal bio, les produits sans gluten, soupes maison, pizzas, quiches, pâtés maison, voici tous les délices que vous dégusterez sur place autour de l'une des tables sympathiques avec un bon café ou bien à emporter dans votre nid douillet… Les produits de l'érable sont également disponibles en saison, ainsi que des confitures, marinades, café et crèmes glacées.
Deuxième adresse : 2727, Masson.

BOUTIQUE GOURMANDISE
900, René Lévesque O
514-954-2243
M° Bonaventure. Tous les jours de 9h à 18h.
La nouvelle boutique de l'hôtel Reine-Elisabeth vous accueille tout prêt du lobby de ce prestigieux établissement. Au programme, une multitude de douceurs composées avec brio qui sauront faire la joie des grands comme des petits. Des chocolats aux pâtisseries en passant par les incontournables pâtes de fruits, rien n'est laissé au hasard et vous trouverez assurément votre bonheur. À noter, les prix particulièrement attractifs et la présentation haut de gamme. Suggestion futée : demandez le « contrarié », un gâteau des plus onctueux. Qui a dit que la gourmandise était un péché ? Car devant ces desserts dignes d'un travail d'orfèvre, on ne peut pas résister plus longtemps…

CAPUCINE ET TOURNESOL
226, Bernard O - 514-277-0232
9121, Lajeunesse, coin Legendre
- 514-389-8344
www.capucine-et-tournesol.com
Lun-ven 8h-18h30, sam 8h-17h30, fermé le dimanche. Comptant & Interac.
La seule boulangerie-meunerie à Montréal ! Les grains utilisés, certifiées

bio, sont moulus sur la pierre, quelques heures avant la cuisson. Ni matière grasse ni sucre ne sont ajoutés, et le résultat est savoureux. Plus de quinze années d'expérience dans la fabrication des pains à farine intégrale auront eu raison des sceptiques. De même que les pains au levain à base de farine d'épeautre ou de kamut, et ceux à la levure, comme le « 12 grains ». Avouez qu'ils sont délicieux ces carrés aux dattes et ces muffins aux fruits !

DE FROMENT ET DE SÈVE
2355, Beaubien E
514-722-4301
M° Beaubien, bus 18 E. Lun-ven 6h à 20h, sam-dim 6h à 18h. Comptant.
Cette petite boulangerie de Beaubien fait le délice des habitants du quartier, et la fin de semaine, on se déplace pour y venir chercher les viennoiseries qui rendront le déjeuner plus savoureux qu'à l'habitude. Le pain est délicieux, et l'ambiance de la place tout à fait charmante. Les tartes, quiches et autres pâtisseries sont aussi au rendez-vous, et les clients affluent dans cette étape gourmande. À consommer sans modération !

DUC DE LORRAINE
5002, chemin de la Côte-des-Neiges
514-731-8081
www.ducdelorraine.com
M° Côte-des-Neiges, angle Queen-Mary. Lun-jeu de 8h30 à 18h, ven de 8h30 à 18h30, sam-dim de 8h30 à 17h. MC, V & Interac.
Une pâtisserie française des plus renommées, ouverte depuis plus d'une quarantaine d'années, combinée à un chocolatier de haute qualité et à un coquet salon de thé. La sélection de petites grenades chocolatées fond dans la bouche… à moins que ce ne soit la mousse chocolat, regain d'énergie bien mérité. Brioches, petits pains au chocolat, danoises au rhum, pâtisseries de toutes sortes se mirent dans la glace. La maison propose également un service traiteur avec canapés, plateaux de charcuteries, de crudités, de fromages, pains surprises, quiches et salades assorties.

Légende

TH = Table d'hôte, qui comprend toujours
l'entrée et le plat, parfois aussi dessert et café.

 = Apportez votre vin

 = Terrasse

LE FOURNIL ANCESTRAL
4254, Beaubien E
514-721-6008
*Lun-ven 7h30-18h30, sam 7h30-18h,
dim 8h-18h. Argent comptant
et interac.*
Monsieur Gidoiu, prépare son pain avec
une farine biologique moulue sur pierre
dans la région de la Mauricie, selon un
procédé traditionnel de panification sur
levain intégral et levain de pâte. Une
grande variété de pains bios est cuite
tous les jours. Voilà quelques exemples :
bagels aux grains de lin ou au blé entier,
pain au seigle 100 %, épeautre et seigle,
kamut et épeautre, blé entier, intégral
au tournesol ou au sésame, 6 grains, 3
grains, multigrains ...
La liste est longue !

LE FROMENTIER
1375, Laurier E
514-527-3327
*M° Laurier, angle de Lanaudière.
Mar-mer de 7h à 19h, jeu-ven de 7h à
20h, sam de 7h à 18h, dim de 7h à 17h,
fermé lun. V, Interac & comptant.*
Farine de qualité et levain sont les
principaux composants des pains
fabriqués ici. Le goût s'en ressent et
les miches campagnardes partent,
justement, comme des petits pains.
Difficile de résister aux petits pains
spéciaux aux raisins, aux noix de
Grenoble, chocolat noir et raisin. Rien à
dire, non plus, sur les fougasses au thym.
Les fromages et autres charcuteries
accompagneront ces pains à merveille.

KOUIGN-AMANN
322, du Mont-Royal E
514-842-3020
www.toquegourmande.com/
boulangerie.htm
*M° Mont-Royal. Mar-dim de 7h à 21h,
fermé lun.*
Ça fleure bon la Bretagne de ce côté-ci
de Mont-Royal, et personne ne sera
étonné de trouver des spécialités locales
fabriquées par un authentique Breton. Le
Far breton, les galettes, crêpes, Kouign-
Amanns et autres spécialités celtiques
flirtent avec les pains multigrains et les
baguettes fumantes.

PÂTISSERIE DE GASCOGNE
237, Laurier O
514-490-0235
*M° Laurier, bus 51 O. Lun-jeu de 8h à
19h, ven de 8h à 20h, sam de 8h à 18h,
dim de 8h à 17h30. V, MC & Interac.*
Cette grande pâtisserie par la taille, mais
aussi et surtout par la qualité de ses mets
est fidèle à sa réputation au fil des ans.
On ne fera pas l'énumération de toutes
ces belles choses bien alignées dans des
comptoirs réfrigérés parce qu'elles sont
vraiment très nombreuses. C'est un peu
plus cher qu'ailleurs, c'est vrai. Mais de
temps en temps, on peut se faire plaisir.
*Autres boutiques : 4825, Sherbrooke
O 514-932-3511 ; 6095, Gouin O
514-331-0550.*

LE PALTOQUET
1464, Van Horne
514-271-4229
*M° Rosemont, bus 161 O. Angle
Stuart. Lun-ven de 8h à 18h, sam-dim
de 9h à 18h. Interac & comptant.*

3485, avenue du Parc, Montréal
www.lapatisseriebelge.com

Une petite trouvaille dans le quartier Outremont, mais il faut faire vite ! On ne fabrique qu'en petites quantités et c'est tellement bon que ça disparaît en un clin d'œil. Pour apaiser des envies subites un salon de thé est disponible. D'abord reconnue pour ses pâtisseries, la maison propose une jolie petite carte pour des petits déjeuners français où pain au chocolat, croissants et brioches sont rois. Pour déjeuner, rien de mieux qu'une salade copieuse du Paltoquet ou encore les fameux sandwichs maison. Des repas santé à petit prix.

PÂTISSERIE BELGE
3485, du Parc
514-845-1245
www.lapatisseriebelge.com
M° Place des Arts. Angle Milton. Lun de 9h à 18h, mar-mer de 8h30 à 18h, jeu-ven de 8h30 à 20h, sam de 8h30 à 17h30, dim de 8h30 à 16h30. V, MC, AE & Interac.
Une adresse incontournable pour les amateurs de gâteaux. Le choix est incroyable : Fraisier, Forêt noire, Diplomate, Moka, Truffé, Pralin. Mousses aux fruits de la passion, à la framboise... La liste est longue et ils sont plus tentateurs les uns que les autres. Les tartes aux fruits de la saison rivalisent avec les gâteaux. La deuxième adresse de cette pâtisserie permet de répondre à la demande. *Autres adresses : 1075, Laurier O 514-279-5274, et Gourmet Belge, au Complexe Desjardins 514-847-8393.*

PREMIÈRE MOISSON
14 magasins dans le grand Montréal
Voir le site www.premieremoisson. com pour trouver le plus près de chez vous.
Cette célèbre chaîne de boulangeries a développé sa propre gamme de pains biologiques. Une farine de blé biologique moulue sur meule de pierre, mêlée à une farine blanche bio, de l'eau filtrée, du sel de mer, du levain et un peu de levure, fait la particularité des miches et autres baguettes de blé bio. Le Kamut bio Montignac, grâce à sa haute teneur en protéines peut être qualifié de pain complet supérieur. L'intégral bio Montignac ravira les amateurs de blé entier. Le « grains germés bio » (tournesol, trèfle rouge, millet, blé mou, sésame, germe de blé, luzerne, lin, amande de l'avoine) est probablement le plus goûteux.

RYAD
7070, Henri-Julien
Marché Jean-Talon
514-777-2189
M° Jean-Talon, dans le marché couvert. Lun-mer de 7h à 18h, jeu-ven de 7h
à 20h, sam-dim de 7h à 17h.
Prix à l'unité : 1,25 à 3,75 $.
Interac & comptant.
Les personnes qui ont une faiblesse pour les pâtisseries marocaines vont être ravies ! On y propose une vingtaine de variétés de bouchées à base d'amandes et de fleur d'oranger, toutes plus succulentes les unes que les autres : cornes de gazelle, cigares au miel, kalb ellouze (cœur d'amande, spécialité algérienne), ghoriba

(macarons), etc. Du jus d'hibiscus ainsi que du thé vert à la menthe (1 $ le verre) sont également proposés.

ROCKABERRY

4275, Saint-Denis
514-844-9479
M° Mont-Royal. Dim-jeu de 11h à 24h, ven-sam de 11h à 1h. Interac & comptant.

Pour les amoureux de tartes, ne cherchez pas plus loin. On propose une trentaine de tartes faites maison toutes plus appétissantes les unes que les autres : fraises et crème au chocolat, millefeuille mais aussi et surtout croustades (version québécoise) aux pommes, aux bleuets, aux framboises, aux fraises ou aux cerises... Les prix varient entre 10,95 $ et 19,95 $. Outre les pâtisseries, la maison offre un menu pizza et bagels pour ceux qui préfèrent le salé. *Autres adresses : 5390 Queen Mary 514-481-0092 ; 7210, Langelier 514-255-3339 ; 1810 St-Martin O, Laval 450-681-6883 ; 201, Curé Labelle, Rosemère 450-437-9705.*

RIVE-SUD

LES ENTREMETS GLACÉS

354, Taschereau
La Prairie
450-659-3436
Lun-mer de 6h30 à 8h, Jeu-ven de 6h30 à 9, sam de 9h à 19h, dim de 9h à 18h . Interac & comptant.

Depuis 1986, ce maître pâtissier prépare des pains et des viennoiseries confectionnés avec soin. Tout le quartier vient y faire provision de fines pâtisseries, d'un chocolat artisanal, de gâteaux décorés avec finesse et de tartes et tourtières dont le goût est remarquable. Les propriétaires Bernard Guay et Chantal Côté se font un devoir d'utiliser des matières premières de qualité. Les éléments-clés de la préparation demeurent le beurre et le chocolat de premier choix. Des produits gourmet se partagent aussi l'espace. Le midi, bon nombre de travailleurs viennent se détendre au salon de thé, qui dispose désormais d'un accès internet.

Le menu est léger : salades et sandwichs, quiches, pâtés et tourtières. Un service de traiteur se spécialise également dans les buffets froids et plats cuisinés.

AU DÉSIR
825, Saint-Laurent O
Longueuil
450-463-0774
www.audesir.com
Lun-mer de 8h à 18h, jeu-ven de 8h à 21h, sam de 8h à 17, dim de 9h à 17h. Toutes CC & Interac.
Le vrai, l'unique, le frais ! Ce pâtissier, charcutier et traiteur joue dans les ligues majeures. L'essayer, c'est l'adopter. La dégustation donne le ton. Tous les fromages proviennent des pays d'origine. Par exemple, l'emmental est importé de la Suisse. Les gâteaux sont confectionnés à partir de pulpe de fruits ; pas question de ternir le goût avec des essences artificielles. La plupart des produits ont une saveur européenne. La propriétaire d'origine normande a beaucoup voyagé et c'est tout cet amalgame d'accents qui colore son commerce. Quelques tables sont disponibles pour savourer les incontournables croûtons cuisinés sur place. On peut aussi choisir de les commander et de les déguster chez soi. Une saveur authentique, à l'image de la propriétaire.

O GATERIE
353, Saint-Charles O
Longueuil
450-674-8400
Lun-ven de 7h30 à 19h, sam de 7h30 à 18h, dim de 8h à 17h. Interac, V& MC.
Ce grand artisan est renommé pour ses pâtisseries qu'on admire de la rue grâce à la vitrine qui constitue la façade du commerce. L'artiste, c'est Jean-François Metz, le père du célèbre schtölen aux fruits et aux amandes, un incontournable du temps des fêtes, tout comme la bûche aux marrons qu'il confectionne pour l'occasion. Le mirabelis, cette délicieuse mousse de mirabelle et de chocolat compte aussi beaucoup d'adeptes parmi la clientèle tout comme la tarte alsacienne, le kugelhof et les petits-fours aux épices. Un grand choix de pains artisanaux, de chocolats et autres gourmandises est également présenté. Un coin pour les idées-cadeaux jouxte le comptoir. Les clients peuvent profiter de la vue et savourer un bon cappuccino au salon de thé. De cette façon, on ne résiste pas longtemps aux petits plaisirs de la maison.

PÂTISSERIE ROLLAND
170, Saint-Charles O
Longueuil
450-674-4450
www.patisserierolland.ca
Lun-mer de 7h30 à 18h, jeu-ven de 7h30 à 21h, sam de 7h30 à 17h30, dim de 7h30 à 17h. Interac, V & MC.
Situé au cœur du Vieux-Longueuil depuis 1940, cette institution traite

le client avec tout le décorum d'un grand pâtissier chocolatier glacier et traiteur. De père en fils, la tradition de l'art gastronomique se transmet ici génétiquement. D'ailleurs, le personnel porte fièrement un tablier bourgogne habillé d'un nœud papillon. Pour les grandes occasions, la maison confectionne des gâteaux spectaculaires, par exemple le Grand Rolland : cette crème brûlée à la vanille sur un biscuit aux amandes, ajouté à une mousse au chocolat et un praliné aux noisettes. La grande variété de tartes contribue aussi au succès de l'endroit. *Autres adresses : 504, Albanel, Boucherville, 450-449-4020 ; 488, Jules-Choquet, Sainte-Julie, 450-649-1863 ; 311, de la Marine, Varennes, 450-652-2735 ; 365, Laurier, Mont-Saint-Hilaire, 450-536-3131.*

BOUCHERIES & CHARCUTERIES

ANJOU-QUÉBEC
1025, Laurier O
514-272-4065
M° Place des Arts, bus 129 N. Angle Durocher. Mar-mer de 9h à 18h, jeu-ven de 9h à 19h, sam de 9h à 17h, fermé dim-lun. V, MC, Interac & comptant.
Pour les amateurs de fines saveurs européennes, dans un coin charmant d'Outremont. Sauces délicieuses, viandes ou poissons marinés cohabitent avec des viandes plus rares comme la caille, des charcuteries et des gibiers. Pour ceux qui ne veulent pas prendre le risque de cuisiner ces belles matières premières, vous pouvez toujours acheter un de leur plat frais ou congelé, ou même, faire appel au service du traiteur.

BOUCHERIE BEAUBIEN
3748, Ontario E
514-527-0221
M° Frontenac, angle Nicolet. Lun-mer de 9h à 18h, jeu-ven de 9h à 20h, sam de 9h à 18h,dim de 9h à 17h. Livraison gratuite à partir de 35 $ d'achat. V, MC, Interac & comptant.
Léo n'a pas la langue dans sa poche. Il connaît bien son client carnivore. Chez BeauBien, on arrive avec un budget en tête. A Léo de proposer l'un des dix « forfaits » de produits en fonction de ce prix. Il appelle cela le plan budgétaire. La boutique possède aussi tout un étalage d'olives, de marinades et de plats cuisinés à très bon prix (10 repas cuisinés pour 35 $). Attention le marchandage est toujours possible. Question de s'assurer le retour du client, Léo lui laisse un billet de tirage. Le hasard paie bien la note.

BOUCHERIE CHEZ JACQUES
5170, Beaubien E
514-255-9441
www.boucheriejacques.com
M° Viau, bus 132 N. Lun-mer de 9 à 18h, jeu-ven de 9h à 18h, sam de 9h à 17h, fermé dim. Toutes CC & Interac.
À peu près tout ce qu'on espère trouver chez un bon boucher se retrouve sur les présentoirs de chez Jacques. Une vingtaine de variétés de saucisses maison, du cheval, du bison, du magret de canard, du rôti de daim, ou des côtelettes de porc aux pommes et pruneaux sont des exemples de fins plaisirs gustatifs qui s'ajoutent aux incontournables, bœuf, jambon et poulet de toutes les coupes.

LA BOUCHERIE DU MARCHÉ GAUDETTE
1031, Fleury E
514-388-1159
M° Henri Bourassa, bus 56 S. Lun-mer de 9h à 18h, jeu-ven de 9h à 19h et sam-dim de 9h à 17h. Interac.
Qu'il est rassurant de voir que des artisans consciencieux font perdurer une tradition bouchère d'antan, respectueuse du produit, garantissant les meilleures pièces et sachant encore effectuer les coupes les plus spécifiques, comme la véritable bavette dans l'aloyau. Le savoir faire de ces maîtres bouchers ne s'arrête pas là : plus de 86 variétés de saucisses naturelles et artisanales, plus de 40 sortes de brochettes marinées, tout ce que la nature compte de gibiers, mais aussi des souvlakis, des shish kébabs ou de la charcuterie fine ! Un service traiteur propose des plats cuisinés traditionnels

comme les nombreuses tourtières, les pâtés entièrement naturels et les ragoûts. Grand choix de fromages. Une adresse pour les carnivores futés.

BOUCHERIE FARHAT
5595, chemin de la Côte-des-Neiges
514-738-4045
M° Côte-des-Neiges. 7 jours/7
de 9h à 23h.

Une petite boucherie de viandes Halal : bœuf, veau, agneau, poulet et grillades au charbon naturel, qui fait aussi office de boutique de produits orientaux. La kefta est assaisonnée et parfumée comme il le faut. Les bouchers connaissent leur affaire, et les sandwichs sont savoureux à souhait.

LA MAISON DU RÔTI
1969, Mont-Royal E
514-521-2448

La Maison du rôti est fermée pour rénovation au moment de la parution de ce guide. Suite à un incendie, les portes de cette grande et célèbre boucherie-charcuterie ont fermé temporairement. On vous conseille néanmoins de guetter leur réouverture !

LE MAÎTRE GOURMET
1520, Laurier E
514-524-2044
M° Laurier, bus 27 E. Angle Fabre.
Lun-mer de 9h à 18h30, jeu-ven de 9h
à 20h, sam de 9h à 17h, dim de 10h à
17h. V, MC & Interac.

Cette boucherie de qualité offre tous les produits de la viande, dont certaines moins communes telles que l'autruche, le cerf, le sanglier ou encore le kangourou. À noter une sélection de plusieurs viandes bio : porc, bœuf, veau, agneau, poulet. C'est aussi une petite épicerie fine avec quelques 75 variétés de fromages, dont plusieurs proviennent du Québec ainsi que du lait et du yogourt, du café équitable, une bonne variété de pots de crème glacée et de sorbets du Glacier Bilboquet, du chocolat, du pain artisanal, des fruits et des légumes ainsi qu'une foule d'autres produits fins. On peut donc préparer la table d'hôte complète à ses invités, de l'entrée

au dessert, sans manquer d'idée. On appréciera la variété des plats cuisinés prêts à emporter comme le Koulibiac (plat de poisson, pâte feuilletée, épinard, œuf, sauce crème et aneth), la choucroute, le bœuf bourguignon, le rôti de veau au fromage bleu, les cailles aux olives et tomates séchées ou les salades composées pour un prix raisonnable (6 $ à 9 $), variant chaque semaine.

LA QUEUE DE COCHON
1375, Laurier E
514-527-2525
M° Laurier, bus 27 E. Angle de
Lanaudière. Mar-mer de 9h à 19h,
jeu-ven de 9h à 20h, sam de 9h à 18h,
dim de 9h à 17h, fermé lun.
Interac & comptant.

Une vraie charcuterie comme on les aime. Le choix de saucisses est toujours aussi impressionnant d'une année à l'autre dans cette maison où la spécialité reste le lard et le cochon. Goûtez le boudin, il est divin. Le patron prépare aussi des cassoulets à la mode toulousaine, de la choucroute, des lentilles et de temps à autre du chili con carne. Tous les produits sont frais et confectionnés sur place, sans additifs. *Autre boutique : 6400, St-Hubert* *514-527-2252.*

SLOVENIA
3653, Saint-Laurent
514-842-3558
M° Saint Laurent ou Place des Arts,
bus 55 N. Angle Guilbault. Lun-mer
à de 9h à 18h, jeu-ven de 9h à 19h30,
sam de 9h à 17h, dim fermé.
V, MC & Interac.

Installée depuis plus de trente ans sur le boulevard, cette boucherie offre un choix impressionnant de saucisses et charcuteries aux recettes européennes, qui en font la renommée, ainsi que plusieurs viandes, dont quelques unes du terroir québécois. Les prix sont fort respectables et la fraîcheur est bien entendu irréprochable. Le personnel se fera également un plaisir de vous donner quelques petits conseils fort appréciables, si besoin est. Alors pourquoi acheter ces charcuteries dans des supermarchés

RESTAURANTS

anonymes plutôt que de magasiner dans des commerces typiques de la sorte ?

TERRINES & PÂTÉS
138, Atwater, Marché Atwater
514-931-9559
M° Lionel-Groulx. Lun-mer de 9h à 18h, jeu-ven de 9h à 21h, sam-dim de 9h à 17h. V, Interac & comptant.
Une petite boutique pour un grand choix de pâtés et terrines tous faits maison par les propriétaires des lieux, les frères Sogne. Pâtés de campagne, rillettes de porc ou encore mousse de foie de canard et autres pâtés de lapin ou de caribou s'y partagent la vedette. Des soupes, ainsi que des plats cuisinés à emporter sont à la vente.

VOLAILLES & GIBIERS FERNANDO
116, Roy
514-843-6652
M° Saint Laurent, bus 55 N. Angle Coloniale. Lun-mer de 8h à 17h45, jeu-ven de 8h à 19h45, sam de 8h à 17h, dim fermé. Interac & comptant.

Une boutique parmi les meilleures pour sa sélection de gibiers (faisan, caille, autruche, bison, cerf et sanglier), pour ses volailles nourries au grain, dont les fameux poulets fermiers Notre-Dame, réputé de grande qualité, et les chorizos, confectionnés sur place par le maître des lieux, Fernando lui-même. Et pour compléter tout ça, on prépare de jolies et appétissantes tourtières au lapin, au canard, au gibier, ainsi que des confits de pintade, de canard ou encore de sanglier. Une adresse à retenir !

WILLIAM J. WALTER SAUCISSIER
1957, Mont-Royal E
514-528-1901
M° Mont Royal, bus 97 E. Angle Chabot. Lun-mer de 9h30 à 19h, jeu-ven de 9h30 à 21h et sam-dim de 9h à 18h. Interac & comptant.
Plusieurs commerces servent de détaillant des fameuses saucisses William J. Walter dans la grande région montréalaise. Le saucissier du Plateau Mont-Royal offre pour sa part, en

plus d'une cinquantaine de variétés de saucisses plus originales les unes que les autres, plusieurs produits du terroir pour accompagner ses charcuteries, son jambon ou sa viande fumée. Apéritifs à l'érable, bières de micro brasseries québécoises, moutarde à la bière Saint Ambroise, ketchup aux asclépiades, aux fruits ou aux têtes de violon, betteraves, fèves au lard, cretons, fromage en grains et ainsi de suite. On lui pardonnera le fait qu'il importe sa choucroute d'Allemagne… *Autre magasin : Marché Jean-Talon 514-279-0053 ; Marché Atwater 514-933-4070.*

RIVE-SUD

CHARCUTERIE DU VIEUX LONGUEUIL

193, Saint-Charles O
Vieux Longueuil
450-670-0643
www.charcuterieduvieuxlongueuil.com
Lun-mer de 8h à 19h, jeu de 8h à 20h, ven de 8h à 21h, sam-dim de 9h à 18h. Toutes CC & Interac.
Très utile dans le vieux, cette enseigne garde une régularité à toute épreuve. Il faut dire qu'on y est accueilli très cordialement et que les comptoirs fleurent le bon goût. Au rayon des plats préparés, on trouve du jambon cuit maison, des tartes à l'oignon, des paupiettes, du bœuf au sésame… pour dépanner les soirs de paresse. Les produits maisons sont aussi proposés congelés : sauces imbattables et sorbets parfumés. Mais on trouve en plus de l'excellente charcuterie, des pâtisseries, de la viande à la coupe, d'excellentes baguettes, un rayon épicerie fine. Quelques tables bien disposées permettent de casser la croûte sur le pouce autour d'un sandwich tout aussi inventif.

L'ARDENNAIS DU VILLAGE

7800, Taschereau, Brossard
450-672-2919
Lun-mer de 9h à 19h, jeu-ven de 9h à 21h, sam-dim de 9h à 18h. Interac & comptant.
Le terroir de la région ardennaise attire

une bonne part d'habitués chez ce maître de la charcuterie. Une trentaine de saucisses et de saucissons aux recettes originales sont proprement disposés. La maison prépare des terrines et des plats prêts à emporter très prisés, comme la caille au porto, le lapin à la moutarde, le canard à l'orange, le pâté au poulet et celui de bison et de cerfs sans agents de conservation. Des pâtes fraîches et des quiches appellent tout autant à se lécher les babines. A noter : prés de la moitié des produits proposés sont fabriqués sans gluten. Il est possible de savourer sur place les sandwichs européens sur pain baguette servis avec ou sans choucroute. On ressort avec les papilles imprégnées de ce voyage aux portes de la Bourgogne !

CAFÉS & THÉS

AUX DEUX MARIE

4329, Saint-Denis
514-844-7246
M° Mont-Royal, angle Marie-Anne. Lun-jeu de 8h à 22h, ven-sam de 8h à 00h, dim de 9h à 22h. Cafés (500g) : 13-22. V, MC & Interac.
Cette authentique maison de torréfaction allie tradition et innovation puisque vous y trouverez un choix de cafés classiques, mais aussi des compositions maison aux noms évocateurs ou rigolos tels que le café Voltaire (ni trop corsé, ni trop doux), le café St-Germain des Prés (parfum de noisette et de fleurs sauvages, note poivrée) ou encore le café Bla-bla-bla (goût suave, parfum délicat et faible acidité). En tout, environ vingt six créations originales, des cafés classés, y compris du bio et de l'équitable. D'autre part, quelques thés sont également à la vente. L'établissement étant également un café-resto, vous pourrez d'abord déguster le café de votre choix parmi la belle « carte des cafés » (dont certains alcoolisés), puis vous laisser tenter : sandwiches, salades, quiches, pizza et gâteries entre 5,95 $ et 8,95 $. Pour les plus pressés, un service de « boite à lunch » est aussi disponible. Vente d'accessoires tels que des tasses, des cafetières, etc.

AUX QUATRE VENTS

Marché Atwater - 514-932-6068
Marché Jean Talon - 514-276-4000
M° Lionel-Groulx. Lun-mer de 6h à
18h, jeu-ven de 6h à 20h, sam de 6h à
18h, dim de 7h à 18h.
Interac & comptant.

Un petit coin convivial pour savourer les
divers crus de la maison ou les emporter et
les apprécier chez soi. Le café est torréfié
sur place. Les meilleurs cafés y sont vendus,
en provenance du Kenya, de Colombie, du
Costa Rica et du Guatemala et de bien plus
d'endroits encore. De plus, des mélanges
maisons sont proposés. On peut aussi y
grignoter un casse-croûte à l'heure du midi.
Des paninis, sandwichs et repas légers
y sont servis.

UNE GRENOUILLE DANS LA THÉIÈRE

5940, Saint-Hubert
514-227-0473
www.unegrenouilledanslatheiere.com
Mer-dim 13h-22h. Interac et argent
comptant. Thés 3,50-5,50 $.
Pâtisseries 1,25-4 $.
Environ 25 places.

Ce petit salon de thé original a ouvert ses
portes en avril 2006. Imitant à merveille
le confort et l'intimité du foyer, un
client peut y avoir l'impression étrange
et apaisante de passer l'après-midi chez
un ami chez qui il a été invité. En plus
des gâteaux, des pâtisseries et du thé en
vrac, on y vend aussi divers articles de
poterie liés à la consommation du thé
et confectionnés par des professionnels
des métiers d'art. Pour égayer les yeux,
l'endroit présente des expositions
changeantes d'œuvres d'artistes locaux.
Pour distraire l'esprit, on y vend une
diversité de livres populaires usagés.
Et que dire du service ? Personnalisé,
accueillant et amical.

CAFÉ RICO

969, Rachel E
514-529-1321
www.caferico.qc.ca
M° Mont Royal ou Sherbrooke. Lun-
mer de 10h à 18h, jeu de 10h à 19h,
ven de 10h à 18h, sam de 10h à 17h,
fermé dim. Comptant.

Spécialités
café torréfié sur place
thé et tisane de première qualité
Vente - gros et détail

MARCHÉ ATWATER
Tél.: (514) 932-6068

Un grand bravo à ce maître-torréfacteur,
situé en plein cœur de Montréal. Les
produits sont tous équitables et la plupart
sont issus de l'agriculture biologique.
Le café provient des coopératives de
petits producteurs du Sud (voir les
détails sur le site web, très intéressant).
Douze mélanges fins de grains latino-
américains et africains (9 $ la livre)
torréfiés sur place sont disponibles dans
leurs versions cafés filtre ou espressos.
Notons le prix du café sur place : 1 $
le café filtre et 1,25 $ pour l'expresso.
Qui dit que c'est plus cher quand c'est
équitable ? On rapportera chez soi une
sélection de tisanes, du riz thaïlandais,
du sucre de canne du Paraguay et du
Costa Rica, des noix de macadamia
ou de cajou. Pour une petite faim, le
succulent sandwich au brie et pesto avec
une salade de quinoa (spécialité des
Andes) vaut le détour ! Une variété de
gâteaux préparés maison avec produits
du terroir et biologiques. On y trouve
également une vaste gamme de produits
biologiques et équitables (thé, sucre,
chocolat et noix biologiques).

CAMELLIA SINENSIS

351, Emery - 514-286-4002
7010, Casgrain (boutique seulement)
514-271-4002
www.camellia-sinensis.com
Lun-mer de 11h à 18h, jeu-ven de 11h à 21h, sam de 11h à 18h, dim de 12h à 18h. Le salon de thé est ouvert dim-jeu de 12h à 22h, ven-sam de 12h à 23h. Interac & comptant.

Cette boutique-salon de thé est un havre de paix et de tranquillité. La liste de thés est longue et les recettes variées (160 variétés, dont 100 d'importations privés), du Darjeeling au thé à la menthe, on savoure la maîtrise de cet art ancestral. Importateurs depuis quelques années, les propriétaires des lieux parcourent, chaque printemps, le continent asiatique (Chine, Inde, Japon et Taïwan) pour y rencontrer des producteurs de thés et finalement en ramener les meilleurs crus. À noter, une sélection de thés bio et équitables. Afin de se mettre complètement à l'heure du thé, il ne vous restera plus qu'à choisir une théière parmi celles qui vous convient le mieux (Yixing, en fonte, en argenterie ou en céramique). D'autre part, pour les intéressés, des ateliers d'initiation aux pratiques du thé sont proposés tout au long de l'année. L'ambiance est zen et Camellia Sinensis est sans aucun doute un lieu de choix pour la variété de ses produits.

CÉRAMIC CAFÉ STUDIO ART

4201, Saint-Denis
514-848-1119
www.leccs.com
M° Mont-Royal, angle Rachel. Lun-mer de10h à 23h, jeu de 10h à 00h, ven-sam 10h à 1h, dim de 10h à 22h. V, MC, Interac & comptant.

Prendre un repas léger, un café et un cours de peinture sur céramique en même temps, un concept tout a fait original à partager seul, en famille ou avec des amis. Tout le monde met la main à la pâte. Des conseillers assistent nos créations. On peut peindre des assiettes, des tasses, des plats, des bols, etc. Ici, on laisse libre cours à votre imagination, et peut-être, qui sait, à des talents cachés. Tous les produits passent au lave-vaisselle et micro-ondes. *Autres adresses : 95, de la Commune O 514-868-1611 ; 555, St-Martin, Laval 450-669-9399 ; 3240, Taschereau, Greenfield Park 450-443-8582.*

TOI, MOI ET CAFÉ

244, Laurier O - 514-279-9599
2695, Notre-Dame O - 514-788-9599
Ouvert lun-ven 7h-23h30, sam-dim 8h-minuit. Toutes CC & Interac. Café en grains 13-65$ le kilo.

Toi, moi et café préserve le don d'entretenir une atmosphère chaleureuse et animée, enveloppée par l'odeur du café frais brûlé sur place et les ronrons passagers du torréfacteur. Dans la salle rectangulaire, des clients se prélassent, du lecteur assidu jusqu'à la petite famille. Plus d'une cinquantaine de mélanges de café sont proposés dont la moitié bios et équitables. Les desserts sont monstrueusement bons et les brunchs de fin de semaine, absolument délicieux. N'hésitez pas à demander conseil à l'un ou l'une des serveurs : ils auront toujours une petite merveille à vous proposer. La terrasse, l'été, sur l'avenue Laurier, est un véritable bonheur.

UN AMOUR DES THÉS

1224, Bernard O
514-279-2999
www.amourdesthes.com
M° Outremont. Angle Bloomfield. Lun-mer de 11h à 18h, jeu-ven de 11h à 19h, sam de 9h à 17h, dim de 11h à 17h. Prix pour 100g : 8-65 selon la variété. V, MC, AE & Interac.

Une boutique toute mignonne aux étagères en bois remplies de jarres bleues et autres boîtes contenant plus de 200 variétés de thés en provenance d'Asie : thés verts (dont 30 variétés de thés verts japonais), blancs, rouges et noirs, thés rares et exotiques aux noms enchanteurs (Gyokuro, Sencha Diabolo, Larmes de Dragon ou Yunnan du Paradis Doré), thés biologiques, mélanges classiques et Chai, et aussi du thé russe de la marque Kousmichoff (100g à 12 $). La qualité est exceptionnelle. Également à la vente plus de 200 modèles de théières (terre cuite, verre trempé allemand, fonte, chinoise, de luxe ou de tous les jours) et accessoires pour compléter la panoplie du grand amateur de thés (infuseurs, passoires, thé-sac et bocaux). *Autre boutique : 5612, Monkland 514-369-2999, M° Villa-Maria.*

RIVE-SUD

MAISON DES CAFÉS EUROPÉENS

1354, Victoria, Greenfield Park
450-671-8567
caféseuropéens@hotmail.com
Lun fermé, mar-mer de 9h30 à 18h, jeu-ven de 9h30 à 17h, sam de 9h30 à 17h, dim de 12h à 17h.
Le café, le vrai, celui qui est torréfié selon les méthodes artisanales depuis plusieurs générations par un yougoslave de Québec, maître dans sa façon de faire. Une vingtaine de variétés à déguster sur place ou à rapporter à la maison. Le client choisit le café brun ou noir, moelleux, corsé, doux, épicé ou puissant. Les recettes font le tour du globe : Italie, Indonésie, Grèce, Guatemala, Panama, Hawaï et Turquie. Un conseiller sert de guide et oriente le client selon ses goûts et préférences. Quelques cafetières peuvent s'ajouter à l'addition. D'autres clients sont attablés autour d'une viennoiserie et d'un cappuccino. Un endroit sympathique où il fait bon parler café. *Autre adresse : Cafés Européens, Pères & Fille 1150, Saint-Laurent O, Longueuil, 450-677-9266.*

LA TASSE VERTE

170, Taschereau, La Prairie
450-444-7443
Lun-ven de 7h à 21h, sam-dim de 9h à 15h. Comptant & Interac.
Déjeuners 2-6$, menu du jour 7,6$.
On pense entrer dans un bistro des plus ordinaires. Pourtant, le choix en torréfaction est un des plus exhaustifs de la Rive-Sud. Une cinquantaine de cafés est proposée, pour le plus grand plaisir des explorateurs de la papille. Le thé se sert en sachet ou en feuilles et s'accompagne volontiers d'un scone. À l'heure du lunch, des repas légers sont offerts accompagnés d'un breuvage et d'un désert. Le week-end, le bistro sert des brunchs santé et généreux. Le décor est chaleureux et intime. Une sélection de magazines et de journaux permet de mieux se détendre. Divers combos pâtisserie-café répondent aux fringales de tout un chacun. Tasses et cafetières à géométries variables complètent l'addition. *Une seconde adresse à Saint-Bruno.*

CHOCOLAT & CONFISERIE

BISCUITERIE OSCAR

3755, Ontario E
514-527-0415
www.oscar.qc.ca
M° Frontenac, angle Valois. Lun-mer de 9h30 à 18h, jeu-ven de 9h30 à 21h, sam-dim de 9h30 à 17h.
Interac & Comptant.
Oscar vend au kilo les cookies, les croustilles, les bonbons en papillotes, les chocolats raffinés et autres délices tombeurs. En cas de perte de contrôle, il est recommandé de remplir les sacs de lunes de miel, de réglisse lacet ou ruban et de tire Ste-Catherine. Afin de paraître plus raisonnable, on ajoute quelques pistaches et noix de cajou. La fête continue grâce aux 2 kilos de chips que propose ce cher Oscar. Une tournée à 12,49$.

ANDRÉE CHOCOLATS

5328, du Parc
514-279-5923
M° Laurier, bus 46 O. Angle Saint-Viateur. Fermé le dim. Lun-ven de 10h à 18h, sam de 10h à 17h.
V, MC & Interac.
De petits chocolats trempés à la main aux fruits, à la crème et tant d'autres saveurs encore qu'il est difficile de se raisonner. Un choix de caramels, de pralines et de nougats est également disponible. Adoptez la politique du « peu mais souvent ». Vous pourrez goûter à tout sans trop vous culpabiliser. Le cadre est agréable et le service toujours courtois.

CHOCOLATS GENEVIÈVE GRANDBOIS

138, Atwater, Marché Atwater
514-933-1331
162, Saint-Viateur O - 514-394-1000
www.chocolatsgg.com
*Adresse du marché Atwater : M°
Lionel-Groulx. Lun-mer de 11h à 18h,
jeu-ven 9h à 19h, sam-dim de 9h à
17h, dim de 11h à 17h ; adresse sur
Saint Viateur : sam-mer : 9h-18h,
jeu-ven 9h-21h. V, MC & Interac.*

Geneviève Grandbois a eu le coup de foudre pour le chocolat à l'age de vingt ans. Elle n'utilise que des ingrédients de qualité et des chocolats dont la teneur en cacao va de 63% à 75%. La carte des chocolats est à la fois innovante et recherchée, et la maîtresse chocolatière sait allier chocolat et arômes (vanille, thés, fruits, cannelle, gingembre, etc.). Le résultat donne des chocolats parfois surprenants : caramel à la fleur de sel (caramel ambré aromatisé à la vanille et rehaussé de fleur de sel), gianduja (spécialité italienne au beurre de noisettes caramélisé et chocolat) le 9 (varie au gré des découvertes de la chocolatière !) Les passionnés seront heureux de découvrir une nouvelle collection allant du Chao ou balsamico, en passant par le Monte Cristo et la truffe blanche. En trois mots : du grand Art !

CONFISERIE LOUISE DÉCARIE

4424, Saint-Denis
514-499-3445
www.confiserielouisedecarie.com
*M° Mont Royal. Angle Marie-Anne.
Lun-mer de 11h à 18h, jeu-ven de 11h
à 20h, sam de 11h à 17h, dim de 13h à
17h. V & MC.*

On pénètre dans cette confiserie avec les yeux émerveillés de notre enfance. Cela ressemble à l'intérieur d'une maison, l'accueil est la cadre sont chaleureux. Des chocolats fins de toutes sortes ne demandent qu'à être dégustés, les bonbons ont le goût de fleurs. Ici, les essences naturelles remplacent tous les autres produits chimiques pour donner un goût authentique, trop souvent oublié. La propriétaire est une véritable passionnée. Si vous êtes à la recherche d'un bonbon adoré dans votre enfance, elle fera tout pour le retrouver. Pour revivre les après-midi de bonheur après l'école.

MAISON CAKAO

5090, Fabre
514-598-2462
*M° Laurier, angle Laurier. Mar-mer de
10h à 18h, jeu-ven de 10h à 20h, sam
de 10h à 17h, dim de 12h à 17h, fermé
lun. V & Interac.*

Cette boutique atelier du Plateau Mont-Royal fabrique sur place toute une gamme de produits artisanaux avec du chocolat très noir (65% de cacao). Ces derniers contiennent très peu de sucre puisque l'ingrédient en question camoufle la saveur et agit comme agent de conservation. Edith Gagnon, la pâtissière, utilise plutôt du miel, ce qui assure une production plus fréquente et donc plus fraîche. Plus d'une quarantaine de chocolats différents sont offerts, ainsi que des confits, des tartes, des brownies et d'autres pâtisseries faites avec du chocolat, et l'été des crèmes glacées maison. La visite du magasin en vaut le coup, surtout qu'en entrant, on est agréablement assailli par l'odeur des tartes, cuisinées à toute heure devant le client. Et que dire de la saveur des chocolats de la maison…

M. FÉLIX ET M. NORTON

1616, Sainte-Catherine O
514-939-3207
*M° McGill. Lun-ven de 10h à 21h, sam
de 9h à 17h, dim de 10h à 17h.
V, MC & Interac.*

D'où vient la renommée de ces biscuits qu'on offre en cadeau comme du chocolat ? Bien entendu, ils sont fins et capricieux, mariant la vanille, les canneberges, les chocolats blancs et noirs avec tellement de générosité qu'on oublie le goût de la pâte. Ils s'offrent en combo de trois, à la livre, ou, plus sage, on les achète à l'unité. Ils peuvent même prendre un air romantique, offerts en bouquets, en accompagnement d'une bouteille de champagne.

LES DÉLICES DE L'ÉRABLE

84, Saint-Paul E
514-765-3456
www.mapledelights.com
*Mᵉ Place-d'Armes ou Champ-de-Mars,
angle Saint-Gabriel. Hiver : lun-jeu
de 10h à 18h, ven-dim de 10h à 18h30.
Été : Lun-jeu de 10h à 22h, ven-dim de
10h à 22h. V, MC, AE & Interac.*

Ici, le nectar est décliné sous toutes ses formes possibles et inimaginables. Situé dans le Vieux-Montréal, cette boutique-bistro propose une vaste gamme de produits maison à base de sirop d'érable à emporter ou à consommer sur place : cafés et thés, chocolats (feuilles d'érables en chocolat remplies de crème d'érable ou boisson 100% naturelle d'érable et cacao), gâteaux et tartes, confitures (parfumées à l'érable), bonbons, et même des produits moins communs comme la moutarde au sirop d'érable ou le vinaigre d'érable. Une bonne adresse pour un cadeau ou tout simplement pour se sucrer le bec !

RIVE-SUD

LA CABOSSE D'OR

973, Ozias-Leduc
Otterburn Park
450-464-6937
www.lacabossedor.com
*Ouvert de 9h à 22h en été, hiver de 9h
à 18h sauf jeu-ven de 9h à 21h.
V, MC, AE & Interac.*

Salon de thé et mini-golf. Visites guidées pour groupes de 15 à 50 personnes. De la cabosse, ce fruit du cacaoyer, on raffine le précieux élixir. Il se retrouvera sous de multiples formes (une cinquantaine), truffes à l'honneur. Afin de ne léser personne, la Cabosse a eu la belle idée de faire du chocolat pour diabétiques. En plus des confiseries dont le fameux sucre à la crème, des croissants aux amandes et autres mille-feuilles complètent le tout. Une vingtaine de glaces maison aux saveurs inventives vient d'être ajoutée au menu. Il est aussi possible de savourer tranquillement un chocolat chaud aztèque dans le salon de thé.

CHOCOLATERIE DU VIEUX-BELOEIL

960, Laurier, Beloeil
450-446-4100
*Ouvert tous les jours de 8h à 23h.
Toutes CC & Interac.*

Une charmante maison offrant une vue imprenable sur le Richelieu et le Mont St-Hilaire. Renommé pour ses chocolats fins et ses caramels maison (nature, chocolat noisette, chocolat noir et chocolat blanc), c'est aussi l'endroit idéal pour casser la croûte. Dès huit heures, l'odeur des cafés gourmets s'empare des lieux. Plusieurs clients jettent un œil endormi sur les journaux et magazines. D'autres auteurs en devenir font aller leur plume. Les petits-déjeuners sont sensationnels ; les lunchs offrent un choix santé. La maison ne lésine pas sur les gâteaux et les pâtisseries. Un équilibre entre une bouchée légère et gourmande.

MARLAIN CHOCOLATIER

21, Cartier, Pointe-Claire
514-694-9259
www.marlainchocolatier.ca
*Mar-ven de 10h30 à 17h30, sam de 10h
à 17h, dim de 13h30 à 16h, lun fermé,
dim fermé en été. V, MC & Interac.*

Si l'on passe par Pointe-Claire, un petit détour est de mise chez Marlain Chocolatier pour rencontrer Jean-Philippe, le proprio, originaire de la Guyane française. Ce dernier accueille ses clients avec sa joyeuse musique des Îles, mais surtout avec ses gâteaux, ses mousses, ses confiseries originales, ses confitures et tartinades et forcément, son chocolat, disponible en 26 sortes différentes. Aussi, pour les plus aventuriers, pourquoi ne pas se laisser tenter par les sauces piquantes (à base de tomate) d'inspiration guyanaise ? Sa dégustation est déconseillée avec le chocolat, soit dit en passant. Et pour couronner le tout, quelques produits cosmétiques à base de chocolat y sont à la vente.

CHOCOLUNE

274, boul. Sainte-Rose, Laval
450-628-7188
Mar-mer 8h-18h, jeu 8h-19h, ven
8h-21h, sam-dim 8h30-17h. Fermé le
lundi. Tout en bas de 8,50$. Spécial
du midi : 8,35$. Déjeuner sam-
dim : 8,35$. Visa, MC, AE et Interac.
Paiement avec CC à partir de 20$.

Élue pâtisserie de l'année au Québec
en 1998, cette chocolaterie au cœur du
Vieux Sainte-Rose propose une variété
de desserts, de bonbons, de crème glacée,
de confitures, de sirops et autres produits
dérivés de l'érable pour les amateurs
de douceurs. Les sucreries sont faites
maison et sur place. On y offre aussi de
la charcuterie, des flacons de vinaigre et
du café moulu biologique et en grains.
Un salon de thé pouvant accueillir entre
25 et 30 clients est aménagé pour ceux
qui préfèrent déguster sur place les
sandwichs, les salades, les pâtisseries
et les autres petites trouvailles. Ce
charmant endroit est un festin pour
les yeux gourmands autant que
pour le ventre.

LES DIVINS CHOCOLATS DE SANDRA

820, Saint-François-Xavier,
Vieux-Terrebonne
450-471-9275
Lun-dim 10h-22h. Interac et argent
comptant seulement.

Les propriétaires de ce café/chocolaterie,
Sandra Bernard et Sylvain Lessard,
affichent très ouvertement leur usage
de produits équitables (café, chocolat)
et en font la promotion sans réserve.
D'ailleurs, tout est fait maison : les
chocolats artisanaux, la crème glacée,
les pâtisseries, ainsi que les repas légers.
Même le charmant et apaisant décor
donne l'impression de savourer quelques
sucreries dans sa cuisine ou son salon.
L'ambiance est au regroupement entre
amis ou en famille. Entre autres, un
coin a été tout spécialement aménagé
pour que les enfants puissent s'amuser
et dessiner. On se plaît à déguster une
glace en lisant une revue ou un livre ou

en partageant un jeu d'échecs. Le service
est accueillant, amical et personnalisé.
L'endroit est chaleureux et intimiste.

FROMAGERIES

FROMAGERIE DU MARCHÉ ATWATER

134, Atwater, Marché Atwater
514-932-4653
M° Lionel-Groulx. Lun-mer de 8h30 à
18h, jeu-ven de 8h30 à 20h, sam de
8h à 17h, dim de 8h30 à 17h.
Interac & comptant.

C'est une bonne référence en la matière.
L'équipe est supervisée par un passionné,
Gilles Jourdenais, incollable sur le
fromage. Le choix est impressionnant,
les fromages québécois (une soixantaine)
sont en bonne place. Dans la boutique,
des produits du terroir viendront au
secours des indécis qui composent leur
menu avant de rentrer à la maison.

FROMAGERIE HAMEL

220, Jean-Talon E - Marché Jean-
Talon - 514-272-1161
2117, Mont Royal E – 514-521-3333
9196, Sherbrooke E - 514-355-6657
622, Notre Dame, Repentigny -
450-654-3578
www.fromageriehamel.com
Lun-mer de 8h à 18h, jeu de 8h à 20h,
ven de 8h à 21h, sam de 8h à 18h, dim
de 9h à 17h. V, MC, AE & Interac.

Ce fromager affineur est installé à
Montréal depuis 1961. Avec ses 500
variétés de fromages, dont jusqu'à 253
au lait cru, il y a toujours de quoi se
faire plaisir ! La fromagerie Hamel,
c'est un peu la SAQ du fromage. Il
existe 3 magasins à Montréal, dont
celui du marché Jean Talon, et un à
Repentigny. Les formules dégustation
vins et fromages pour 6 à 8 personnes
sont excellentes, surtout lorsqu'on est en
panne d'inspiration.

FROMAGERIE MAÎTRE CORBEAU

1375, Laurier E
514-528-3293
m.corbeau@qc.aira.com
M° Laurier. Angle de Lanaudière. Mar-

mer de 8h à 19h, jeu-ven de 8h à 20h, sam de 8h à 18h, dim de 8h30 à 17h, fermé lun. V, MC & Interac.

Cette fromagerie est une adresse à connaître. Primo parce qu'elle est située sous le même toit que la boulangerie Le Fromentier et la charcuterie artisanale La Queue de Cochon, ce qui permet des emplettes plus faciles et complètes. Mais c'est surtout leur grand choix de fromages (plus de 200 variétés) qui rend la visite agréable. En deux mots, on trouve de tout. Du côté québécois, les incontournables s'y retrouvent tous ou presque, que l'on pense au cheddar Perron, au fromage d'Oka, au Cantonnier de Warwick ou au pied-de-vin. Du beurre, du lait et du fromage bio et du yogourt sont aussi étalés, tout comme les cidres québécois, qui sont plus nombreux au Maître Corbeau que dans bien des succursales de la SAQ.

LA FOUMAGERIE

4906, Sherbrooke O
514-482-4100
M° Vendôme, bus 63 N. Lun-mer de 9h à 19h, jeu-ven de 9h à 20h, sam de 9h à 17h30, dim de 11h à 17h. V, MC & Interac.

Petite boutique à l'arôme lacté, avec une sélection fort honnête de fromages. Des conseils judicieux sont prodigués pour les accorder avec de belles bouteilles. Une section épicerie fine respectable, qui parviendra à éviter un surcroît de magasinage. Un choix de sandwichs à déguster, sur place ou chez soi ; de quoi piquer toute une conversation avec la proprio, gentille comme tout.

QUI LAIT CRU !?!

7070, Henri-Julien,
Marché Jean Talon
514-272-0300
info@quilaitcru.com
M° Jean-Talon, angle Jean-Talon, bus 92 ou 93. Lun-mer de 7h à 18h, jeu-ven de 7h à 20h, sam de 7h à 18h, dim de 7h à 17h. Interac & comptant.

Un petit nouveau de plus sur le Marché Jean-Talon et pour le plus grand bonheur des clients. Comme son nom l'indique, cette boutique vend essentiellement

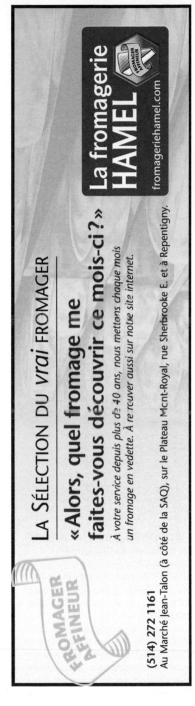

des fromages au lait cru en provenance principalement du Québec (fromageries artisanales), de la France et de la Suisse : raclettes, tomes, chèvres, etc. On y trouve également en exclusivité les produits « Le bédouin » qui offrent diverses variétés de fromages arabes au lait de vache, mais aussi des laits, beurres et crèmes. Comme le fromage s'apprécie encore mieux avec du bon pain, la boulangerie le Fromentier y dépose quelques pains à la vente.

YANNICK FROMAGERIE D'EXCEPTION

1218, Bernard
514-279-9376
Mᵉ Outremont. Angle Bloomfield. Lun-mer de 9h à 18h, jeu de 9h à 19h, ven de 9h à 21h, sam 9h-17h, dim 0h à 17h. V, MC, AE, DC & Interac.
La fromagerie de Yannick propose une large sélection de produits qui changent au gré des saisons. Des fromages d'exception, en provenance de producteurs québécois, mais également d'Espagne, de France et de fromageries artisanales italiennes et portugaises. Les vitrines chargées de fromages changent de l'habituel comptoir. On trouve également des délices divers qui ne manqueront pas d'attirer les gourmands gourmets : foie gras, craquelins, huiles d'olives et chocolats français. Histoire d'être bien équipé pour la dégustation, vous pouvez compléter vos achats avec un couteau de la marque Laguiole ou Opinel.

L'ÉCHOPPE DES FROMAGES

12, Aberdeen, Saint-Lambert
450-672-9701
Lun-mer de 9h à 18h, jeu de 9h à 19h (jusqu'à 21h en été), ven de 9h à 21h, sam-dim de 9h à 17h. Mc, V, Interac & comptant.
Un coup de cœur des plus forts, qui déchaînera les passions des aficionados du fromage. Une sélection raffinée de pâtes molles, de pâtes fermes, de laits crus, chèvre et autres ambroisies à base de lactose. Personnel chaleureux

s'y connaissant en la matière, prêt à conseiller des mariages gustatifs judicieux, avec dégustation avant achat, s'il vous plaît. Une section épicerie fine pour compléter la préparation d'un repas mémorable. À visiter avec un budget prédéterminé en tête, sinon la tentation risque de donner des maux de tête. Pour compléter le charme, quelques tables transforment cet antre en bistro.

GLACIERS

LE BILBOQUET

1311, Bernard O
514-276-0414
Mᵉ Outremont, angle Outremont. Ouvert tous les jours. Du 15 mars au 30 avril de 11h à 22h, du 1 mai au 30 septembre de 11h à 24h, octobre et décembre de 11h à 23h et fermé du 1ᵉʳ janvier au 15 mars. Interac & comptant.
Lors de la balade dans le quartier, une halte s'impose dans ce temple de la crème glacée maison. Il n'est pas surprenant de voir une file d'attente se former à la porte du fameux marchand de glaces. Les cornets sont généreux et bon marché. Les sorbets pamplemousse, mangue, poire et fraise sont exceptionnels. La fantaisie est aussi au menu avec les biscuits « maison » et les gâteaux à la crème glacée. Les plus raisonnables choisissent les yaourts glacés. Il faut essayer le mélange audacieux de sorbet et de yaourt ou encore l'original « sandwich crème glacé ». En saison, l'érable aussi se conjugue à la mode crème glacé et à l'automne, quelques passants tentent encore la terrasse pour prendre le café, d'autres osent toujours se geler la langue. Des glaces envoûtantes, rien de moins.

HAVRE AUX GLACES

7070, Henri-Julien,
Marché Jean Talon
514-278-8696
www.havreauxglaces.ca
Mᵉ Jean-Talon. Lun-mer de 9h à 18h, jeu-ven de 9h à 20h, sam-dim de 8h à 18h. Fermeture à 22h en été. Cornet 3,25$-3,90$, coupe 2,3$-3,9$, pot 6,45$. Interac & comptant

Hartley
Glaces & Chocolats
Chocolat Belge
Artisan chocolatier
Glaces & Entremets
glacés maison

661, rue Victoria - Saint-Lambert
450.671.9671

Robert Lachapelle est un passionné. Il vous invite à venir déguster ses glaces et sorbets, ses entremets et gâteaux glacés. Les produits sont faits maison, tous préparés à base de produits frais, de fruits de saison sélectionnés avec attention. C'est pour cette raison que les parfums changent tout au long de l'année. Histoire de vous mettre l'eau à la bouche, voici quelques variétés de glaces : choco-pacane (noix de pécan), matcha (thé vert japonais), pomme de glace (Clos-St-Denis), masala chaï (thé noir, mélange d'épices), papaye-citron vert ou encore les classiques comme la framboise, l'orange sanguine, le chocolat noir, etc. Allez fondre de plaisir, c'est un pur délice !

RIVE-SUD

CHOCOLATERIE HARTLEY

661, Victoria, Saint-Lambert
450-671-9671
Ouvert 7 jours/7, de 11h à 23h en saison estivale et de 10h à 18h de mardi à samedi en hiver. V & MC.
Été comme hiver tout le quartier se bouscule au portillon de ce maître de la gourmandise établi sur Victoria depuis 30 ans. Dès les premiers rayons du soleil, le propriétaire confectionne des glaces offertes dans un éventail de 60 saveurs et aux parfums inventifs. Par exemples, des glaces à la lavande, au poivre de Sezchuan ou à la cardamone. Des sorbets faits à partir de fruits exotiques et du tofu glacé sont tout aussi ingénieux. Il est possible de goûter avant d'établir son choix. Les frimousses accompagnent leur

gourmandise glacée d'une bavette. En saison morte, les étagères se remplissent de chocolat aux formes et au goût original : chocolat au thé, aux abricots et safran etc. Une institution pour tout le voisinage et ses amis !

POISSONNERIES

AQUA MARE POISSONNERIE

7070, Henri-Julien, Marché Jean-Talon
514-277-7575
www.aquamare.ca
M° Jean-Talon, angle Jean-Talon, bus 92 ou 93. Lun-mer de 7h30 à 18h, jeu-ven de 8h à 20h, sam de 8h à 18h, dim de 8h à 17h. Interac & comptant.
D'énormes hublots donnent sur les étals remplis de filets de poissons variés (dont du saumon certifié biologique) et de fruits de mer. On trouve également des produits surgelés, des sushis ainsi que des calamars frits à emporter ou à déguster sur place sur les quelques tables placées autour de la boutique pendant la période estivale.

NOUVEAU FALERO

5726, du Parc
514-274-5542
M° Laurier, bus 46 O. Angle Bernard. Lun-mer de 9h à 19h, jeu de 8h30 à 18h30h, ven de 9h à 21h, sam de 9h à 18h, dim de 9h à 18h30.
Comptant & Interac.
Que l'on cherche le homard de l'Île du Prince Edward ou les moules des Îles de la Madeleine, le crabe des neiges de Sept Îles, la crevette de Matane ou

l'omble chevalier de Rivière au Renard, il est bien possible que vous le trouviez en saison au Nouveau Falero, petite poissonnerie qui existe depuis plus de… 40 ans. Pas si nouveau que ça après tout. L'expérience est toutefois bonne conseillère et le client sait qu'il sera bien conseillé pour sa préparation, et bien guidé pour faire son choix parmi la grande variété d'espèces disponibles. Pour ceux qui aiment le poisson vraiment frais, il faut savoir que les jours d'arrivage sont les lundis et jeudis. Les suchis arrivent quant à eux, tous les jours.

POISSONNERIE LA SIRÈNE DE LA MER

1805, Sauvé O
514-332-2255
www.lasirenedelamer.com
M° Côte-Vertu, bus 121 E. Angle Acadie. Tous les jours de 9h à 21h. V, MC, AE, DC & Interac.
Située juste à côté du restaurant, cette poissonnerie offre une grande variété de poissons et fruits de mer en provenance de la Méditerranée (sardine, rouget, mérou), de l'Atlantique et du Pacifique (truite, espadon, sole, merlan, turbot). La qualité et la fraîcheur des produits ne font aucun doute et si le cœur vous en dit, vous pouvez même faire un détour par le restaurant, histoire de vérifier… *Autre adresse : 114, Dresden 514-345-0345.*

POISSONNERIE SHAMROCK FISH

7015, Casgrain
514-272-5612
M° Jean-Talon. Sam-mer de 7h30 à 18h, jeu-ven de 7h30 à 21h, dim de 8h à 17h. Interac & Comptant.
Située à deux minutes du marché Jean Talon, cette poissonnerie offre à ses clients plusieurs services. Tout d'abord on peut y acheter en gros ou au détail, une liste variée de poissons est proposée tous les jours. Vous avez le choix entre des poissons frais ou congelés. Les fruits de mer, crevettes, palourdes, crabes, homards sont également au rendez-vous. Vous pouvez aussi y acheter des mets à emporter ou des plats congelés pré cuisinés d'une grande qualité.

POISSONNERIE WALDMAN

76, Roy E
514-285-8747
www.waldman.ca
M° Saint Laurent, bus 55 N. Angle Coloniale. Lun-mer de 9h à 18h, jeu-ven de 9h à 21h, sam de 9h à 18h, dim de 10h à 17h. V, MC & Interac.
Selon les arrivages et les saisons, les gourmets pourront débusquer des espèces très fraîches comme les carpes, les poissons du Portugal et d'autres pays de la Méditerranée. Sur place, un service de préparation de coquillages et poissons selon les envies et le budget des clients. Dans le vivier, vous pouvez sélectionner vous-même les plus belles pièces de homards et de carpes que vous souhaitez acheter.

SAUM-MOM

1318, Mont-Royal E
514-526-1116
www.saum-mom.com
M° Mont Royal, bus 97 E. Angle Chambord. Lun-mer de 11h à 18h30, jeu-ven de 11h à 19h30, sam de 10h à 17h30, dim de 12h à 17h30. V, MC & Interac.
Plus de 30 sortes de préparation au saumon sont apprêtées dans la cuisine de ces boutiques. Les idées ne manquent pas : saumon fumé, en gravlax, en tartare, fumé sur place, en dumpling, poché, en sushi. Si vous ne trouvez pas votre bonheur sur la liste, proposez votre recette et le chef exécutera ! Pour les lunchs ou le souper, on pensera à venir chercher un de leur plat cuisiné. Un menu traiteur et des lunchs à déguster sur place. *Nouvelle adresse : 4807 boulevard Saint Laurent*

RIVE-SUD

POISONNERIE RENÉ MARCHAND

1455, Victoria, Saint-Lambert
450-672-1231
www.poisonneriemarchand.com
Lun de 9h à 17h, mar-mer de 9h à 18h,

Marchés publics
WWW.MARCHESPUBLICS-MTL.COM

MARCHÉ ATWATER
138, Atwater
514-937-7754

M° Lionel Groulx. Ouvert du lun-mer de 8h à 18h, jeu de 8h à 19h, ven de 8h à 20h, sam-dim de 8h à 17h. Ouvert les jours fériés sauf Noël et Jour de l'An.

Il existe depuis 1933 et connaît toujours le même engouement de la part des Montréalais. De par son architecture, le marché Atwater ne manque pas d'intérêt, et à l'intérieur c'est un véritable temple dédié aux bonnes choses : viandes de qualité, belle poissonnerie, fromages, les pains de Première Moisson, des fruits et des légumes. Dès les premiers jours de printemps, l'extérieur du marché est animé par les étals des producteurs horticoles et les maraîchers de la région pour un festival de couleurs et d'odeurs enthousiasmant.

MARCHÉ JEAN TALON
216, Jean-Talon E
514-277-1588

M° Jean Talon ou De Castelnau. Lun-mer de 7h à 18h, jeu-vem de 7h à 20h, sam-dim de 7h à 18h. Fermé à Noël et Jour de l'An.
Stationnement : 30 min : 0,50$, 1h : 1$, 1h30 : 1,50$.

On le dit ouvert à toutes les cultures et il suffit de se rendre sur place pour constater que c'est vrai. Sans nul doute le marché le plus populaire de Montréal avec des allées impressionnantes et richement achalandées. Outre les boutiques présentes tout au long de l'année, les producteurs s'installent à l'extérieur de mai à octobre. Le marché est toujours en pleine effervescence. Les boutiques de spécialités italiennes et orientales sont nombreuses, et nous vous suggérons vivement le marché des saveurs, sans doute la boutique la plus complète en ce qui concerne les produits régionaux du terroir. En 2004, le marché a subi des travaux d'agrandissement importants, lesquels ont permis l'ouverture de plusieurs boutiques spécialisées ainsi que l'aménagement d'un stationnement souterrain d'environ 450 places.

MARCHÉ MAISONNEUVE
4445, Ontario E
514-937-7754

M° Pie-IX ou Viau. Lun-mer de 8h à 18h, jeu-ven de 8h à 21h, sam de 8h à 18h, dim de 8h à 17h. Fermé à Noël et Jour de l'An.

Le plus petit des trois et le seul à être présent dans l'est de Montréal. On y trouve des fleurs multicolores, des plantes vertes éclatantes, des fruits et des légumes de saison à profusion, dont une bonne partie est bio, du miel et du cidre artisanal... Tout a été étudié pour donner le goût de flâner et de remplir son panier. Aussi, une très belle ambiance qui durant la période estivale accompagne de nombreuses activités socioculturelles. D'août à octobre, le marché organise les « samedis bio ».

RESTAURANTS

Jeu-ven de 9h à 21h, sam-dim de 9h à 17h. V, MC & Interac.

Le nec plus ultra des poissonneries de la Rive-Sud. Le comptoir des fumés laisse pantois. Une ribambelle de plats cuisinés pour dépanner sur le pouce, avec entre autres le pâté au saumon du Père Adrien, le gravlax maison, mais aussi du caviar, des produits fumés. Les plus entreprenants des cuisiniers pourront acheter de quoi préparer leurs propres sushis. Des crevettes de toutes les tailles et pour tous les budgets. Mais le nerf de la guerre, le poisson, s'étale en toute sa splendeur : les arrivages quotidiens assurent une fraîcheur sans pareille. L'équipe professionnelle n'est pas avare de conseils. Quelques livres de recettes agrémentent le tout. Une entreprise familiale qui perdure depuis 1969, à l'enseigne de la qualité et de la propreté sans compromis. Un service de traiteur est aussi disponible. Coup de cœur !

LE POISSON VOLANT

584, Saint-Jean, La Prairie
450-444-8821
Lun-ven de 9h à 18h, sam de 9h à 5h.
V, MC & Interac.

Difficile de ne pas mordre à l'hameçon de cette poissonnerie spécialiste du poisson exotique et qui a comme port d'attache les Iles-de-la-Madeleine ! Chaque semaine, Daniel Vigneau et sa conjointe Louise Girard sélectionnent une quarantaine de poissons et de fruits de mer qu'ils présentent joliment sur les étals. Pour choisir la capture du jour, il va de soit qu'il faut s'informer auprès des propriétaires, généreux en explications. Des sushis sont aussi confectionnés sur place ; les recettes sont originales et sophistiquées. Autres spécialités, les plats cuisinés (de 15 $ à 30 $ pour deux portions). Le saumon fumé, la galette à la morue salée, et le gravlax fait maison, à la poissonnerie, goûtent vraiment les vacances.

TRAITEURS & RÉSERVATIONS DE GROUPE

Pour une réception ou une fête, pour vous éviter de vous tracasser, faites appel à un traiteur ! Nous vous en suggérons quelques-uns.

AGNUS DEI

530, Bonsecours
514-866-2323
www.agnusdei.ca
M° Champ-de-Mars.

« Voici l'agneau de Dieu qui enlève le péché du monde (Jn 1, 29) », voila le sens de cette acclamation récitée trois fois par jour par les prêtres comme autant d'invitation à faire bonne chère. Et c'est bien dans le respect des valeurs qui vous caractérisent, que vous pourrez compter sur la prestation haut de gamme proposée par ce traiteur/créateur, qui fête ses 21 ans cette année et décline ses services sous plusieurs bannières. Agnus Dei garantit un service personnalisé pour organiser dîners, repas à l'assiette, buffets, cocktails dînatoires, mariages ou tout autre événement exceptionnel. Des services complémentaires sont offerts : personnel de service, locations, décors et animation, recherche de salles, développements thématiques...

PÂTISSERIE BELGE

3485, du Parc
514-845-1245
www.lapatisseriebelge.com
M° Place des Arts. Angle Milton. Lun de 9h à 18h, mar-mer de 8h30 à 18h, jeu-ven de 8h30 à 20h, sam de 8h30 à 17h30, dim de 8h30 à 16h30. V, MC, AE & Interac.

Tradition Gautier est la section traiteur de la Pâtisserie Belge. Des spécialités d'inspiration française sont disponibles. Produits importés et charcuterie maison. Vous pouvez acheter les plats préparés sur place, ou encore commander de quoi faire un superbe buffet. *Autres adresses : 1075, Laurier O 514-279-5274, et Gourmet Belge, au Complexe Desjardins 514-847-8393.*

DENISE CORNELLIER TRAITEUR

5354, Saint-Laurent
514-272-8428
www.cornelliertraiteur.com
Mᵉ Laurier, bus 46 O. Angle Saint-Viateur et Fairmount. V, MC & Interac.
Choisir Denise Cornellier, ce n'est pas seulement opter pour la qualité de la cuisine, mais pour un service et une organisation impeccables du début à la fin de votre évènement, que ce soit un repas d'affaires, une fête, un cocktail ou un mariage. Sa réputation n'est plus à faire, et l'expérience est là. On s'inspire de toutes les cuisines (méditerranéenne, québécoise, asiatique, californienne ou moyen-orientale) et on s'adapte à toutes les demandes (selon les thèmes que vous désirez). Plusieurs choix s'offrent à vous : un menu à 90 $/personne comprenant un amuse-bouche, cinq services, et des mignardises ; « La cuisine du Marché » avec deux formules, une à 30 $/personne et une autre à 20 $/personne ; ou bien tout simplement un menu adapté selon votre souhait.

LA MARGUERITE

6630, chemin de la Côte-St-Luc
514-488-4111
www.lamarguerite.com
Mᵉ Villa-Maria, bus 103 O. Fermé lun-mar-sam. Mer de 9h à 18h, jeu de 9h à 20h, ven de 7h30 à 15h, dim de 9h à 16h. V, MC & Interac.
Une boutique gourmet qui propose des services de traiteur kascher, prêt à manger pour shabbat et tout événement corporatif. Plusieurs types de banquet : sushis, italiens, norvégien, légumes grillés, etc.

LES PETITS PLATS DE SOPHIE

2241, Beaubien E
514-729-9661
migeotte@videotron.ca
Mᵉ Beaubien, bus 18 E. Mar-ven de 10h à 19h, sam de 10h à 17h, fermé dim-lun.
Les Petits Plats de Sophie, c'est un service traiteur qui vous offre des plats cuisinés divers au format individuel ou

familial, du bœuf bourguignon au chili con carne, en passant par une moussaka à l'agneau et le poulet à la moutarde. La carte propose une dizaine de plats végétariens, ainsi que des soupes au litre (carottes/tomates, aux légumes, et gaspacho en été) et des salades. En plus des plats frais, on propose des plats surgelés, bien pratiques au long de la semaine.

RIVE-SUD

ARTOUN TRAITEUR

1067, Taschereau, La Prairie
450-659-4844
Lun-ven de 8h à 18h, sam de 10h à 17h. Toutes CC. Plats cuisinés 6,95 $-15,95 $. $.
Ce traiteur dispose d'un menu très diversifié, gorgé de saveurs variant au gré des saisons. Il saura trouver le menu qui vous conviendra, que ce soit pour un événement corporatif, une réception privée ou un repas gastronomique à la maison, où un chef cuisinera sur place. La boite à lunch corporative

haut de gamme à déjà conquis la faveur de grandes entreprises Montréalaise. Un service clé en main vous est aussi proposé. Une belle façon de prolonger les plaisirs gustatifs chez soi en échange d'un prix agréable. Un rayon épicerie fine a aussi fait son apparition dans le magasin.

MINESTRA

670, Victoria, Saint-Lambert
450-466-1717
www.minestra.ca

Lun-mer de 11h à 18h30, jeu-ven de 11h à 20h, sam de 11h à 18h, dim fermé. Toutes CC, Interac & chèques.
Ce maître de la finesse offre une cuisine internationale pour apporter chez soi. Les plats frais ou congelés sont concoctés de la main des cuisiniers qui s'affairent dans la cuisine de l'arrière-boutique. La maison s'assure d'utiliser les produits les plus frais du marché. Les additifs ou agents de conservation sont proscrits de la carte. Le menu est sophistiqué. Des plats végétariens figurent même sur la carte ! Et s'il n'y a pas ce que vous désirez, le cuistot fait des merveilles. Des sorbets viennent d'être ajoutés au menu. Les parfums sont inventifs et peuvent très bien servir de trous normands : par exemple, le parfum de fraise et de Zambuca. En boutique, une quarantaine de produits gourmets est présentée en petits pots et s'offre en cadeaux sous un joli emballage. Une touche de prestige.

VINS & SPIRITUEUX

CENTRE DE DISTRIBUTION DE MONTRÉAL

2021, des Futailles
514-353-1720
www.futailles.com

M° Assomption, bus 22 E. Ouvert 7 jours. Lun-mer de 9h30 à 18h, jeu-ven de 9h à 21h, sam de 9h à 17h, dim de 10h30 à 17h. Toutes CC & Interac.
Pour les petits budgets, mais qui veulent continuer à se faire plaisir, le centre de distribution est une alternative intéressante. On ne vend que du vin en vrac. Il suffit de venir avec son propre matériel, bouteilles propres non

étiquetées et bouchons, et de remplir à la tirette. Selon les saisons, les types de vins peuvent varier, mais en général des crus français, italien et chilien sont toujours disponibles. Leur garantie est identique à celle des marques vendues dans une SAQ ordinaire. Une idée des économies possibles : 72 $ les douze bouteilles de Chili Blanc, 90,5 $ les douze bouteilles de Beaujolais rouge, 82,5 $ pour douze bouteilles d'Italien rouge, taxes incluses, bien évidemment.

SAQ CLASSIQUE

895, de la Gauchetière O
514-876-4144
www.saq.com

M° Bonaventure. Lun-mer de 10h à 18h30, jeu-ven de 10h à 21h, sam de 10h à 17h, dim de 12h à 17h. V, MC, AE & Interac.
La SAQ Classique propose une sélection étendue de vins, spiritueux et bières.
Autres adresses : 585, Ste-Catherine O 514- 844-7544 ; 501, Place d'Armes 514-282-4533 ; 7129, chemin de la Côte-St-Luc 514-489-8757 ; 5632, du Parc 514-277-8118 ; 6252, Somerled 514-488-1692 ; 917, Jean-talon O 514-279-4335 ; 3165, Rachel E 514-521-1746 ; 1745 A, Fleury E 514-381-2707 ; 2620, de Salaberry 514-336-7627 ; 4215, Wellington, Verdun 514-767-9937.760, Notre-Dame, Lachine 514-639-3994.

SAQ DÉPÔT

1001, du Marché Central, Local A1
514-383-9954
www.saq.com

M° Crémazie, bus 100 O. Dim de 11h à 17h, lun-mar de 9h30 à 19h, mer-ven de 9h30 à 21h, sam de 9h30 à 17h. V, MC, AE & Interac.
On y embouteille soi-même des spiritueux et des vins à des prix économiques.

SAQ EXPRESS

6108, Sherbrooke O
514-489-6521
www.saq.com

M° Vendôme, bus 105 O. Dim-ven de 11h à 22h, sam de 9h30 à 22h. V, MC,

AE & Interac.

La SAQ Express offre un choix de plus de 400 produits les plus en demande et l'avantage est que les boutiques sont ouvertes en soirée. *Autres adresses : 1108, Ste-Catherine O 514-861-7908 ; 4128, St-Denis 514-845-5630 ; 1034, Mont-Royal E 514-523-6117 ; 954, Décarie 514-747-2511 ; 3699 B, St-Jean, Dollard-des-Ormeaux 514-624-5384.*

SAQ SÉLECTION

440, de Maisonneuve O
514-873-2274
www.saq.com
M° McGill. Lun-mer de 10h à 18h, jeu-ven de 9h30 à 21h, sam de 9h30 à 17h, dim de 12h à 17h. V, MC, AE & Interac.
Les SAQ Sélection sont les plus vastes parmi les divers types de succursales SAQ, ce qui leur permet de proposer à la clientèle un plus grand éventail de vins, de liqueurs et de forts que les autres. *Autres boutiques : 2305, Rockland (514) 733-6414 ; 900, Beaubien E (514) 270-1776 ; 1919, Marcel-Laurin 514-744-6628 ; 7955, Newman, LaSalle 514-364-4343 ; 44, Place du Commerce, Verdun 514-766-4432.*

SAQ SIGNATURE

677, Sainte-Catherine O
514-282-9445 / 1-888-454-7007
www.saq.com
M° McGill. Lun-mer de 10h à 19h, jeu-ven de 10h à 21h, sam de 10h à 17h, dim de 12h à 17h. V, MC, AE & Interac.
La SAQ Signature propose des spiritueux raffinés, des vins rares et prestigieux, des champagnes réputés et des liqueurs fines.

SUPERMARCHÉ RAHMAN

151, Laurier O
514-279-2566
M° Laurier. Ouvert tous les jours de 8h à 23h. Comptant.
95 sortes de bières sont disponibles chez ce dépanneur, très connu par les « biérophiles » montréalais. Monsieur Rahman vend des produits des microbrasseries québécoises et des importées (bières belges, d'Abbaye et des

Lambics, et même des bières trappistes).
On complètera le tableau avec des Ales et
des Lagers anglaises.

EAU VINS VIVANTS
8245, Taschereau, Brossard
450-926-8467
www.5gallons.com
Lun-mer de 10h à 18h, jeu-ven de 10h
à 19h, sam de 10h à 17h. Fermé dim. V,
MC & Interac.
Pour les viticulteurs en herbe. Trois
types de moûts sont disponibles, les
concentrés, les demi concentrés et
les jus purs, avec échelle croissante
de complexité gustative. Une bonne
sélection des grands cépages à succès.
Évidemment, tout l'arsenal matériel se
trouve sur place, étiquettes, bouteilles,
appareil d'embouteillage, bouchons. Une
section dédiée à la bière peut décevoir à
première vue, mais il faut savoir que la
boutique répond aux commandes et ne
tient en magasin qu'une infime portion
de son inventaire.

L'ÂME DU VIN
14, Desaulniers, Saint-Lambert
450-923-0083
Lun-mer de 10h à 18h, jeu-ven de 10h
à 21h, sam de 10h à 17h. Dim fermé. V,
MC & Interac.
Une référence essentielle située sur la
Rive-Sud. En ces murs, la qualité et la
classe restent indiscutables. On y trouve
tout pour le service, la dégustation et
la conservation du vin. Coupes, carafes
et accessoires sont joliment disposés
dans un décor translucide issu du jeu
de la lumière sur le verre. Un vaste
choix de livres sur le divin nectar est
judicieusement proposé aux lecteurs.
Des casiers faits sur mesure permettent
aux plus raisonnables de s'équiper
adéquatement. Pour les amateurs
encore plus sérieux, des conseillers dans
l'élaboration de la cave à vin se chargent
de réaliser les rêves les plus fous, pour
s'abandonner à la passion sans entraves.
Que les épicuriens se réjouissent, les
accessoires pour le café et le fromage
sont aussi présents dans la boutique.

ÉPICERIES FINES

AU FESTIN DE BABETTE
4085, Saint-Denis
514-849-0214
M° Sherbrooke ou Mont Royal. Lun-
mar de 10h à 18h, mer-ven de 10h à
21h, sam de 10h à 22h, dim 10h – 18h.
En été, ouvert jusqu'à minuit toute la
semaine. V, MC & Interac.
Glacier en été. Coup de cœur pour cette
jolie boutique champêtre ! Outre des
chocolats belges et français (de Michel
Cluizel en Normandie), on y trouvera des
bocaux de fruits artisanaux fabriqués au
Périgord, des gelées, des truffes, pour le
côté sucré. Le foie gras, les huiles d'olive
première pression font aussi bonne
figure. Pour faire passer le tout, Babette
propose une fine sélection de cafés et de
thés (noirs et verts). D'autre part, une
salle entière est consacrée au chocolat
avec un éventail diversifié de cacaos
pour cuisiner ainsi que des ustensiles et
des moules. Un salon de thé permet d'y
déguster des recettes de chocolat chaud
autour d'une grande table et cela dans
une atmosphère chaleureuse.

AUX CHAMPÊTRERIES
3606, Ontario E
514-529-5974
M° Chambly. Lun de 9h à 17h, mar-
mer de 9h à 18h, jeu-ven de 9h à
21h, sam de 10h à 15h, fermé le dim.
Interac.
Le terroir québécois a choisi cette
devanture pour faire étalage des
richesses de son sol. Confitures,
gelée, marmelades originales, miels
aromatisés, chocolats, vinaigrette et
huiles aromatiques, pesto, pâtés, terrines,
rillettes, savons naturels et sels de mer
ne sont qu'un aperçu des articles que
distribuent les fournisseurs de cette
boutique. L'établissement prépare à
partir de 10 $ des paniers-cadeaux qui
feront leur petit effet à coup sûr.

BOUTIQUE LA TOMATE
4347, de La Roche
514-523-0222
www.tomateonline.com
M° Mont-Royal. Angle Marie-Anne.

La Vieille Europe

Le plus grand choix de
Fromage - Épicerie fine - Charcuterie
Café frais torréfié sur place

The largest choise of
Cheese - Fine foods - Delicatessen
Freshly roasted coffee

CHARCUTERIE FROMAGERIE

842-5773

La Vieille Europe

3855, boulevard Saint-Laurent **514-842-5773**

Mer-ven de 10h à 20h, sam de 10 à 18h, dim 10h-17h. Fermé lun-mar.
Qui aurait cru qu'on pouvait créer une boutique uniquement consacrée à la tomate ? Eh bien c'est chose faite, et cette tomate est déclinée sous toutes ses formes possibles et inimaginables ! Des gelées (de tomates séchées au porto), des tartinades (tomate et bleuets ou tomate verte et orange), des coulis, des sauces (sauce tomate au pastis, sauce tomate et mangue, ou sauces tomates plus classiques), des confits, du beurre de tomates jaunes à l'érable, des jus, et même du chocolat à la tomate, mais également d'autres produits comme des pâtes ou du risotto biologiques et des produits frais. Bref, de quoi vous lécher les babines rien que d'y penser…

LATINA

185, Saint-Viateur O
514-273-6561
www.chezlatina.com
M° Outremont ou Rosemont. Angle de l'Esplanade. Tous les jours de 7h à 23h. V, MC, AE & Interac.
Une épicerie traiteur fort sympathique qui propose des produits provenant d'Europe pour l'essentiel. Des comptoirs de fromages, de charcuteries et de viandes aux odeurs alléchantes se mêlent aux autres produits alimentaires de qualité (dont une large sélection d'aliments biologiques) tels que les cafés, thés, huiles et vinaigres, chocolats et antipasti. La maison prépare également des quiches, pizzas, pâtes fraîches, soupes, salades et pestos à déguster sur place ou à emporter. Le personnel est

agréable et l'ambiance conviviale. Achat en ligne possible sur le site Internet.

LA VIEILLE EUROPE

3855, Saint-Laurent
514-842-5773
M° Sherbrooke. Angle Saint-Cuthbert. Lun-mer de 7h30 à 18h, jeu-ven de 7h30 à 21h, sam de 7h30 à 18h, dim de 9h à 17h. V, MC & Interac.
On adore le côté vieillot de cette épicerie avec ses longues allées de fromages fins, de saucissons, de pâtes, de chocolats, de cafés frais moulus, de confitures et de moutardes à n'en plus finir. Et puis toutes ses odeurs… Ça ouvre l'appétit. Ça donne envie de recevoir ses amis et de leur préparer une bonne choucroute et plein d'autres spécialités d'ici ou d'ailleurs. Cette épicerie, en plus d'offrir des bons produits, est un vrai spectacle quand on voit le personnel en action, toujours prêt à répondre promptement aux exigences des uns et des autres.

LE MARCHÉ DES SAVEURS DU QUÉBEC
MAISON DES VINS ET BOISSONS ARTISANALES

280, Place du Marché du Nord,
Marché Jean-Talon
514-271-3811
www.lemarchedessaveurs.com
M° Jean Talon. Lun-mer de 9h à 18h, jeu-ven de 9h à 21h, sam-dim de 9h à 18h. V, MC & Interac.
Le Marché des Saveurs est une boutique unique en son genre puisque vous y trouverez pas moins de 2500 produits régionaux québécois. Un véritable

trésor rassemblé avec passion par les propriétaires Antonio Drouin et sa femme Suzanne Bergeron. Tout ce que le Québec a de meilleur se trouve dans ce marché : du cidre de glace au caviar de la Gaspésie en passant par une belle gamme d'hydromels, de vins, de confitures, de fines herbes, de produits de l'érable, et 225 fromages québécois dans un comptoir ! Une belle sélection de produits biologiques et/ou équitables (thés, cosmétiques, cafés, etc.). Un endroit dont on ne ressort jamais les mains vides.

LE FOUVRAC
1451, Laurier E
514-522-9993
M° Laurier. Lun-mer de 8h30 à 19h, jeu-ven de 8h30 à 20h30, sam-dim de 9h à 17h. Aussi : 1404 Fleury E, 514-381-8871. M° Sauvé puis bus 140. V, MC, AE & Interac.

L'odeur de café fraîchement moulu n'échappera pas aux épicuriens venus faire un tour au Fouvrac. Le café n'est certainement pas l'unique produit en vente mais c'est sans doute le plus odorant. La spécialité ici, le thé, se voit consacrer une grande superficie des boutiques, à la fois de celle du Plateau Mont Royal et de celle de Fleury. Alors, mieux vaut avoir du temps pour choisir celui que l'on ramènera chez soi. Parce qu'entre toutes les marques de renom (Betjeman et Barton, Dahman et beaucoup d'autres) ce n'est pas facile de faire son choix. Il ne faudrait pas rater les belles collections de théières. Dans les autres rayons, on trouvera de délicieux biscuits pour accompagner notre boisson. Les gourmands apprécieront le très vaste choix de chocolats. Conseil de futé : goûter à la marque Gendron Confiserie. Pour finir, une belle collection de pâtes, très originales (de toutes les couleurs, de toutes les formes …). Bref, une boutique où l'on aime flâner et de laquelle on (se) rapporte de jolis cadeaux !

OLIVE & OLIVES
1389, Laurier E
514-526-8989
M° Laurier, angle Fabre. Mar-mer de

10h à 18h, jeu-ven de 10h à 20h, sam de 9h à 17h, dim de 11h à 17h. Fermé le lun. V, MC & Interac.
Prix des bouteilles entre 9 $-50 $. Cette boutique est un hymne à l'huile d'olive. On en trouve un large éventail (une soixantaine de variétés), rangé sur des étagères selon leur provenance (Italie, France, Espagne, Grèce, etc.), ainsi que des olives et divers accessoires comme des huiliers. Pour chaque huile, on explique avec quels aliments elle se marie le mieux. Les personnes à l'origine de ce concept, Danielle et Claudia, ne tarissent pas de conseils, et cela dans un décor des plus chaleureux. Une autre boutique se situe sur le Marché Jean-Talon. Son jumelage avec Philipe de Vienne lui permet de proposer également une sélection d'une centaine d'épices, sels et poivres, 514-271-0001.

OLIVES ET CAFE NOIR
1109, Beaubien E
514-274-4366
Mar-mer 10h à 17h, jeu-ven 10h à 21h, sam – dim 10h à 17 h.
Une nouvelle épicerie fine spécialisée dans les bons produits du bassin méditerranéen. Comme son nom l'indique, l'accent est mis sur les olives (noires ou vertes, natures ou marinées, farcies ou non) et sur le café (de l'excellent torréfacteur Toi, Moi et Café). Les autres rayons font la part belle aux produits italiens : pâtes de toutes les sortes, huiles, sauces tomates, grisini. La Magreb est lui aussi bien représenté : semoule de couscous, de blé, etc. Les gourmands savoureront sur place l'excellente pita (2,90 – 4,90 $)

RIVE-SUD

CÔTÉ SUD
217, Saint-Charles O, Longueuil
450-674-0729
Lun-mer de 8h à 19h, jeu-ven de 8h à 21h, sam-dim de 8h à 18h. Toutes CC & Interac.
Sous le soleil de cette fine épicerie, des étals de fruits et légumes accueillent les clients. La section de produits exotiques donne le ton. Le décor prend la forme

Plateau Mont-Royal
1451, Laurier Est
Montréal
(514) 522-9993

Ahuntsic
1404 A, rue Fleury
Montréal
(514) 381-8871

LE FOUVRAC
Rendez-vous épicurien

Huiles d'olives

Théières

Thés et tisanes

d'un marché publique où la marchandise est clairement identifiée sur des ardoises, à l'aide d'un trait de craie. Le terroir et les cultures biologiques sont mis en avant. Les végétariens ne sont pas en reste devant le large choix de plats préparés et de produits santé. Une vaste gamme d'aliments spécialisés et de produits naturels est également offerte. D'ailleurs, il est possible de commander la denrée rare qui sera disponible dans un délai de 24 heures. Des charcuteries à découper, des terrines, une soixantaine de fromages québécois et quelques plats préparés sont proposés au comptoir. La boulangerie Première Moisson y tient aussi office.

LES FRUITIÈRES VITTORIA

7800, Taschereau, Brossard
450-671-5951
Lun-mer de 9h à 19h, jeu-ven de 9h à 21h, sam-dim de 9h à 18h.
Interac & comptant.

Un grand marché pour découvrir des aliments de provenances lointaines. D'ailleurs, une part importante des fruits et légumes est d'origine asiatique et maghrébine, à l'image du quartier. On circule étroitement entre les rangées qui exhibent l'abondance des récoltes n'attendant plus que la cueillette du client. Les prix en valent la peine et sont annoncés à l'entrée sur des tableaux aguicheurs. Un petit comptoir Première Moisson Express vient d'être aménagé. Rien ne manque au panier.

LE MARCHÉ DE CHEZ NOUS

555, Roland-Therrien, Longueuil
450-674-9777
Dans l'édifice de l'UPA, local 010.
Lun-mer de 9h à 18h, jeu-ven de 9h à 20h, sam de 9h à 18h, dim de 11h à 17h. Toutes CC & Interac.

Les producteurs et transformateurs artisanaux du terroir québécois ont maintenant leur vitrine agricole sur la Rive-Sud. La petite sœur du Marché des Saveurs propose une gamme de 125 fromages, des aliments de tous les jours, des plats préparés et des idées cadeaux. Le choix est amusant : terrine d'émeu, cœur de quenouille, confit de pintade, saucisson de sanglier, lait de caille, confiture de chicoutais. La boutique tient plusieurs livres de recettes fort utiles quand il est question de produits aussi particuliers. Le choix de bières de microbrasseries et de cidres est tout aussi invitant.

ÉPICERIES ÉTRANGÈRES

BALKANI

7070, Henri-Julien,
Marché Jean-Talon
514-807-1626
M° Jean-Talon. Lun-mer de 9h à 18h, jeu-ven de 9h à 20h et sam-dim de 9h à 18h. V, MC & Interac.

Si vous cherchez des produits importés directement de Pologne, Bulgarie, Roumanie, Russie, Hongrie ou Croatie, vous êtes au bon endroit. Des spécialités de tous genres garnissent les étals : pindjur (ratatouille aux légumes rôtis), marinades en conserves, cornichons polonais, sprats (petits poissons baltes), confiture d'églantine roumaine, pain d'épices russes... Le shokata roumain (Fanta au sirop) ne peut être acheté qu'ici ! Ne ratez pas les fromages, comme le Ramzes fumé polonais ou le Kashkawal de brebis bulgare. Ni les authentiques charcuteries et plats cuisinés sur place. Si ce n'est pas pour les produits typiques d'Europe de l'Est, vous vous arrêterez par l'odeur alléchés, et craquerez très certainement pour les grillades : le mici (burger roumain avec bœuf, agneau et porc) parfume délicieusement les allées voisines. Les deux propriétaires, Roumains d'origine, proposent également charcuteries et saucisses maison : muschi tiganesc (mi-longe, mi-cou de porc) ou trandafir (saucisson fumé et séché) sont quelques-unes des petites merveilles préparées par Pavel, selon des recettes 'ancestisanales'. Tout comme les petits plats cuisinés par Daniel, tels ses fameux cigares aux choux.

KIEN VINH

1062-1066, Saint-Laurent
514-393-1030
M° Place-d'Armes. Ouvert tous les jours de 9h à 19h. Interac.
Pas besoin d'aller au restaurant pour manger chinois. Cette épicerie du quartier chinois propose des aliments difficiles à trouver chez le marchand du quartier. Ici l'exotisme n'est pas un luxe. Les nouilles version Cup-n-soup, beaucoup plus épicées, se vendent à 49¢. À coups de 1 $, on fait ses provisions de vermicelles et de pâtes de toutes sortes. Les aliments secs (haricot, orge) s'achètent au même montant. Même si quelques prix ne se retrouvent qu'en version mandarin ou autres chinoiseries, les légumes s'achètent sans chichi : épinards, échalotes, limes, tomates. Toutefois, attention aux cœurs sensibles ! Les viandes et poissons donnent un choc culturel. Les cœurs de porc, les boulettes de seiche et même les tiges de moutarde salée stimulent l'imagination !

MARCHÉ ADONIS

2001, Sauvé O
514-382-8606
M° Sauvé, bus 121 O. Lun-mer de 9h à 20h, jeu-ven de 9h à 21h, sam de 9h à 18h30, dim de 9h à 18h.
V, MC & Interac.
Très belle « épicerie » aux accents du Moyen-Orient, avec boulangerie, boucherie et fromagerie, éclairée par la lumière du jour et où il fait bon magasiner. Le tout à des prix abordables. C'est simple : on a envie de tout acheter. A noter, la succursale de Laval a complété son inventaire avec un rayon poissonnerie.
Autres adresses : 4601, des Sources, Roxboro 514-685-5050 ; 705, Curé Labelle, Laval 450-978-2333.

MARCHÉ AKHAVAN

5768, Sherbrooke O
514-485-4744
M° Vendôme, bus 105 O. Lun-mer-sam de 9h à 20h, Jeu-ven 9h 21h, dim de 9h à 20h. Toutes CC & Interac.
Immense, cette épicerie mérite une belle visite, ne serait-ce que pour le magnifique comptoir à pâtisserie. Autre atout, la variété de viandes Halal fait plaisir à voir : des cailles, un beau choix de bœuf et d'agneau. Les épices ne sont pas en reste naturellement. Fraîches ou non, elles relèveront les sauces ou les chutneys très originaux qui sont proposés. Les amateurs de cuisine indienne trouveront aussi de quoi assouvir leur passion. Petit comptoir de fruits et rayons bazar, avec cassettes, CD de musique orientale et couscoussiers clôturent un ensemble ravissant.

MARCHÉ KIM PHAT

3588, Goyer
514-737-2383
M° Plamondon. Ouvert tous les jours de 9h à 19h. Interac.
Une enseigne de qualité où l'on déniche toute la gamme de produits asiatiques. Sauces piquantes, aigres-douces, soya, tout y est, et le prochain souper chinois sera mémorable. Les comptoirs de viande, de poissonnerie et de fruits et légumes proposent une gamme de

produits introuvables chez un épicier traditionnel. La variété des thés fait tourner la tête. Quelques accessoires et ensembles de cuisine chinoise.
Autres boutiques : 7731, Valdombre, St-Léonard 514-899-8889 ; 8080, 19ème 514-727-9999 ; 1875 Panama, Brossard 450-923-9877.

MILANO

6832, Saint-Laurent
514-273-8558

M° De Castelnau. Lun-mer de 8h à 18h, jeu-ven de 8h à 21h, sam de 8h à 17h, dim de 8h à 17h. V, MC & Interac.
On est dans la Petite Italie. Autant dire que si vous voulez acheter de l'authentique, c'est ici. Les huiles d'olive, les vinaigres balsamiques et les fromages sont bel et bien italiens tout comme les impressionnantes conserves de tomates « importées d'Italie ». Sans oublier les charcuteries et confiseries typiquement italiennes. Le rayon des pâtes, fraîches ou séchées, est particulièrement fourni... Presque un défilé de mode !

LE PETIT MILOS

5551, du Parc
514-274-9991
www.lepetitmilos.com

M° Rosemont, angle Saint-Viateur. Mar-ven de 11h à 17h, sam-dim de 8h à 17h. V, MC, AE & Interac.
Pourquoi se contenter du restaurant lorsque l'on peut aussi ramener un peu de la Grèce à la maison ? La qualité et la fraîcheur des produits sont les maîtres mots de cette épicerie fine et traiteur, qui ne propose pas seulement des spécialités grecques, mais une sélection étendue de salades, tartinades, fromages grecs, olives, pâtisseries grecques et des poissons fumés dont plusieurs variétés de saumons (pétoncles et crevettes aussi, importées de New York) et autres plats prêts à emporter. Un étale de fruits et légumes frais est aussi présent dans la boutique. Pour compléter le tout, une belle sélection d'huiles d'olives et autres condiments (moutardes, vinaigres, etc.).

PASTIF

7070, He
Marché J
514-274-
www.pas
*M° Jean-
bus 92 o
jeu-ven
dim de 9
V, MC &*

La boutique d'Andrée et Giancarlo Sacchetto propose des pâtes fraîches fabriquées sur place (on peut d'ailleurs y apercevoir les machines) dont les raviolis à la viande ou encore à la ricotta et aux épinards, des gnocchis, des spaghettis et bien d'autres. Pour accompagner celles-ci, des sauces maison sont à la vente, ainsi que quelques huiles d'olives et des plats cuisinés.

RESTAURANTS

BRUNCH

L'AVENUE

922, Mont-Royal E
514-523-8780
M° Mont-Royal. Lun-ven de 7h à 23h, brunch servi jusqu'à 11h, sam de 8h à 23h et dim de 8h à 22h, brunch servis jusqu'à 16h. Déjeuner jusqu'à 15h. Carte 10$. Comptant uniquement.
La déco excentrique (murs de briques peints de graffitis) va de paire avec le style des serveurs, le genre boîte de nuit mais en plein jour. L'endroit est couru dans tout les sens : on y fait le pied de grue en attente d'un siège, le personnel circule dans les allées de gauche à droite, un vrai rallye aux assiettes. Des portions généreuses avec, au menu, œufs bénédictine (un vrai régal !), crêpes, gaufres, salades, sandwichs et fruits.

CAFÉ SOUVENIR

1261, Bernard O
514-948-5259
www.cafesouvenir.com
M° Outremont. Tous les jours 7h-23h. TH le midi. V & comptant.
Ici, ça sent bon le café et l'insouciance. La musique rythmée accompagne les

...ase d'œufs, de
... ou bagels. De beaux
... jus de fruits « maison »
...terave, gingembre …)
...ent volontiers les crêpes
...colat belge fondant. À toute
..., on y vient aussi pour déguster des
...cialités inspirées de tous les styles
culinaires, et le service, courtois et
agréable, n'enlève rien au plaisir
de ce café qui vous laissera un
heureux souvenir.

LE CARTET

106, McGill
514-871-8887

M° Square Victoria. Restaurant-
épicerie-vente à emporter : lun-ven
de 7h à 20h, sam-dim de 9h à 17h.
Traiteur : lun-ven de 8h à 16h30.
Brunch : sam-dim de 9h à 15h30
à 14,95 $.

Ce restaurant-épicerie-vente à emporter
fait penser à un loft : ambiance conviviale
(petites tables pour 2 personnes ou
grandes tables en bois à partager, si vous
êtes entre amis ou si vous souhaitez
faire de nouvelles rencontres), beaucoup
d'espace (très hauts plafonds), couleurs
claires. Vous dégusterez, tranquillement
et confortablement installés, l'un des
brunchs proposé les fins de semaine (thé
ou café, jus d'orange) : bio, Cantons
(galette de saumon, œuf 3 minutes,
salade, figues, croissant au jambon
et brie, et fruits), sucré, atlantique
(plutôt poisson) ou le brunch spécial
du Cartet (bacon, saucisses, rillettes,
jambon, pommes de terre, pain grillé,
et fruits). On vous offrira une mise en
bouche (compote de pomme et son sirop
d'érable, par exemple) pour débuter ce
repas délicieux et copieux. Si vous venez
pour l'épicerie, vous repartirez chez vous
avec de la crème d'olive (et beaucoup
d'autres condiments), de la fleur de sel
colorée, une passoire pour égoutter les
pâtes de toutes les couleurs (en vente
également), une bodum pour votre café,
une théière ou quelques petits biscuits
pour accompagner l'heure du thé. Un
grand choix est offert.

EGGSPECTATION

1313 Maisonneuve O
514-842-3447
www.eggspectation.ca

M° Peel. Ouvert tous les jours de 6h à
17h. V, MC & Interac.

C'est un peu le haut de gamme du
brunch. Rien que le décor vaut le coup
d'œil. Dans l'assiette, rien à redire. L'œuf
est donc à l'honneur et présenté sous
toutes ses formes : œufs bénédictine avec
divers accompagnements, omelettes,
œufs pochés, œufs brouillés, œuf avec
hamburger, bref, un pur bonheur ! Le
reste du menu propose des salades,
sandwichs, pâtes, hamburgers, gaufres
et crêpes. On paye un soupçon plus cher
qu'ailleurs mais c'est une dépense qui se
justifie amplement. *Autres adresses :*
Centre Rockland 514-344-3651 ;
201 Saint-Jacques O 514-282-0119 ;
198 Laurier O 514-278-6411 ; 45 A,
Brunswick 514-685-4478.

LAÏKA

4040, Saint-Laurent
514-842-8088

De 8h30 à 3 heures du matin. Les
brunchs sont servis jusqu'à 15h sam
et 16h dim. V & Interac.

On y va pour différentes raisons, le café
est légendaire et les chocolats chauds
sont délicieux. En plus, les crêpes
fruitées au caramel et autres délicatesses
créent une certaine accoutumance.
Le décor, très design, avec murs
de céramique et sièges de velours
surplombés par des tuyaux, est éclairé
par de grandes baies vitrées.

LE PLACARD

2129, Mont-Royal E
514-590-0733

Coin de Lorimier. Lun-mer 8h-18h,
jeu-ven 8h-19h, sam-dim 9h-17h.
Interac, V, AE et DC. Déjeuner, dîner,
collation : 1,75-7,50 $.
Environ 75 places.

Vous devez vous rattraper sur votre
magasinage et la faim vous tenaille ? Ne
cherchez plus ! Ce petit café écolo doublé
d'une friperie offre une nourriture simple
et abordable, ainsi que des trouvailles
vestimentaires originales à prix tout aussi

petits. Des montagnes de vêtements et costumes rétros, de bijoux et d'articles de coiffure bon marché tapissent les murs, envahissent les comptoirs, les tables, les allées. Un fourre-tout extraordinaire qui donnerait de l'urticaire aux maniaques de l'ordre ! Pour manger sainement, sur le pouce et sans chichi. La nourriture est faite maison et on y sert du café équitable.

STUDZIO
4147, Saint Denis
514-843-0407
www.studzio.com
M° Mont Royal. Déjeuner 5,90$- 10,90$ sam-dim de 9h à 15h, TH 9,90$, carte 9,90$-17,90$. MC, V, interac.
A l'origine, Studzio était un appartement de la rue Saint Denis. Aujourd'hui, c'est un café restaurant très tendance. Les propriétaires ont tenu à conserver les ambiances de la salle à manger, du salon et même de la chambre à coucher. Résultat : un des lounges les plus intimes de Montréal. Les plus pressés prendront un sandwich ou une salade et laisseront aux autres le temps de déguster la cuisine atypique et savoureuse du bistro. Comment résister au jarret d'agneau confit ou au saumon en croûte de pistaches ? Les lève-tard du week-end seront séduits par les multiples brunchs sur la terrasse ensoleillée.

CRÊPERIES

JULIETTE & CHOCOLAT
1615, Saint-Denis - 514-287-3555
377, Laurier O - 514-510-5651
www.julietteetchocolat.com
Juliette et chocolat, c'est l'histoire d'un succès basé sur le chocolat. Né sur la rue Saint Denis, le premier bar à chocolat-crêperie très art-déco avec ses boiseries, ses briques apparentes et ses chaises en rotin a eu un succès monstre. A tel point que Juliette vient d'ouvrir une deuxième adresse, dans Outremont. C'est le choix de chocolat, sous toutes ses formes qui fait la réputation de Juliette : chocolat chaud ou froid, chocolat à boire alcoolisé, chocolat dans

Juliette & Chocolat
Café
Crêperie
Chocolaterie

1615 St-Denis
514.287.3555

377 Laurier O.
514.510.5651

www.julietteetchocolat.com
Juliette@julietteetchocolat.com

les crêpes, dans les glaces ou en fondues ! On vous propose en plus tout un choix d'appétissantes crêpes salées. En partant, vous pourrez acheter quelques chocolats fait maison, c'est une recommandation.

RIVE-SUD

LA CRÊPERIE DU VIEUX-BELOEIL
940, Richelieu, Beloeil
450-464-1726
Mar-jeu de 11h30 à 14h et 17h à 22h, ven 11h30 à 14h et 17h à 23h, sam 11h30 à 14h et 17h à 23h, dim de 11h30 à 21h. Lun fermé. Toutes CC & Interac. Carte 6-20$.
Lorsque la crêperie ouvre ses fourneaux, un parfum de Bretagne s'imprègne du Vieux-Beloeil. À l'intérieur, les convives sont accueillis par une grande plaque de fonte noire où fume le froment. Le décor champêtre rappelle la cuisine de bonne maman : des fleurs tapissées du mur au plafond, des assiettes décoratives, une douce chaleur ambiante. La spécialité de la maison est la crêpe au saumon

toiles et la salle de bain circulaire. Même si le menu ne constitue pas toujours la plus haute gastronomie (hot dogs, hamburgers, frites, croque-monsieur), il comprend tout de même un menu plus santé (sandwiches, salades, pâtes, moules) à un prix très abordable. Possibilité de mets à emporter.

CAFÉ EL DORADO
921, Mont Royal E
514-598-8282
M° Mont Royal. Lun-mer de 7h à 22h, jeu-ven de 7h à 23h30, sam de 8h à 23h, dim de 8h à 22h.
Toutes CC & Interac.
Un très beau café dont la décoration illustre le mariage parfait entre modernité et convivialité. On y déguste d'excellents brunchs, tant en variété qu'en qualité. Quant aux cafés, de très bons crus sont proposés dont le fameux Blue Mountain. Le midi, on goûte la formule bistro : hamburgers maison, salades ou paninis croustillants. El Dorado est aussi parfait pour prendre un verre avant de sortir ou pour déguster un dessert gourmand, le tout en plein cœur de du Mont-Royal.

fumé. La crêpe aux asperges, jambon et fromage est aussi inspirante. Quand s'enflamme la crêpe aux pommes, crème glacée et calvados, le dessert devient flamboyant ! Un spectacle pour les yeux et les papilles.

SUR LE POUCE

LES BELLES-SŒURS
2251, Marie-Anne E
514-526-1574
Lun-ven 7h30-22h, sam-dim 9h-22h.
V, MC, Interac. Déjeuner 1,65-11$.
Midi et soir 3,50-13$.
Ce sont deux belles-sœurs de Drummondville qui ont mis sur pied ce resto à la nourriture de type casse-croûte. D'où le nom. Dans un décor à influence mexicaine ou texane (banquette en peau de léopard, tables à mosaïque de céramique, coin ensoleillé entouré de cactus, musique latine [entre autres !]), l'atmosphère est détendue et conviviale. L'endroit situé dans le joli quartier artistique du Plateau est populaire, avec une clientèle régulière et fidèle. D'autres éléments qui saisissent l'œil : l'exposition de magnifiques grandes

CAFÉ INTERNATIONAL
6714, Saint Laurent
514-495-0067
www.cafeinternational.ca
M° Jean Talon. Lun-ven de 7h à 24h, sam-dim de 8h30 à 24h. Menus du jour 13-25, combo bière 11,95$.
Toutes CC & Interac.
« Le meilleur café en ville ! » Au Café International, les hommes écoutent leur soccer et se laissent enthousiasmer par les rythmes italiens et l'odeur du bon vin. Les femmes et les nouveaux venus sont accueillis en moins de deux parmi les intimes. Des repas préparés à la commande et qui changent tous les jours, des sandwichs, pizzas, calmars et grillades sont proposés aux clients de la maison pour leur plus grand plaisir. Chacun peut même s'improviser connaisseur en vin en suivant les suggestions du menu. À la belle saison, la terrasse, très prisée, permet de profiter du soleil. Pour finir, il convient de parler du café, qui est selon nous le meilleur de Montréal.

CAFÉ VASCO DA GAMA
1472, Peel - 514-286-2688
1257, Bernard O - 514-272-2688
www.vascodagama.ca
M° Peel. Lun-mer de 7h à 19h, jeu-ven de 7h à 21h, sam de 9h à 18h, dim de 9h à 17h pour le Peel. Ouvert tous les jours de 7h à 00h, pour celui de Bernard.

Le Café de Peel vous propose une restauration rapide tout à fait adaptée à la clientèle d'affaires qui fréquente l'endroit le midi : salades, paninis, sandwiches... Le dernier né sur la rue Bernard fait sensation et ne désemplit pas. Le menu consiste essentiellement en salades, soupes, sandwiches (panini au canard et figue confite, sandwich végétarien au fromage de chèvre ou encore le burger de bœuf et foie gras...). On y sert également le petit-déjeuner. Le cadre est agréable et le service sympathique. Quelques étagères proposent du café Illy ainsi que des huiles d'olive et autres condiments. Pour prolonger ces petits plaisirs lors de vos évènements, profitez de leur service de traiteur.

CHEZ JOSE
173, Duluth E
514-845-0093
M° Sherbrooke, angle Hôtel de Ville. Lun-ven de 7h à 19h, sam de 8h à 19h, dim de 9h à 19h. Comptant. Midi 6-8.

Chez José, c'est le petit coin sans prétention qui vaut le détour. La salle est minuscule et la décoration change régulièrement. L'ambiance est à l'image de la déco, pimpante et conviviale. Mais ça travaille fort dans les cuisines, on est servi en deux temps, trois mouvements.... Dans les assiettes, la soupe « maison » de fruits de mer du vendredi et du samedi est tout simplement géniale. Les viennoiseries et les empanadas créent une certaine dépendance. Un bistro de quartier que l'on apprécie.

CLUB SANDWICH
1578, Sainte Catherine E
514-523-4679
M° Papineau. Ouvert 7 jours/7, 24h/24. Petit déjeuner 24h/24. Toutes CC.

Club Sandwich est un des lieux de rendez-vous stratégiques du Village. Déclinés dans tous les genres, le club et le déjeuner sont copieusement préparés, accompagnés de grosses frites ou de patates rôties. Mouvement perpétuel, décor sixties, petits prix.

MAAM' BOLDUC
4351, De Lorimier
514-527-3884
M° Mont-Royal, angle Marie-Anne. Lun-ven de 7h30 à 22h, sam de 8h à 22h, dim de 9h à 22h. V, MC & Interac.

Une salle éclatante comme une journée d'été indien dont les murs abritent les essais d'artistes en herbe. Une clientèle insolente de jeunesse vient remplir son estomac de mets typiquement québécois. Les poutines se dégustent à la mode bourguignonne. Les hamburgers, les hot dogs, les clubs sandwiches sont proposés en version tofu et végé. Un vrai régal qui ne vous ruinera pas.

REUBEN'S DELI AND STEAK
1116, Sainte-Catherine O
514-866-1029
www.reubensdeli.com
M° Peel. Lun-mer de 6h30 à 00h, jeu-ven de 6h30 à 1h30 sam 8h-1h30 et dim de 8h à 00h. TH soir : 10,99 à 20,99$. Toutes CC.

Ce déli-steak house attire les gourmands branchés venus se régaler d'un excellent smoked meat et de burgers savoureux. Décor stylé, service zélé, portions généreuses, musique jazzy et petits prix : quintet gagnant pour cette maison réputée. Calé dans les larges banquettes avec une bière bien fraîche, on apprécie les grillades sur charbon de bois, les « sandwich gastronomiques », les clubs « gratte ciel » et, s'il reste de la place, le gâteau aux carottes, délicieusement calorique.

SCHWARTZ'S
3895, Saint-Laurent
514-842-4813
www.swartzsdeli.com
M° Saint-Laurent. Lun-jeu et dim de 9h à 00h30, ven de 9h à 1h30, sam de 9h à 2h30. 5-7. Comptant.

Connu et reconnu pour le goût unique de leur « Smoked meat », Schwartz's fait profiter sa clientèle de l'ambiance de Saint-Laurent, avec ses longues files d'attente. Le service demeure tout de même rapide. On doit choisir entre quelques sandwiches ou un steak. Mais, on réalise que le choix est presque trop vaste. Alors, on opte pour le « smoked meat » accompagné de frites maison et du traditionnel « Black cherry's ».

SOUPE SOUP
80, Duluth E - 514-380-0880
174, Saint-Viateur O – 514-271-2004
Combo demi-sandwich & petit bol de soupe : 7.5$.
Une enseigne pleine de charme. On vous propose de découvrir ses soupes, chaudes ou glacées, ses sandwichs et ses desserts plus attirants les uns que les autres. Rafraîchissantes en été, parfumées à la menthe, au concombre et mangue, à la courge, les soupes sont délicieuses dans cet établissement des plus accueillants. Les saveurs sont à l'honneur et les produits d'une grande fraîcheur. Côté décor, c'est mignon et agréable, avec une note de musique pour ajouter à l'ambiance. Un endroit qui plaira aux amateurs des choses simples et bonnes.

RIVE-SUD

☂ JACK ASTOR'S BAR & GRILL
3556, Taschereau, Greenfield Park
450-671-4444
www.jackastor.com
Dim-mer de 11h à minuit, jeu-sam de 11h à 2h. Midi de 10 à 25$. Toutes CC & Interac. Carte de 10 à 30$. Menu pour enfants. Salle compartimentée, bar.
À l'accueil, les néophytes se font expliquer le concept de Jack. Le personnel ne fait pas que servir, il anime les soirées. L'humour et le plaisir se retrouvent jusqu'au cœur des assiettes d'inspiration californienne, tex mex et résolument américaine. Les hamburgers sont généreux. Les pizzas dont la pâte est façonnée à la main se composent selon le goût, l'appétit et la liste d'ingrédients.

Les nachos se parent de chili. Les fajitas s'accompagnent d'un choix de sauce cajun, au barbecue ou encore aux jalapeños. De la pure dynamite, pour aventuriers avertis ! Accompagnés d'un daiquiri ou d'un piña colada, la soirée ne manque pas de piquant.

BISTROS

BISTRO L'AROMATE
1410, Peel
514-847-9005
www.laromate.com
M° Peel. Dim-mer de 11h à 22h, jeu-sam de 11h à 23h. Table d'hôte 15-34. Belle carte des vins et au verre. V, MC, AE & Interac.
Garçon choc pour bistrot chic, le célèbre animateur-gastronome Jean-François Plante a posé ses valises aromatiques en plein cœur du centre ville. Elégance et convivialité sont de mise, avec les tons blancs sur vert amande, l'acier, le bois et les bambous. La mezzanine et le grand comptoir aux lignes épurées procurent une agréable sensation d'espace. Un resto qui a de la personnalité ! Dans l'assiette aussi, car le chef travaille les salades, les poissons frais, les pâtes et les viandes, qu'il fait mariner avec déférence pour leur donner ce goût unique. Des produits maison d'épicerie fine permettent de poursuivre chez soi cette belle exploration aromatique.
Nouvelle deuxième adresse : 2981, Saint Martin Ouest au Centropolis à Laval. Leur salle de réunion peut accueillir jusqu'à 120 personnes.

 LE PETIT BISTRO
150, Fullum
514-524 4442
www.lepetitbistro.qc.ca
M° Papineau. Fermé le dimanche toute la journée et le samedi midi. Ouvert en semaine de 11h30 à 22h. De 13 à 20$ la table d'hôte du midi, le soir compter autour de 25$ par personne.
Avez-vous déjà eu rendez-vous à l'est du métro Papineau, un jour d'août, sous une lourde pluie ? C'est dans cette ambiance fort grisâtre que nous avons

eu la chance de découvrir le Petit Bistro, un lieu particulièrement épicurien. A l'entrée, Claude Glavier, le patron, nous prend chaleureusement par le coude pour nous conduire à une jolie table. Le ton est donné : ici, c'est une ambiance très sympa, digne d'un bistro français qui rythme le repas. Le menu du jour est inscrit sur un grand tableau noir. La table d'hôte du midi comprend l'entrée, le plat et le dessert. La cuisine typique des bistros français est présentée avec une touche d'originalité. L'assiette d'entrées variées, comprenant des charcuteries, une petite macédoine de légumes et un œuf mayonnaise annonce des portions fort généreuses. En plat, un calamar, des plus moelleux est accompagné d'une sauce tomate légèrement caramélisée. Un régal !

AU PETIT EXTRA

1690, Ontario E
514-527-5552
www.aupetitextra.com
M° Papineau, bus 45, angle Champlain. Lun-ven de 11h30 à 14h30, lun-mer de 18h à 22h, jeu-sam de 18h à 22h30, dim de 17h30 à 21h30. Midi 12-17, soir 15-25. Possibilité d'y organiser des événements spéciaux. V, MC & Interac.

Une véritable ambiance de bistrot français règne au Petit Extra, animée et chaleureuse, avec le magnifique bar inspiré du photographe René Jacques. La table d'hôte change tous les jours et suit le rythme des saisons. La carte des vins avec plus de 180 références est excellente. Il est possible d'organiser des réceptions au Lion d'Or attenant au bistrot (superbe salle de spectacles art déco dans les tons rouges), ou au Lionceau. Pour de grandes occasions, une façon remarquable d'apprécier une bonne cuisine française dans un cadre original. Comment disait si bien Léo Ferré déjà ?

LES BEAUX JEUDIS

1449, Crescent
514-281-5320
www.thursdaysbar.com
M° Guy. Lun-mar de 11h45 à 23h, mer de 11h45 à 23h30, jeu-ven de 11h45
à 24h, sam de 17h à 24h, dim 10h à 22h45. Brunch dim de 10h30 à 16h. Table d'hôte : midi 15-22, soir 19-28. À la carte : entrée 5-21, plat 16-39. V, MC & Interac.

Situé dans l'hôtel de la Montagne, au dessus de la fameuse discothèque Thursday's, les Beaux Jeudis ressemble à ces brasseries parisiennes que l'on affectionne tant. Ambiance conviviale et belle table, tout pour nous rendre heureux ! Parmi les classiques, on note le steak tartare, le carré d'agneau à la provençale, l'entrecôte flambée au poivre noir ou encore le gigot d'agneau. Les soirs de semaine, la maison propose des spéciaux incluant soupe ou hors d'œuvre pour 18-27.

BORIS BISTRO

465, McGill
514-848-9575
M° Square Victoria. Eté : tous les jours, service continu. Hiver : 11h30 à 14h, tous les jours, 17h à tard le soir mar-ven, 18h sam.

On va chez Boris Bistro pour l'ambiance et pour la bouffe. Que diriez-vous de déguster, installé à une table en tek, à l'abri du soleil sous un parasol en toile blanche, ou à l'abri des arbres, dans un jardin en plein centre de Montréal, une petite mousse de foie de volaille ? Pour plat de résistance, saucisse du terroir ou espadon ! Une glace au fromage et pâte de goyave vous aidera à tout digérer. Une carte des vins qui a de quoi surprendre, quelques bières bien fraîches : Boris Bistro est définitivement une adresse futée de Montréal.

LE CENTAURE

7440, Décarie
514-739-2741
M° Namur. Fermé lun à jeu. Ouvert ven-sam de 18h à 22h, buffet à 34,95$. Dim de 13h à 16h, brunch 23.94$. À partir d'avril, ouvert mer de 18h à 22h, table d'hôte 16-35. Toutes CC & Interac.

Il n'est pas nécessaire d'être un inconditionnel des courses de chevaux pour s'attabler dans l'enceinte du majestueux Hippodrome de Montréal.

ALEXANDRE
et fils

restaurant et grand café parisien

1454 Peel, Montréal, Québec H3A 1S8 Canada

tél (514) 288-5105 ♦ fax (514) 288-0923 ♦ www.chexalexandre.com ♦ resto@chexalexandre.com

Les immenses baies vitrées qui donnent sur le champ de courses valent à elles seules le détour. Le spectacle est total, presque féerique. La frénésie du jeu vous gagne… des bonnes parties de rire entre amis pendant que l'on vous servira des assiettes toujours copieuses garnies de viandes, de poissons, de pâtes fraîches. C'est simple, bien fait et abordable. Assurément un restaurant pour se changer les idées.

CHEZ ALEXANDRE ET FILS
1454, Peel
514-288-5105
Mº Peel. Lun-dim de 11h30 à 2h. Brunch 24,5 $ sam-dim de 11h30 à 15h30, lunch de 11h30 à 15h à 20 $, snacks 13 $, plats 25 $. Très belle carte des vins. Pub 2e étage. Toutes CC & Interac.

Cette magnifique brasserie parisienne nous transporte littéralement vers les beaux quartiers de la ville lumière : service stylé, banquettes en cuir, boiseries, tables en granit et chaises en rotin importées de France.
Le distingué Alain Creton illumine de sa présence les deux salles luxueuses, où l'on apprécie choucroutes alsaciennes, cassoulets toulousains et boudins aux pommes, sans oublier la traditionnelle bavette à l'échalote avec ses frites maison, épluchées à la main pour plus de croquant ! Suprême audace, la maison abrite au deuxième étage un authentique pub anglais. Tout simplement le meilleur des deux mondes à la même adresse.

LA CROISSANTERIE FIGARO
5200, Hutchison
514-278-6567
www.lacroissanteriefigaro.com
Bus 535 arrêt Du Parc/Fairmount, angle Fairmount. Lun-dim de 7h à 1h.
Ce café-bistro est un petit coin de paradis ! Décor art nouveau et charme d'une ambiance parisienne. Pour bien commencer la journée, vous pouvez prendre un petit déjeuner « spécial bonjour » qui comprend un jus d'orange frais, un croissant aux œufs, jambon, fromage et tomates ainsi qu'un café au lait. Pour les autres repas, salades, sandwichs et viennoiseries sont au rendez-vous. La maison propose aussi un menu table d'hôte avec viandes et plats complets que vous accompagnerez avec l'un des vins de la carte à un prix très.

L'ENCHANTEUR
7331, Henri Julien
514-273-4766
Mº De Castelnau ou Jean Talon. Ouvert du lun-ven de 8h à 23h, sam-dim et fériés de 8h à 15h. Table d'hôte entre 12,95 et 14,95 $. Interac.
Ce bistro aux couleurs chaudes (comptoir du bar rouge framboise, murs cannelle) vous envoûtera. Vous pourrez vous prélasser en écoutant la musique diffusée, tantôt cubaine, tantôt urbaine, et vous apprécierez la cuisine du marché simple mais très goûteuse, concoctée avec soin pour satisfaire vos papilles : manicotti gratinés sauce tomate, suprême de volaille grillé sauce champignons,

escalope de veau panée milanaise avec ses linguine alfredo ou encore filet de truite grillée et sa crème d'asperge vous aiguiseront l'appétit.

LE MARGAUX

5058, du Parc
514-448-1598
M° Laurier. Coin Laurier. Mar-ven de 11h30 à 14h, mer-sam de 17h30 à 22h. TH du midi (entrée, plat, dessert, café) 14,5$-19,5$. Le soir 7-16 l'entrée et 17$ - 24$ le plat.

Un bistro qui prépare une cuisine du Sud-Ouest de la France, avec une pointe d'imagination. La carte change en fonction des saisons mais restent à l'année le foie gras de canard poêlé aux raisins et au pain d'épices en entrée et le steak de canard aux aiguilles de pin en plat. Au menu, la sélection d'entrées et de plats est courte mais largement suffisante en raison de la qualité du choix. Les assiettes sont bien présentés et les accompagnement fort intéressants. Ajoutons à tout cela un rapport qualité-prix imbattable et des vins bien sélectionnés !

MARCHÉ DE LA VILLETTE

324, Saint-Paul O
514-807-8084
M° Square Victoria. Bistro-Boucherie, charcuterie. Lun-ven de 9h à 18h, sam-dim de 9h à 17h.

Le Marché de la Villette, c'est le bonheur de retrouver la France à Montréal. Jean-Pierre, Nicole et Ludovic Marionnet sauront vous surprendre avec d'excellents plats, à la fois abondants et abordables. Vous serez comblé par les crêpes, les salades, les quiches, les sandwichs (sur place ou à emporter) et par l'assiette de charcuteries. C'est toujours un régal de savourer les pâtés, saucissons et terrines faits maison, sans oublier la spécialité du patron, l'excellent foie gras au torchon. Une nouveauté qui est sans pareil, le smoke meat à l'ancienne. Laissez-vous également tenter par les fromages du Québec qui n'ont plus rien à envier à ceux de la France ou par une choucroute alsacienne sans pareille. Le Marché est désormais

complété par un rayon pâtisserie et dépôt de pain. Vous serez sans doute repu, mais parions que vous aurez du mal à en laisser dans votre assiette.

RESTO-BAR FASTE FOU

6390, Saint-Hubert
514-271-3069
M° Beaubien. Lun-mer de 11h à 21h, jeu-ven de 11h à 22h, sam dim de 9h à 21h.

Dès notre entrée, le restaurant affiche peintures et photos de jeunes artistes locaux. Au faste fou il est bon de siroter un verre entre amis et de savourer un des nombreux plats proposés à la carte. La cuisine est un mélange franco-italien. Au rendez-vous des escargots à l'ail, brushetta et salades variées en entrée, pizzas, paninis et burgers en plats. L'innovation est au rendez-vous, la pizza camembert et pommes est surprenante. Les burgers sont variés et classés par nationalité on retrouve le Burger français, espagnol et américain le tout accompagnés de frites belges. Les paninis sont délicieux et consistants. Le personnel est sympathique. On y passe un bon moment à petit prix. Un bistro pour les futés !

ROBIN DES BOIS

4403, Saint Laurent
514-288-1010
www.robindesbois.ca
M° Mont Royal ou Saint Laurent. Lun-ven 8h-22h, sam-dim 17h30-22h. A partir de 3$ l'entrée, 15$ le plat.

Un nouveau concept franchement original : la cuisine et le service sont assurés par des bénévoles et les profits reversés à divers organismes de bienfaisance. Ce sont déjà plus de 1000 personnes, connues ou inconnues, professionnelles ou néophytes du monde de la restauration qui se sont inscrits, par internet, pour soutenir cette belle initiative. La cuisine est assez recherchée. Nous avons choisi la morue, accompagnée de légumes préparés de façon originale. La petite carte varie fréquemment mais on est certain que vous trouverez quelque chose à votre goût. Le service, assuré par des bénévoles, était orchestré le jour de notre visite par Hélène Charbonneau et Frank Laliberté, acteurs de la série Rumeurs, diffusée sur Radio-Canada. C'est avec un grand sourire et beaucoup de bonne humeur qu'ils ont pris les commandes et apporté les plats. Au niveau de la déco, on aime l'aménagement de la salle, le beau vert aux murs et les œuvres d'art qui changent fréquemment. Et dire qu'en plus tous les profits seront reversés à ceux qui sont dans le besoin !

TAVERNE MAGNAN

2602, Saint-Patrick
514-935-9647
www.magnanresto.com
Mᵒ Charlevoix. Ouvert tous les jours, lun-ven de 11h à 22h, sam-dim de 16h à 22h. Midi 9,95-12,95$, table d'hôte le soir 13,95-16,95$. Carte environ 20$ et plus. MC, V, AE & Interac.
On viendra à la Taverne Magnan avec toute une bande de copains pour se régaler du rôti de bœuf, de grillades, de côtes levées ou pour une partie d'huîtres en octobre et novembre accompagnée d'un bon pichet de bière. Les festivals se succèdent pour le plus grand plaisir des clients, dans une ambiance qui n'a pas pris une ride depuis 75 ans. Un restaurant-musée, une étape gastronomique incontournable, le rendez-vous des amis. Vous serez toujours bien servi et le bœuf est tellement bon que l'on pourrait vite devenir dépendant.

RIVE-NORD

LE CAFÉ DE LA BANQUE

889, rue Saint-François-Xavier, Vieux-Terrebonne
450-492-7900
Mar-mer 11h30-21h, jeu 11h30-21h30, ven 11h30-22h30, sam 17h-22h30. AE, MC, Visa, Interac. TH 21-50. Entrées 8-21. 80 places à l'intérieur, et 80 à l'extérieur.
Ne vous méprenez pas sur le nom : ce repère de délices est en fait un restaurant de fine gastronomie. À l'intérieur, les murs de pierres, les plafond bas aux poutres dénudées, les bûches qui brûlent dans les foyers l'hiver, tout contribue à accentuer les caractéristiques historiques de la bâtisse. Sur la terrasse, on peut profiter d'un décor champêtre à l'ombre d'un gigantesque arbre. Les cuisiniers apprêtent les plats de façon aguichante, tandis que la propriétaire Valérie Robitaille s'affaire aux desserts. Certains plats pour le moins particuliers ne reviennent que rarement (ex : kangourou au chocolat et aux fruits), alors il faut être là au bon moment. Toutefois, comme le menu de viande et de poisson se renouvelle chaque semaine, les expériences culinaires variées enchanteront les papilles exploratrices.

LE TIRE-BOUCHON

2210, Pierre-Péladeau, Centropolis, Laval
450-681-1228
Lun-mer 11h-22h, jeu-ven 11h-23h, sam 16h-23h, dim 16h-22h. Entrées 5-21$. Carte 15$-27$. TH midi 13$-20$, soir 20$-26$ (menu changeant). Vins : prix SAQ + 7$. Salon privé. Toutes les CC et Interac.
Que retrouve-t-on dans un bistro parisien ? Du vin, du foie gras, du pain baguette ? Au Tire-Bouchon aussi, mais tellement plus encore ! Dans un décor sur deux étages à mi-chemin entre la tradition et le modernisme, ce spacieux bistro situé en plein cœur de Laval peut satisfaire les fines bouches à un prix abordable. Bœuf et saumon tartares, confit de canard, saucisses toulousaines, fondue de brie, il y en a pour tous les goûts. On y retrouve même quelques mets plus luxueux comme le caviar (57-68$). L'endroit, bien éclairé en plein jour, peut accueillir près de 150 personnes. De hauts miroirs donnent l'illusion d'une salle deux fois plus grande. L'ambiance est classique et la clientèle, principalement d'affaires durant le jour, se diversifie le soir venu.

RIVE-SUD

AU TRAIT D'UNION / SEPTEMBRE

919, Laurier, Beloeil
450-446-5740

www.midi-minuit.ca

Lun-ven de 7h à 22h, sam-dim de 8h à 22h. Toutes CC & Interac.
60 places à l'intérieur. Terrasse 75 places. Carte 7-16. Table d'hôtes midi 9-11, soir 16-24.

Une cuisine active épaulée par des serveuses sexy et efficaces. L'ambiance est totale et attire une clientèle de tous âges. La musique jazz accompagne le repas : grillades et sandwichs se déclinant en panini, ciabatta, burger ou club sandwich. Les salades sont créatives et les moules et frites valent le détour. Une touche d'originalité agrémente les assiettes. Les végétariens ont l'embarras du choix. De la fenêtre, le vieux clocher nous observe. L'éclairage tamisé alimente l'imagination. Il faut aussi aller faire son tour au Septembre, le pub adjacent au resto qui propose des 5 à 7 aguichants avec le menu croque-en-doigts. La fête se poursuit jusqu'à très tard.

CAFÉ CHEZ RAMSES

8500, Taschereau, Brossard
450-923-4659
www.caferamses.com
Dim-jeu de 17h à 23h, ven-sam de 16h à 1h. Toutes CC & Interac.
Carte 8-15. Stationnement. Ce bistro méditerranéen est la référence des amateurs de la sheecha. La cuisine célèbre le Maroc, tout en s'assaisonnant de tons libanais, français, italiens, grecques, et mexicains pourquoi pas ! Les heures s'écoulent au rythme des discussions ravivées par le thé à la menthe maison, accompagné de baklavas, de biscuits aux clous de girofles, miel et noix de Grenoble. Été comme hiver, les clients craquent pour le thé glacé agrémenté d'extraits d'agrumes et de fleurs d'hibiscus. Les spiritueux, martinis, bières et vins sont de bon aloi lorsqu'on engloutit une merguez sur baguette, un hot-dog français ou un de ces fameux hambourgeois à la salsa. Le menu donne le ton : « le vin pour boire, l'eau pour se raser ».

 CAFÉ D'AILLEURS

27, Des Bouleaux, Saint-Constant
450-635-6582
Dim-jeu de 11h à 23h, ven-sam de 11h à 1h. V, MC & Interac. Permis d'alcool.
Carte environ 10$. Stationnement.

Une maison bicentenaire réaménagée en un café vibrant de sa faune juvénile et bigarrée. À l'entrée, la Westfalia repeinte aux couleurs de l'arc-en-ciel donne le ton de la fête. La décoration rappelle le voyage, une passion que partagent les jeunes propriétaires, Isabelle et Nadine Dumouchel. Masques et cartes postales parent les murs. Des objets décoratifs d'Indonésie sont en vente au deuxième étage. Le menu est léger : salades, sandwichs, quiches. Les gâteaux véniels sont plus que tentants. Le café en provenance des quatre coins du monde et de torréfaction artisanale, est servi dans une cafetière à piston. De la terrasse, on entend le son des criquets se mêler à la musique. Quelle fraîcheur !

CAFÉ PASSION

476, Victoria, Saint-Lambert
450-671-1405
www.cafepassion.ca
Lun-mer de 8h à 23h30, jeu-sam de 9h à 24h, dim de 9h à 22h. V, MC & Interac. Petit-déjeuners 5-12$ jusqu'à 11h et 2h les fins de semaine.
Carte 10-15$.

Autour d'un verre et d'une bouchée santé, en compagnie d'amis, il est bon de se retrouver dans ce lieu de prédilection des passionnés de tous acabits. Les murs s'ornent de fresques peintes jusqu'au plafond. Il est bon de tranquillement se familiariser avec le jour, une tasse de café à la main, accompagné du journal et d'un croissant. Les assiettes débordent de fruits. À l'heure du repas, la salade remplace les pommes de terre frites. Les sandwichs se servent sur pain baguette, pita, ciabatta, panini, club sandwichs ou bagel. Les mariages sont invitants, par exemple le sandwich à la merguez à l'agneau et au brie. Il existe des cocktails de fruits pour tous les goûts. Une passion à partager.

BISTROS A VINS

BU - BAR À VINS

5245, Saint-Laurent
514-276-0249
www.bu-mtl.com
M° Laurier, angle Fairmount.7jours/7
de 17h à 1h. À la carte : entrées 4$-
15$, plats 10$-20$.
Vin au verre 4,5-23.

Une décoration aux lignes épurées,
quelques tables avec des fauteuils
confortables et surtout une belle
sélection de vins comprenant environ
quatre cent références, majoritairement
européennes mais aussi californiennes,
sud américaines et québécoises. Bu est
non seulement un bar à vins où l'on
peut déguster le nectar divin au verre
ou à la bouteille, mais aussi un bistro
qui propose une carte aux accents
italiens. Bruschetta, carpaccio de bœuf
ou tagliatelles sont quelques unes des
suggestions du menu, simple et bon à la
fois. Enfin, on peut y trouver des huiles
d'olives, les chocolats Amedei et du café.
Ambiance décontractée, ce bistro a été
crée par des passionnés du vin pour des
amoureux du vin !

LES CAVES ST-JOSEPH

4902, Saint-Laurent
514-842-1500
M° Laurier, bus 55, angle Saint-
Joseph. Ouvert tous les jours de 17h
à 24h. À la carte : entrées 5,5-15,
plats 15-29.
V, MC, AE, DC & Interac.

Les Caves St-Joseph ont des allures de
brasserie parisienne, avec son bar et ses
étagères remplies de bouteilles de vin.
Le cadre est fort chaleureux : de larges
vitres, des murs en briques, boiseries et
surtout, une partie du plancher fait de
verre à travers lequel on peut admirer
les fameuses caves… Quant au menu, il
propose une cuisine française aux accents
du Sud-O, avec des petits plats comme
on les aime, tels que le camembert
flambé au Calvados, le magret de canard,
le cassoulet ou la brandade de morue.
La carte des vins y est recherchée et
abordable à la fois. Une sélection de vins
au verre est d'ailleurs offerte. Le service

sympathique et aux petits soins rendra
l'expérience encore plus agréable.

CUISINE DU MONDE

INTERNATIONAL

CONFUSION
TAPAS DU MONDE

1635 & 1637, Saint-Denis
514-288-2225
www.restaurantconfusion.com
M° Berri UQÀM. Hiver : lun-ven 11h-
23h, sam-dim 17h-23h. Eté : lun-dim
11h-minuit. Tapas 6-12, plats 12$-
29$. Menus 39 à 69$.
V, MC & Interac.

Convivialité et partage sont ici à
l'honneur. Un vaste choix de tapas
à partager, d'inspiration française,
grecque, libanaise ou asiatique. On
pioche dans la Thalassa (succulents
pétoncles à la vanille fumée et
tendrissime pieuvre grillée au naturel),
la Bouffe snob et ses déclinaisons de
foie gras, les Grand crus de tartares et
carpaccio de cerf à l'huile de truffe. Les
Carnivores opteront pour les surprenants
et très réussis pop-corn de ris de veau,
les Végétariens pour le tofu en jardinière
de légumes. Les menus pour deux sont
une aubaine (30-69) et les solitaires
pourront profiter des tables… avec
balançoires. Très belle décoration,
section lounge, service souriant
et efficace.

LA GAUDRIOLE

825, Laurier E
514-276-1580
www.lagaudriole.com
M° Laurier. Mar-ven 11h30-14h, lun-
dim 17h30-21h30. TH midi 13-16,
soir 20-34. Grand choix de vins à
moins de 30$. V, MC & I.

Cette belle table qui s'autoqualifie à
juste titre de « fine cuisine métissée »,
tient ses promesses. Le chef propriétaire,
Marc Vézina, véritable « entremetteur
culinaire », marie les influences au gré du
marché, le terroir franco-québécois aux
saveurs du soleil (Méditerranée, Afrique
du Nord, Mexique, Asie). Au final, des

CONFUSION

T A P A S D U M O N D E

1637, rue st-denis, montréal (québec) h2x 3k3

téléphone 514.288.2225

www.restaurantconfusion.com

Restaurant
La Rose Blanche

514-285-0022 | 355 Saint-Paul Ouest
H2Y 2A7 Vieux Montréal

plats très harmonieux, démontrant une belle technicité, à l'instar de ces grillades de cailles marinées avec salade de papaye verte. La maison est réputée avoir un des meilleurs rapports qualité/prix en ville… à juste titre !

ROSE BLANCHE

355, Saint-Paul O
514-285-0022
M° Square Victoria. Pour le petit-déjeuner et le déjeuner, ouvert tous les jours. Le soir, jeu-ven-sam. Réservations conseillées. TH du midi (entrée, plat, dessert et café) : 14$ à 16,50 $. À la carte le soir : entrée : 5$ à 9,50$, plat : 16,50$ à 20,50$.
Un petit restaurant adorable aux tons pastels, avec de belles boiseries, des tasses et des théières mignonnes à croquer. On s'imagine dans un salon de thé à Vienne en train de regarder le passage de l'impératrice ! Dans l'assiette, une cuisine savoureuse, aux inspirations d'Europe centrale. On dégustera par exemple le célèbre goulash ou le gravlax, des spécialités de la maison. Des inspirations françaises enrichissent le tout : poisson à l'anis, bouillabaisse délicieuse ou du foie de veau à la moutarde de Meaux. En été, on s'arrêtera déguster une glace aux saveurs originales. La propriétaire, qui assure le service, est très sympathique. Le rapport qualité-prix est excellent compte tenu de l'emplacement dans le Vieux Montréal, de la cuisine, et du cadre.

M SUR MASSON

2876, Masson
514-678-2999
Lun-ven 11h30-14h et 18h-23h, sam 10h30-15h et 18h-23h, dim 10h30-15h. Interac et ttes les CC, sauf AE. Entrées 6-22$. Plats principaux 19-29$. Desserts 6-11$. Spéciaux du jour.
Resto récemment encensé par les grands journaux montréalais. Et pour cause, les mets, y compris les desserts, sont finement travaillés : pintade confite, cerf, foie gras avec sauce au chocolat, filet tartare, profiteroles au caramel et à la fleur d'oranger, etc. Le service est courtois et personnalisé. Le menu complet est expliqué à chaque client avant de s'arrêter sur un choix. La petite salle est pratiquement toujours achalandée. Les réservations sont donc fortement recommandées. S'il y a du bon à cette étroitesse, c'est que les délicieux effluves de la cuisine imprègnent rapidement l'endroit. Le décor est sympathique. Étant donné l'énorme variété de vins, les amateurs seront comblés. Un service de traiteur est offert.

RIVE SUD

L'ŒUF ET L'OLIVE

240, Ste-Marie, La Prairie
Petit-déj. 8-10$.TH midi 12-17$, Carte 12-16$. Toutes CC. 30 places. Lun fermé, mar 8h-14h, mer-jeu 8h-14h, 17h-20h, ven 8h-14h, 17h-21h, sam-dim 9h-14h, 17h-21h.
On tombe tout de suite sous le charme

de ce petit bistro aux parfums espagnols. Dans un décor meublé principalement par un bar rustique en bois massif, les convives s'échangent quelques tapas, ces amuse-gueules de tradition espagnole, servis chauds ou froids, associant couleurs et saveurs. C'est l'occasion de discuter autour d'un verre. La carte des alcools est élaborée et se prête au jeu. Au menu, l'olive se démarque avec quelques inspirations internationales : crevettes tempura et salade d'algues, pilons de poulet au cari et olives vertes, crevettes à la Plancha, tartare de bœuf et croustilles de parmesan, salade au chèvre chaud. L'œuf, c'est pour le brunch du dimanche matin. Les omelettes et les œufs pochés sont apprêtés avec des ingrédients du marché et nappés d'une sauce hollandaise faite maison. Un délice qui se termine par une balade dans le quartier historique du Vieux La Prairie.

MESSINA

329, Saint-Charles O, Vieux-Longueuil
450-651-3444
www.messina.ca
Lun-ven de 11h à 3h, sam-dim de 16h à 3h. Toutes CC et Interac. 300 places, loges et salons privés. Salle de réception 50 places. Terrasse 70 places. Table d'hôte 16-39. Carte 11-23. Lieu de rencontre par excellence des professionnels, le resto-club de classe affaires Messina impressionne à coup sûr. Dans un décor épuré, où les sofas remplacent les chaises, les clients se délectent tranquillement autour d'une fine cuisine italienne inspirée par les tendances actuelles. Le menu de dégustation permet d'apprécier de petites entrées associées au vin qui les accompagne. Les saveurs se mondialisent. Par exemple, la côtelette d'agneau est servie en croûte wasabi. L'excellent choix de vin à la carte est à l'image de la magnifique cave à vin toute vitrée, sise au cœur du restaurant. La grande baie vitrée baigne d'une lumière généreuse les deux étages donnant sur le Vieux-Longueuil. Une ambiance urbaine dans un quartier de plus en plus urbain.

AFRIQUE

ABIATA

3435, Saint-Denis
514-281-0111
www.abiata.com
M° Sherbrooke. Mer-ven de 11h30 à 15h, mar-dim de 18h à 23h30. Carte 9,95-25. V, MC, AE, DC & Interac. D'une facture élégante, le décor évoque volontiers les horizons lointains : couleurs chaudes, briques, tissus et sculptures afro. Tout contribue au dépaysement, particulièrement la cuisine, à la fois goûteuse et épicée. Et pour couronner le tout, un service attentif, qui prendra le temps d'expliquer les mets : légumes en sauces, viandes mijotées, succulent tartare épicé au cayenne fort, mais aussi quelques plats végé. Et si vous avez l'âme d'un guerrier, ne repartez pas sans avoir bu un café typique (cardamone, girofle et sel)… De quoi regarder un lion droit dans les yeux !

AU MESSOB D'OR

5690, Monkland
514-488-8620
M° Villa-Maria. Mar-dim de 17h à 22h30, sam 23h. Carte 15$, Toutes CC, pas d'Interac. Doyen des restos éthiopiens en ville, le Messob d'or sert cette tradition millénaire avec un sourire en coin. Tout d'abord, tout sera servi sur l'injera, sorte de crêpe spongieuse au tef (céréale africaine) qui sera, à son tour, mangée pour ne rien laisser passer, et tout sera partagé équitablement entre convives (du moins idéalement). Une variété de ragoûts, de légumes marinés et de salades exotiques composent un menu qui dépayse totalement. Avec, pour les plus aventureux, un plat de viande tartare des plus relevés. Une adresse très populaire où il faut réserver les week-ends.

KEUR FATOU

66, Saint-Viateur O
514-277-2221
www.keurfatou.com
M° Laurier, angle Clark. Lun-ven de

12h à 14h, de 17h à 22h, sam de 17h à 22h et sur réservation le dimanche. 13-15. Interac.

Dans cette maison (keur) les repas s'étirent en contes aux rythmes sénégalais. M. NDiouga choisit (dans son propre frigo !) le menu du jour, un choix de deux ou trois assiettes. Le riz au gombo et aux légumes mijotés dans une sauce tout juste enflammante laisse l'assiette sans reste : le gourmand n'est pas en reste. Les palais fragiles préfèrent le poulet aux arachides et au citron. Le cuisinier tambourine tantôt le tam-tam tantôt le chaudron et les plus curieux peuvent même lui soustraire quelques contes sénégalais.

KEUR SAMBA

2046, de la Montagne
514-845-1857
M° Peel. Lun-ven de 12h à 14h, lun-dim de 17h30 à 22h. 8-14. 30 places. Comptant.

Un coin de Sénégal en plein cœur de Montréal à la décoration folklorique avec des masques africains et des miroirs. L'accueil est très chaleureux n'hésitant pas à expliquer le contenu des plats avec leur prononciation. Une adresse qui propose une cuisine familiale, gboma dessi, un ragoût de bœuf servi avec du riz, du mafé où le poulet est accompagné d'une sauce aux arachides et aux tomates. On y revient pour se rassasier à bon prix, pour la chaleur du service en sirotant une boisson originale : le jus bissap (à l'oseille rouge).

LE NIL BLEU

3706, Saint-Denis
514-285-4628
M° Sherbrooke, angle Cherrier. Tous les jours de 17h à 00h et à midi en été. Carte 10-25. Toutes CC.

Dans un décor raffiné et apaisant, on vous propose ici de délicieuses spécialités éthiopiennes. Les ragoûts, longuement mijotés, se dégustent dans la convivialité ou l'intimité, autour de plats à partager. Une cuisine relevée mais pas trop épicée, dépaysante à souhait. La terrasse permet de profiter du grand air aux beaux jours. Melkam eurat (bon souper) !

LE PITON DE LA FOURNAISE

835, Duluth E
514-526-3936
www.restolepiton.com
M° Mont-Royal, angle Saint-Hubert. Mar-dim de 17h30 à 21h et plus. Ven-sam 2 services, 17h/20h. Menu dégustation 35$ (4 services), Table d'hôte 22,75$-27,75$. V & MC.

On y dévoile les trésors gastronomiques de l'Île de la Réunion. Un savant mélange d'arômes et de parfums des cuisines asiatiques, indiennes et européennes. Un petit lexique des termes culinaires et des expressions locales agrémente la carte. Pour découvrir la cuisine réunionnaise, on opte pour l'assiette créole composée de petits samoussas, de bonbons piments (beignets épicés) et salade d'achards. La pieuvre en civet mariné dans le vin rouge ravira les plus curieux. Service aux petits oignons et ouvert à la discussion sur les mystérieux légumes ou fruits de cette île. Musique créole en fond sonore.

MAGHREB

AU COIN BERBÈRE

73, Duluth E
514-844-7405
www.aucoinberberre.com
M° Mont-Royal, angle Coloniale. Mar-dim de 17h à 24h. Sur réservation le midi et pour les groupes. Table d'hôte 24,75$. Couscous 11,25-21,75$. V, MC & Interac.

Un fier représentant de l'Algérie, depuis 27 à Montréal. « LA » spécialité des lieux, le couscous, a fait ses preuves depuis bien longtemps et se déguste avec toutes les viandes savoureuses et fondantes du Maghreb. L'agneau, le poulet et les merguez sont autant d'invitations au voyage au pays où la nourriture est un art de vivre à elle seule. Si vous pensez à apporter un petit vin de ces cépages, la soirée filera doucement, comme sous les étoiles. Le service est chaleureux et les plats plus que copieux.

et des desserts qui laissent un arrière-goût suave avec chaque gorgée de thé à la menthe. On y retrouve aussi des plats moins pittoresques, mais tout aussi délectables comme le « surf and turf » et autres assiettes de fruits de mers. Des prix abordables, une carte des vins parfaitement adaptée. Le service des familles Abderrahman et Zrida semble tout droit sorti de l'hospitalité maghrébine. Comment résister à la tentation de revenir aussi souvent que possible ?

LE COUSCOUS ROYAL

919, Duluth E
514-528-1307
www.lecouscousroyal.com
Mº Mont-Royal, angle Saint-André.
Mer-dim de 17h à 22h. Table d'hôte
16,95 $-22,95 $. Traiteur.
V, MC & Interac.

Ce resto fait partie des rares lieux marocains à offrir une cuisine raffinée, comme celle dont on tombe amoureux lors d'un voyage au Maroc. Une gastronomie pleine de saveurs et de mélanges harmonieux : succulents tagines, dont la viande fond dans la bouche, divin couscous et une des meilleures (sinon la meilleure) pastilla à Montréal ! Confortablement installés sur les moelleux coussins, vous serez traités comme des rois dans un décor de tentures sahariennes et une ambiance relaxante, surtout au deuxième étage.

L'ÉTOILE DE TUNIS

6701, de Châteaubriand
514-276-5518
Mº Beaubien. Lun-ven de 11 à 14h et
de 16 à 22h, sam-dim de 16h à 22h
(fermé dim l'été). Midi 7 $-15 $, soir
38 $-50 $ pour deux personnes, table
d'hôte entre 10,75 $ et 12,50 $. V, MC,
AE & Interac.

Une jolie surprise qui semble peu à sa place dans ce quartier, avec ses teintes bleutées sur fond blanc. Une cuisine familiale, toute en douceur, pour raviver l'envie du désert et de ses mélopées crépusculaires. Des salades aux relents fruités, des couscous parfaitement cuits et assaisonnés, des bricks succulentes,

KAMELA

1227, Marie-Anne E
514-526-0881
Mº Mont Royal, angle de Brébeuf.
Restaurant/traiteur. Mar-dim 17h-
23h. Compter de 12 $ à 20 $. Thé à la
menthe offert. Pas d'alcool. Interac et
comptant seulement.

La façade de ce petit restaurant ne manque pas d'attirer l'œil : ce n'est pas partout que l'on voit une caravane de chameaux traverser le désert. Dépaysant ! Tout comme l'intérieur du petit local décoré avec de belles lampes et des tissus colorés. Bien agréables à regarder en attendant de se faire servir le délicieux couscous. La semoule est bien fine, les viandes bien grillées et les légumes fort goûteux. Les portions sont gargantuesques ! Le chef a deux autres spécialités : les pizzas et les bricks, des sortes de galettes farcies au fromage, aux légumes, au thon et servies avec salade.

RIVE-SUD

LA ROSE DES SABLES

30, Taschereau, La Prairie
450-659-7707
www.restaurantlarosedessables.com
Mer-jeu de 17h à 22h, ven-dim
17h-23h. V & Interac. Table d'hôte
14,95 $-27,95 $. Danseuse de baladi
les samedis.

Un endroit exotique campé en bordure du boulevard Taschereau. Dans ce décor marocain, la rectitude banlieusarde est vite oubliée. Les assiettes généreuses de couscous incitent au partage. Aussi, les clients viennent en groupe et s'échangent

amicalement l'agneau québécois cuit à la marocaine, les merguez, keftas et les tajines. L'ambiance est à la fête. La salle est réchauffée. À la clôture, le service du thé marocain est spectaculaire. C'est promis, la prochaine fois les amis seront de la partie.

MOYEN-ORIENT

ALEP

191, Jean-Talon E
514-270-9361

M° Jean Talon, angle Gaspé. Mar-mer de 17h à 10h, jeu-sam de 17h à 23h. 30 $ avec le vin. Toutes CC & Interac.
L'histoire commence à Alep, quand un Syrien tombe amoureux d'une Arménienne. Ils décident alors d'ouvrir un restaurant à Montréal, dont la décoration s'inspirera de la fameuse citadelle syrienne. Chacun apporte ses influences et son talent dans la cuisine. Très vite, la magie opère. Résultat : des plats très fins aux saveurs renversantes. Pour apprivoiser cette cuisine, les gros appétits opteront pour le menu 4 services, rythmé par un crescendo d'épices. Un resto familial qui s'est forgé, au fil des années, une excellente réputation en ville.

AUX LILAS

5570, du Parc
514-271-1453
www.auxlilasresto.com

M° Rosemont. Mar-dim de 17h30 à 22h. Table d'hôte 17,5 $-30 $, plats 12 $-16,50 $. V, MC & Interac.
La cuisine libanaise y révèle son originalité, ses influences diverses. Un mariage de parfums et de saveurs préparé par la patronne, Christine Faroud. Tabbouleh (salade de persil), Hummus (purée de pois-chiche), Yabraq (feuilles de vigne farcies au bœuf et riz) et babaghanouch (purée d'aubergines) ne sont que quelques uns des classiques, préparés selon la tradition et avec des produits frais de qualité. La carte des vins propose des bouteilles en provenance du Liban essentiellement, de quoi faire de belles découvertes ! Le décor est absolument charmant, petites tables, miroirs. L'ambiance y est orientale, toute en douceur. Et pour ceux qui veulent continuer le voyage, quelques recettes sont affichées sur le site Internet…

BYBLOS

1499, Laurier E
514-523-9396

M° Laurier, angle Fabre. Mar-dim de 9h à 23h. Carte 14 $, midi 14 $-18 $. V, MC & Interac.
Le Byblos est une excellente place à brunch pour qui aime se délecter de thé à la menthe, et de douceurs orientales. La déco est une belle réussite. Deux salles se partagent l'espace, une grande, sobre et aérée, ornée d'une collection de narguilés et une petite, plus enclavée, plus intime. Sur la carte, un résumé historique de la culture gastronomique iranienne raconte au gourmet la philosophie gourmande de cette civilisation. Le menu se découpe en six chapitres et un épilogue, permettant de se faire une bonne idée de la variété des produits à goûter. C'est sans contexte le petit déjeuner traditionnel qui est le mieux réussi ici. Une suite de petits plats, tous plus succulents les uns que les autres. Le petit Byblos accueille une clientèle plutôt en quête de tranquillité.

LE PETIT ALEP

191, Jean Talon E
514-270-9361
M° Jean Talon. Mar-sam de 11h à 23h,
Fermé dim et lun.
Table d'hôte 10-12.
Collé au restaurant Alep, le petit
Alep est un bistro de quartier ou l'on
peut siroter un verre et déguster des
spécialités syriennes et arméniennes
à petit prix. Les prix varient de 2$ à
10$. Les sandwichs sont copieux, le
shish kebab, très épicé, est délicieux.
Des entrées diverses sont proposées,
hummus, babaghanouch, fattouch,
moussaka etc. La clientèle jeune et
dynamique discute, lit ou encore écoute
la musique du bar dans un cadre ou
les couleurs foncées des meubles et le
jaune orangé des murs se mélangent à
merveille. Les serveurs sont jeunes et de
différentes origines, le service
est irréprochable.

 ## LE QUARTIER PERSE

4241, Décarie
514-488-6367
www.bar-resto.com/perse/perse-f.htm
M° Villa-Maria, angle Monkland. Jeu-
ven de 11h30 à 22h, sam de 17h à 23h,
dim-mer de 17h à 22h. 10-20.
V, MC & Interac.
Tout près de l'autoroute Décarie,
retrouvez la magie de la cuisine perse,
ou encore iranienne, dans une ambiance
tamisée et agréable. Au programme,
des spécialités à base de viande grillée,
de riz safrané et d'épices légères qui se
marient pour notre plus grand plaisir.
Contrairement à ses homologues, on
peut boire de l'alcool dans ce restaurant
et on se laissera tenter par des
brochettes de viande hachée à l'origan
et à la cannelle accompagnées de riz,
tandis qu'on apprécie la tranquillité
du lieu. Une cuisine à découvrir et un
restaurant qui vous donnera bien
du plaisir.

RUMI

5198, Hutchison
514-490-1999
www.restaurantrumi.com
M° Outremont. Mar-dim de 11h à 15h

et de 18h à 22h30. Table d'hôte de 10h
à 15h à partir de 16$, le soir à la carte
16-27$. Toutes CC & Interac.
Situé dans le quartier d'Outremont, ce
restaurant café porte le nom d'un grand
poète perse, Mawlana El Rumi, et il
chante l'amour et l'ivresse que prône
cet auteur. Les couleurs chaudes, les
canapés reposants et le thé à la menthe
nous enivrent dans ce havre de paix et de
tranquillité. Les mets sont d'influences
perse et maghrébine. La vaisselle, d'une
grande beauté, vient de Fès. Le menu est
riche et varié. Nos préférences portent
sur les grillades d'agneau, de poulet et
la fameuse épaule braisée. Le service est
convivial. Chez Rumi, on ne vient pas
juste pour manger, mais pour se relaxer
et savourer chaque instant de notre
journée, de notre vie en lisant les vers de
ce génie.

AMÉRIQUES

AMÉRIQUE LATINE

LE JOLIFOU

1840, Beaubien E
514-722-2175
www.jolifou.com
M° Beaubien, angle Cartier. Lun-jeu
de 17h30 à 22h, ven-sam de 17h30 à
23h, dim de 17h30 à 21h.
V, MC & Interac.
Le service est à l'image des plats,
chaleureux et empli de soleil. Un
savoureux mélange des genres, dans cette
cuisine aux accents du Sud. Un jarret
d'agneau sauce cactus, un duo d'agneau
en crépinette, des classiques agrémentés
d'un soupçon de jalapeño… La créativité
latino à l'état pur, qui se retrouve aussi
dans un décor très sobre, où des jouets
mexicains colorés sont déposés sur les
tables. Un petit fou bien joli, qui s'amuse
à nous surprendre.

 ## RAZA

114, Laurier O
514-227-8712
www.restaurantraza.com
M° Laurier, bus 51 ou 55.
Mar-sam de 17h30 à 22h. 30$ par

plat. V, MC & Interac.

Le chef Mario Navarrete propose une relecture racée de la cuisine latino, dans un décor au design contemporain épuré, allégé et rafraîchissant. Le tiradito de poisson du marché, genre de ceviche au piment rocoto, est servi avec un shooter de lait de tigre, rien de moins, et une espuma de coriandre (mousse fruitée à base sauce d'huître). De quoi ouvrir l'appétit sur la poitrine de caille rôtie servie avec des gnocchi boniato. La minuscule terrasse est très agréable aux beaux jours, à une minute à pieds de l'un des brasseurs les plus divins en ville…

BRÉSIL

 LÉLÉ DA CUCA

70, Marie-Anne E
514-849-6649
www.leledacuca.com
M° Mont-Royal. Angle Saint-Laurent.
Dim-jeu de 17h à 23h, ven-sam de 17h
à 00h, fermé le dimanche en hiver.
Table d'hôte 14,95 $-17,95 $.
V, MC, interac

Une institution dans le quartier portugais, pour s'initier aux classiques mexicains et, surtout, brésiliens. Edvaldo, homme à tout faire, drôle et chaleureux, est à l'image de son resto coloré : « lele da cuca », c'est-à-dire un peu zinzin… Dans une ambiance animée, il viendra servir ses délicieux burritos et molle de pollo (poulet au chocolat). Côté Brésil, la goûteuse feijoada calmera les ventres criant famine. Pour des plats plus légers, goûter à la vatapa ou aux crevettes baiana. Attention, mauvaise humeur non autorisée… Deux services en fin de semaine : à 18h, ambiance paisible avec guitariste. Après 21h, bienvenue au Brasiouuuuu !

 **LE MILSA**

1445 A, Bishop
514-985-0777
www.lemilsa.com
M° Guy. Lun-dim de 17h30 à minuit et
sur réservation. 23 $-30 $. Interac.

Ce restaurant est une rôtisserie brésilienne (churrascaria). C'est au retour d'un voyage en Amérique du Sud que son propriétaire, Sam Tadros, a eut la bonne idée d'ouvrir cet établissement de spécialités brésiliennes. Ici on vous propose un vaste choix de viandes (dinde, bœuf, poulet, porc, agneau, etc.) et des légumes comme accompagnement. Pour 30 $, nous vous recommandons d'essayer le tourniquet, une ronde des viandes que vous pouvez déguster à volonté. Et pour couronner le festin, l'ananas rôti comblera les plus gourmands. Excellente ambiance.

SENZALA

177, Bernard
514-274-1464
www.senzala.com
M° Rosemont. Lun-dim 17h-22h, jeu-
dim 9h-15h. Brunch 10 $-15 $, repas
20-35 $. Visa, Amex, MC et comptant.

Ce resto brésilien plein de couleurs sert de somptueuses assiettes toujours accompagnées de grandes salades. Au menu : de nombreuses spécialités brésiliennes : la feijoada bien sûr (le plat national brésilien, à base de haricots noirs), du poisson à la noix de coco, de grandes variétés de grillades. Les amateurs de cuisine du Nordeste opteront pour le vatapa ou le bobo de camarao. Les petits déjeuners sont très renommés. Quelques exemples : le tropicanas avec œufs pochés servis dans de l'avocat ou de la mangue avec de la tomate, le tout gratiné au four et offert avec plantains et brochettes de fruits grillés. Plus de soleil ? El Rey, qui allie omelette au cheddar et piments verts, tomates, épinards et jambon, et servi avec hash browns (sorte de poëllée de pommes de terre) et brochettes de fruits. *Autre adresse : 4218, rue De la Roche, 514-251-1266.*

CUBA

CUBA LA MAISON DU MOJITO

1799, Amherst
514-389-7222
M° Berri-UQÀM, angle Maisonneuve. Mer-sam de 16h30 à 24h, dim 10h-15h et 15h-23h. Sabor 19,99$, Club Habana 14,5$. Plats 10$. Vins et délicieux cocktails. V, MC & Interac.
Entre folklore et saloon urbain, l'ambiance du seul resto cubain de Montréal a de quoi surprendre : fresques murales, mobilier ancien, chaises en peau de vache. Dépaysement garanti ! Esteban, padre affable et nonchalant, décrit avec courtoisie les produits de son pays natal : yucca, tamales, croquettes, plantains, ropa vieja (bœuf effiloché cuit à l'étouffée). Le menu Sabor tropical propose un large éventail de ces recettes traditionnelles. Gargantuesque ! Le magnifique comptoir en bois massif est une invitation à déguster un véritable mojito, surtout les fins de semaine en compagnie d'artistes cubains au piano ou à la guitare.

MEXIQUE

EL ZAZIUMMM

4581, du Parc – 514-499-3675
1276, Laurier E – 514-598-0344
Tous les jours de 11h30 à 23h. Midi 6,50-12, soir 8,95-20. Traiteur. V, MC & Interac.
Une « folle cuisine de plage » y est proposée (inspirations mexicaine et californienne), dans un décor insolite composé d'objets excentriques en provenance du monde entier. La carte est délirante, aussi drôle que difficile à déchiffrer, mais les serveurs sont là pour éclairer notre lanterne. Poulet mastodonte, ceviche et chili figurent à la carte. Pour les intrépides : un sandwich « monstrueux » (demandez « le Monstre ») vous est proposé : si vous en venez à bout, on vous permettra de repartir avec un T-shirt ! Et pour les superstitieux : lecture de carte lun-mar-mer pour 7$ les 20 min. *Bar : 4297, Saint Denis, 514-288-9798*

EL SOMBRERO

500, Bélanger E
514-272-0888
M° Jean Talon, angle Saint-Denis. Lun-dim de 12h à 21h. 10-15. Licence d'alcool pour la tequila et la bière mexicaine.
Bienvenue dans cette taqueria typique de Mexico, qui a reproduit l'ambiance vendeur de tacos, dans lequel on mange vite… et bien ! La qualité des produits est irréprochable, le service souriant. Outre les célèbres tacos (essayez l'alambre avec oignon, piments, lard, fromage, bœuf, et saucisse piquante ou mouton sur demande), vous pourrez tester les diverses soupes. Goûtez les yeux fermés aux picaditas, petites galettes de maïs avec fèves noires et crème sûre. Un régal !

LIMON

2472, Notre-Dame O
514-509-1237
M° Lionel Groulx. Ouvert mar-sam midi et soir Fermé le dim-lun. Le soir, compter 30$, à la carte.
Un nouveau restaurant mexicain, au design branché - mais pas trop - et à la cuisine traditionnelle. Le ceviche de poisson (poisson cru mariné dans du citron) très rafraîchissant, accompagné d'une bonne margarita constitue une excellente façon de commencer la soirée. Pour la continuer, le volcan est fort recommandable. On prend des fajitas (galette de mais) dans lesquelles on roule soit même de viande (poulet ou bœuf). Pour les petites faims, on vous conseille les quesadillas de fromage et champignons, croquantes à souhait.

L'excellente guacamole (purée d'avocat) accompagnera tous les plats.

MARIA BONITA
5269, Casgrain
514-807-4377
M° Laurier, bus 55. Mar-dim de 17h30 à 23h. Interac.

Maria Chavez et ses acolytes ont ouvert cette année un resto fort accueillant, où ils préparent les tortillas maison. Un vaste choix de cazuelitas (tapas) y est proposé : mole poblano, mole verde (viande, sésame et tournesol), nopales. Également des plats individuels et copieux. Apaisez votre palais avec une des boissons maison (riz, lait condensé, cannelle et vanille, ou céleri, ananas citron, sucre et glace), avant le gâteau aux trois laits. Un conseil : demandez le degré d'épice que vous aimez dans vos plats, sinon par défaut ils vous seront servis non piquants.

MEX-I
3820, Saint-Laurent
514-845-4498
M° Sherbrooke ou Saint-Laurent, angle Prince-Arthur. Lun-mer, sam de 11h à 19h, jeu-ven de 11h à 21h, dim fermé. 4 $ les 3 tacos et 7 $ les 6. Pas de licence d'alcool.

On se demande quel vent de folie est passé par la tête des propriétaires, quand elles ont décidé de faire venir une machine à tortillas du Mexique. Depuis,

tous les matins avant l'ouverture, elles confectionnent des centaines de crêpes de maïs… Tant mieux, car ici on commande des tacos et rien que ça ! Les tortillas sont délicieuses, la viande et les légumes de bonne qualité. Avec ça, vous prendrez bien el agua de Jamaica, thé froid sucré à la fleur de Jamaïque (hibiscus). Les propriétaires sont adorables et se plieront en quatre pour vous faire plaisir !

RIVE-SUD

TAMALES
652, Victoria, Saint-Lambert
450-671-9652
Mar-ven de 11h30 à 14h30, mar-dim de 17h à fermeture. Stationnement. 70 places. Table d'hôte le midi 7 $-13 $, le soir 22 $-25 $. Spéciaux : mardi fajitas gratuits avec breuvage, mercredi 2 pour 1 sur les margaritas.

Lors de la Tamales (fête des morts) les peuples anciens fabriquaient des idoles en maïs. Aujourd'hui, ce restaurant de cuisine mexicaine authentique souligne les vertus du maïs en le plaçant au centre de sa gastronomie. La mise en scène est agréable : une ruelle peinte au mur, un ciel au plafond et des guirlandes colorées. Les assiettes sont en cuivre. Le choix des entrées permet de se familiariser avec le goût épicé. La salade au cactus, les soupes aux tortillas, les burritos, les crevettes diabla ou le poulet servi dans une sauce « mole » de 36 ingrédients ont une complexité gustative inégalée. En dessert, le gâteau de maïs est un incontournable. Une adresse qui a du piquant.

PÉROU

MOCHICA
3863, Saint-Denis
514-284-4448
www.restaurantmochica.com
M° Sherbrooke. Mar-dim de 17h à 23h. Entrées deux pers 6 $-12 $, plats 15 $-25 $, Table d'hôte 20 $.

Les Moches, avant l'invasion Inca, sont à l'origine d'une civilisation andine très créatrice à bien des niveaux. Leur cuisine était faite principalement à base de fruits de mer, de poissons et de produits agricoles. C'est donc dans cet esprit que la carte de ce nouveau restaurant de spécialités péruviennes se décline : bouillabaisse péruvienne aux fruits de mer, poissons et vin blanc ; viande de lama de Campton biologique mariné au Chimichurri ou encore la morue saumurée lavée de son sel et pochée à l'ancienne avec ses oignons. Les couleurs rouge et crème, les masques et les pans de bois sculptés sur les murs, font de ce restaurant un lieu convivial et authentique. Une cuisine qui vous surprendra agréablement, accompagnée de quelques alcools et vins du pays.

PUCAPUCA
5400, Saint-Laurent
514-272-8029
M° Laurier, bus 55, angle Saint-Viateur. Mar-ven de 12h à 14h30, mar-sam de 17h30 à 23h. Midi 4-8, table d'hôte 8$, soir 10$-15$ avec taxes et service inclus. Vins prix SAQ plus 5$. 50 places. Interac.
Un authentique restaurant péruvien, et l'effet est superbe. Un menu vaguement familier aux habitués de l'Amérique latine, quoique le boudin du pays en étonnera plusieurs. À la carte, les fruits sont à l'honneur, le poisson frais est savoureux, et les épices sont raisonnablement présents. Le service est drôlement sympathique, le personnel est prêt à convertir quiconque à la valeur intrinsèque de la cuisine péruvienne. D'ailleurs a condition de demander 24h heure à l'avance, le cuisinier est prêt à vous refaire « LE » plat qui aura fait la magie de vos vacances. Avec un décor quelque peu kitsch pour parfaire la séduction, les week-ends amènent leur lot de musiciens traditionnels pour transformer cette accueillante adresse en une véritable fiesta.

AMÉRIQUE DU NORD

COO ROUGE
1844, Amherst
514-522-4114

M° Berri UQÀM. Lun-ven de 11h à 23h, sam de 16h à 2 3h-dim de 10h à 22h. Table d'hôte 10-22. Dim brunch à volonté 10,95$. V, MC & Interac.
La déco rétro-moderne, complètement baroque, dégage une atmosphère unique, à la fois conviviale et intemporelle, baignée par une musique toujours excellente (blues introuvables, vieux sons latins qui grésillent). Le chef propriétaire Normand Valois propose une cuisine maison d'inspiration italienne, française et cajun : une dizaine de tables d'hôte, parmi lesquelles le carré d'agneau à l'orange et gingembre. Cette sympathique adresse sert également de copieux et savoureux burgers, salades ou pâtes. Le pantagruélique brunch dominical vaut bien un réveil avant midi !

LA QUEUE DE CHEVAL
1221, René-Lévesque O
514-390-0090
www.queuedecheval.com
M° Lucien L'Allier, angle Drummond. Dim-mer de 17h30 à 22h30, jeu-sam de 17h30 à 23h30.
Le lieu est un mélange de luxe et de convivialité, avec pour décor des boiseries qui font tout le charme de la maison. Depuis le grill immense surmonté de sa hotte de cuivre et ouvert sur la salle, les cuisiniers préparent à merveille les fruits de mer, les poissons et surtout les viandes. Les pièces proposées sont toujours impeccables, et de qualité très supérieure, comme ce boeuf en provenance du Midwest américain, catégorie USDA « Prime ». Un tel régal a évidemment un prix…

MEATMARKET
4415, Saint-Laurent
514-223-2292
www.meatmarketfood.com
M° Mont-Royal, angle Mont-Royal. Lun de 11h à 15h, mar-mer de 11h à 22h, jeu-sam de 11h à 23h.10$ midi, soir 20$. Grillades 14,95-23,95$, sandwiches 9,25$-12,5$. V, MC & Interac.
La viande est ici à l'honneur. L'originalité aussi. D'abord le concept,

longuement pensé par les deux jeunes propriétaires, un peu bouchers sur les bords à l'heure de la mode végé ! Et puis la place aussi, avec les grandes toiles de Jean-François Lantagne, banquettes en cuir, écran plasma, portes de saloon. La cuisine est simple mais très imaginative. Les excellentes viandes sont marinées, et les sandwichs accompagnés de pain bio et épices maison. Et pour 8 $, vous repartirez avec les délicieuses sauces maison (chutney d'aubergines, ketchup menthe mangue). Un « casse croûte de luxe » dans une ambiance décontractée.

CAJUN

LA LOUISIANE

5850, Sherbrooke O
514-369-3073
M° Vendôme, bus 105, angle Régent. Mar, mer, dim de 17h30 à 21h30, jeu 22h30, ven-sam 23h. Entrées 4,50 $-9,50, plats 11 $-28 $, table d'hôte 25 $-30 $. Toutes CC & Interac.
Un menu cajun pur et dur, avec tout l'épice des bayous ; des ragoûts qui défrisent. Pourquoi ne pas y aller à fond et s'immerger dans la jambalaya de crevettes et de poulet, divinement exquise ? Et le poisson grillé, qui enflamme les papilles et ravigore la chaleur ambiante... Un sage tour d'horizon de la cuisine cajun avec les spéciaux du chef.

QUÉBEC

AUBERGE LE SAINT-GABRIEL

426, Saint Gabriel
514-878-3561
www.auberge1754.com
M° Place d'Armes. Mar-ven de 12h à 14h30 et de 18h à 22h30, sam de 18h à 22h30. Carte dès 27 $ et table d'hôte le soir dès 19 $, compter 60 $ par personne. 3 Salles de réceptions. V, MC & Interac.
Située dans le vieux Montréal, cette adresse est l'un des rares restaurants où l'on peut déguster une cuisine traditionnelle. L'ambiance chaleureuse des feux qui crépitent à l'intérieur, alliée au charme de la terrasse ensoleillée, fait de la plus ancienne auberge d'Amérique du Nord une référence à ne pas manquer. Pour les nouveaux arrivants, laissez-vous tenter par des spécialités alléchantes comme le duo de soupe au pois et tourtière québécoise, les ragoûts succulents pour le terroir local, mais les cuisines regorgent aussi de spécialités françaises, comme la joue de bœuf ou la cote de veau aux cèpes. Pour le dessert, n'hésitez pas à commander la tarte au sucre, un vrai délice !

FOURQUET-FOURCHETTE

1887, de Bourgogne, Chambly
(à côté du Fort)
450-447-6370
265, Saint Antoine O,
Palais des Congrès
514-789-6370
www.fourquet-fourchette.com
Ouvert 7 jours/7 en saison estivale de 8h à 21h (et plus tard si l'ambiance y est). Hiver lun-mar fermé. Spécialiste des groupes. Toutes CC.
Près du vieux fort Chambly, les eaux vives du bassin de la rivière Richelieu qui s'ébrouent devant la terrasse donnent le ton à cet établissement champêtre où la bière coule à flot. Les convives deviennent des découvreurs et s'initient à la cervoise Unibroue, qui se retrouve dans tous les plats de cette gastronomie du terroir québécois : la totalité des produits sont du Québec, y compris le vin. Tout l'établissement célèbre le XVIIe siècle : époque où les premières bières furent créées en Nouvelle-France. La salle de l'Abbaye rend hommage aux moines qui ont participé à l'évolution de la bière. La salle Jean Talon évoque l'intendant de la Nouvelle-France et l'un des premiers brasseurs en Amérique du Nord. Les plats cuisinés à la bière sont inspirés de la cuisine amérindienne. À la table d'hôte, les plats sont inventifs comme la salade tiède de pétoncle et saumon fumé à la « Raftman » suivie d'un ragoût de caribou à la gelée de cèdre et « Trois-Pistoles ». Des fromages de chez nous sont offerts en dégustation, accompagnés d'un dessert comme l'onctueuse marquise au chocolat. En mangeant, il peut arriver que des

Quartier Chinois de Montréal

évocatrice d'un passé où la vie était si simple. Une cuisine d'amour, copieuse et servie fumante, dans un cadre intimiste avec musique classique pour mieux savourer les vestiges d'un passé pas si lointain.

ASIE

CHINE

CHEZ CHINE
99, Viger O

M° Place d'Armes. Lun-dim de 11h à 14h30 et de 18h à 22h30. Déjeuner de 6h30 à 10h30. 10-30. Buffet 18,95$. Toutes CC.

On se croirait dans un décor de cinéma de film de Hong-Kong. Mais le décor respecte les valeureux préceptes du Feng Shui. Le chef propose une sélection des incontournables classiques de la Chine, quelques Dim sum, même un buffet pour les indécis. Jour après jour ce restaurant de l'hôtel Holiday Inn est plein. Idéal pour les banquets ou pour inviter la famille et les amis dans des occasions exceptionnelles car leur décor romantique nous donne envie de faire des projets grandioses pour l'avenir…

L'ORCHIDÉE DE CHINE
2017, Peel
514-287-1878

M° Peel. Lun-ven de 12h à 14h et de 17h30 à 22h, sam jusqu'à 23h. 15-30. Toutes CC, pas d'Interac.
Le midi, plusieurs gens d'affaires se réunissent sur la terrasse ou dans ce décor délicieusement raffiné. Les serveurs se donnent toute la peine du monde pour les satisfaire. Leur traditionnelle soupe won-ton garde une touche maison fort agréable. Le poulet à la citronnelle introduit une note très piquante avant de rappeler, en douce, la saveur de la citronnelle, entourée d'un subtil dosage d'assaisonnements. Un très bel endroit à découvrir si ce n'est déjà fait.

RESTAURANT BEIJING
92, La Gauchetière
514-861-2003

troubadours se joignent à la partie. À la sortie, un comptoir de vente de mets à emporter propose des produits dérivés à la bière. Des visites guidées sont organisées dans la brasserie. Le savoir s'accorde avec le goût. L'ambiance et le cadre sont différents à l'adresse de Montréal, cependant les produits du terroir québécois sont à l'honneur. A Montréal, dans une ambiance plus urbaine, on apprécie les 5 à 7 et les dégustations.

RIVE-SUD

🍸 LAURENCE
578, Saint-Charles, Boucherville
450-641-1564

Mer-sam de 17h30 à fermeture, dim ouvert sur réservation. Toutes CC & Interac. Carte 30-45. Table d'hôte 19,95-45. 48 places.
L'irréductible cuisine du terroir associé à une table française traditionnelle, servie dans un cadre sympathique. Le jarret d'agneau est apprêté avec attention. Les poissons, les fruits de mer, la bavette de bœuf braisée, le magret de canard côtoient des assiettes aussi raffinées que le loup marin tartare sucré au sirop d'érable. Yvon Lavigne se charge de la mission sacrée voulant assurer la survie de cette cuisine délaissée, mais

M° Saint Laurent. Tous les jours 11h30–3h h du matin. Midi TH à partir de 4$, soir compter 15$-25$ pour un repas copieux. Permis d'alcool.

Un restaurant qui attire beaucoup de monde, c'est bon signe. Voilà ce qu'on se dit quand on passe devant cet établissement du quartier chinois. Et, en ressortant, on n'est certainement pas déçu, au contraire. On a le choix entre les plats indiqués sur la carte et les spécialités de saison, dont le nom est affiché au mur. Bref, une grande variété. Le crabe Dungeness et le homard à la thaïlandaise servis aux clients de la table d'à côté nous ont fait saliver. Mais, on a décidé d'être raisonnable et de prendre des plats plus classiques : le bœuf aux deux champignons et le canard barbecue. Un régal ! A la fin de ce bon repas, le serveur, efficace et élégant avec son gilet de soie, nous a apporté des quartiers d'orange. Une intention sympathique, que nous avons beaucoup appréciée. Sans doute une de nos meilleures adresses du quartier chinois.

SOY

5858, Saint Laurent
514-499-9399
www.restaurantsoy.com
M° Laurier, angle Fairmount. Lun-ven de 11h30 à 22h, sam-dim de 17h à 23h. Midi 8-14, Table d'hôte 10-14, le soir 19-25, carte 3-17. Licence complète. V, MC & Interac.

Soy vous accueille dans un décor de récréation avec des couleurs gaies qui ensoleillent jusqu'à la salade, elle aussi servie dans des petits bols colorés. Des plats originaux préparés par la patronne, Suzanne Liu, comme le poisson croustillant et poisson à la vapeur qui nous donnent envie de revenir. Les pains blancs très légers, qui remplacent le riz ordinaire ou riz gluant sur demande, sortent des sentiers battus pour accompagner les mets de Chine plus modernes et plus évolués. Il n'y a pas de terrasse ici mais l'ouverture non-stop, du mardi au dimanche, et l'accueil chaleureux des patrons en font une adresse très sympathique à fréquenter.

LAOS

BAN LAO THAI

930, Décarie
514-747-4805
M° Côte Vertu. Ouvert lun-sam 11h-21h. Compter 5,75$ le midi et environ 15$ le soir.

Dur de battre le rapport qualité-prix de ce restaurant laotien. La cuisine laotienne est assez rare à Montréal. Cela ne fait qu'accroître notre enthousiasme pour cette petite adresse. Certes, le cadre demeure fort simple. Les quelques affiches accrochées au mur, surtout des photos de Laotiennes ne font pas du Ban Lao Thai un lieu stylé. C'est vraiment dans l'assiette que ça se passe ! On a le choix entre des plats assez classiques de la cuisine du sud-est asiatique comme la viande sautée avec des légumes (8$), du poisson au gingembre ou encore des tartes au poisson. Pour découvrir des spécialités laotiennes, prenez les saucisses au porc avec la salade de papaye. Autre option, si vous y allez un vendredi ou un samedi soir : la fondue laotienne, proche de la fondue chinoise mais avec un bouillon légèrement différent. Bref, un bon petit menu permettant de découvrir une cuisine goûteuse et raffinée.

EXTRÊME-ORIENT

CITÉS D'ASIE

1242, Drummond
514-398-0456
www.citesdasie.com
M° Peel ou Lucien L'Allier, angle Sainte-Catherine. Lun-ven de 11h30 à 14h30 et de 17h à 22h30, sam-dim de 17h à 23h. Sushi à volonté pour 27,95$ jeu-dim soirs (sashimis 39,95$). Toutes CC & comptant.

Situé au cœur d'une ville qui s'ouvre à toutes les cultures, les menus de ce restaurant suivent la tendance et proposent une multitude de plats de tous les pays. Ici on peut manger des plats tonkinois, du Széchuan, vietnamiens, thaïlandais, japonais et à la table, on se sent bien comme dans un restaurant de Pékin, Hong-Kong, Tokyo ou Bangkok.

Ici, on aime bien faire plaisir à tout le monde et c'est vrai, il y en a pour tous les goûts.

INDE

 BUFFET MAHARAJA

1481, René Lévesque O
514-934-0655
www.buffetmaharaja.com
M° Guy. Lun-dim de 11h30 à 23h. Buffet midi 9,99$-13,99$. Soir 12,99$. Toutes CC & Interac.

Dans un décor très éclairé, dans les tons blancs et verts, toute une sélection de plats est proposée. Les samossas aux légumes, les crevettes ou le poulet tikka, le bœuf ou le saumon au cari et un bon choix de fruits de mer sont à volonté. Pour les carnivores ou les végétariens, il n'y a que l'embarras du choix et à ce prix, il ne faut pas se priver. Recommandé pour inviter des amis, pour faire la fête ou en famille nombreuse car l'endroit est immense.

RESTAURANT PUNJAB PALACE

920, Jean Talon O
514-495-4075
www.punjabpalace.com
M° Acadie. Compter à partir de 7$ le midi et de 12$ le soir, taxes et pourboire inclus.

Prenez vite votre auto ou le métro pour vous rendre en plein cœur du quartier indien. On vous assure que vous allez vous régaler autour d'un des meilleurs currys de la ville. Le Punjab Palace contacte des festins, adaptés aux budgets les plus modestes. Le poisson tikka, parfumé à merveille, le plat de saag (épinards et viande dans une sauce au curry) généreusement épicé et le curry d'agneau nous ont fait voyagé dans un monde de saveurs délicates. La décoration très simple, les serveurs ne parlant qu'en anglais confirment que le centre-ville est bien loin. On n'a pas besoin d'un billet d'avion pour se dépayser quand on vit à Montréal. Allez, on vous donne un dernier atout de ce resto : c'est un apportez votre vin. A découvrir de toute urgence !

LE TAJ

2077, Stanley
514-845-9015
www.restaurantletaj.com
M° Peel, angle Sherbrooke. Lun-ven de 11h30 à 14h30 et de 17h à 22h30, sam de 17h à 23h, dim de 12h à 14h30 et de 17h à 22h30. À la carte : entrées 3,95$-8,95$, plats 12,95$-24,95$. Menu Festin Daavat 27,95$ (soupe ou salade, entrée, plat, plat végétarien, dessert, thé ou café inclus). Buffet du midi 10,95$. V, MC, AE & Interac.

On peut dire que Le Taj est un des indiens les plus chics de la ville. Dès votre entrée, vous pourrez constater que la décoration est soignée, avec entre autres choses une immense fresque murale en pierre séchée qui est un vestige de l'Expo 67. Pour ce qui est du menu, il est haut en couleur, en diversité, épicé mais peu pimenté, avec également un choix de plats végétariens. D'ailleurs, vous pourrez observer le chef préparer votre festin depuis son tandoor (four d'argile). Le buffet du midi permet de parfaire ses connaissances sur la gastronomie indienne et de faire de belles découvertes. Les currys sont excellents et le poulet tandoori parfait. Quant aux prix, ils sont plus que décents. Plats à emporter et service traiteur disponibles.

INDONÉSIE

NONYA

151, Bernard O
514-875-9998
www.nonya.ca
M° Rosemont. Mar-sam à partir de 17h30 à 23h. Plats 13,5$- 24$, Table d'hôte 20$ (semaine) à 27$ (fin de semaine).

Le seul restaurant Indonésien du Grand Montréal ! Une cuisine typique de l'île de Java, servie dans un décor intime, avec ses lumières tamisées et ses statuettes indonésiennes. On se laisse séduire par le menu découverte, avec entre autres merveilles les brochettes de poulet sate ayam, le savoureux rendang (ragoût de bœuf au lait de coco), et les krupuk maison, fins craquelins de crevettes. En dessert, rien de mieux que le lapis legit, un gâteau au beurre parfumé au clou de girofle et à l'anis étoilé.

JAPON

GEISHA SUSHI
1597, Saint-Hubert
514-524-8484
www.geishasushi.ca
Mᵒ Berri UQÀM. Lun-mer de 11h à 22h, jeu-ven de 11h à 23h, dim de 17h à 22h. Midi 10-15, carte 15-20. Toutes CC.

Du côté des nippons, rien de tel que l'incursion d'une famille vietnamienne pour dépoussiérer l'austérité faisant norme. Une adresses toute familiale avec les parents à la cuisine et les filles au service. Un décor à la limite du kitsch, mais quel souci pour la clientèle ! Chaque plat est expliqué en long et en large par un personnel qui s'y connaît. Et le menu réserve sa part de surprises, une exploration en profondeur du Soleil Levant. Côté Sushi, l'irrévérence se fait sentir avec ces rouleaux magistraux, en désaccord avec l'orthodoxie, mais quelle fête pour les papilles ! Fraîcheur irréprochable de mise. Avec un brin de saké, on frise l'extase…

ISAKAYA
3469, du Parc
514-845-8226
www.bistroisakaya.com
Mᵒ Place-des-Arts. Mar-dim de 18h à 21h30. Réservation obligatoire. V, MC, AE & Interac.

Un vrai bistro à la japonaise avec son comptoir de sushi et une belle liste de maki et sashimi. Mais on peut pousser la curiosité un peu plus loin avec des sashimis tièdes de sole à la manière d'Isakaya. Décor simple et accueillant avec une terrasse l'été.

KAIZEN SUSHI BAR & RESTAURANT
4075, Sainte-Catherine O
514-707-8744
www.70sushi.com
Mᵒ Atwater. Dim-mer de 17h30 à 22h30, jeu-sam de 17h30 à 24h, lun de 11h30 à 14h30,sam-dim de 12h30 à 15h30. Entrées 6-30, sushis 14-56. Toutes CC.

Une adresse suivie par une foule d'amateurs fanatisés, qui ne lésine ni sur les moyens, ni sur la qualité. Son récent déménagement n'ôte rien au prestige de la maison, et le décor soigné nous rappelle qu'on est ici dans une véritable institution. Les sushis y sont-ils vraiment meilleurs qu'ailleurs ? La présentation est magnifique. Côté fraîcheur, c'est à peu près l'idéal. Le prix aussi est à la hauteur… mais la qualité a un prix. La rigueur du chef donne des sushis, sashimis et autres trouvailles impeccables et délicieux. Le cadre joue aussi sa part dans notre émerveillement. Une excellente table nippone avec plusieurs années au sommet.

MIKADO
368, Laurier O
514-279-4809
Mᵒ Laurier. Mar-ven de 11h30 à 14h30, lun-mer de 17h30 à 22h, jeu-sam de 17h30 à 23h. Table d'hôte midi 11-14, soir 25-40.
Toutes CC & Interac.

Un nippon des plus orthodoxes, combinant cette qualité à un respect intégral du nigiri et du sashimi en tant qu'art de fraîcheur, véritable poème à la vie. L'atmosphère de ce restaurant semble inviter à la méditation et au recueillement. Le sushi prend ici toute sa raison d'être, devient un mode de vie plutôt qu'un symbole de consommation, une danse rituelle que rien ne saurait troubler. À moins d'opter pour des plats moins philosophiques, mais ô combien intéressants à leur manière. Un restaurant bien sophistiqué qui cultive l'art de la table d'une manière extrême-orientale. Autre adresse : 1731, St-Denis 514-844-5705.

MIKASA SUSHI BAR
2049, Peel - 514-907-8282
9835, de l'Acadie - 514-336-8282
Lun-ven de 11h à 15h, lun-sam de 17h à 22h, dim de 17h à 22h. V, MC, AE, DC & Interac.

Un bar à sushi qui n'a pas lésiné sur la

décoration. L'ensemble produit un bel effet chic et des îlots intimes, le tout savamment imprégné de lumière bleue. Une salle tatami permet de se retrouver en toute intimité avec des amis. Pour nous aider parmi l'inventaire proposé, le menu souligne les spécialités : Hamachi Yaki par exemple (thon à queue jaune grillé avec la sauce du chef). Mais certains noms de sushi attirent plus notre regard, le Québécois (concombre, avocat, fromage à la crème saumon fumé), le Picasso ou la sirène avec des pétoncles.

ODAKI

3977, Saint-Laurent
514-282-1268
www.odakisushi.com
Lun-ven de 11h30 à 14h, lun-jeu de 17h à 22h30, ven de 17h à 23h, sam de 17h à 23h, dim de 17h à 22h30. Sushi à volonté 22$ en semaine et 27$ la fin de semaine.
La spécialité : les sushis à volonté. Contrairement à ce qu'on pourrait attendre de ce genre de formule, chez Odaki, les sushis sont impeccablement frais et très bons. Le principe : vous cochez vos choix sur une petite liste et on vous les apporte dans un court délai. Notre recommandation : demandez un peu de tout au premier service et ensuite, commandez ce que vous avez préféré. Réservation conseillée.

TRI EXPRESS

1650, Laurier E
514-528-5641
M° Laurier, bus 27 E. Ouvert mar-mer de 11h à 21h, jeu-ven 11h-22h, fin de semaine de 16h à 22h. TH midi à partir de 15,50$ et le soir à partir de 21,50$. Sur place et à emporter. Comptant seulement.
Le Tri Express a trouvé la recette gagnante : allier un cadre raffiné à une cuisine de grande qualité. Et puis, une grande intimité : il n'y a que quatre tables ! Ajoutons à cela l'ambiance très « quartier du Plateau » : des gens prêts à dépenser de l'argent pour bien manger et qui recherchent des adresses originales teintées d'exotisme. Le poisson est très frais et les sushis originaux. Le chef, qui a longtemps travaillé dans un grand restaurant, est ravi de se retrouver derrière un comptoir ouvert et d'avoir un contact direct avec sa clientèle. Il ne manquera pas de vous conseiller d'opter pour « Omakase » signifiant en japonais : laisse le chef décidé. Vous lui fixer la somme que vous souhaitez dépenser et il vous concocte ce qu'il y a de meilleur.

ZEN YA

486, Sainte-Catherine O, 2ème étage
514-904-1363
www.groupzenya.com
M° McGill. angle City-Councillors.

Kaizen
SUSHI BAR & RESTAURANT

4075, St-Catherine O., Montréal

(514) 70-SUSHI
(514) 707-8744

Réservations toujours conseillées

The Best Sushi in Montreal

www.70sushi.com

Order online. Reserve online.
Commander en ligne. Réserver en ligne.

sushi
&JAZZlive

dimanche - mardi
à partir de 19h00 @ Kaizen

Lun-ven de 11h30 à 14h30 et de 17h30 à 22h, sam-dim de 17h30 à 23h. Deux salles avec tatami. TH du midi 13,95$-18,95$. Le soir 20-50.

Qui aurait pu imaginer qu'au deuxième étage de ce bâtiment on trouverait une aussi agréable surprise ! Dès votre entrée, laissez-vous emporter par le charme certain de cet endroit. Un bar à sushis, d'où s'affairent les chefs, domine la salle aux traits fluides et aérés. Ce restaurant, avec ses tables et ses chaises couleur bois d'ébène, ses lumières tamisées et quelques bambous pour le décorer, donne une sensation d'intimité et de calme à la fois. Une fois installé, le menu en papier buvard vous propose une sélection d'entrées chaudes ou froides (teriyakis, tempuras) de grillades (anguille, bœuf, poulet, saumon), de soupes, de salades et des assiettes de sushis et sashimis. Mais, pour les inconditionnels des makis, vous pouvez également faire votre propre sélection sur une liste qui compte une vingtaine de variétés. Une cuisine japonaise délicieusement soignée et un service discret feront de vous un(e) habitué(e) des lieux. Si la salle est pleine, rendez-vous au Grappa Lounge, juste en face, qui partage la même cuisine. La déco y est aussi très agréable.

RIVE-NORD

MAKOTO SUSHI

525, boul. Saint-Martin Ouest, Laval
450-668-3331
Mar-mer 11h30-14h30 et 17h-21h30, jeu 11h30-14h30 et 17h-22h, ven 11h30-14h30 et 17h-22h30, sam 17h-22h30, dim 17h-21h30. Midi 8-15. Entrées 2,50-14. Carte 10-27. TH 25-30. Visa, MC, AE et Interac. Environ 150 places sur deux étages.

Dès votre entrée, l'hôtesse vous accueille avec grande courtoisie comme le veut la coutume japonaise. S'enclenche ensuite le petit rituel avant le repas : la débarbouillette chaude pour se laver les mains, la petite démonstration d'origami avec les étuis de baguettes en papier. Joli ! Selon votre emplacement, vous pouvez voir les cuisiniers préparer les sushis pendant que vous attendez. Le

décor est sobre, mais quelques touches rappellent le pays du soleil levant. Les amateurs de cuisine japonaise seront comblés. Délicieux et relativement abordable, compte tenu des plats !

RIVE-SUD

ZEND'O

165, Saint-Charles O, Vieux-Longueuil
450-670-8588
Lun-ven de 11h à 15h, de 16h30 à 22h, sam de 16h30 à 23h, dim de 16h30 à 22h. Toutes CC & Interac. Table d'hôte 17-28. Spéciaux du midi 8-17. 100 places.

L'expression zen prend tout son sens avec ce restaurant de fine cuisine asiatique, de sushis et de grillades. En ce lieu dépouillé d'artifices décoratifs, l'aquarium où nagent quelques poissons sert de tableau. Le restaurant arbore le beige et la couleur paille. Les assiettes de grillades thaï et vietnamiennes, de nouilles sautées et de salades sont généreusement montées. Sans compter l'important choix de sushis. D'ailleurs, le chef propose ses créations : makis, cornets et sushis audacieux. On apaise tranquillement sa faim.

SZÉCHUAN

MONSIEUR MA

1, Place Ville-Marie
514-866-8000
M° Bonaventure. Lun-ven de 10h30 à 22h30, sam de 7h à 23h. Dès 15$. Stationnement intérieur gratuit. Toutes CC, pas d'Interac.

Un décor intime et accueillant, avec tables rondes, fauteuils en rotin, une lumière filtrée par de larges volets de bois. Malgré sa taille, l'ambiance est toujours calme et reposante. Mr Ma y prépare une fine cuisine széchuanaise en perpétuelle évolution. Il a su adapter, au fil des ans, les mets et les sauces aux goûts de ses clients fidèles, tout en cherchant à rester au plus près de la tradition. Crevettes sauce au sésame et salade de bœuf sashimi permettent de patienter avant le poulet aux trois champignons ou le filet de mérou avec

sauce au piment fort et soya noir. Le
service est souriant et courtois. Une
bonne adresse pour venir souper en
couple, ou pour affaires. Ou même seul
pour se délecter après ses emplettes…

LE PIMENT ROUGE

1170, Peel
514-866-7816
www.pimentrouge.ca
*M° Peel ou Lucien L'Allier. Lun-dim
de 11h à 23h30. Midi table d'hôte
18-25, soir 30-45.*
Toutes CC & Interac.
Une adresse hautement prisée par la
critique internationale : prix d'excellence
des « Distinguished Restaurants of
North America », prix Quatre Étoiles
de Mobil et menbre de la « chaine
des rotisseurs », un label fraçais. Une
cuisine se spécialisant dans la tradition
széchuanaise, avec une cave à vins
offrant quelque vingt mille bouteilles !
Une atmosphère de grande classe, avec
une clientèle d'affaires, ce Piment Rouge
dépasse sa concurrence. Le raffinement
de ses plats induit un état de grâce,
purement et simplement. Pour en
faire profiter vos connaissances lors de
party privées, pourquoi ne pas louer El
Diabolo, situé dans le même immeuble ?
La note est à l'inverse de cette cuisine :
difficile à avaler !

THAÏLANDE

CHU CHAÏ

4088, Saint-Denis
514-843-4194
*M° Sherbrooke. Dim-mar de 17h à
22h, jeu-sam de 17h à 23h. Toutes CC
& Interac.*
Un établissement qui remporte la
victoire (chu chaï en thaï) du végétarisme
exotique. Elu pour la quatrième
année consécutive meilleur restaurant
Thaïlandais de Montréal. Lily et Patrick,
les propriétaires de ce resto zen, ont
rapporté de leur séjour en Thaïlande
de savoureuses recettes. Ces plats
originaux et équilibrés (ni trop salés, ni
trop épicés) séduiront les amateurs de
fine cuisine végétarienne. Une mise en
bouche avec les algues de mer pannées,

croustillantes, à la sauce sucrée et épicée.
Puis les plats poêlés au gingembre frais,
brocolis, épinards croustillants et sauce
d'arachide. Les plus exigeants
seront comblés.

CHUCH VEGETHAÏ EXPRESS

4094, Saint-Denis
514-843-4194
*M° Sherbrooke. Dim-lun de 11h à 22h.
Toutes CC & Interac.*
Ce traiteur attenant au Chu Chaï
propose, à des prix plus abordables, une
version simplifiée de cette très bonne
cuisine. À emporter ou à déguster sur
place, en apportant son vin.

RED THAÏ

3550, Saint Laurent
514-289-0998
*M° Place-des-Arts, bus 55 N. Dim-lun
de 17h à 00h, mer-ven de 11h à 14h30.
Spéciaux midi 9-14 ou nouilles
9-10. V & Interac.*
À voir ce fond léopard, ces bouddhas
à l'allure indienne, et ces fenêtres à
l'architecture extraite des mille et une
nuit donnant sur un tapis noir, on se
croirait l'invité d'Indiana Jones. L'entrée
faite de won-ton frites et purée de
légumes dans un bateau en porcelaine
prolonge ce dépaysement. Les menus très
explicites sont déposés entre un couteau
et une fourchette, pas de baguettes à
l'horizon. La grillade de poulet avec
crevettes convient parfaitement à nos
désirs. Avec sa grillade à point et la
marinade onctueuse, le chef entre donc
en beauté dans les traditions.

THAÏ GRILL

5101, Saint-Laurent
514-270-5566
www.thaigrill.ca
*M° Laurier, angle Laurier. Lun-ven
de 11h à 23h, sam-dim de 17h à 23h.
Table d'hôte 30-35-38$. V, MC, AE
& Interac.*
La cuisine thaï garde encore quelques
délicieux secrets pour la bouche
occidentale, qu'il est agréable de
découvrir, surtout dans cette ambiance
sophistiquée. Le décor est à la fois
dépouillé et grandiose : statues de

RESTAURANT TIBÉTAIN

317, Ontario Est, Montréal (Québec) H2X 1H7
Tél.:(514) 985-2494

Le premier restaurant tibétain au Québec.
Sans ajout d'agents de conservation ou de produits
chimique quelconques, etc. (M.S.G.)

Momos, Thukpas, Shapalés, Shaptas, etc...

Bouddha, osier, plantes, et une orchidée sur chaque table. Le midi, la clientèle d'affaire du coin s'y laisse bercer par des saveurs de gingembre, lait de coco ou cari. Le soir, les chandelles se marient harmonieusement à une cuisine sucré-salé-aigre-douce très plaisante.

THAÏLANDE
88, Bernard O
514-271-6733
M° Rosemont. Lun-dim de 17h à 22h30. Toutes CC & Interac.
En apparence, ce petit resto ne paie pas de mine. Pourtant, les connaisseurs s'y pressent pour savourer une authentique cuisine thaïlandaise. Les plats sont excellents, l'ambiance ultra conviviale, et le personnel fait preuve d'une rare gentillesse. Les vrais thaïlandais de Montréal en ont fait leur quartier général. Nous aussi, pour un voyage dépaysant à petit prix.

TIBET

CHEZ GATSÉ – RESTAURANT TIBÉTAIN
317, Ontario E
514-985-2494
M° Berri UQÀM. Lun-ven de 11h30 à 14h30, sam-dim de 16h à 22h30. Très belle terrasse. Table d'hôte midi 6,95 $, soir 10,95 $, spécial Yeti 14,50 $. V & Interac.
Ce resto de quartier propose une cuisine rassurante, délicieusement rustique, parfaitement conforme aux traditions locales. L'ambiance est simple et authentique, on s'y sent tout à fait bien.

Les plats familiaux sont concoctés avec des viandes et des légumes finement coupés, à la mode tibétaine. Le plat typique est le momo, gros ravioli farci à la viande, fromage ou légumes. Choisir absolument le menu du Yeti, qui propose un assortiment copieux des spécialités de la maison. De quoi se requinquer avant de planifier, pourquoi pas, un raid dans l'Himalaya !

SHAMBALA
3439, Saint-Denis
514-842-2242
M° Place-des-Arts. Lun-dim de 17h à 22h, jeu-ven de12hà 22h.Carte 8,99 $-11,99 $. V, MC, AE, DC & Interac.
Un petit nouveau dans cette catégorie. Le Shambala propose une carte diversifiée puisque l'on retrouve des plats typiques de la cuisine tibétaine (Momos, soupe thenthuk) à base de bœuf ou de poulet, ainsi qu'une belle sélection de plats végétariens. Préparez-vous donc pour un voyage culinaire exotique, dans un lieu simple et agréable, à des prix tout à fait abordables.

TAÏWAN

YUAN
400, Sherbrooke E
514-848 0513
www.yuanvegetarian.com
M° Sherbrooke, angle Saint-Denis. Lun-dim de 11h à 22h, sam-dim de 11h à 16h. Midi spéciaux 8 $-10 $, soir 10 $-15 $, buffet 7 $. Pas de licence. Boutique.
Yuan est un petit nouveau parmi les

restos taïwanais de Montréal. On y déguste une « cuisine végétarienne créative » d'excellente qualité. Le soir, l'entrée est composée d'algues, de tofu grillé et d'une petite salade de chou. Très original et raffiné. On retrouve le soin porté à la présentation dans tous les plats, souvent assortis de tofu ou de protéines de légumes texturés, accompagnés de légumes sautés et de riz. Le service est assuré par un personnel souriant, irréprochable. Demandez une place sur les tatamis, cachés au fond du restaurant.

VIETNAM

RESTAURANT CRISTAL DE SAIGON

1068, Saint Laurent
514-875-4275
M° Place-d'Armes, angle la Gauchetière. Lun-dim de 11h à 22h. Comptant. Taxes et thé chinois compris.
Ce bistrot simple et authentique sur la principale du Chinatown ne change pas de décor depuis des années. Les soupes pho, nouilles ou bo bun et même les plats sautés et grillades sont de bon goût. Les gens qui visitent le quartier chinois pour faire des emplettes hebdomadaires prennent toujours le temps de venir dans ce restaurant modeste, parfois en compagnie de toute la famille. Les habitués aiment bien l'accueil sympathique du personnel qui propose toujours un bon dessert che ba mau (dessert aux trois couleurs) à base de tapioca vert, haricots rouges et crème de coco blanche (au printemps seulement). Un vrai délice !

PHO LIEN

5703 B, chemin de la Côte-des-Neiges
514-735-6949
M° Côte-des-Neiges, angle Côte-Sainte-Catherine. Fermé mar, mer-lun de 11h à 22h. Carte entre 6$ et 15$. Menus 10$ (Taxes incluses). Comptant seulement. 43 places + 25 en terrasse en été.
Installé en face de l'hôpital juif, ce petit

restaurant toujours plein de monde propose des spécialités vietnamiennes composées de produits rigoureusement sélectionnés. On se laissera tenter par des rouleaux printaniers, une soupe tonkinoise ou l'un des menus proposés pour finir avec un délice trois couleurs (spécialité maison à base de tapioca, de fèves rouges et de lait de soya). Un excellent rapport qualité prix. Au final, un endroit où on aime revenir.

PHO VIET

1663, Amherst, coin de Maisonneuve
514-522-4116
M° Berri UQÀM. Lun-vend 11h-15h et 17h-22h, sam 17h-22h. TH midi 8$, plat 10$. Comptant.
Ce petit resto de quartier très sobre, à la propreté irréprochable, ne désemplit pas. Voilà près de 20 ans que la délicieuse Lan Nguyên accueille une clientèle d'habitués, venus chercher le réconfort d'une cuisine familiale de qualité (les recettes viennent de maman). La soupe tonkinoise, n'ayons pas peur des mots, est un must à Montréal. On choisira aussi les yeux fermés, mais les papilles grandes ouvertes, le velouté d'asperge au crabe ou les crevettes poêlées sauce cari vert. Ici la qualité l'emporte sur la quantité !

SOUVENIRS D'INDOCHINE

243, Mont Royal O
514-848-0336
M° Mont-Royal. Mar-ven de 11h30 à 14h30 et de 17h30 à 22h30, sam de 17h30 à 22h30. Fermé dim-lun. Table d'hôte midi 9-11, soir 22-25. Toutes CC & Interac.
Monsieur Hà ne semble en rien nostalgique, mais pourtant sa cuisine émane des temps révolus où l'art culinaire servait à rendre hommage aux ancêtres par une méditation active lors de la préparation des repas. Il nous en tisse une cuisine raffinée, bien supérieure aux ersatz des compétiteurs, et dont les plats relèvent de la pure alchimie tant le dosage des diverses saveurs semble savamment orchestré. Les poissons et les viandes sont cuites à un degré précis, et les sauces viennent semer l'émoi, purement et simplement. Une adresse

qui dépasse la compétition par plusieurs coudées à des prix plus que raisonnables.

RIVE-SUD

LISERON D'EAU

8500, Taschereau O, Brossard
50-671-2715
www.liserondeau.com
Mar-dim 11h30-14h, 17h30-21h30,
lun toute la journée, sam-dim midis
fermés. Interac, V & MC.
Table d'hôte : midi 8-15$, soir 4
services 19,95$. Menu dégustation :
7 services 27,50$.
La délicatesse des effluves vietnamiennes est ici apprêtée avec doigté. Au gré de son imagination, le maître d'hôtel Hao Lam et son épouse au fourneau jouent avec un savoir faire hérité de ses ancêtres et confectionné avec des ingrédients d'aujourd'hui. Par exemple, la salade de mangue aux crevettes, les escalopines de poulet grillées à la feuille de citronnier, le magret de canard poêlé aux fruits exotiques. Le tout servi dans un décor qui joue avec la transparence du papier et l'authenticité de l'osier. La musique classique bruite doucement pendant que le thé de grand cru infuse. Un petit mot entre nous : le propriétaire est un fin œnologue et un passionné de thé.

EUROPE

ALLEMAGNE

RESTAURANT BERLIN

101, Fairmount O
514-270-3000
M° Laurier. Mar-dim de 16h à 23h.
Soir 10-15. Table d'hôte dim et jeu.
Toutes CC & Interac.
À la carte, soir 10-15 $. Table d'hôte dim et jeu. Le Berlin, fidèle à la tradition, compose son menu principalement de Shnitzel, un morceau de viande pané et frit, et de Goulasch, un ragoût de viande servi avec des nouilles aux œufs. Le tout est accompagné de pain de seigle. Cette dégustation germanique se déroule dans un décor de mise, sobre, avec des toiles extravagantes, une musique des

années folles et une véritable artillerie de coutellerie à chaque place. Comme soupe du jour, vous pourrez goûter à la délicieuse soupe aux lentilles. À noter que le chef manifeste un talent remarquable dans l'art d'apprêter les champignons. Ils se présentent sur un lit de spätzle.

AUTRICHE-HONGRIE

VIEUX MOZART

361, Saint-Paul E
514-871-0717
M° Champ-de-Mars. Lun-ven de 11h30
à 15h, mar-ven de 18h à 22h30 et
sam-dim de 19h à 22h. Midi 10-13,
soir 12-29. V, MC, AE & Interac.
Un changement de nom, signe d'une nouvelle maturité ? Si l'on délaisse le Café pour s'affubler du Vieux, ce n'est certes pas parce que le menu décide de se reposer sur ses lauriers. Toujours une inspiration d'Europe centrale, vaguement viennois. Des escalopes nappées de sauces riches, accompagnées de légumes détonants, des desserts où le chocolat domine, et les cafés qui ravivent les âmes d'un zeste d'énergie... à moins que ce ne soit la musique tzigane, capable à elle seule de réveiller les passions profondément enfouies. La consécration de cette adresse ne saurait tarder, autant bien en profiter avant la ruée qui va s'ensuivre...

ESPAGNE ET PORTUGAL

CASA TAPAS

266, Rachel E
514-848-1063
www.casatapas.com
M° Mont-Royal, angle Henri-Julien.
Mar-sam de 17h à 24h. Carte 15-25.
V, MC, AE & Interac.
Un autre intimiste entièrement dédié, vous l'aurez deviné, aux tapas, ces petites merveilles de la gastronomie espagnole. Un menu on ne peut plus simple, où ces perles jettent tous leurs feux. Les portions sont plus que généreuses, les goûts assez dynamités pour éveiller la nostalgie de l'Ibérie... Avec une carte des vins où domine le xérès, on sirote son spleen délicieusement, surtout les

Tapas et flamenco

Pour vivre l'Espagne authentique, rien de mieux que d'assister au spectacle de flamenco tout en mangeant des tapas absolument délicieux ! C'est tous les jeudis soirs, au Centre social espagnol, au 4848, Saint Laurent. *Réservation indispensable.*

week-ends où s'organisent de lumineux concerts. Il vaut mieux songer à réserver, on ne sait jamais.

CENTRO SOCIAL ESPAÑOL

4848, Saint-Laurent - 514- 844-4227
4388 Saint-Laurent – 514- 849-1737
M° Laurier ou Saint Laurent Le 4848 n'est ouvert que le soir et le 4388, le soir et le midi.
Les deux clubs sociaux font partie des meilleures places à Montréal pour manger de savoureuses tapas et des paellas safranées. Sur le menu figurent d'excellentes cailles rôties, de délicieux calmars à l'ail, des tortillas… Bref, toutes les merveilles de la cuisine espagnole. Côté ambiance, on s'y croirait : au 4848, des spectacles de flamenco endiablés ont lieu le jeudi à 20h45. Tous les soirs, les membres du club ont leur table réservée pour jouer aux cartes et parler du pays.

FERREIRA CAFÉ

1446, Peel
514-848-0988
www.ferreiracafe.com
M° Peel. Lun-ven de 12h à 15h, lun-sam de 18h à 23h30. 70 $ avec vin. Toutes CC & Interac.
Comme son Portugal natal, cette cuisine est entièrement dédiée au poisson. Les arrivages constants assurent une fraîcheur à toutes épreuves. Carlos Ferreira, le propriétaire, aura au fil des ans, monté une cave à vins de plus de 20 000 bouteilles, dont plusieurs d'importation privée, qu'il nous invite à découvrir. Et non seulement des vins, mais aussi des portos aussi savoureux qu'exquis. Le tout dans un joli resto qui se démarque. Chapeau !

PINTXO

256, Roy E
514-844-0222
www.pintxo.ca
M° Sherbrooke. Lun-dim de 18h à 22h, mer-ven de 12h à 14h. V, MC & Interac.
Pour ceux qui connaissent le pays basque, Pintxo leur rappellera ces mille et une petites bouchées qui tapissent les comptoirs des bistrots les fins de semaine. Pour les autres, appelez immédiatement des amis et courez prendre un verre de tinto autour de ces bijoux savoureux, plus sophistiqués que leurs cousines espagnoles. Le chef Alonso élabore de véritables merveilles miniatures, trésors de créativité et de fraîcheur. En salle, le guapo José se fera un plaisir de vous conseiller. Une ambiance jeune, décontractée, chaleureuse, un rien branchée, dans un beau décor. *Nouvelle adresse : le Map, 2, Sherbrooke. 514-843-8881.*

TAPEO

511, Villeray
514-495-1999
M° Jean Talon. Mar-ven de 12h à 15h et mar-sam 17h30 à 23h. Tapas 4 $-14 $. V, MC & Interac.
Un restaurant chaleureux, au décor soigné, qui vous propose des dégustations diverses de tapas (chaudes ou froides) aussi généreuses que savoureuses. Une cuisine authentique et assez abordable si vous venez à plusieurs pour partager l'ambiance et les plats. Les vins offerts accompagnent agréablement le repas, qui verra se succéder selon vos envies d'excellents calmars frits, du chorizo, du jambon cru, de la paella, choisis sur l'ardoise, ou en suivant les conseils du serveur. Pour le dessert, les incontournables churros à tremper dans le chocolat sauront parfaire l'expérience. Avons-nous besoin d'en rajouter ?

FRANCE

☂ AU BISTRO GOURMET

2100, St-Mathieu - 514-846-1553

🍾 4007, St-Denis - 514-844-0555

www.aubistrogourmet.com

M° Guy. Saint-Mathieu : lun-ven de 11h30 à 14h30, sam-dim de 17h30 à 22h. Table d'hôte midi 9,95$, soir 17-32$. M° Mont Royal ou Sherbrooke. Saint-Denis : lun-ven de 11h30 à 15h, et de 17h30 à 22h ; sam-dim de 11h à 15h, et de 17h30 à 22h. Midi 11,50$-16,95$. Soir 17 à 32$. V, MC, Travelers & Interac.

Deux adresses où la cuisine française, à défaut de se réinventer, fait fort belle figure. Le carré d'agneau à la provençale fait la réputation de ce bistro. Quant au filet mignon sauce bordelaise, il est irréprochable. La carte des desserts maison (mousse au chocolat, feuilleté aux poires entre autres) finit le processus de séduction. On craque définitivement pour ces deux adresses, des vrais pros de la cuisine... simplement irrésistible. Le service est rapide, sans presser le repas. Quant à l'ambiance, c'est à vous de choisir. Pour plus d'intimité, nous vous conseillons l'adresse sur St Mathieu. Le bistro de 30 places, avec ses murs en briques attirera sans doute les confidences… Sur St Denis, on apprécie la terrasse couverte et la prédominance du blanc qui confère une élégance certaine à ce restaurant. On peut y apporter son vin depuis 2007. Cette adresse propose un brunch le samedi et dimanche de 11h à 15h.

AU P'TIT LYONNAIS

1279, Marie-Anne E

514-523-2424

www.aupetitlyonnais.ca

M° Mont-Royal, puis bus 11, angle Chambord. Mar-jeu de 18h à 22h, ven-dim de 18h à 22h30. Table d'hôte 24-34. V, MC & Interac. Possibilité de louer la salle.

La gastronomie lyonnaise jouit d'une réputation sans faille auprès des connaisseurs. Ce petit coin de France propose une carte où spécialités lyonnaises et fine cuisine française sont à l'honneur. Au P'tit Lyonnais est une pure merveille. Ambiance, cuisine, prix : tous les ingrédients sont réunis pour passer un moment délicieux. Benois M., l'adorable propriétaire, ajoute une note d'élégance à ce bel ensemble. Stylé, courtois, pro, le service est impeccable. Depuis ses fourneaux ouverts sur la salle, le chef Himmi nous procure un véritable moment de grâce avec ses fameuses suggestions du jour : du jarret d'agneau aux fines herbes, du lapin farci au gibier, un carré de cerf rôti au pleurotes. Une cuisine française inspirée, aux saveurs franches et délicates. Du médaillon de bison rôti sauce à la bière et à l'érable au magret de canard aux framboises, tout est tellement fondant que le beau Laguiole paraît presque inutile ! Avec des desserts exquis, de l'amour de cacao à la crème brûlée saveur vanille et des vins au prix de la SAQ judicieusement conseillés, ainsi que des vins d'importation privée tel que l'excellent Côte de Bourg 2000 du Château Terrefort Bellegrave (Bordeaux), ce P'tit

Lyonnais est le genre de secret le plus gardé du plateau Mont-Royal, qu'on est fier de vous faire partager.

AU PIED DE COCHON

536, Duluth E
514-281-1114
www.restaurantaupieddecochon.ca
M° Sherbrooke, angle Saint-Hubert. Mar-dim de 17h-00h. Plat 12,5-45. V, MC, AE & Interac.

Ça c'est de la cuisine généreuse ! Martin Picard ne lésine pas sur les bons produits frais et les accompagnements qui nourrissent son homme. Ici, on vient ripailler entre gastronomes à la bonne franquette, et dans la bonne humeur. En hiver, les plats mijotés et les « heureuses » cochonnailles vous feront renier toute envie de végétarisme, sans parler de la fameuse poutine au foie gras. On ne fera pas régime, mais quel délice ! Pour ne pas faiblir durant l'été, cette joyeuse institution propose de magnifiques plateaux de fruits de mer. Merci Chef !

AUX PETITS OIGNONS

4050, Bullion
514-847-1686
M° Mont-Royal, angle Duluth. Mar-sam de 18h à 23h. Table d'hôte 24,95$. Été excellente formule 19,95$ avec tartare (bœuf ou saumon), frites ou salade et verre de vin. Vin 28-50. V, MC & Interac.

Une trentaine de places, une ambiance chaleureuse, des recettes du terroir simples et conviviales. Depuis sa minuscule cuisine, le chef propriétaire Dominique Guimond garde toujours un œil bienveillant sur ses convives, qu'il régale de bons petits plats entièrement faits maison. Ici, pas de menu ducassien mais une table d'hôte inscrite sur l'ardoise et renouvelée chaque semaine. Le jarret d'agneau « 7 heures » est un vrai régal. Repus, on dit merci pour ce bon repas et on savoure son cognac sur fond de musique jazz et francophone. Service aux p'tits oignons… y croûtons !

LE BISTINGO

1199, Van Horne
514-270-6162

M° Outremont. Angle Bloomfield. Lun-
dim de 18h à 22h. Table d'hôte midi
11$, soir 14$. V, MC & Interac.
Avec une capacité d'accueil de 25
personnes ce petit restaurant de style
« bistrot parisien » nous offre une carte
digne des grands établissements. Au
menu vous trouverez la salade de confit
de canard, les escargots au chèvre, le
filet mignon, la bavette à l'échalote
ou la cervelle de veau. Le Bistingo
dispose d'une belle sélection de vins.
Les desserts sont d'une grande qualité,
n'hésitez pas à commander la marquise :
un délice ! Nous aimons la collection de
photos d'acteurs français. Un bon petit
restaurant de quartier et des serveurs
aux petits soins. Satisfaction garantie et
réservation recommandée !

LE CAVEAU

2063, Victoria
514-844-1624

M° McGill, angle Président-Kennedy.
Lun-dim jusqu'à 22h. V, MC, AE, DC
& Interac.
Au cœur du centre-ville, érigé aux pieds
des gratte-ciels, ce restaurant persiste
et signe depuis près de 60 ans dans le
domaine de la très bonne table. Des plats
traditionnels de la cuisine française sont
revisités pour notre plus grand bonheur.
La serveuse fait l'éloge du cassoulet
toulousain. Le carré d'agneau enrobé
d'herbes fraîches appelle les papilles
gustatives. Que dire du tartare de filet
de bœuf ou encore de la sole meunière,
autant de pièces soigneusement choisies ?
L'érable s'empare des hors d'œuvres
(aumônière d'Oka) et de la fameuse tarte
création du chef pâtissier. À noter, la
maison datant du début siècle qui dénote
agréablement dans le quartier. Un accord
parfait entre saveur et bonheur.

CAFÉ DU NOUVEAU MONDE

84, Sainte Catherine O
514-866-669

M° Saint Laurent. Toutes CC. Lun de
11h30 à 23h, mar- ven de 11h30 à 00h,
sam de 12h à 00h. Fermé dim.

Tout comme le Théâtre du même
nom, le café du Nouveau Monde allie
modernité et élégance. Le bar, ainsi
que le restaurant de la mezzanine, avec
leurs belles tables en bois, les ardoises
présentant le menu du jour, et l'agréable
musique d'ambiance ravissent les artistes
et leurs amis qui se retrouvent ici. Deux
menus sont proposés. La variété et la
qualité des mets proposés sont leurs
points communs. Le menu du bar,
disponible jusqu'à 20h offre des encas
originaux tels que les rillettes de canard,
avec chutney de poires et bouquet de
laitues fines à l'huile de noix. Les plats
du restaurant, plus consistants mettent
en avant de bons produits comme la
bavette ou le saumon, cuisinés avec soin.
Bref, le Café du Nouveau Monde devient
une halte idéale après une journée de
shopping mais surtout avant ou après
une soirée culture.

CHEZ BEAUCHESNE

3971, Hochelaga
514-257-9274

M° Pie IX. Restaurant/traiteur/boîtes
à lunch. Lun-ven de 11h à 22h et sam-
dim de 17h à 22h. Toutes CC. TH midi
8,95-16,95 et soir TH 18,95-29,95$,
menu dégustation 5 services,
le soir : 34,95$.
Une magnifique découverte bien cachée.
On est d'autant plus fiers de vous la
révéler ! Depuis 20 ans, ce restaurant sert
avant tout les habitués du quartier mais
son rapport qualité-prix justifie qu'on
y fasse un tour même si on n'habite pas
dans le quartier du stade Olympique. Le
cadre, plutôt sobre s'accommode bien de
la musique française. Mais, c'est surtout
dans l'assiette que ça se passe. Le chef
s'inspire de recettes françaises et les
revisite à sa façon. Résultat : une roulade
de saumon accompagnée de tomates
séchées, des magrets de canard laqués
au caramel, des cuisses de lapin à la
mangue, à l'orange et au gingembre ! Le
midi, on choisit selon divers plats mais
on retrouve toujours le steak, le foie de
veau et des omelettes. Les portions sont
très généreuses et délicieuses.

Chez Gautier

845-2992

3487, avenue du Parc, Montréal
www.chezgautier.com

CHEZ GAUTIER

3487, du Parc
514-845-2992
M° Place-des-Arts, bus 80. Lun-sam
de 11h30 à 23h, en hiver 22h. Sam,
brunch de 9h à 14h.
Toutes CC & Interac.

Un restaurant dont on ne parle pas assez souvent, sans doute parce qu'il est là depuis longtemps. La décoration, avec son petit côté rétro français casse le côté design de la plupart des restaurants montréalais. L'accueil est impeccable… et l'assiette toujours très correcte. En table d'hôte ou à la carte, des spécialités françaises : le foie de veau poêlé est un délice. La bavette d'aloyau aux échalotes est bien saisie. Essayez le saumon fumé maison en entrée.

CHRISTOPHE

1187, Van Horne
514-270-0850
www.restaurantchristophe.com
M° Outremont. Mar-sam de 18h à 22h.
40$, menu dégustation 58$.

V, MC & Interac.
La discrétion, la tranquillité et la constante de la qualité nous font revenir régulièrement chez Christophe. Le menu en six services est remarquable : la salade maraîchère et le fameux croustillant champignons au jus de persil nous ouvrent l'appétit sur les cannellonis de langouste sauce armoricaine. Superbe foie gras poêlé au caramel de bleuets. Un beau choix de fromages parfait notre expérience gastronomique des produits locaux.

DELFINO

1231, Lajoie
514-277-5888
M° Outremont. Mar-sam de 18h à 22h.
Entrés 6-16, plats 20-30.
Toutes CC.
Un restaurant français dédié à la mer, version du Midi, comme il s'entend. Et les espèces de la Méditerranée sautent avec joie dans les assiettes, comme ce mérou tout simplement délicieux ! Une belle table au personnel souriant, un service ensoleillé, à l'intérieur ou sur la terrasse. Le chef sort de sa tanière en fin de lunch pour piquer un brin de jasette avec ses convives. Joie de vivre en prime, longue vie à ce joli resto.

LES DEUX CHARENTES

815, Maisonneuve E
514-523-1132
www.restolesdeuxcharentes.com
M° Berri-UQÀM, angle Saint-Hubert.
Lun-ven de 11h à 15h, mar-sam de
17h à 22h, dim fermé. Table d'hôte :
midi à partir de 9,95$, soir à partir
de 13,5$. À la carte : entrées 4,25$-
17,95$, plats 22,95$-36,95$. V, MC,
DC & Interac.
Une table qui sert des spécialités françaises et plus particulièrement charentaises, comme son nom l'indique. Un décor traditionnel chaleureux et confortable, surtout l'hiver, lorsque le foyer s'embrase. La carte propose des plats de gibiers et de fruits de mer tels que les noix de pétoncles rôties à la Charentaise ou les côtes de cerf aux champignons et gelée de sapin. La maison possède également une jolie

carte des vins, sur laquelle le Pinot des Charentes règne en maître.

LE CONTINENTAL

4169, Saint-Denis
514-845-6842
www.lecontinental.ca
M° Mont-Royal. Mar-sam de 18h à 01h, dim-lun de 18h à 00h. Plats 14,25$-25,75$. Toutes CC & Interac.
Au fil des mois, la carte des vins s'est étoffée, ce qui ajoute un plus considérable à ce restaurant « art déco » qui plaît pour l'ambiance et pour une cuisine qui ne se prend pas trop au sérieux, mais toujours très bien exécutée. On adore les mélanges sucrés-salés tels que le carpaccio de figues et fromage de chèvre rôtis, ou encore le poulet au gingembre et miel. La carte se renouvelle régulièrement et la clientèle est toujours très fidèle. Réservez, si vous voulez tenter l'expérience, cela en vaut vraiment la peine.

L'ENTRE-MICHE

2275, Sainte-Catherine E
514-521-4739
M° Papineau. Lun-ven de 11h30 à 14h30, jeu-sam de 17h30 à 22h, dim fermé. Entrée 7,5-10, plat 20-25. Traiteur Pareira. V, MC, AE & Interac.
Dans un quartier où les bonnes tables ne courent pas les rues, en voilà une qui mérite qu'on s'y arrête. À midi, clientèle d'affaires et télévisuelle pressée. Mais le soir, l'ambiance réconfortante séduit gourmands en tous genres. Le joli cadre et le service efficace n'enlèvent rien au plaisir que procure la savoureuse cuisine du chef. Des plats soignés, des produits frais, une carte bien ficelée… Le choix du vin ne sera pas aisé, tant la carte est alléchante. Côté desserts, ce ne sera pas plus facile, au vu des créations du talentueux Frédéric Théraud. Humm, on en demanderait encore ! Vœu exaucé, chez soi, avec le très professionnel service de traiteur.

L'EXPRESS

3927, Saint Denis
514-845-5333
M° Sherbrooke. Lun-ven de 8h à 2h,
sam de 10h à 2h, dim de 10h à 1h. Petit déjeuner de 8h à 11h30 et de 10h à 12h sam-dim. menu midi-soir : 15-50. MC, V, AE, DC & Interac.
On ne les présente plus. La cuisine est toujours impeccable : la mousse de foie blond aux pistaches, le saumon au cerfeuil, le pot-au-feu, les os à moelle et les îles flottantes. Le souci de la qualité est le maître mot des propriétaires. La convivialité du lieu et le respect pour la clientèle font de ce bistro un endroit charmant et incontournable pour les amoureux de la bonne cuisine et du bon vin.

LE FUSCHIA

2000, Sainte-Catherine O
514-939-4408
M° Guy ou Atwater. Lun-ven de 11h à 14h, le soir sur réservation pour banquet de 30 personnes et plus. TH autour de 15$. V, MC, DC et Amex & Interac. Fermé du 22 décembre au 4 janvier et du 15 juillet au 15 août.
Ça a beau être un resto d'école, la cuisine et le service sont du niveau d'une belle et bonne table. L'éclairage tamisé apaise les couleurs pourpres de l'environnement, créant un espace de choix à la cuisine créative qui y est servie. Le menu change tous les jours et suit le rythme des saisons. D'inspiration française avec une nette utilisation des produits du terroir québécois, cette cuisine fusion fait la part belle aux fruits de mer et poissons, apprêtés avec soin par le chef. Un lounge permet de se lover dans de gros fauteuils et de terminer le repas avec douceur.

LA GARGOTE

351, Place d'Youville
514-844-1428
M° Square Victoria. Lun-ven de 12h à 14h30, lun-dim de 17h30 à 22h. Table d'hôte le midi 13-20, le soir carte 15-27$. V & MC.
Situé sur l'un des sites le plus chargé d'histoire du Vieux-Montréal, le menu comporte des mets à la hauteur de la joie de vivre du restaurateur. Monsieur Ousset personnifie à lui tout seul la force tranquille du Sud de la France. Cet homme charmant connaît tout le

quartier. Quelques viandes, un peu de poisson et diverses spécialités invitent au voyage du côté de la région niçoise avec par exemple de succulentes nageade de ravioles de veau faits maison, mais nous rappelle aussi le terroir québécois avec cet excellent médaillon de cerf rouge aux canneberges séchées. Si la terrasse est ouverte, ne pas hésiter à en profiter.

LE GRAIN DE SEL

2375, Sainte-Catherine E
514-522-5105
www.graindesel.ca
M° Papineau. Lun-ven de 12h à 14h, mer-sam de 17h30 à 22h. Table d'hôte le midi 13,25 $-14,95 $, le soir 22,95 $-27,95 $. V, MC, AE & Interac.
Chaud devant, chaud ! Ambiance survoltée le midi. Marc, en salle, et Xavier Marchand, aux fourneaux, ont la passion du métier, cela se sent. La synergie entre les deux compères est à l'image des partitions de musique sur les murs : parfait tempo ! Chaleureusement accueilli, servi avec diligence et nourri avec soin, le client est ici choyé. Reste à choisir sur la grande ardoise noire parmi les plats qui rivalisent de maîtrise et de constance. Une viande ou un poisson, à la cuisson parfaite, surtout quand le chef est un maître saucier... Fromage ou dessert ? Les deux ! Un p'tit noir (bien serré) et l'addition (pas salée).

LE JARDIN NELSON

407, Place Jacques-Cartier
514-861-5731
www.jardinnelson.com
M° Champ-de-mars, angle Le Royer. Ouvert de la mi-avril à l'halloween, lun-ven de 11h à 2h, sam-dim et fériés de 10h à 2h. V, MC, Travelers & Interac. Salle de réception.
Le Jardin Nelson propose tous les jours une programmation musicale live. Le jardin intérieur, en été, donne une impression d'évasion totale. Musique pop jazz, grandes ombrelles à l'allure art déco, quelques arbres qui laissent se glisser une brise chatouillante, que demander de plus ? On se berce en entendant parler de feuilleté de chèvre et son coulis de tomate, de salade asiatique au poulet, mandarines, nouilles chinoises et gingembre confit ou encore de pizza aux crevettes marinées à l'ail et au vin blanc et ses trois fromages. Pour prolonger ce doux moment, on commande une de leurs crêpes desserts aux fruits de saison, crème pâtissière et coulis de baies fraîches.

MACAO

2070, Saint Denis
514-223-6411
M° Berri UQAM au Sherbrooke. Mar-dim de 17h à 22h. Table d'hôte : 33 $ (soupe ou salade + entrée + plat +

RESTAURANTS

163

dessert + café régulier ou thé/tisane).
Vous pouvez également choisir les
plats à la carte (entrées 8$, plats 21$,
desserts 6$). Groupe accepté jusqu'à
90 personnes.
La cuisine du marché est à l'honneur
dans ce restaurant très sympathique et
convivial. Le menu change au fil des
saisons et selon l'inspiration du chef.
Vous pourrez admirer les peintures
et photos exposées régulièrement sur
les murs en pierre apparente. Voici un
petit aperçu de ce que vous aurez dans
votre assiette, histoire de vous donner
l'eau à la bouche. Entrées : croustillant
de camembert, tomates séchées et
moutarde ; sauté de champignons au
jus de persil ; tulipe d'escargots au
bleu ermite de St Benoît ; rouleau au
saumon fumé et vermicelles, coulis de
betteraves ; terrine de foie de volaille
au cognac, confiture d'oignons. Trous
normands (7 $) : sorbet poires et Pinot
des Charentes ; sorbet framboise et
kalhua. Plats : magret de canard chutney
de poires et figues ; tilapia au lait de
coco salsa d'ananas et coriandre ; cuisse
de canard confite aux canneberges et
Sauternes ; filet de porc au frangelico
noisettes et chèvre ; osso buco de cerf
sauce Porto, sauge et romarin ; filet de
bœuf aux champignons sauvages et huile
de truffes ; saumon braisé au fenouil
et pommes. Assiette de fromages du
Québec 8 $. Desserts : gâteau au chocolat
noir et crème de marrons, crème brûlée
aromatisée, gâteau aux noisettes...
Régalez-vous !

NIZZA (RESTAURANT NIÇOIS)
1121, Anderson
514-861-7076
www.nizza.ca
M° Place-des-Arts ou Place d'Armes,
angle René-Lévesque O. Ouvert du
lun-sam de 11h30 à 14h30, de 17h à
23h, dim fermé sauf le premier et huit
juillet. Table d'hôte midi 30$, soir 36$.
Prix très attractifs à la carte également
compte tenu de la qualité des plats.
Ange et Armand, jumeaux niçois
installés à Montréal depuis plus de 20
ans, tiennent ce restaurant depuis mai
2005. Armand est aux cuisines, tandis

qu'Ange fait le service et conseille les
clients. La spécialité de la maison,
c'est le poisson, sud est de la France
oblige ! La carte change au fil des
saisons, selon les arrivages et l'humeur
du chef. Cependant un met fait de la
résistance, très plébiscité par la fidèle
clientèle, on le retrouve dans la carte
été comme hiver : c'est une recette
d'agneau dont seul le chef a le secret !
L'été, leur recette de homard décortiqué,
cuisiné au gingembre, est très réputée et
sollicitée par les fidèles. Dorénavant, la
bouillabaisse en fin de semaine régalera
les vrais amoureux du Sud. La décoration
très étudiée, l'endroit spacieux, convivial
et chaleureux, donnent envie de s'y
attarder ; vous avez la possibilité de
privatiser un espace pour l'organisation
d'événements particuliers.

❭ O'THYM
1112, Maisonneuve E
514-525-3443
M° Beaudry, angle Amherst. Mar-ven
de 11h30 à 14h30, lun-dim de 18h à
23h, lun midi fermé.. V, MC & Interac.
Le restaurant O'thym vous accueille dans
une décoration simple et chaleureuse à la
fois, avec ses murs de briques et ses tables
disposées façon café. La cuisine s'inspire
de la France mais également du terroir
québécois avec le magret de canard,
le tartare de saumon ou encore le filet
mignon. Une petite table agréable !

LA PETITE TERRASSE DE PROVENCE
1215, Mansfield
514-395-0207
M° McGill. Angle Mansfield et
Cathcart. Table d'hôte 15-20. En
semaine, ouvert tous les jours, midi et
soir. La fin de semaine : fermé sam et
dim sauf le sam soir de mai à oct.
Ce restaurant vaut bien son nom puisque
l'on se retrouve dès notre entrée sur une
place de village aux couleurs ocres, avec
volets sur les murs de maisons et deux
grands parasols plantés au milieu de la
« terrasse ». L'heureuse propriétaire,
Michèle, est originaire de la Côte d'Azur
et plus précisément de Saint-Paul de
Vence. Une valse de couleurs et d'arômes

pour des plats provençaux traditionnels faits maison et présentés sur l'ardoise : potage de carottes à l'orange, brandade de morue, soupe de poissons, tartinades de tapenade verte et noire, caviar d'aubergine, ratatouille, crème brûlée à la lavande, petits sablés fondants au thym. De plus, une boutique de produits du terroir, située à l'intérieur même du restaurant, propose de la tapenade, des huiles, de la confiture au citron (spécialité de la maîtresse de maison) et autres produits.

LE PARIS

1812, Sainte-Catherine O
514-937-4898

M° Guy-Concordia. Lun-sam de 12h à 15h, lun-jeu-dim de 17h30 à 22h30, ven-sam de 17h30 à 23h. Midi Table d'hôte de 11-24, soir 15-24, carte 20-38. MC, V, AE & Interac.

Une institution de la cuisine française à Montréal. De génération en génération, ce restaurant offre l'ambiance d'un vrai bistro de quartier parisien, avec banquettes et service rôdé et chaleureux. En cuisine, des plats sobres qui mettent en valeur des produits du marché. Foie de veau meunière, brandade de morue et steak au poivre noir, des plats rassurants et intemporels comme on les aime. Le Paris souffle ses cinquante bougies cette année, preuve que les Montréalais plébiscitent cette adresse !

LE PARIS BEURRE

1226, Van Horne
514-271-7502

M° Outremont. Ouvert lun-ven de 11h30 à 14h30 et de 17h30 à 22h, sam-dim de 17h30 à 22h. Table d'hôte midi 11,5$-15,95$, soir 18,95-25. V, MC, Travelers & Interac.

Situé dans le quartier Outremont ce restaurant aux couleurs ocres et à l'ambiance chaleureuse a une carte restreinte mais offre des plats succulents. Des recettes typiquement françaises, magret de canard grillé avec son flan, ris de veau aux poires, filet mignon sauce roquefort, côte de bœuf au jus pour 2. Pour les indécis la bavette de bœuf est exquise. Les serveurs sont

d'un grand professionnalisme, rarement vu pareil service à Montréal. Enfin pour le dessert, nous vous conseillons fortement la tarte aux pommes qu'il faut commander au début du repas, une fraîcheur assurée !

LA PETITE ARDOISE

222, Laurier O
514-495-4961

M° Laurier. Lun de 10h à 22h, mar-ven de 8h à 22h, sam-dim de 9h à 22h. Brunch en fin de semaine de 8h à 16h. Table d'hôte 15,5$-20,5$. À la carte : midi 5,95$-11,95$, soir 15,55$-21,5$. V, MC & Interac. Jardin.

La Petite Ardoise s'est refait une beauté pour adopter un cachet très parisien avec un mariage fort réussi du bois, de la brique, de la dorure et de couleurs chaudes. Une bonne cuisine française, de marché, qui se renouvelle tous les jours dans un cadre chaleureux. On lit sur l'ardoise les suggestions du jour comme le Portobello au saumon fumé et chèvre frais à la ciboulette ou une belle côte de

PÉGASE
Restaurant français
(apportez votre vin)

1831, Gilford (angle Papineau)
Tél: (514) 522-0487

bœuf qui connaît un franc succès. On apprécie les formules « à la parisienne », servies à toutes heures et composées des plats les plus appréciés par la clientèle. Le personnel, vêtu élégamment de noir et de blanc, est souriant et garde la cadence surtout à l'heure du midi. Du vin au verre, de la bière à la pression… Toutes les conditions sont réunies pour passer un bon moment et se régaler de bonnes choses sans dépenser une fortune. Les fins de semaine, les brunchs sont aussi très courus, surtout si on a la chance d'avoir une place dans le jardin intérieur.

PÉGASE
1831, Gilford
514-522-0487
www.lepegase.ca
M° Papineau, bus 10 Nord, angle Papineau. Dim-jeu de 18h à 23h, ven-sam de 18h à 00h. Carte 19-28, table d'hôte gourmande 29-38. MC, V & Interac.
Dans un décor de maison privée,

encadré de superbes fresques murales, on retrouve l'atmosphère rassurante des foyers d'antan. De savants arômes émanent des chaudrons, les assiettes sont joliment présentées, et les desserts aussi beaux que bon. Une cuisine française de qualité où les gibiers et les viandes en sauce sont soignés.

RESTAURANT DE L'ITHQ
3535, Saint-Denis
514-282-5108
www.ithq.qc.ca
M° Sherbrooke. Lun-ven de 7h à 9h30, de 12h à 13h30 et de 18h à 20h30, sam de 7h30 à 10h30 et de 18h à 20h30, dim de 7h30 à 10h30 (brunch). Réservation obligatoire. Table d'hôte midi 18,95$, soir 27$-37$.
Pour l'école de cuisine : déjeuner de 11h45 à 12h15 et de 16h45 à 17h45. Table d'hôte et carte à partir de 10$.
L'Institut du Tourisme et de l'Hôtellerie du Québec se sert de cette table pour offrir à ses étudiants une expérience

concrète de cuisine de haute voltige. Utilisant un maximum de produits du terroir québécois, le menu est en fluctuation constante, tendant à un raffinement difficile à imaginer ailleurs, surtout à ce prix. Un effort de recherche constant en matière culinaire propulse cette adresse en recommandation incontournable, à défaut d'éclipser bien des poids lourds de même catégorie. Le service est impeccable, quant aux plats, ils sont confectionnés comme de petites merveilles. Seule la carte des vins peut paraître vaguement pauvrette. Et les desserts, ma foi, s'avèrent tout simplement divins. Premier de classe, sans contredit.

TONNERRE DE BREST

1134, Van Horne
514-278-6061

M° Outremont. Mar-ven de 11h30 à 14h30 et de 17h30 à 22h. Le soir environ 40$ par personne (entrée, plat, dessert). V, MC, AE & Interac.
Au tonnerre de Brest pas de carte, mais un menu qui varie tous les jours. Présentée à l'ardoise, la variété des plats est surprenante. Du ris de veau aux pleurotes à l'aileron de raie, en passant par le tartare et le boudin, les spécialités françaises sont au rendez-vous. L'assaisonnement du tartare est excellent. Les plats sont copieux. Enfin la carte des vins est variée et offre des vins de qualité supérieure. Lionel et Pascale sont très accueillants, ils ont réussi à créer une ambiance familiale très appréciée de leur fidèle clientèle. Le service est irréprochable. La soirée se terminera par un dessert maison, nous aimons la tarte tatin et la tarte au citron.

VENTS DU SUD

323, Roy E
514-281-9913

M° Sherbrooke. Mer-dim de 17h30 à 22h, fermé lun-mar. Table d'hôte 25-37. À la carte : 19-22$.
V, MC, Interac.
La cuisine basque utilise des bons produits du terroir : tomates, ail, huile d'olive et surtout le fameux piment d'Espelette. Les plats mijotés en sauce sont toujours équilibrés, à l'image du cassoulet, fierté du chef ! Autres spécialités maison : l'axoa (prononcez : Achoa), le thon, le boudin et la côte de veau gargantuesque, à l'image de l'appétit des Basques. Le carré d'agneau vient du Québec. Bien sûr, tous les plats sont faits maison. On ne part pas sans avoir goûté au fameux gâteau basque. La main sûre du chef basque Gérard Couret fait des merveilles, et ce dernier sait accueillir ses clients avec chaleur.

YOYO

4720, Marquette
514-524-4187
www.restoyoyo.com

M° Laurier, bus 27 E. Tous les jours de 17h30 à 22h. Entrées, 8,95-21,50$; plat 21-33$. V, MC, AE & DC.
Une cuisine française du marché de qualité avec une carte aux saveurs recherchées qui éveillera tous vos sens, et plus particulièrement vos papilles : bisque de homard, tartare de magret de canard, crème de tomates séchées

RESTAURANTS

et pistou, ceviche de pétoncles à la coriandre et baies roses, carré d'agneau au miel et au thym frais, canard deux façons, compote de mangue au parfum de romarin, et pour finir en beauté, le gâteau Beauceron crème d'érable ou les profiteroles maison. On vous a donné envie ? Alors, allez-y vite !

VERTIGE

540, Duluth E
514-842 4443
www.restaurantvertige.com
M° Mont-Royal. Lun-sam de 17h à 22h30.Table d'hôte dès 26 $, menu découverte (5/6 services) dès 39 $ et dégustation dès 59 $. Dès 100 $ pour 2 personnes avec vin.
Toutes CC & Interac.
Une cuisine de qualité, d'inspiration française, mais pas traditionnelle pour autant. Aux commandes : le chef Thierry Baron, dont quelques-unes des spécialités sont les joues de cochon braisées à la bière noire, le carpaccio de boeuf ou les fromages travaillés. Côté déco, on choisit son ambiance : l'immense bar plutôt lounge d'où l'on peut observer les celliers bien fournis, les jolies tables nappées aux chaises originales, ou les banquettes confortables, plus intimistes. L'alliance de l'ancien et du design, les lumières chaudes et le foyer à trois faces créent une atmosphère élégante et décontractée. Belle carte des vins judicieusement pensée et abordable.

RIVE-SUD

 CHEZ JULIEN

130, De Saint-Jean, La Prairie
450-659-1678
Lun-ven de 11h30 à 14h30, tous les jours de 17h à 22h. V, MC & Interac. Table d'hôte midi 12 $-18 $, soir 18 $-35 $. Le menu change tous les jours. Bruch de temps à autre. Terrasse couverte, 22 places.
Un bouquet de fraîcheur français au cœur du Vieux-La Prairie et de son architecture ancestrale. Sans contredit, la délicatesse est au menu. Les assiettes

ornées de fines herbes évoluent au gré des saisons et des disponibilités du marché assurant ainsi fraîcheur et qualité des plats. Le propriétaire privilégie les produits locaux qu'il choisit minutieusement. Les champignons, par exemple, proviennent du fournisseur du Toqué, Philippe de Vienne. Au menu quelques incontournables : foie gras, carré d'agneau, bavette, filet de bœuf, gibiers et thon rouge. Le service évolue en respectant l'étiquette française. En accompagnement, la carte propose 80 choix d'alcool au verre ou en bouteille. Difficile de ne pas succomber au baluchon de pommes, à la crème brûlée et à la tarte au sucre. Quel régal !

 COMME PAR HASARD

244, Saint-Charles O, Longueuil
450-679-9590
Lun-mer de 11h30 à 21h, jeu-sam de 11h30 à 22h, sam de 17h à 22h, dim de 9h à 14h30. Toutes CC & Interac. Table d'hôte midi 13 $-17 $, à la carte 14,95 $-21,95 $. 1 salle, 80 places.
Petit, petit, il faut jouer du coude pour s'y tailler une place... Mais dans les petits pots, les meilleurs onguents. Menu du midi où les salades et les burgers prédominent. Pour le soir, on sort le grand apparat, bavette bien saignante et confit de canard, salade de chou sophistiquée et choix de desserts haut de gamme. Coup d'œil plutôt baroque avec un décor éclectique de qualité. Un service efficace, tenant autant de l'art de l'hôtellerie modèle que de l'équilibrisme de haute voltige pour circuler entre Des îlots rapprochés.

 L'HISTORIC

228, Sainte-Marie, La Prairie
450-444-8666
www.lhistoric.ca
Lun-ven de 11h30 à 15h, mar-dim de 17h à 22h30. Toutes CC & Interac. Table d'hôte midi 10 $-20 $, soir 16 $-30 $. Prix du vin : SAQ plus 6 $. 2 salles de réception. 100 places à l'intérieur.
Du gibier finement apprêté, associé à une cuisine française envoûtante, servie dans cet ancien hôtel témoin d'un

Masaï
BOUFFE DE BISTRO
BISTRO D'AMBIANCE

Vivez ...

- Groupes de 10 à 80 personnes
- Ambiance
- Cuisine de bistro
- Ouvert tard
- Terrasse
- Cocktails
- midi express
- Brunch samedi et dimanche

Masaï bistro d'ambiance: 5637 Av du Parc, Montréal
+(1) 514.678.1156   www.lemasai.ca

siècle d'histoire. Le carré d'agneau, le filet mignon de bœuf et le panaché de crevettes et de pétoncles sont autant d'exemples des assiettes originales et généreuses que proposent depuis deux ans les propriétaires Pascal Gagnon et Lyne Bourgeois. Le menu se renouvelle quotidiennement. Le service est courtois. L'ambiance est agréable et porte à l'intimité puisque les tables sont espacées. La carte des vins permet un accord juste grâce à une sélection de plus de cinquante choix. Un établissement qui traversera le temps sans aucun doute.

HÉLÈNE DE CHAMPLAIN

**200, Tour de l'Isle, Île Sainte-Hélène
514-395-2424**

www.helenedechamplain.com

M° Jean Drapeau. Lun-ven : de 11h30 à 14h30, - mer, jeu et dim : 17h30 à 22h, ven-sam : 17h30-23h, fermé lun soir, mar soir, sam midi et dim midi. V, MC, AE, DC & Interac. Table d'hôte midi (lun-ven) 14,5$-26,5$, soir 26$-34,95$, à la carte 19-65. Stationnement gratuit.

Un magnifique restaurant que cette immense maison de pierres entourée d'arbres. Un accueil des plus efficaces, plusieurs salles qui peuvent contenir un grand nombre de convives, et un service des plus courtois. Les plats sont inspirés et généreux : un feuilleté de trilogie de champignons au Chablis et le bonheur est complet. L'endroit idéal pour une soirée en tête à tête. Une distinction certaine se dégage de cette vénérable institution.

L'INCRÉDULE, BISTRO CONTEMPORAIN

**288, Saint-Charles O, Longueuil
450-674-0946**

Lun-mer de 11h à 22h, jeu-ven de 11h à 23h, sam-dim de 9h à 23h. Toutes CC & Interac. Table d'hôte midi 9-18, soir 17-27. Brunch de 9h à 15h. Salon privé 12, 16, 30 et 50 places.

Toujours une adresse très convoitée, tant le midi (clientèle d'affaires) que le soir. L'Incrédule propose une cuisine française contemporaine avec un vaste choix d'entrées, d'abats, de gibier, de moules servies avec des vraies frites. Grande sélection de bières du monde et de vins importés. L'ambiance, le cachet, le service généreux et convivial, font de ce restaurant un endroit abordable où l'on aime revenir parce que l'on s'y sent bien accueilli, souvent reconnu et enveloppé de beaucoup d'attention. En été, deux raisons supplémentaires pour s'y attarder : deux terrasses vertes et coquettes !

RESTAURANT OLIVIER

679, Adoncourt, Longueuil
450-646-3660

Lun-ven de 11h30 à 22h, sam de 17h30 à 22h. Toutes CC & Interac. Table d'hôte midi 12-22$, soir 22$-42$, sam 37-47$. Terrasse et traiteur.

Une adresse assidûment fréquentée par la clientèle d'affaires des environs, et pour cause. Tout tourne autour des produits du marché, confectionnés sur place, permettant aux clients les plus allergiques de profiter de cette fine table française. Au cœur du menu se trouve le canard sous toutes ses formes : le magret, le fois gras et le confit. Le carré d'agneau est cuit à point. Les abats, les rognons, le ris de veau sont tout aussi frais et savoureux. Les assiettes sont chaudes et sans chichis. Une cave fort équilibrée s'offre aux amateurs de bon vin grâce à une carte très complète et constamment renouvelée. Un service irréprochable vient parachever le tout. Même les enfants en redemandent. C'est une excellente façon de les initier au goût.

LE SAMUEL II

291, Richelieu, Saint-Jean-sur-le-Richelieu
450-347-4353 / 1-800-530-1615
www.lesamuel.com

Lun-ven de 11h30 à 14h30 et de 17h30 à 21h30 , sam-dim de 17h à 21h30. V, MC, AE & Interac.
Table d'hôte midi 17-21, soir 30-40$, repas gastronomique de 5 services 60$. 100 places.

Une sortie au Samuel II est une invitation à prendre la mer et à suivre les bateaux de plaisance qui défilent à quelques pas des convives. Le temps

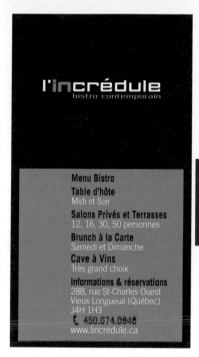

l'incrédule
bistro contemporain

Menu Bistro
Table d'hôte
Midi et Soir
Salons Privés et Terrasses
12, 16, 30, 50 personnes
Brunch à la Carte
Samedi et Dimanche
Cave à Vins
Très grand choix
Informations & réservations
288, rue St-Charles Ouest
Vieux Longueuil (Québec)
J4H 1H3
℡ 450.074.0946
www.lincredule.ca

d'un repas, cette fine gastronomie aux accents alsaciens donne l'eau à la bouche par l'emploi de produits frais et de saveurs recherchées. Cette institution est sans contredit la référence dans l'art d'apprêter le chateaubriand. La carte propose également du saumon fumé maison au bois d'érable très riche en goût. D'autres spécialités donnent lieu à des coups de génie comme le carré d'agneau rôti à la moutarde, le magret de canard aux épices et au miel, le caille braisés aux poivres noirs et aux raisins, le pavé de bœuf au cacao. Un spectacle pour les papilles et pour les yeux.

GRÈCE

MILOS

5357, du Parc
514-272-3522
www.milos.ca

M° Laurier, angle Fairmount. Lun-ven de 16h30 à 22h30, sam-dim de 17h30 à 00h30. Toutes CC & Interac.

Le restaurant par excellence des poissons et des fruits de mer à la grecque. Pour les papilles, un régal, voire une expérience unique ! Une pieuvre presque tendre, du thon succulent, du crabe à faire rêver, et une assiette de sardines qui transformera le menu en expérience difficile à oublier ! La note viendra refroidir bien des ardeurs.

MYTHOS
5318, du Parc
514-270-0235
www.mythos.ca
M° Laurier, bus 80, angle Fairmount.
Lun-jeu de 11h30 à 00h, ven de 11h30 à 3h sam de 17h30 à 3h, dim de 17h30 à 00h. Soir 15-38. Toutes CC.
On plonge d'entrée de jeu avec un verre d'ouzo, question de reprendre ses esprits. Un vrai restaurant grec, en plein cœur de Montréal ! Vous aurez le choix entre deux ambiances radicalement différente : une grande salle où l'intimité fait piètre figure, des musiciens qui font trembler les murs en fin de semaine… ou alors la salle de l'étage qui conviendra mieux à ceux qui souhaitent passer une soirée plus romantique, avec pianiste, s'il vous plait ! Et la mer qui accoste sur des assiettes débordantes de fruits de mer et de grillades sur charbon de bois. On en mangerait plus souvent. À ces prix, on ne se prive pas !

OREXI
1270, Bernard O
514-277-1661
M° Outremont, bus 160, angle Outremont. Lun-sam de 17 à 23h, ven-sam de 17h à 00h, dim de 16h à 23h. Toutes CC, pas d'Interac.
Les propriétaires de ce charmant resto, ouvert en 2006, ont tenu à mettre l'accent aussi bien sur la qualité de la cuisine et des vins que sur le service et la décoration. Les lumières tamisées et la présence chaude du bois participe à la sensation de calme de la salle, qui est ouverte sur le cellier. Confortablement installés sur les gros coussins qui bordent les tables, on savoure les fines brochettes d'agneau marinées, ainsi que le flétan et sa poêlée de légumes ou les grillades de bœuf. Une nouveauté qui devrait charmer les amateurs…

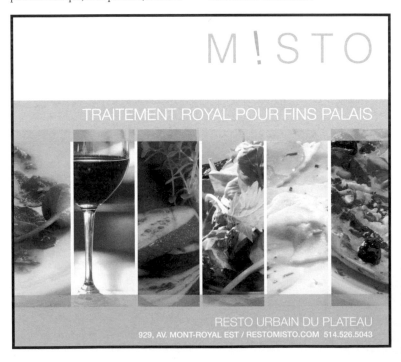

ITALIE

BICE RISTORANTE
1504, Sherbrooke O
514-937-6009
www.bicemontreal.com
M° Guy. Angle Guy et Mackay. Lun-sam de 18h à 23h, dim de 18h à 22h. Carte 40-60. Jardin intérieur. Service de voiturier le soir. V, MC, AE, Travelers & DC.

Un des 19 établissements de cette chaîne mondiale a eu la bonne idée de s'installer à Montréal. Que dire de ce restaurant italien très en vue, si ce n'est que la carte propose une cuisine traditionnelle certes, mais avec des produits de qualité, et offre la diversité pour que tout le monde y trouve son bonheur : carpaccio de bœuf, tian de chèvre tiède, gnocchis de pommes de terre, carré d'agneau rôti, ailes de raie croustillantes, bavaroise au miel safranée avec poires parfumées au porto et vanille ou encore mousse de chocolat blanc au cœur liquide à la framboise. Décor très design, service impeccable et ambiance chaleureuse, mais attention au porte-monnaie ! Réservation fortement recommandée.

MISTO
929, Mont-Royal E
514-526-5043
www.restomisto.com
M° Mont-Royal. Lun-dim de 11h30 à 00h. Table d'hôte midi à partir de 10$ (jusqu'à 16h30). Focaccia 9,75$-14,5$, plats 18$-23,75$. Toutes CC & Interac.

LA trattoria du Plateau. Décor design : acier et bois, briques apparentes, beau comptoir animé. A midi, intellos et jeunes professionnels se retrouvent pour savourer de très bonnes foccacias. Le soir, l'ambiance est plus festive, voire électrique les fins de semaines. La place est branchée, décontractée, le personnel très avenant et d'une bonne humeur contagieuse. De quoi oublier les soucis, mais certainement pas Paul, charmant propriétaire qui compose lui-même la carte. Au menu, une bonne cuisine italienne et méditerranéenne, très abordable. La très belle carte des vins accompagne merveilleusement le tout. Mistossimo !

 CUCINA DELL'ARTE
5134, Saint-Laurent
514-495-1131
M° Laurier. 11h30 à 23h, jeu-sam de 11h30 à 00h, dim de 16h30 à 23h. Fermé pour Noël et jour de l'an. Table d'hôte du midi 8-10, carte 12-25. V, MC, AE, DC & Interac.

Cette pizzeria toute simple, à quelques pas de l'Espace Go, devient un endroit parfait pour se recueillir avant ou après une soirée majestueuse. L'étage supérieur est tapissé de posters de théâtre ou de ballet. Le tact des serveuses est sûrement l'élément le plus caractéristique du coin. La bonne pâte à pizza tendre sortant du four à bois ne passe pas non plus inaperçue. On relève le carpaccio cucina, le feuilleté d'escargot, les cannellonis farcis « maison », et en dessert le tartufo ou le tiramisu, « maison » eux aussi. Quelques vins italiens sont disponibles pour accompagner le repas. En été, la baie vitrée transforme le trottoir en terrasse pour y déguster une bonne crème glacée.

PICCOLO DIAVOLO
1336, Sainte-Catherine E
514-526-1336
www.piccolodiavolo.com
M° Beaudry. Lun-ven de 11h30 à 14h, lun-dim de 17h à 23h. Réservations par téléphone seulement. Buffet antipasti 9,95$. Menu midi express 7,95$-11,95$. À la carte : entrées 3,95$-11,95$, plats 8,95-23.

Le Chef Paul-Éric Boucher s'est passionné pour la cuisine dès son plus jeune âge et n'a plus quitté les fourneaux depuis (enfin, façon de parler !). Il décline l'art culinaire italien sous toutes ses formes, utilisant des produits frais et du marché. Aucune prétention, mais des plats simples et goûteux à souhait : pizzas, grillades, salades, lasagnes, canneloni, osso-buco. Pour les pâtes, vous pouvez choisir entre les pennes, les tagliatelles, les linguinis, les spaghettis ou les tortellinis. Il ne vous restera plus qu'à vous décider parmi les neuf sortes de sauces pour accommoder votre plat (All'arrabiata, pesto, fruits de mer, champignons, etc.). Du lundi au vendredi, le buffet des antipasti fait des ravages. Un petit diable fort sympathique !

☂ LE PETIT ITALIEN

1265 Bernard O
514-278-0888
www.lepetititalien.com
M° Outremont, bus 160. Lun-dim 11h30-minuit. Midi 15-20, soir 30$. Toutes CC sauf interac.

Alain Starosta et son équipe ont tout mis en œuvre pour nous offrir un moment agréable, dans un décor au design particulièrement soigné. Le chef veille à offrir une cuisine italienne moderne, qui allie saveurs, authenticité et fraîcheur… à prix compétitifs. Les classiques de la cuisine italienne tels que les légumes grillés, les risotti et les poissons sont préparés avec aisance. En dessert, le tiramisu maison vaut bien une infidélité à la balance. Le DJ prend soin de nos oreilles, pendant que le sommelier se charge de nos papilles, en suggérant l'un des nombreux vins disponibles. Pour ceux qui souhaitent souper à l'italienne, antipasti en guise de cadeau de bienvenue dès 22h. Pour un bon moment entre amis ou en couple.

PINO

1471, Crescent
514-289-1930
www.pinorestaurant.com
M° Peel ou Guy, angle de Maisonneuve. Lun-dim de 9h à 14h, mar-dim de 17h30 à 21h30. À la carte : entrées 6-14, plats 12-30. Toutes CC.

Le Pino se spécialise dans l'art d'accueillir les reflets du soleil et les saveurs de l'Italie. Il fait tanguer le cœur entre une allure accélérée et urbaine et les éclats de la Méditerranée. Le menu que propose bien simplement la serveuse reste dans la gamme des moules, des pâtes, de la pizza et de quelques fruits de mer. Mais l'endive et le vinaigre balsamique viennent relever la teneur de la petite salade du jour. Les légumes garnis d'ail frais accompagnent la coquille Saint-Jacques débordante de fruit de mer et généreusement garnie de fromage. La finale en tiramisu laisse les invités avec un doux sourire sucré.

❧ PIZZERIA NAPOLETANA

189, Dante
514-276-8226
M° Jean Talon. Pizza 9,50 –15$, pâte : 10 –15,50$. Les prix incluent les taxes.

Des pizzas fines, cuites à la perfection, depuis 1948 ! Ça en attire des familles et des groupes d'amis. Mais, l'attente en vaut vraiment la peine, que ce soit pour manger une pizza aux ingrédients bien choisis, des pâtes (ravioli, cannelloni, gnocchi, spaghetti, farfalle, fettucine, etc) ou une assiette d'antipasti. Le cadre est très simple et le niveau sonore assez élevé mais très sympathique. Et, si vous avez aimé votre expérience, vous repartirez à la maison avec de la sauce à spaghetti faite sur place.

LA SOROSA

56, Notre-Dame O
514-844-8595
M° Place-d'Armes, angle Saint-Laurent. Dim-jeu de 11h à 23h, ven-sam de 11h à 00h. Carte 15$, midi 10$-15$, soir 15$-25$. Déjeuners tous les jours. 168 places. Toutes CC.

Une table respectable du Vieux, qui attire sa large part d'estomacs à la dérive avec ses pizzas ancestrales. Un menu qui ne réinvente certes pas le genre, mais qui saura satisfaire à peu près tous les goûts. Une sélection de pizzas à croûte mince, des pâtes, des plats de poulet et de veau, des salades en entrée, des desserts au goût du jour. Le décor sobre respecte l'intimité des tables. Service courtois et rapide, sans presser la clientèle à vider les lieux. À noter la carte des vins, plus que respectable, même comparée à des adresses beaucoup plus prestigieuses.

RIVE-NORD

LE SPAGO

261, Saint-Georges, Saint-Jérôme
450-565-0229
Lun de 11h30 à 14h30, mar-ven de 11h30 à 14h30 et de 17h à 22h, sam-dim de 17h à 23h. Carte 15-30, table d'hôte midi 7-16, soir 10-26. Toutes CC & Interac.

Une commedia dell'arte aux accents français. Un bon choix de gibiers côtoyant une sélection de pâtes, de pizzas, de grillades, de moules et de poissons. Ça vous étonne ? Ce restaurant n'a pas fini de surprendre sa clientèle, des habitués pour la plupart, qui apprécient le ton branché de l'endroit, le rapport qualité-prix et l'éventail du menu. Une cuisine italienne sans fioriture.

LA BARCA
540, Marie-Victorin, Boucherville
450-641-2277
Lun-ven de 10h30 à 14h30 et de 17h à 22h30, sam-dim de 17h à 23h. Hiver fermé dim. Toutes CC & Interac. Midi 15$, soir 15$-35$. 1 salle de réception, 120 places.

L'Italien haut de gamme de la Rive-Sud. Décor ultra chic, voire même cossu. Un four à bois en cuisine, un inonde d'arômes dans la salle à manger. Les antipasti sont copieux, et Ô combien divines les bruschettas ! Les pâtes sont scrupuleusement al dente, oserait-on seulement en douter ? Les spaghettis carbonara tiennent la ligne culinaire du nord de l'Italie, crémeux à souhait. L'escalope de veau milanaise est d'une tendreté peu commune. Tartufo et tiramisu en guise de conclusion, avant de sombrer dans une tasse d'espresso. La carte des vins est notamment digne de mention. Tout comme la note finale. La terrasse donne une vue imprenable sur le fleuve.

MAGIA RESTAURANT
361, Saint-Charles O, Longueuil
450-670-7131
Lun-mer de 11h30 à 21h, jeu-ven de 11h30 à 22h30, sam de 17h à 20h30, dim de 17h à 21h30. Toutes CC & Interac. 1 salle, 75 places.

La magie se retrouve autant dans l'assiette que dans l'ambiance de ce restaurant sympathique. Les convives se laissent inspirer et choisissent librement les pâtes et les sauces, ce qui donne lieu à des assiettes au goût personnalisé. Il faut dire que le décor invite à la création avec ses chaises de bistro et le personnel jeune et courtois. En soirée, il n'y a rien de tel que de faire un saut au bar-lounge adjacent, Le Havana, pour prendre le digestif. L'endroit propose des cigares, des portos et des scotchs impressionnants. Les sofas sont confortables et la musique enivrante. Et que vibre la nuit !

RESTAURANT IL PIZZICO
71, Montée des Bouleaux, Saint-Constant
450-638-9061
Mar-ven de 11h à 23h, sam-dim de 17h à 22h. Lun fermé.
Table d'hôte le midi 14,99-22, le soir 25,5-49. 120 places, terrasse 40 places, 2 salles de réception.

Toute la quintessence de l'Italie se retrouve au cœur de cette cuisine. En effet, le restaurant confectionne lui-même ses pâtes et ses sauces. Le pain est façonné sur place. Le menu suit les disponibilités des produits du marché. Des incontournables s'offrent toutefois à la carte : foie de veau grillé sur charbon

de bois, carré d'agneau, pizza cuite au four à bois et les pâtes servies avec tout le décorum traditionnel. Pour les grandes occasions, le repas se prend dans la cave à vin. Le service « gant blanc » propose un menu cinq couverts, dont chaque assiette est associée à un vin. À noter que la carte des vins comprend des cépages de toutes les régions italiennes. Une sélection de grappas de qualité contribue à son élaboration.

POLOGNE

STASH CAFÉ
200, Saint-Paul O
514-845-6611
www.stashcafe.com
M° Place-d'Armes. Lun-ven de 11h30 à 23h, sam-dim de 12h à 23h. Midi 6$-15,75$, soir 9,5$-15,75$. Menu débutant 25,5$, sanglier 29,95$, canard rôti 36$. V, MC, AE & Interac.
« Rien n'accompagne aussi bien un repas polonais qu'une bonne vodka ». Parfait, on s'exécute. La vodka est à la cuisine polonaise ce que le saké est au sushi japonais. Avec un Krokiety (crêpes farcies de viande) ou un Bigos (ragoût traditionnel), on la boirait presque comme du petit lait. La recette de sanglier vaut vraiment le détour. À la carte, une vingtaine de spécialités, l'occasion de revenir souvent car c'est une cuisine aux saveurs inattendues et rares. Un menu débutant permet de découvrir la richesse de la cuisine polonaise. De plus l'accueil est excellent, et le décor splendide avec des belles reproductions d'œuvres d'artistes polonais.

RUSSIE

TROÏKA
2171, Crescent
514-849-9333
www.thetroika.com
M° Peel ou Guy, angle de Maisonneuve. Lun-sam de 17h à 23h, lunch sur réservation pour min 8 pers. Fermé dim. Plat 23,50-44. Menu dégustation 95$. Toutes CC & Interac.
Cette institution de la rue Crescent, ouverte depuis 1962, a vu défiler plusieurs générations d'amateurs de caviars et vodkas. Les musiciens Sergei et Sergei y déambulent de table en table, diffusant des hymnes russes et tziganes, parsemés de classiques italiens et français. L'ambiance romantique cède parfois la place à une ambiance plus folle. Au menu du chef Jérôme Boully, un caviar succulent, ou des plats plus populaires comme la marmite de poissons de la mer Caspienne et son bouillon safrané. Un choix de vodkas et de vins est offert pour accompagner cette expérience gastronomique hors pair !

SUISSE

ALPENHAUS
1279, Saint-Marc
514-935-2285 ou 1-866-935-2285
M° Guy-Concordia. Lun-mer de 12h à 15h et de 17h30 à 22h, jeu de 12h à 22h, ven de 12h à 22h30, sam de 16h30 à 22h30, dim de 17h30 à 22h. Midi 15-20$. Livraison, à emporter . V, MC, DC & AE.
La Suisse et sa splendeur culinaire. Des

fondues à la tonne, une bourguignonne à faire frémir, et aussi curieusement un choix de fondue chinoise. Dans un décor pour le moins rustique, une sélection de viandes à l'européenne telles les escalopes à la viennoise, à la zurichoise, ou des carrés d'agneau pour le moins délectables. Pour terminer la soirée, une fondue au chocolat où la Suisse apparaît à son meilleur avec les vaches à lait portant leurs grosses cloches entre les pics enneigés…L'Alpenhaus nous transporte jusqu'en des sommets gustatifs depuis 1967…

 LA RACLETTE

1059, Gilford
514-524-8118
M° Laurier. Lun-dim de 17h30 à 00h.
V, MC & Interac. 100 places.
En Suisse, la raclette se déguste tranquillement dans un chalet, autour d'un bon feu de foyer. Ici, c'est dans une ambiance chaleureuse et animée, prisée par les gourmands affamés. Les cuisines sont accessibles à l'œil et au nez. Au menu, la raclette évidemment, avec jambon et viande des Grisons, ou peut-être une fondue au fromage suisse. Pour les gastronomes allergiques au fromage, la maison suggère un excellent saumon à la moutarde, ou l'un des plats de la formule table d'hôte qui change tous les jeudis : volaille, poisson, saumon, abats (foie, rognons..), grillade (bavette, côte de veau ou de cerf, jarret d'agneau). Depuis 22 ans, La Raclette connaît un succès qui ne faiblit pas… Il est donc conseillé de réserver à l'avance !

GRILLADES ET STEAK

BÂTON ROUGE

150, Sainte-Catherine O
514-282-7444
www.batonrougerestaurants.com
M° Saint Laurent. Dim-jeu de 11h à 23h, sam-ven de 11h à 00h. Midi 16-42, soir 21-42.
V, MC, AE & Interac.
L'hôtesse jongle avec les files d'attente, assez volumineuses en fins de semaine. Mais ça en vaut la peine. Un resto tout en teintes rougeâtres, idéal pour les familles

ou les tête-à-tête. Un menu de grillades classique, rapport qualité-prix admirable, surtout compte tenu des portions. Les côtes levées, les pâtes cajun ou le poulet amarillo (exquis et tendre) s'accompagnent de pomme de terre au four ou frites, avec salade du chef. À moins d'opter pour le sandwich au poulet de Louisiane, avec fromage et jambon, ou pour les gourmets la côte de veau de lait recouverte d'une croûte de noix. Dessert classique (si l'appétit est toujours au rendez-vous), choix de gâteaux ou de tarte.

L'ENTRECÔTE ST-JEAN

2022, Peel
514-281-6492
www.lentrecotesaintjean.com
M° Peel, angle Maisonneuve. Lun-ven de 11h30 à 23h, sam-dim de 17h à 23h. Spécial entrecôte : 18,90$, TH 23,90$. Pas de réservation le soir. Toutes CC & Interac.
Pour déguster une belle entrecôte dans un décor bistro, grandes glaces à l'appui, rendez-vous à l'entrecôte. Le menu est on ne peut plus simple, entrecôte

2022, rue Peel
514-281-6492

et pommes allumettes à la française avec salade aux noix et toujours cette sauce secrète qui fait le succès de la maison. Pour partir en pleine gloire, les profiteroles au chocolat donnent un dessert de choix. Pour tout dire, on en redemande !

LA BOUCHERIE RESTAURANT

343, St-Paul E
514-866-1515
M° Champ-de-Mars. Mar-ven de 11h30 à 15h30, mar-sam à partir de 17h30. TH : midi : 14,50-19,95 $ soir : 20$- 39,50$. Toutes CC, Interac.

En face du marché Bonsecours, le restaurant La Boucherie nous accueille dans un cadre chaleureux et élégant. Pour confirmer ce que laisse présager son nom, on y sert une viande excellente et cuite à la perfection : steak (haut de côte, steak au poivre, steak tartare), filet mignon (essayez la coupe Manhattan !), côte de bœuf au jus (servie en différentes tailles). La carte inclut aussi un choix de pâtes, poissons et fruits de mer. Nous vous recommandons la mousse aux chocolats pour deux en dessert, délectable… Service attentionné et expérience très agréable. On n'en attendait pas moins d'un établissement de la famille Marcotte.

RIVE-NORD

PORTO BRASA

2133, Le Carrefour, Laval
450-682-1955
Lun-ven de 11h à 15h et de 17h à 22h,
sam-dim de 17h à 22h. Entrées 3,5$- 16$. Carte 11-26. Table d'hôte du midi 7-17 et du soir 14-27. V, MC, AE, DC & Interac.

La spécialité de ce restaurant portugais ? Les grillades de viandes, de poissons et de fruits de mer sur le charbon de bois. Avant de plonger les dents dans le mets principal, de petites délicatesses surprises vous sont offertes sans coût additionnel. Le service : courtois et chaleureux. Bon prix, bonne bouffe, quoique certains plats conviennent peut-être mieux aux goûteurs aventuriers !

POISSONS ET FRUITS DE MER

MAESTRO SVP

3615, Saint Laurent
514-842-6447
www.maestrosvp.com
M° Saint Laurent, angle Prince Arthur. Lun 16h à 22h, mar-mer de 11h à 22h, jeu-ven de 11h à 23h, sam de 16h à 00h, dim 16h-22h. Entrées 7-12, fruits de mer 15-55, poissons 25$- 39$. V, MC, Interac.

Maestro SVP est un bistro de fruits de mer, un bar d'huîtres, une très bonne adresse pour les amateurs de crustacés. On y vient à deux ou entre amis, l'atmosphère y est cosy et intime. Essayez l'assiette Maestro, pour déguster toutes les spécialités du Chef Yves Therrien : bruschettas, palourdes, crabe royal, moules vapeur, crevettes à la noix de coco, calmars maestro, demi homard, satays au poulet et aux crevettes, le tout

le p ➤○ isson rouge
Cuisine de la marée

1201
rue Rachel Est
514-522-4876
RÉSERVATIONS TOUJOURS RECOMMANDÉES
Apportez votre vin

➤ Le poisson rouge vous offre de taquiner le poisson sans queue ni tête et sans arrêtes. Apprêté de façon originale et savoureuse, vous aurez plaisir à manger un poisson frais comme si vous étiez sur la rive.

agrémenté de sauces très sympathiques : beurre à l'ail, beurre citron, crème sûre/piment de Cayenne/gin, arachide, marmelade d'orange épicée (56 $ pour une personne, 72 $ pour deux, 128 $ pour trois). Vous apprécierez le service, très prévenant, et les bons conseils du personnel (pour le choix du vin, par exemple). La carte des vins offre un choix très étendu, les rouges sont classés des plus légers aux plus corsés, les blancs des plus légers aux plus aromatiques. *Maestro propose également des tapas (à partir de 3 $) de 11h à 17h du lundi au vendredi, et en soirée les mardi et mercredi.*

🍴 LA MER

1065, Papineau
514-522-2889
www.lamer.ca
M° Papineau, angle René-Lévesque.
Lun-ven de 11h30 à 22h, sam de 17h à 22h, fermé dim.
V, MC, AE, DC & Interac.

Un restaurant pas tout à fait comme les autres, à deux pas du Pont Jacques-Cartier, qui vous offre une cuisine évolutive et créative autour des produits de la mer. Tous les vendredis soirs, les amateurs de tapas marins seront comblés : ils pourront les déguster confortablement en écoutant l'orchestre Jazz. Pendant l'automne, ce sont les parties d'huîtres du jeudi qui sont à l'honneur : dégustation de 18 variétés d'huîtres ! Avis aux inconditionnels ! La carte change régulièrement, au gré des arrivages et des saisons (crabe des neiges

en avril, homard des îles de la Madeleine l'été). Le service est courtois, le cadre intérieur agréable, mais c'est surtout pour les poissons et fruits de mer que l'on fait le déplacement.

🐟 POISSON ROUGE

1201, Rachel E
514-522-4876
M° Mont Royal. Mar-jeu de 17h30 à 22h30, ven-dim de 17h30 à 23h30, fermé lun. TH (entrée, soupe, plat, dessert, café) 35-41 $. V, MC & Interac. Réservation conseillée jeu, ven, sam.

La salle aux couleurs saumonées est noyée de lumière, toute en longueur, sobre et invitante. Rien de trop sophistiqué : ici on mise sur la qualité de la nourriture et pas sur les frous-frous. On s'en doute, la maison est spécialisée dans le poisson et les fruits de mer apprêtés selon la fantaisie du chef. Une bonne marinade alanguit les chairs. La cuisson délicate met en valeur la texture du poisson. La fraîcheur des poissons confirme qu'on a fait un bon choix en venant ici. Les sauces originales relèvent la saveur et les plats sont relativement légers. Le chef travaille toutes sortes de poisson avec toujours le même raffinement et passion.

LES GRANDES TABLES

⟍ À L'OS

5207, Saint-Laurent
514-270-7055
www.alos.ca
M° Laurier. Lun de 17h30 à 00h, mar-dim de 18h à 00h. Un petit restaurant de grande qualité. Les cuisiniers s'affairent en noir derrière le comptoir intégré à la salle. On a vraiment à cœur d'offrir un moment d'exception aux clients. Le plat emblématique de la maison, un filet mignon à l'os grillé cuit à la perfection, dressé sur l'assiette et accompagné d'une savoureuse réduction de veau au porto, est un pur moment de bonheur. À déguster avec l'une des treize sortes d'eaux minérales de la carte. Le tout accompagné d'un service aimable et efficace. Au dessert enfin, tout est fait pour combler les gourmands. Les prix pratiqués peuvent sembler prohibitifs, mais si l'on considère les mets servis, ils sont plutôt raisonnables. Une belle découverte sur le boulevard, à visiter sans tarder !

LE BEAVER CLUB

900, René Lévesque O
514-861-3511 poste 2448
www.fairmont.com
M° Bonaventure ou McGill. Lun-ven de 12h à 14h30, mar-sam de 18h à 22h30, dim fermé. Menu gourmet avec 4 services : 72$, le royal avec 5 services : 79$ et le découverte avec 7 services : 88$. Toutes CC.
Le Beaver Club est une référence en matière de haute gastronomie. De l'assiette au service, pas de doute, vous êtes dans un grand restaurant. À chaque étape du repas, on prendra le temps d'apprécier les petites attentions qui tiennent en éveil tous nos sens. Ensuite, on déguste chaque bouchée en fermant les yeux, en trempant ses lèvres dans un nectar sélectionné pour vous : escalope de foie gras de canard de Marieville poêlée à la compotée de tomates vertes aux fraises ; rôtisson de homard gaspésien au bouillon crémeux d'asperges blanches du Québec et de morilles ; canon d'agneau du Bas St-Laurent rôti au chutney de menthe et jus au cari. La gourmandise ne peut pas être un pêché !

CHEZ L'ÉPICIER

311, Saint-Paul E
514-878-2232
www.chezlepicier.com
M° Champ-de-Mars. Lun-ven de 11h30 à 14h, lun-dim de 17h30 à 22h ; épicerie lun-dim de 11h30 à 22h. Table d'hôte midi 14,95$-17,95$. Carte soir 26-36$. Menu dégustation (7 services) 80$. V, MC, AE & Interac.
Quel beau pari que celui du brillant chef et propriétaire de ces lieux, Laurent Godbout ! Une cuisine cosmopolite avec un menu élaboré à partir de produits du terroir. Un restaurant avec de la personnalité à revendre, sans toutefois sombrer dans le branché vide. Ici, tout est chaleur et bon goût, discrétion jusque dans les assiettes savamment concoctées, comme autant de mines gustatives que seule une gorgée de vin saura désamorcer. De plus, une épicerie fine complète cette réussite, avec des plats cuisinés à emporter et plus de 600 produits du Québec et du monde. Coup de cœur enflammé !

CHEZ LÉVÊQUE

1030, Laurier O
514-279-7355
www.chezleveque.ca
M° Laurier, bus 51, angle Hutchinson. Lun-dim de 8h à 24h, sam-dim de 10h30 à 00h. Table d'hôte midi 10-33, soirs 19-50. Traiteur. Toutes CC & Interac.
Madame Lévesque nous accueille ici tout sourire, et nous propose une carte changeante et alléchante. La salle est éclairée par une belle verrière qui donne sur la rue Laurier. De nouvelles cuisines, un nouveau chef pâtissier, et de nouvelles recettes, que de changements cette année ! On y déguste de bons petits plats mijotés, comme le canard aux olives, ainsi que des tapas façon Lévesque. Excellent Paris-Brest et musique grégorienne dans la salle de bain.

LA CHRONIQUE

99, Laurier O
514-271-3095
www.lachronique.qc.ca

M° Laurier, angle St-Urbain. Mer-ven
de 11h30 à 14h, mar-sam de 18h à
22h, dim-lun fermé. Carte (mar-jeu) :
entreés 13-25, plats 32-38.
Menu midi 25$. Menu 5 services
(ven-sam) 72$ et menu découverte 7
services 100$, avec vins 150$-200$.
V, MC, AE & DC.

Ici on vous propose une carte haute en
couleurs qui tend à explorer les limites
mêmes de la cuisine française. On la
réinvente en une explosion de saveurs aux
relents inédits. Bonne bouffe, peut-être,
mais plus encore une très grande bouffe,
qui pousse les arômes et les saveurs à un
degré tel que le palet en perd ses repères
traditionnels. De la haute cuisine qui se
libère des carcans typiques et qui s'évade
ainsi de toute caractéristique nationale
quelque peu contraignante : la crème
d'asperges vertes garnie d'une langoustine
rôtic, morilles et crème fleurette ; le magret
de canard Chronique crevettes tigres
grillées et son caviar d'aubergines aux
saveurs du nouveau monde. Lorsque la
cuisine devient un matériau si hautement
artistique, on parle sans contredit de l'une
des meilleures tables de Montréal.

LE CLUB CHASSE ET PÊCHE

423, Saint-Claude
514-861-1112

M° Champs-de-Mars.
Mar-ven 11h30-14h, mar-sam 18h-
22h30. 40-60. CC & I.

Cette pourvoirie urbaine offre un
nouveau territoire pour pêcher de
bonnes chairs. Presque une chasse
gardée. Aucune signe extérieur, tout
juste un sigle de ralliement pour les
initiés gourmands : du bouche à oreille
principalement. Un décor ultra léché fait
de pierres, de poutres, de cuir, mélange
cosy de sophistication et d'authenticité.
Un concept avant-gardiste : dandysme et
rusticité contemporaine. Dans ce design
à couper le souffle, Claude Pelletier,
considéré à juste titre comme l'un des
meilleurs chefs en ville, élabore une
cuisine puissante, animale, esthétique,

instinctive. Tout en finesse et en élégance, Hubert Marsolais veille à conserver en salle l'eurythmie unique qui caractérise si bien les créations de cette équipe gagnante. Décidément, leur nouveau-né a une classe folle…

COCAGNE

3842, Saint-Denis
514-286-0700
www.bistro-cocagne.com
M° Sherbrooke, angle Roy. Dim-mer de 17h30 à 22h30, jeu-sam de 17h30 à 23h30. Menus 25$ (entrée, plat), 40$ (entrée, plat, dessert). V, MC, AE & Interac.

Cocagne succède fièrement au fameux Toqué ! dont l'esprit plane toujours sur ce magnifique « bistrot orgueilleux ». Déco ultra léchée, ambiance chic et décontractée. En cuisine, le chef Alexandre Loiseau perpétue le grand art de son mentor et ami Normand Laprise, en y insufflant sa touche propre. Gourmands anonymes et célèbres viennent y déguster des plats soignés. Avec du pain maison, un cellier recelant de trouvailles et un bon jazz, la vie au pays de cocagne !

☂ GUY ET DODO MORALI

1444, Metcalfe
514-842-3636
www.guydodo.com
M° Peel. Lun-ven de 11h à 22h, sam de 18h à 23h, dim fermé. Table d'hôte : midi 15,8$-22,8$, soir 34,5$-48,8$. À la carte : entrées 6,5$-24,5$, plats 10,5$-38,8$. V, MC, AE, DC & Interac.

L'établissement n'est plus à présenter. Guy est aux fourneaux et sert une cuisine française gastronomique, et c'est Dodo qui vous accueille dans une ambiance conviviale. Vous saurez apprécier les spécialités dc la maison tels que le foie gras de canard maison, le filet de truite au champagne, le confit de canard avec pommes salardaises et confiture d'oignons, la choucroute de poissons ou encore le fondant au chocolat et la tarte tatin.

LA PORTE

3627, Saint-Laurent
514-282-4996
M° Saint Laurent. Compter 15-20 pour la table d'hôte du midi et à partir de 45$ pour le menu dégustation le soir.

Une adresse de haute voltige a ouvert ses portes en 2006, pour le plaisir des adeptes de la Main et de la bonne chair en général. Le raffinement des plats et leur originalité sont assez exceptionnels. Le midi, nous avons goûté à une aile de raie et à une joue de bœuf. La raie, servie avec une émulsion de poireau était cuite à la perfection. La tendresse de la joue de bœuf était mémorable. Le tout pour des prix très raisonnables : le midi la table d'hôte comprend des amuses-bouches, une entrée, un plat et un dessert ! Le cadre, très distingué, met en valeur une magnifique porte digne d'un décor des mille et une nuits.

NUANCES

1, rue du Casino
Casino de Montréal
514-392-2708
www.casino-de-montreal.com
M° Jean-Drapeau. Tous les soirs dim-jeu de17h30-23h, ven-sam 17h30-23h30. Toutes les CC. Service de voiturier.
Entrées 16-23, plats 43-46, desserts 14$, menu Plaisir (3 services) 65$, menu Découverte (5 services) 110$.72 places. Tenue de ville exigée.

Un restaurant d'exception, côté comme l'un des meilleurs au Canada. La finesse des plats est remarquable, tout comme leur présentation. Créativité et finesse sont à l'honneur : blinis de légumes confits et marinés aux agrumes, pétoncles poêlés au beurre de vanille bourbon, longe d'agneau biologique de Rimouski cuite en terre d'argile, son jus au thym, millefeuille de portobello et chèvre, spätzle à la moutarde. Pour les grands amateurs de caviar, on sert de l'Osciètre d'Iran pour 87.5$ les 28g. La carte des vins est exceptionnelle. La nouvelle décoration, très design vient d'être soulignée par Créativité Montréal.

Petites douceurs et mille attentions, c'est un véritable chef d'œuvre de la gastronomie.

CHEZ QUEUX

158, Saint-Paul E
514-866-5194
www.chezqueux.com
M° Champs-de-Mars, angle Place Jacques-Cartier. Mar-ven de 11h30 à 15h, dim de 17h à 22h, fermé le lundi. Table d'hôte 24-36. À la carte : entrées 6$-22,95$, plats 27-42. Toutes CC.

Allez faire un tour chez Queux pour déconnecter de l'atmosphère surchargée de la Place Jacques-Cartier. À peine le seuil de la porte de bois massif franchi, l'épaisse moquette rouge amortit le pas, les yeux courent sur un intérieur avec des murs de pierre caressés par une lumière tamisée. Cela ressemble à un décor de théâtre, sauf qu'ici tout est authentique : les lustres, les poutres, le vieux piano, les rideaux, les boiseries. Assis dans un confortable fauteuil, on est prêt pour une cuisine de qualité servie par un personnel très professionnel. Poêlée de foie gras de canard au Calvados et pomme caramélisée ; langoustines grillées à la provençale ; magret de canard rôti, jus naturel au thym frais et baies sauvages ; et crème brûlée à l'orange confite pour terminer, ne sont que quelques exemples puisés dans une carte étoffée.

RESTAURANT RENOIR

1155, Sherbrooke O
514-285-9000
www.restaurant-renoir.com
M° Peel. Lun-dim de 6h à 22h. Table d'hôte : midi table d'hôte 29$, carte 22$-32$, soir 47$, carte 18-34. Service de voiturier. V, MC, AE, DC & Interac.

On peut y prendre un verre au bar ou se laisser séduire par le menu que propose le chef Deff Haupt, et nous vous invitons fortement à vous laisser tenter par ses recettes. Des mélanges audacieux, carpaccio de noix de pétoncles au vinaigre de framboises et

158, rue St-Paul Est
Vieux-Montréal
Réservations
(514) 866-5194
www.chezqueux.com

1973

FLAMBÉE & DÉCOUPAGE EN SALLE
SALLE DE RÉCEPTION
WINE SPECTATOR DEPUIS 1996
Chez Queux

parfum de truffes blanches ; magret de canard du Lac Brôme rôti, pastillas de foie blond de pintade au curry, poires asiatiques et jus au parfum de réglisse. Les amoureux des nouvelles saveurs y trouveront leur bonheur, les moins aventuriers se laisseront séduire par le flétan poêlé, caviar d'aubergines et coulis de tomates au romarin ou encore par le râble de lapin aux olives et fettuccini à la crème de truffes. Les entrées sont aussi alléchantes les unes que les autres et la table d'hôte s'adapte à tous les goûts.

S LE RESTAURANT
125, Saint-Paul O
514-350-1155
www.lesaintsulpice.com
Mᵒ Place-d'Armes. Ouvert tous les jours de 11h30 à 5h0 et le soir dès 18h30. Brunch dim de 12h à 14h30. Table d'hôte du midi 15 $-28 $. À la carte : entrées 7 $-22 $, plats 20 $-40 $. V, MC, AE, DC & Interac.

Une ambiance feutrée règne dans ce restaurant au menu très diversifié. Servant une cuisine du marché à base de produits du terroir, le chef offre des mélanges harmonieux qui changent au gré des saisons. Ainsi l'été les accompagnements des plats principaux diffèrent de ceux de l'hiver, permettant au client de ne jamais avoir la même sensation. Mais ce qui est invariable c'est le service impeccable et la gastronomie raffinée de ce grand restaurant. Quelques sélections pour vous mettre l'eau à la bouche : le plateau d'huîtres ; salade de pétoncles fumés, aux fines pousses et à la poire asiatique, vinaigrette au sirop de coquelicot ; lasagne de homard au pesto de tomates séchées et coulis de poivrons rouges rôtis ; carré d'agneau rôti, croûté aux herbes du haut du fleuve. Dès que les beaux jours arrivent (mai à octobre), la terrasse des jardins intérieurs est l'un des endroits les plus agréables de la ville.

CHEZ LA MÈRE MICHEL
1209, Guy
514-934-0473
www.chezlameremichel.com
Mᵒ Guy-Concordia, angle René Lévesque. Lun-sam de 17h30 à 22h30, dim fermé. Carte : entrée : 8-12 $, plat 22-24 $, menu des grands espaces (entrée, plat, fromage, dessert) : 47 $. Cave champenoise pour les groupes. Toutes CC.

On aime cette adresse d'exception, grande table et fine cuisine dans l'environnement feutré d'une maison bourgeoise. Gentiment surnommée « La mère Michel », Micheline Delbuguet veille sur son petit monde, faisant son marché toujours en quête de produits rares et frais. Les mets respirent la tradition en perpétuelle évolution : crabe soufflé sur riz safrané ; demi-faisan à la marmelade d'oignons ; grenadins de veau au citron vert, feuilleté aux fraises maison… Essayez le menu des grands espaces, à base de produits québécois : coquilles des Iles de la Madeleine, tournedos de bison servi avec une sauce poivrade et canneberges confites pignon de pin et flan de céleri, salade de saison avec un croûton de Migneron gratiné. Superbe cave, service haut de gamme, petit solarium clôturent ce tableau alléchant. Réservation recommandée.

TOQUÉ !
900, place Jean-Paul Riopelle
514-499-2084
www.restaurant-toque.com
Mᵒ Square Victoria, angle Saint-Antoine. Mar-sam de 17h30 à 22h30.

Menus : midi 38$, 79$ (136$ avec vins) et 89$ (146$ avec vins), soir 84$ (138$ avec vins), 94$ (148$ avec vins). À la carte : entrées 10-23, plats 28-42. V, MC, AE, DC & Interac.
Le restaurant anciennement situé sur Saint-Denis a déménagé depuis le début de l'année 2004. Le nec plus ultra en matière de cuisine française. Le chef Normand Laprise est au gouvernail et veille à ce que la réputation de Toqué soit irréprochable bien qu'on ait noté quelques difficultés au redémarrage. Le menu est d'une rigueur incroyable mettant en valeur une cuisine de marché d'une fraîcheur inégalable. Pas de faux-fuyants, les plats sont confectionnés tels des œuvres d'art combiné à une carte des vins époustouflante. Tout est démesuré, chez Toqué, le décor est raffiné et le service est tout simplement parfait. Il est recommandé de réserver longtemps à l'avance !

VERSES
100, Saint Paul O
514-788-4000
www.versesrestaurant.com
M° Place-d'Armes. Lun-ven de 11h à 14h30, dim-jeu de 17h30 à 22h30, ven-sam de 17h30 à 23h. À la carte : entrées 8-18, plats 26-42. V, MC, AE, DC & Interac.
Situé au vieux port de Montréal, le Verses est le restaurant de l'hôtel-boutique le Nelligan. Ici, on ne se perdra pas au milieu d'une carte longue car le menu est court mais d'une grande qualité. Le Chef prépare une cuisine contemporaine française élaborée à partir de produits québécois : foie gras poêlé avec pêches caramélisées et brioche ; côte de cerf avec oignons caramélisés, pommes de terre truffées, sauté de champignons ; steak de thon frotté de Togarashi, infusion de citronnelle et gingembre. Sont également offert des produits de la mer et les amoureux des huîtres seront ravis, car la recette du Verses vaut le détour. L'ambiance est chic et le service courtois. On passe une soirée à se faire chouchouter.

VERSION LAURENT GODBOUT
295, Saint-Paul E
514-871-9135
www.version-restaurant.com
M° Champ-de-Mars. Mar-ven de 11h30 à 14h et mar-sam 17h30 à 22h. TH midi 13,95 –16,95$, soir à la carte : entrées 6-14, plats 19-30.
Laurent Godbout frappe encore, avec un nouveau concept de restaurant cette fois. Version est un restaurant-boutique où l'on peut acheter ce qui se trouve dans l'établissement, des produits culinaires aux accessoires de décoration (verres, pichets, etc.). Pour ce qui est de la cuisine, elle s'inspire d'une palette méditerranéenne qui déploie toutes ses saveurs (Italie, Espagne et Portugal) en mélangeant simplicité et créativité à la fois.

RIVE-NORD

LA VIEILLE HISTOIRE
284, boul. Sainte-Rose, Laval
450-625-0379
Lun-dim 18h-22h. Entrées 5-16. Carte 29-33. TH 38$. Toutes les CC et Interac.
Situé dans le vieux Sainte-Rose, ce restaurant fait penser avec nostalgie à la maison de grand-maman. La tapisserie, les boiseries et même l'aspect extérieur de la bâtisse font revivre les souvenirs d'enfance de la famille québécoise typique. Cependant, à la tarte au sucre se substitue une fine cuisine aux plats parfois inhabituels. La terrine de sanglier, la crépinette d'autruche et le potage d'asperges et de poires ne sont que quelques exemples. Le menu change aussi à chaque trimestre pour s'adapter aux saisons. Une expérience excitante et inusitée pour les papilles gustatives. Une cuisine sophistiquée, des plats bien arrangés, mais débarrassé des rituels de présentation communément associés aux grandes tables.

LE SAINT-CHRISTOPHE
94, Sainte-Rose, Sainte-Rose
450-622-7963
Mar-sam de 12h à 14h et de 17h30 à 22h. Table d'hôte 36-55 : repas

Faire le tour du monde en restant à Montréal ? C'est possible grâce à la diversité de ses restaurants. De la cuisine afghanne à celle du Vénézuela en passant par le Portugal, les meilleures recettes se cotoient à Montréal.

à 5 services. Jusqu'à 78$ avec suppléments. V, MC, AE & Interac.* Un restaurant pas comme les autres. Les tables sont disposées dans plusieurs petites salles d'une belle maison du début du XXᵉ siècle. Le cadre est élégant, la carte aussi. La maison propose un menu dégustation de cinq services et une sélection de vins au verre pour l'accompagnement. La table d'hôte saura vous ravir pour un prix tout à fait honnête compte tenu de la qualité. Les ingrédients sont choisis avec soin et cuisinés avec talent par le chef Stéphane Charpentier. La carte n'est pas figée et s'adapte aux saisons. On sent au Saint-Christophe que le client n'est pas pris à la légère et c'est tant mieux ! Un haut lieu de la Rive-Nord qui ne vous laissera pas indifférent.

INSOLITE

L'AUBERGE DU DRAGON ROUGE

8870, Lajeunesse
514-858-5711
www.oyez.ca
Mᵒ Crémazie, angle Saint-Hubert. Lun-mer de 11h30 à 22h, jeu-ven de 11h30 à 23h, sam-dim 9h-14h et 16h30-22h. Service de traiteur. Carte 5,75-31. V, MC & Interac.
À l'étage, c'est la salle de banquet, décorée comme il sied, accueillant les groupes. La carte propose des saveurs médiévales à base de viandes, galettes, et autres recettes tout droit sorties d'un vieux grimoire. Le menu est conçu pour contenter grands et petits festoyeurs. Pour une version plus fast food, des galettes servies avec crudités et pommes-frites. À déguster : l'hydromel, une des boissons fétiches du Moyen-Âge, sans oublier le fameux « Sang de Dragon » pour les plus courageux (sur demande). Conseil futé : demandez donc au troubadour de vous parler du Curé…

LA MAISON HANTÉE

1037, de Bleury
www.maisonhantee.qc.ca
Mᵒ Place-d'Armes. Ven-sam de 18h à 1h. Pour les soirées-spectacles

Château médiéval
Sire d'Howard

7655, 20e avenue
Billetterie 187 boul. Curé-Labelle, Laval
514-MON-SHOW/ 514-666-7469
info@chateaumedievalsiredhoward.com
www.chateaumedievalsiredhoward.com

104 représentations prévues du 2 juin au 31 décembre 2007. Spectacles à 20h mar-sam, 17h dim. Ouverture des portes une heure (spectacle de 17h) et une heure trente avant le spectacle (spectacle de 20h). Adultes à partir de 64.95$ taxes incluses, enfants (12 ans et moins) à partir de 49.95$ taxes incluses, groupes (20 personnes et plus) 59.95$ taxes incluses. (+frais de traitement et d'expédition du réseau Admission). Il est possible de réserver le stationnement en même temps que les billets au coût de 8$ + frais de traitement au lieu de 12$ sur place.

Ce « château » a ouvert cette année dans l'est de l'île, après 4 années de spectacles à Saint-Adolphe d'Howard et une incursion dans le vieux Montréal. Il s'inspire du concept « Medieval Times », une chaîne Nord Américaine proposant un dîner spectacle d'envergure à saveur médiévale. De nombreuses épreuves d'adresse médiévale et un tournoi plein de rebondissements se déroulent dans une grande arène autour de laquelle sont accueillis les convives. Le voyage dans le temps commence lorsque les « invités » sont accueillis par le roi et la princesse pour une séance de photos. Pour respecter les pratiques de l'époque, pas de couteau ou de fourchette, mais des plats à manger avec les mains. Un menu unique, composé de pain à l'ail, soupe aux légumes, poulet rôti, pommes de terre et pâtisseries. Des cocktails alcoolisés aux noms évocateurs sont disponibles avec un supplément. De là, le spectacle commence pour le plus grand plaisir de tous. Une performance qui ne vous laissera pas de marbre : lancers de javelots, compétitions entre les chevaliers (à vous d'encourager celui qui représente la section dans laquelle vous vous trouvez), joutes, manoeuvres avec les chevaux, combats à l'épée, et même de la magie... Une belle expérience entre amis ou en famille, et un incontournable pour les fans de l'ère Médiévale.

(durée 2h15) : mar-sam 20h à 22h15, dim 18h à 20h15. Prix : 49$ par personne pourboire inclus, un dépôt de 20$ est exigé. Réserver à l'avance, arrivée obligatoire 1 heure à l'avance. Spectacle enfants : 20$ avec repas, 16$ sans repas. V, MC & Interac. Assis au bar, une « boisson hantée » ou une bloody césars à la main, les invités ont le regard questionneur : « Dans quelle aventure nous sommes nous embarqués ? ». Puis le périple commence. Le jeu des acteurs fantomatiques donne tantôt des sueurs froides, tantôt de grands éclats de rire. Les groupes de 10 personnes occuperont une tablée entière. L'ambiance y est. Tout est mystère et fiction. Seule réalité : la poitrine de poulet méditerranéen que savourent les rescapés. Ouf ! Les grandes émotions ouvrent l'appétit. Les convives peuvent rencontrer les acteurs et les cartomanciens après le souper. Pour les enfants, des matinées sont organisée à midi pour une durée de 1h30 et il est possible de réserver un anniversaire un samedi par mois pour les enfants de 8 à 12 ans.

O.NOIR

1631, Sainte-Catherine O
514-937-9727
www.onoir.com
Lun-dim 17h30-24h, 1er service à
17h45 et 2e service à 21h. Ouvert le
midi pour les groupes de 15 et +. Ttes
les CC et Interac. TH midi 26-30 $. TH
soir 30-37 $.

Ici, les clients mangent dans la
noirceur totale afin d'expérimenter
ce que toute personne aveugle vit au
quotidien. « Et si le serveur renversait
une assiette bien saucée sur mon beau
chandail neuf ? », vous dites-vous.
Les accidents peuvent arriver, mais
toutes les mesures sont prises pour le
limiter, les serveurs étant eux-mêmes
aveugles. Outre le concept qui se veut
novateur et socialement responsable,
la nourriture n'est pas à négliger. De
bons petits plats auront un goût encore
plus intense, puisque ne dit-on pas que
la perte d'un sens exacerbe les autres ?
Les plats, les textures et les odeurs
sont diverses avec des combinaisons
intéressantes d'ingrédients. Ceux qui
veulent pousser l'expérience plus loin
peuvent choisir le dessert ou l'entrée
surprise. Tous les dimanches, le groupe
de musique Les Ombres charme l'ouïe.
Malheureusement, l'effet de la perte d'un
sens semble entraîner les gens à hausser
le ton à un point parfois cacophonique.

RIVE-SUD

L'AUTRUCHE DORÉE

505, Ruisseau Saint-Louis O
Sainte-Marie-de-Monnoir
450-460-2446
Ouvert sur réservation, min. 15
personnes. Prendre la 10 et la sortie
37, puis la route 112, les panneaux
indicateurs font le reste.
MC, Visa et Interac.

Sur réservation seulement pour les tables
champêtres. Menu 3 services 27,95 $,
menu 6 services 38,95 $. Une ferme
un peu spéciale, crée en 1994, qui fait
l'élevage de ces gros oiseaux nommés
autruches. Les heureux convives
pourront goûter à cette cuisine exotique,
en un éventail des plus diversifiés.

L'autruche fumée est accompagnée
d'une mousse à la moutarde, de phylos
framboisés, de médaillons d'autruches et
oignons caramélisés. Comme certaines
personnes se révèlent allergiques à
cette viande, des plats de poulet sont
aussi préparés afin de parer à toutes les
éventualités. Un peu à l'écart des sentiers
battus, mais la découverte en vaut
la peine.

CHEZ SOI

QUELQUES SERVICES DE LIVRAISON

À LA CARTE EXPRESS

514-933-7000
www.alacarteexpress.com
Le service « À la carte express », c'est
simple comme bonjour. On fait le
numéro et on passe sa commande.
On peut aussi le faire par fax au (514)
933-1939 ou par le site Internet. Heures
d'ouverture : 7 jours/7 de 11h à 23h.
Commande minimale de 7 $, frais de
service de 2,75 $. Pour les commandes
de plus de 60 $, 10% de pourboire
sera facturé. Toutes les CC et Interac.
Chaque quartier a sa propre carte, mais
en général les chaînes de restaurants
telles que Nickels, Subway, Pizzédélic,
Pacini etc., y sont proposées.

KAISEN SUSHI-À-GO-GO

514-707-8744
www.70sushi.com
Soupes et entrées 5,5 $-39,95 $, plats et
combos 17,95 $-39 $, sushis et sashimis
6,25 $-11 $, makis 5,25 $-15 $. La qualité
des restaurants Kaisen à la maison. Des
frais de livraison peuvent s'appliquer
selon votre lieu de résidence, mais en
général, au-delà de 50 $, la livraison est
gratuite.

sortir

Bars

AMBIANCE FRANCHOUILLARDE

L'BAROUF
4147, Saint-Denis
514-844-0119
M° Mont-Royal. Lun-dim 14h-3h.
On se croirait dans un pub de Paris grâce aux chaises Stella Artois et le rouge omniprésent, mais un petit air exotique y règne en permanence. Les jeudis, vendredis et samedis sont très occupés et c'est un endroit privilégié de la clientèle du plateau qui vient discuter lors des 5 à 7. La carte des scotchs est exhaustive, en plus de la très bonne sélection de bières locales et importées. Une table de baby-foot se trouve à l'arrière et le calibre est plutôt élevé. D'ailleurs, L'Barouf est le point de rencontre des supporters français lors des matchs de championnat de football. Allez les Bleus ! Allez les Bleus !!

LE PMU
Édifice de l'Union Française
429, Viger
514-678-8887
www.unionfrancaise.ca/baruf.html
M° Champ-de-Mars. Jeu seulement dès 18h («6 à 8» tous les jeudis soirs). Ouvert également lors d'événements spéciaux, les contacter pour plus d'info.
Le PMU de l'Union Française n'a que le nom en commun avec les vrais bars PMU. La déco de l'Union française rappelle l'ambiance du début du siècle dernier. C'est néanmoins chaleureux et décoré avec très bon goût. Plusieurs soirées thématiques et événements y sont organisés : expositions, soirées de dégustation (portos et chocolat, bières et charcuteries,…), soirées littéraires, sessions d'information avec la Maison de Voyage, soirées célibataires,… Les grands événements sportifs comme la Coupe du Monde de Football ou le Grand Prix du Canada, sont diffusés en direct sur écran géant. Il est possible de louer le bar pour vos événements privés avec service bar et traiteur, si désiré.

MASSILLIA
4543, du Parc
514-678-1862
Angle Mont-Royal. Ouvert tous les jours, les heures d'ouverture varient selon les événements et l'affluence.
Le Massillia vient de fêter son premier anniversaire en mai et quelle belle année ce fut ! Mais comment décrire cet endroit… de bleu et de jaune avec un arôme d'anis, un terrain de pétanque, une terrasse ensoleillée, une bonne ambiance, et surtout, l'accent du Sud de Hugues, l'heureux propriétaire des lieux et fier supporter de l'OM ; c'est tout cela qui nous rappelle une petite partie du Sud de la France. Et que dire de la programmation : présentation des matchs de foot et de Formule 1 sur écran géant, soirées karaoké 100% français, soirées chansons françaises, barbecue,… Pour être au parfum de tout ce que ce sympathique bar vous réserve, inscrivez-vous à la liste d'envoi… pour ne rien manquer. Avons-nous mentionné qu'ici, le Ricard est roi ? Essayez-le en mètre !

DÉCONTRACTÉS

BALOOS
403, Ontario E
514-843-5469
www.barbaloos.com
M° Berri-UQAM. Lun-dim 14-3h.
Les étudiants de l'UQAM et du Cégep du Vieux-Montréal s'y donnent rendez-vous depuis une douzaine d'années. Les propriétaires, Bernard et Jean-Michel, ont su saisir l'occasion et créer un bar dont la réputation n'est plus à faire sur la scène rock alternative montréalaise. Un menu de plus d'une quarantaine de shooters, mais la spécialité du Baloos reste le seau de bière ! En effet, on peut s'asseoir entre amis et commander le seau de 6, 12 ou 24 bières à des prix très compétitifs. La terrasse à l'arrière gagne à être connue puisqu'elle ouvre dès le début avril jusqu'à la fin octobre, grâce à un système de chauffage qui aide à nous garder bien au chaud.

BIFTECK

3702, Saint-Laurent
514-844-6211
Angle des Pins. Lun-dim15h-3h.
Happy hour de 18h à 20h30, 7j/7.
L'endroit parfait pour boire dans un
authentique «bock» de bière comme on
en retrouve en taverne. Et que dire de
l'atmosphère, estudiantine et festive à
souhait ! C'est LE bar le plus visité par
la gent universitaire anglophone sur «La
Main». La pinte, très abordable, côtoie
d'autres spéciaux imbattables : 2 pour 1
sur les cocktails, 5 shooters pour 10$...
vous comprendrez pourquoi la moyenne
d'âge se situe dans la vingtaine. Des
téléviseurs retransmettent religieusement
les matchs de hockey et on y va en
grande partie pour cette raison ! Malgré
les deux étages (le 2e n'est ouvert que du
mercredi au samedi en soirée), l'endroit
est petit et on s'accroche les coudes fort
souvent, mais c'est peut-être là un petit
jeu recherché...

CAFÉ L'UTOPIK

552, Sainte-Catherine E
514-844-1139
www.lutopik.org
M° Berri-UQAM. Lun-dim 7h-1h.
Autrefois le Cafe Ludik, le Café l'Utopik
est un endroit tout à fait agréable pour
prendre un café mais aussi pour boire
une bière, que ce soit autour d'une table
de backgammon ou tout simplement
dans l'une des petites salles intimes,
bien calé dans un fauteuil. Des concerts
sont présentés tous les soirs et les styles
musicaux varient du jazz au blues en
passant par les rythmes tziganes. La
chanson francophone s'y exprime aussi
de temps à autre. Les concerts sont
gratuits mais une contribution volontaire
est plus qu'appréciée ! Une librairie
alternative permet aux esprits curieux de
lire sur place magazines et journaux
très engagés.

ELSE'S

156, Roy E
514-286-6689
Angle de Bullion. Lun-dim 10h-3h.
Le bar tient son nom de sa fondatrice,
Else Smith, qui se targuait d'être la plus

vieille punk en ville. La décoration, du
genre «fait maison» où l'on découvre
un nouveau petit détail à chaque
fois, accompagne les collages sur les
tables, sur les affiches publicitaires, et
les couleurs chaudes et sombres qui
donnent une certaine intimité. L'endroit,
fréquenté surtout par une clientèle
d'universitaires anglophones, a conservé
l'esprit bohème de l'ancienne propriétaire
aujourd'hui décédée. Pour une question
de licence, les clients doivent grignoter
quelque chose s'ils désirent commander
de l'alcool.

LA QUINCAILLERIE

980, Rachel E
514-524-3000
http://laquincaillerie.ca/
M° Mont Royal. Angle Boyer. Ouvert
lun-sam à partir de 17h.
Reconvertir une quincaillerie géante
en bar branché : c'est le pari de la
compagnie Cabot Champagne (le
National, la Tulipe, etc). Et, au vu du
monde qui fréquente ce nouveau bar la

Terrasse du Quartier latin © Fabienne Pyun

fin de semaine, l'objectif a été atteint !
L'espace immense, qui ressemble plus à
un entrepôt de périphérie qu'à un bar a
été très bien aménagé. Tables immenses
(idéales pour faire des rencontres !),
fresques démurées au mur et un long
bar meublent l'espace à merveille. En
semaine, les bancs de la Quincaillerie
sont bien moins achalandées. D'où leur
excellente idée d' offrir des spéciaux
particulièrement intéressants.

LE BOUDOIR

850, Mont-Royal E
514-526-2819
M° Mont-Royal. Lun-dim13h-3h.
Chaque jour, une partie de la jeunesse
du Plateau vient s'attabler autour d'une
pinte. En fait, la majorité de la clientèle
du Boudoir se déplace pour un verre de
houblon (5 à 7 sur la bière en semaine).
Les autres profitent des spéciaux sur
le scotch les lundis et mardis pour
tester la sélection complète qui compte
une centaine de variétés. Certains
préfèrent encore les jeux d'échecs ou
de connaissances pour se dégourdir
l'esprit. Le billard fait aussi partie des
activités ludiques. Cependant, c'est la
table de baby-foot qui semble l'attraction
principale de l'endroit. Les débutants
doivent s'attendre à des parties courtes
car le niveau de jeu est élevé.

LES BOBARDS

4328, Saint-Laurent
514-987-1174
www.lesbobards.qc.ca
Coin Marie-Anne. Mar-dim 15h-3h, lun
pour location privée.
Les Bobards est surtout connu pour
ses spectacles mettant en vedette la
relève québécoise. Du mercredi au
dimanche, les groupes se suivent mais
ne se ressemblent pas. Pour ceux qui
veulent se secouer un peu les hanches,
les DJ assurent aux platines du jeudi
au dimanche après les spectacles,
et enflamment les lieux jusqu'à 3h.
À noter : les 3 à 8 où les spéciaux
imbattables attirent une clientèle en quête
d'une bonne ambiance pour trinquer
entre amis… sans oublier la tradition des
«peanuts». Allez-y, vous comprendrez !

MADHATTER SALOON

1220, Crescent
514-987-9988
www.madhattersaloon.com
M° Lucien L'Allier. Lun-dim 11h-3h.
La rue Crescent est un des hauts lieux
du «trendy» mais certains bars font
exception à la règle… Une ambiance
décontractée, une clientèle tant
estudiantine que d'affaires, un décor
simple et qui se prête bien aux soirées
arrosées. Chaque soir voit défiler
différents thèmes et spéciaux sur l'alcool.
Lors de la belle saison, la terrasse sur le
toit est l'endroit tout désigné… d'autant
plus qu'elle est équipée de son propre bar.

PUB L'ÎLE NOIRE

342, Ontario E
514-982-0866
M° Berri-UQAM. Lun-dim 15h-3h.
L'Île Noire c'est la Mecque des scotchs,
des scotchs rares, pouvant atteindre les
500 $ le verre ! Mais les amateurs d'un
houblon plus doux ne sont pas en reste et
n'ont qu'à choisir parmi la Belle Gueule,
la St-Ambroise, la Guinness pour ne
nommer que ceux-ci. L'ambiance est
chaleureuse et nous invite à y retourner
souvent. Se la couler douce par quelques
beaux après-midi et profiter du décor
rappelant le pays du chardon avec en
main, sa boisson alcoolisée préférée,
l'Île Noir est réellement une destination
idéale. Pour les soirées, il faut soit arriver
tôt et se cramponner à sa chaise, soit
accepter de jouer du coude pour se tailler
une place sur cet îlot de qualité suprême.

LE SAINT-SULPICE

1680, Saint-Denis
514-844-9458
www.lesaint-sulpice.com
M° Berri-UQAM. Lun-dim 12h-3h.
Avec ses neuf bars en comptant ceux de
l'immense terrasse, ses quatre étages, son
restaurant, sa discothèque et sa musique
pour tous les goûts, le Saint-Sulpice est
le plus grand bar en ville. L'endroit est
pratiquement bondé toutes les fins de
semaine. Chaque jour, l'ambiance est à la
fête, mais pour ceux qui se sentent l'âme
plus philosophe, il y a toujours un petit
coin pour discuter dans un des salons.

le Boudoir →

café ▶ bar

850, avenue du mont-royal est
montréal
514.526.2819

Sans oublier l'attrait principal en été : sa terrasse, la plus grande à Montréal !

VOL DE NUIT
14, Prince-Arthur E
514-845-6243
Angle Saint-Laurent. Lun-dim 11h30-3h.
Sa réputation est due en majeure partie à sa terrasse en été, celle qui ouvre toujours avant les autres et ferme tard en saison. Le soleil qui nous chauffe les joues est un prétexte plus que valable pour que Jimmy et ses employés installent les tables sur la rue Prince-Arthur. Avec raison : l'endroit est parfait, en pleine rue piétonne, aux abords du fameux boulevard Saint-Laurent. Et que dire des prix ! C'est toujours happy hour et cela se résume à un 2 pour 1 sur la bière, en tout temps et à toute heure. La sangria est également moins chère qu'à bien d'autres endroits.

YER'MAD
901, de Maisonneuve E
514-522-9392
M° Berri-UQAM. Lun-dim 15h-3h.
Pinte à 4,25 $ avant 20h. La bière québécoise est à l'honneur les lundis avec des spéciaux alléchants. En breton, le nom de l'établissement signifie « Santé ! (Tchin !) ». Serait-ce le pichet de Griffon ou de Saint-Ambroise qui garantit l'équilibre corporel et mental du consommateur ? Peu importe, les clients arborent généralement le sourire et ont le cœur à la fête. La musique entraînante y est sûrement pour quelque chose dans cette taverne nouveau genre qui n'a rien de vieux. La clientèle s'étant rajeunie depuis la création du bar, elle se compose maintenant de bon nombre d'étudiants de l'UQAM et du Cégep du Vieux-Montréal. Yer'mad !

Terrasse du Quartier latin © Fabienne Pyun

LOUNGE SIX
602, Curé-Labelle, Laval
450-978-6686
Interac (+3$ de frais) et argent comptant seulement. Lun-ven 17h-3h, sam-dim 15h-3h. Ouverture de la cuisine : 19h-1h. Soirées rétro les lundis. Entrées 5-13$, plats principaux 9-20$, desserts 7-10$. Environ 70 places.

Ce restaurant-bar lounge propose une carte variée de bières et de vins, ainsi que quelques desserts intéressants, comme les loukoumades (boules de pâte enrobées de miel chaud), les bougatsas (feuilletés de pommes et de cannelle) ou simplement les crêpes aux fruits. Autrement, les plats se résument principalement à des entrées, comme des nachos, des salades, des calamars, mais aussi quelques assiettes de viandes, comme des steaks et du poulet. Un écran géant derrière le bar permet de visionner des films (ou des matchs sportifs). Mais même si la musique d'ambiance est un peu forte, on y vient surtout pour la conversation et l'atmosphère décontractée.

RESTO PUB CITY
20 820, ch. Côte-Nord, Boisbriand
450-419-4995
www.restopubcity.com
Autoroute 15, sortie 23. Lun-ven 11h30-3h, sam-dim 17h-3h. Ouvert tant qu'il y a des clients. La cuisine ferme à 22h. Entrées 5-18$. Carte 12-40$. TH 16-36$. Toutes les CC et Interac. Environ 85 places.

De l'extérieur, l'immense bâtisse grise isolée au milieu d'un stationnement semble bien terne. À la limite, elle fait penser à une maison hantée, surtout sous la pluie. À l'intérieur cependant, la décoration est plus joyeuse et les teintes chaudes et colorées. Ce restaurant branché propose un menu international, mais aussi une variété de divertissements : musique live, soirées danse latine ou spectacles de magiciens, jazz avec DJ, vendredis génération 80-90, etc. Le lundi, tout est au prix des employés.

BARRACA
1134, Mont-Royal E
514-525-7741
www.barraca.ca
M° Angle Christophe-Colomb. Lun-dim 15h-3h.

Le concept «rhum et tapas dans une ambiance électro-jazz» du Barraca attire la clientèle de jeunes branchés du Plateau Mont-Royal. Ses trois propriétaires ont développé à la fois un menu digne des bars à tapas barcelonais et une carte effarante de rhums, plus d'une quarantaine ! On vous conseille d'ailleurs les excellents produits de la maison Ferrand. Du lundi au samedi, des DJs s'occupent de l'ambiance musicale tandis que le dimanche, des groupes jazz à saveur espagnole se produisent dès 20h.

BILY KUN
354, Mont-Royal E
514-845-5392
www.bilykun.com
M° Mont-Royal. Lun-dim 15h-3h. Bílý Kůň signifie «cheval blanc» en tchèque. L'idée vient de l'un des patrons du bistro qui auparavant, besognait rue Ontario... au Cheval Blanc. Ayant vu le potentiel de l'Avenue Mont-Royal, le nom et le style du bistro du Centre-Sud ont été importés avec certaines modifications. Avec cette fois, l'espace requis pour assouvir de grandes ambitions. Mission accomplie : presque tous les soirs, les gens sont debout. Un DJ est sur place chaque jour dès 22h, et des musiciens jazz et classique s'exécutent cinq fois par semaine pour le 6 à 8. Côté boisson, laissez-vous tentez par les produits de la République Tchèque !

BLIZZART'S
3956A, Saint-Laurent
514-843-4860
Angle Napoléon. Lun-dim 21h-3h. Happy hour, 21h-22h, 7j/7.
Vous êtes déjà probablement passé devant l'endroit sans le remarquer. Pas d'enseigne lumineuse, peu d'éclairage, que le nom du bar qui apparaît discrètement sur les fenêtres extérieures.

SORTIR

Les lieux sont de style lounge avec de grandes banquettes en demi-cercle et, au fond, la petite piste de danse et le podium du DJ de la soirée (après 22h). Les soirées du vendredi avec DJ Kobal font jaser et on y revient.

GOGO LOUNGE
3682, Saint-Laurent
514-286-0882
Entre Prince-Arthur et des Pins. Lun-ven 17h-3h, sam-dim 19h-3h.
Le Gogo Lounge est la preuve vivante que le retro ne se démode pas. L'apparence extérieure, la déco et le mobilier, la musique et même le nom des cocktails nous transportent dans le monde d'Austin Powers. La spécialité de la maison : les martinis avec un choix de plus de 25 recettes différentes. Attendez-vous à faire la file les soirs de week-end mais l'attente n'est jamais très longue et franchement, ça vaut le coup !

LAÏKA
4040, Saint-Laurent
514-842-8088
www.laikamontreal.com
Angle Duluth. Lun-ven 8h30-3h, sam-dim 9h-3h. Les brunchs sont servis le samedi et le dimanche de 9h à 16h.
Son originalité est entière, niveau déco, ambiance et menu. Le Laïka est un bar de quartier aux prix très raisonnables qui a aussi une vocation de café-resto. Une excellente cuisine (répétons-le, les prix sont abordables) créative et santé. La question est posée : pourquoi alors aller ailleurs ? Surtout quand les meilleurs DJ en ville viennent y faire leur tour pour

mettre un peu d'ambiance et que ça ne nous coûte rien du tout. Le programme des soirées se trouve sur le site web.

LOBBY BAR LOUNGE
4538, Papineau
514-523-1710
www.mylobbylounge.com
Angle Mont-Royal. Mar-dim 16h-3h.
Un nouveau venu sur la carte des bars branchés électro-funky-soul, avec menu tapas jusqu'à 1h et bar à martini. Le Lobby Lounge mise sur des soirées thématiques hors de l'ordinaire : à chaque mois, le bar choisit trois prénoms féminins et trois rues du Plateau. Si vous faites partie des heureux élus, les spéciaux vous attendent. Du vendredi au dimanche, les DJs assurent aux platines pour enflammer la piste de danse.

MASAI BISTRO D'AMBIANCE
5637, du Parc
514-678-1156
www.masaibistrolounge.ca
Entre Bernard et Saint-Viateur. Lun-ven 11h-1h (avec pause de 14h à 17h), sam-dim 9h-3h.
Granola chic, le Masai est avant tout un havre d'exotisme. La qualité du menu, sa grande terrasse intérieure et extérieure, son bar et l'ambiance qui y règne, en font un incontournable pour quiconque veut s'amuser et bien manger. RFI et musique francophone le matin, house, musique du monde et DJs locaux le soir, c'est un voyage à travers le temps et les cultures qui vous attend. Atmosphère décontractée, menu raffiné et abordable, groupes, service sans prétention.

PLAN B

327, Mont-Royal E
514-845-6060
www.barplanb.ca
Mᵒ Mont-Royal. Lun-dim 15-3h.
La décoration, signée Zebulon Robert
Perron de Materia Design, donne des
airs de raffinement, de bon goût, dans
un espace convivial et sans prétention.
Sa spécialité est l'absinthe importée de
République Tchèque mais son menu
d'alcool est bien garni en respectant
les traditions du vieux continent. Le
restaurant Continental prépare des
amuses-gueules pour le bar, qui sont
servis dans des pots Masson. L'été
arrivé, sa magnifique terrasse verdoyante
devient le lieu de prédilection. À noter :
une visite sur leur site Internet s'impose.

LARGE SÉLECTION
DE BIÈRES

GRANDE GUEULE
5615A, Côte-Des-Neiges
514-733-3512
Mᵒ Côte-des-Neiges. Angle Côte-
Sainte-Catherine. Lun-ven 11h-3h;
sam-dim 13h-3h.
Des nouveaux étudiants, des étudiants
qui n'en finissent plus d'être étudiants,
et des anciens étudiants nostalgiques
d'une autre époque côtoient une
clientèle de quartier de tous âges dans
ce pub irlandais situé à deux pas de
l'Université de Montréal. Les produits
McAuslan sont à la tête d'une liste
d'une quarantaine de bières, locales
et importées, qu'on accompagne
aisément avec les hot-dogs européens.
Côté microbrasseries, on est gâté : Le
Chaudron, Les Trois Mousquetaires,
L'Alchimiste, Les Brasseurs du Nord,
pour ne nommer que ceux-là.

PUB DU QUARTIER LATIN
318, Ontario E
514-845-3301
Mᵒ Berri-UQAM. Lun-dim 15h-3h (en
hiver, sam 19h-3h).
Un des lieux branchés du quartier,
le Pub du Quartier latin donne dans
l'atmosphère lounge et décontractée.
Outre leur éventail de portos, vins et

scotchs, le pub se fait fier représentant du
houblon et sert de vitrine aux produits
québécois tels que Boréale, McAuslan et
Le Cheval Blanc. Niveau importation,
on aura la possibilité de déguster des
bières plus rares de ce côté de l'océan
comme la Giraf, une blonde danoise
légèrement amer. En été, profitez de leur
magnifique terrasse.

PUB SAINT-CIBOIRE
1693, Saint-Denis
514-843-6360
www.pubsaint-ciboire.com
Mᵒ Berri-UQAM. Lun-dim 14h-3h.
Le Pub Saint-Ciboire, c'est d'abord et
avant tout une ambiance franchement
québécoise, tant par sa programmation
musicale que sa variété de bières «bien
de chez nous» ! Aux pompes, douze
produits locaux et autant en bouteilles
avec en plus. Si on préfère les bières du
vieux continent, une dizaine de sortes
s'offre à nous et pour quelque chose
d'un peu plus corsé, une quinzaine de
whiskies et scotchs figurent au menu.
Et comme on aime bien rire au Québec,

pourquoi ne pas aller découvrir ses bons produits locaux lors de leurs soirées d'improvisation ou d'humour !

SAINTE-ÉLISABETH
1412, Sainte-Élisabeth
514-286-4302
www.ste-elisabeth.com
M° Berri-UQAM. Horaire d'été : lundim 15h-3h ; Horaire d'hiver : lun-ven 16h-3h, sam 17h-3h, dim 19h-3h.

Sa superbe terrasse emmurée, couverte de plantes grimpantes et parsemée d'arbres fait la réputation de ce bar. Les bières de la microbrasserie Boréale sont en vedette et particulièrement les lundis et mardis où le prix de la pinte chute à 3.75 $! Pour ce qui est des bières importées, l'Irlande et la Belgique sont rois et maîtres. En bouteille, certains amateurs seront ravis d'apprendre que la Délirium Tremens figure au menu, bière corsée aux arômes d'abricot !

VICES & VERSA
6631, Saint-Laurent
514-272-2498
www.vicesetversa.com
Angle Saint-Zotique. Mar-sam 15h-3h, dim-lun 15h-1h.

Un bistro québécois et fier de l'être ! En plus de vous proposer un vaste choix des bières des microbasseries La Barberie, Bierbrier, Le Maître Brasseur, les Trois Mousquetaire, McAuslan, La Voie Maltée, Microbrasserie le Lièvre, À l'Abri de la Tempête, Microbrasserie de Charlevoix et L'Alchimiste, l'équipe de Vices & Versa se fait la vitrine d'artisans d'ici. Les produits du terroir sont à l'honneur (belle sélection de fromages québécois) et se marient admirablement aux bières proposées, à déguster à l'unité ou en «carrousel». Ajoutez à cela une agréable terrasse à l'arrière et des spectacles et vernissages qui rendent l'endroit plus agréable encore, et vous comprendrez notre engouement pour cette adresse.

ZINC
1149, Mont-Royal E
514-523-5432
Angle Christophe-Colomb. Dim-mar 16h-minuit, mer-sam 16h-3h.

Dans la jungle du plateau, le Zinc joue la carte de l'authentique bar de quartier, et la clientèle est à l'image de la carte des bières : très diversifiée. Le Zinc propose près d'une trentaine de bières à la pression et quelques produits en bouteilles. L'endroit se prête fort bien aux rencontres entre amis, un moment de détente bien mérité, question de savourer sa Belle Gueule ou sa Tremblay. Les amateurs de produits belges ne seront point déçus car ils sont en tête d'affiche de la carte des bières importées. Une atmosphère agréable, un choix musical plaisant à tous, tout simplement un petit bijou de bar !

RIVE-NORD

PUB MCTAVISH
803, Saint-Pierre, Vieux-Terrebonne
450-961-2547
Jeu-sam 16h-2h, dim-mer 16h-fermeture à la discrétion du barman. La cuisine ferme à 22h. Mardi 2 pour 1 pour les dames. Lun-ven 16h-20h, bières et vins en fût. Entrées 4-13$, plats principaux 12-25$. Environ 140 places assises à l'intérieur.

Comme les clients de ce bar restaurant pour les 21 ans et plus sont principalement des habitants des environs, l'ambiance y est à la familiarité. Ils sont aussi plus nombreux les jeudis et les vendredis. La clientèle est relativement diversifiée dans la journée, mais le soir, elle se situe surtout dans la vingtaine et la trentaine. Au premier étage, se situe le restaurant, avec ses confortables banquettes et sièges coussinés. Le deuxième étage fait encore plus sophistiqué avec un espace lounge, quelques fauteuils en cuir et un écran de télévision géant. Le service courtois, l'atmosphère décontractée et la musique populaire qui résonne dans toute la bâtisse rendent l'endroit d'autant plus chaleureux et agréable.

BRASSERIES ARTISANALES

BENELUX
245, Sherbrooke O
514-543-9750
www.brasseriebenelux.com
M° Place-des-Arts. Lun-dim 15h-3h (ouverture dès 9h en été).
Le menu est axé autour de bières d'inspiration américaine, dominées par le houblon et bien sûr, de quelques spécialités belges. Une quinzaine de recettes sont brassées de façon cyclique et quotidiennement, au moins cinq bières maison et quelques bières invitées figurent au tableau. Des repas de style bistro permettent d'accompagner notre verre de houblon. Les soirées à ne pas manquer : les premiers lundi du mois pour assister à l'enregistrement d'une émission radio, les mercredis double-découverte, sans oublier le traditionnel 5 à 7 du jeudi.

BRUTOPIA
1219, Crescent
514-393-9277
www.brutopia.net
M° Lucien L'Allier. Sam-jeu 15h-3h, ven 12h-3h.
Brutopia est devenue une petite institution sur la populaire rue Crescent. On y vient pour sa IPA, sa blonde au framboise, sa «Chocolate Stout», mais surtout pour cette si agréable atmosphère… un endroit où il fait tout simplement bon de déguster une bière maison entre amis. Pour les petits creux, jetez un coup d'œil au menu de Brutapas… de quoi faire gronder votre estomac ! Avons-nous besoin de mentionner les nombreux spectacles gratuits, les dimanches «open mic», les lundis «trivia night» (en anglais seulement), les mardis «comedy night» (en anglais seulement), les fêtes et soirées bénéfices… et la terrasse chauffée à l'arrière !

CHEVAL BLANC
809, Ontario E
514-522-0211
www.lechevalblanc.ca
Angle Saint-Hubert. Lun-sam 15h-3h ;dim 17h-3h.
Le Cheval Blanc c'est le premier brasseur artisanal de Montréal. Cette page d'histoire s'ouvrit en 1987 lorsque Jérôme Denys décida d'y brasser de la bière. Six sortes de bières, dont la bière aux canneberges et la Weizen (blanche), figurent au menu. Que ce soit sur les murs de la taverne ou par les spectacles qui y sont présentés, le Cheval Blanc a toujours offert une place de choix aux artistes émergents. C'est dorénavant François Martel qui est à la tête de cette institution, et il réussit de façon remarquable à marier la taverne de quartier, le pub étudiant et le brasseur artisanal.

DIEU DU CIEL!
29, Laurier O
514-490-9555
www.dieuduciel.com
Angle Clark. Lun-dim, 15h-3h.
En mars 1993 naissait la bière Dieu du Ciel, produit mûri par Jean-François

Gravel après deux et demi d'effort. Puis en septembre 1998, c'est l'ouverture de la brasserie artisanale. La clientèle s'établit rapidement, appréciant la grande variété de bières qui y est produite. Sur la cinquantaine de recettes différentes brassées annuellement, une quinzaine de bières sont au menu. Notre recommandation : l'assiette de fromages québécois accompagnée d'une de leurs excellentes bières blanches. Un pur délice ! La réputation de Dieu du Ciel! n'est plus à faire ! C'est ce gage de qualité et de diversité des produits brassés maison qui attire les amateurs de bières, venant parfois même de très loin.

LES 3 BRASSEURS

1658, Saint-Denis,
514-845-1660
Lun-dim, 11h30-3h
105, Saint-Paul E
514-788-6100
Horaire variable selon l'affluence et la saison
732, Sainte-Catherine O, coin McGill
514-788-6333
Horaire variable selon l'affluence et la saison
1356, Sainte-Catherine O, coin Crescent
514-788-9788
Lun-ven, 11h30-3h ; sam-dim, 12h-3h
275, Yonge Street, Toronto
Ouverture hiver 2007
www.les3brasseurs.ca
Nouveau : carte de fidélité pour accumuler des points et payer sa prochaine facture.

L'histoire des 3 brasseurs au Québec a commencé le 21 juin 2002, à 20h30. Les employés étaient encore en train de nettoyer et frotter murs et escaliers lorsque le patron décida d'ouvrir les portes du 1658 Saint-Denis à Montréal. À 20h45, la brasserie était remplie et à 21h45, le patron refusait les clients à l'entrée. La brasserie fonctionne depuis à plein régime et il n'est pas rare de voir des clients debout à attendre une place pour le 5 à 7. Ils profitent des spéciaux forts intéressants : la pinte de blonde ou de ambrée au prix d'une demi-pinte (4 $, taxes incluses). Les 3 Brasseurs

de Saint-Denis est le premier de cette chaîne française à avoir ouvert ses cuves en Amérique. En été (avril-octobre), ne ratez pas leurs deux terrasses bondées, une sur Saint-Denis, l'autre sur le toit ! Le premier établissement de la chaîne a vu le jour à Lille, dans le Nord de la France, en 1986. Chaque nouveau restaurant a son atmosphère propre, dépendamment de son emplacement, fréquenté à la fois par la gente estudiantine ou d'affaires. Quelle soit blanche, blonde, brune ou ambrée, à plusieurs, on opte sans contredit pour le fameux mètre de bières. En commandant cette spécialité maison, le serveur sonnera la cloche avant de vous apporter 10 demi-pintes, contenant les différentes sortes de bières brassées sur place. Pour accompagner le tout, vous aurez droit à une flamm, la spécialité gastronomique des 3 Brasseurs. Afin de commémorer ce grand moment, le serveur vous prendra en photo et placera le cliché sur internet ! Les plus petits groupes opteront pour l'Etcetera : une dégustation de chacune des bières brassées maison, mais dans un plus petit format. Côté menu, on ne lésine pas sur la diversité et le bon goût ! Grillades, choucroute, moules à la bière, de quoi faire saliver. La spécialité maison est la flamm, une pâte nappée de crème, petits lardons, oignons, fromages du Québec et autres garnitures. On peut même y goûter sous forme de dessert avec pommes, bananes, chocolat. Vous l'aurez compris : la formule marche bien et les 3 Brasseurs ne s'arrêteront pas là ! Gardez l'œil ouvert pour trouver une nouvelle succursale, partout à travers le Canada.

HELM BRASSEUR GOURMAND

273, Bernard O
514-276-0473
www.helm-mtl.ca
Angle du Parc. Lun-dim 15h-3h
(horaire sujet à changements sans préavis).

Helm, pour Houblon-Eau-Levure-Malt, occupe les locaux de l'ancien Fûtenbulle, une adresse fort bien connue, voire même mythique, des nombreux bièrophiles de la métropole. Gageons

Restaurant | Micro-Brasserie

LES 3 BRASSEURS

Vieux Montréal
Old Montréal

105, rue St-Paul est,
514.788.6100

Centre Ville
Down Town

1658, rue St-Denis
(Quartier Latin)
514.845.1660

732, rue Ste-Caterine ouest
(coin McGill College)
514.788.6333

1356, rue Ste-Catherine ouest
(coin Crescent)
514.788.9788

Ontario

275, Yonge Street
(Toronto)
Ouverture Hiver 2007

5 générations de brasseurs
5 generations of brewers

15e **édition**

mondial
DE LA
bière

28 mai au 1 juin 2008

5 jours   Admission gratuite

Gare et Cour Windsor
1160, rue de la Gauchetière Ouest

M O N T R É A L

www.festivalmondialbiere.qc.ca

Plus de 350 bières

dont 100 nouvelles

et

15 bières brassées

spécialement

pour

le 15e anniversaire

Soyez à l'affût**!**

qu'ils ne seront pas déçus par le concept des nouveaux propriétaires ! Le Helm encourage l'économie locale en misant sur les produits du terroir québécois afin de faire découvrir ce que notre province fait de mieux, tant par ses bières artisanales, comme l'American Pale Ale ou l'Alt brune, que ses excellents tapas et fromages d'ici. Le tout au son de spectacles et DJs qui cadrent parfaitement avec l'ambiance chaleureuse des lieux et la déco très stylisée.

L'AMÈRE À BOIRE

2049, Saint-Denis
514-282-7448
www.amereaboire.com
M° Sherbrooke. Mar-ven 12h-3h,
sam-lun 14h-3h.

L'illustre brasserie artisanale de la rue Saint-Denis est une sorte de lieu de culte pour les bièrophiles de passage dans le Quartier latin. Toujours en quête d'excellence, les propriétaires se sont inspirés des styles allemands et tchèques pour développer leur menu de bières. L'Amère à boire se spécialise dans le brassage de bières à fermentation basse et elle a su bâtir un menu de repas de style bistro, adapté aux bières offertes. Ouvert depuis 1996, ce broue-pub a gagné ses clients un à un et a su les garder grâce à la qualité de ses produits.

LE RÉSERVOIR

9, Duluth E
514-849-7779
Angle Saint-Laurent. Lun 15h-3h,
mar-ven 12h-3h, sam-dim 10h30-3h.

Question déco, le réservoir joue la carte de la sobriété : quelques photographies égayent les murs de briques, et les grandes cuves de fermentation se chargent de l'arrière plan. C'est simple et réussi ! Le soir, la luminosité provenant des lampadaires de la rue Duluth traverse l'immense fenêtre qui sert de façade avant, et confère au pub une ambiance typique des pubs européens de quartier. Les propriétaires qui ont fondé le broue-pub en 2002 ont gagné leur pari : le Réservoir a une âme et on prend vite goût à y retourner fréquemment. Est-ce sa noire digne des stouts d'Irlande, ses découvertes houblonnées à chaque saison ou son menu qui font de cette brasserie le lieu idéal des 5 à 7 ? Qu'importe, on prend plaisir à y revenir !

LE SAINT-BOCK
1749, Saint-Denis
514-680-8052
www.lesaintbock.com
Mº Berri-UQAM. Lun-sam 16h-3h30
(ouverture dès 11h l'été).
Cette toute nouvelle brasserie artisanale a vu le jour en octobre 2006, en plein cœur du réputé Quartier latin. En attendant de pouvoir déguster les produits maison, ce qui sera chose faite à l'été 2007, la brasserie se fait pour l'instant fière représentante des microbrasseries québécoises : Alchimiste, Barberie, Chaudron International, Lièvre, Au Maître Brasseur et Trois Mousquetaires. Mais n'oublions pas que rien n'empêche le Saint-Bock de brasser à l'extérieur de ses locaux… C'est ce qui nous a permis de déguster sur place « La Secret des Dieux », une blonde sur lie amère, « L'Offense », une rousse caramélisée, ou « La Pénitente », une blanche épicée. Bref, on s'attend à des produits aussi goûteux que diversifiés et c'est tant mieux ! Pour les fringales, vous dénicherez sans aucun doute votre plaisir gourmand dans une des dix pages composant le menu.

SERGENT RECRUTEUR
4801, Saint-Laurent
514-287-1412
www.sergentrecruteur.com
Angle Villeneuve. Mar-dim 11h30-14h et 17h-fermeture, fermé le lundi.
Après un séjour en France, Louis Régimbald avait en tête d'ouvrir un bar à vin à Montréal, mais c'est finalement une brasserie artisanale qui a vu le jour en 1993. De la Blanche à la Stout, six à huit produits maison sont indéniablement à essayer car ici, on ne vend que les bières du Sergent. Et que dire de leur menu de pizzas qui feront le bonheur de plusieurs ! Venez les savourer lors des soirées hebdomadaires « Les Dimanches du conte » pour une expérience hors

du commun. Et qui dit « conte » dit la Raconteuse, la blonde très primée de la clientèle !

JAZZ, RYTHM N'BLUES

BISTRO À JOJO
1627, Saint-Denis
514-843-5015
www.bistroajojo.com
Mº Berri-UQAM. Lun-dim 13h-3h.
Entrée pour les spectacles le soir : dim-jeu 5$, ven-sam 8$.
Le temple du blues à Montréal, et non sans raison ! Depuis 1975, le Bistro à Jojo a accueilli des centaines de musiciens blues de tous genres. Ici, c'est le blues pur, celui qui vient nous chercher dans les tripes. Amateurs : c'est l'adresse à retenir !

HOUSE OF JAZZ
2060, Aylmer
514-842-8656
www.houseofjazz.ca
Mº McGill. Lun-mer 11h30-00h30 (jusqu'à 1h30 le jeudi et 2h30 le vendredi), sam 18h-2h30, dim 18h-00h30. Des frais de 5$ sont applicables les soirs de spectacles.
House of Jazz est depuis près de 30 ans la Mecque du jazz dans la métropole. Des spectacles tous les soirs avec les grands du jazz mais aussi les artistes de la relève. Côté bouffe, la maison offre un large menu mais sa spécialité reste le combo poulet et côtes levées à la mode sudiste. Pour ceux qui veillent tard, le menu « faim de soirée » viendra comble les petits creux.

UPSTAIRS
1254, Mackay
514-931-6808
www.upstairsjazz.com
Mº Guy-Concordia. Lun-jeu 12h-1h, ven 12h-3h, sam 17h30-3h, dim 17h30-1h. Entrée : lun & mer-jeu 3$, mar gratuit, ven-dim 15-25$. Réservation fortement conseillée les fins de semaine.
Drôle de nom pour ce jazz bar… En effet, il se trouve au rez-de-chaussée, et l'écriteau… est à l'envers pour montrer le

haut... vers le bas ! Une ambiance feutrée mais décontractée où le jazz vibre, explore de nouveaux territoires. Le Grill sert tapas (les calamars sont les meilleurs de Montréal, à ce qu'il paraît!), salades, mets italiens, continentaux (New Orleans filet mignon, New York New York, Tenessee Salmon...) et de type bistro. Carte des vins pour agrémenter votre plat de « cajun Mahi Mahi » et sélection de portos, cognacs, scotchs et bières.

KARAOKÉ

MUSIC BOX KARAOKE
486, Sainte Catherine O
514-904-1362
www.musicboxktv.com
De 20 à 36 $ de l'heure, pour la salle.
Les groupes y louent une petite salle dans laquelle ils peuvent s'éclater en toute intimité. Possibilité de demander des boissons et des amuses-gueules dans le restaurant attenant. Vu le caractère assez branché des lieux, Music Box est un bon endroit pour les partys de bureau.

VOCALZ
7013, Maurice-Duplessis, Rivière-des-Prairies
514-543-1566
www.cafevocalz.com
Angle 6e Avenue. Heures karaoké : lun-dim 20h-3h (karaoké après les matchs de hockey en saison).
Anciennement situé sur la populaire rue Crescent, le bar a dû déménager suite à un incendie qui a rasé l'immeuble au printemps 2006. Sa réputation n'a par contre pas changée : c'est un des endroits les mieux équipés en ville mais cela implique qu'il est souvent bondé de monde. Patience est donc demandée à tous ceux qui veulent chanter. Le répertoire est impressionnant : plus de 10 000 titres, de quoi satisfaire tous les goûts. Possibilité d'enregistrer ses performances sur CD ou DVD.

LOUNGES & CIGAR LOUNGES

STOGIE'S LOUNGE & CIGAR
2015, Crescent
514-848-0069
Mᵒ Guy-Concordia. Lun-dim 11h-3h.
Situé au premier étage, le Stogie's accueille une clientèle d'affaires dans la trentaine. Du haut de la terrasse, on peut admirer le va et vient de la foule environnante qui se presse dans une rue dont l'activité essentielle est la détente dans un bar dès 17h. Une salle vitrée contient tout plein de cigares et la carte des martinis n'affiche pas moins de 101 choix différents, en plus d'une impressionnante sélection de scotch. Les clients peuvent apporter leurs propres cigares ou s'en procurer sur place. Notez que les prix ne sont pas gonflés et correspondent au prix de détail.

WHISKY CAFÉ
5800, Saint-Laurent
514-278-2646
www.whiskycafe.ca
Angle Bernard. Lun-ven 17h-3h, sam 18h-3h, dim 19h-3h.
Les clients de ce whisky café savent pourquoi ils sont là. Ils y consomment leur whisky en toute sobriété et le choix est plus que surprenant : whiskys d'Écosse (plus d'une centaine), whiskys d'Irlande (neuf) et whiskys d'Amérique (cinq). Ils peuvent aussi savourer un bon cigare dans la salle des fumeurs, où l'on en vend, ou déguster un café au mélange d'alcool. Le lieu reste calme, quoique très populaire dans une ambiance acidjazz/lounge. Pour prolonger le plaisir, la maison propose aussi des dégustations qui agencent les différents alcools entre eux ou avec des aliments fins comme le foie gras, le fromage, le chocolat ou le saumon fumé.

POUR PLUS D'INFORMATIONS : WWW.PETITFUTE.CA

Plus on boit, moins on goûte.

La grande majorité des Québécois consomme de manière équilibrée et responsable.

Éduc'alcool

La modération a bien meilleur goût.

PUBS IRLANDAIS

HURLEY'S

1225, Crescent
514-861-4111
www.hurleysirishpub.com
Mº Lucien l'Allier. Lun-dim 11h-3h30.
Menu hallucinant de whiskys d'Irlande, de Speysides, d'Islay, de Lowland et d'autres régions. Avec ses deux étages, on a droit à des concerts chaque soir... et aux mêmes heures parfois. On vient pour sa musique celte traditionnelle mais aussi pour l'ambiance chaleureuse et authentique d'un vrai pub irlandais. La cuisine offre ragoûts, hambourgeois, sandwiches et autres plats semblables jusqu'à 22h tous les soirs. Et que dire de sa terrasse en bois, bordée de petits lampadaires : le lieu idéal pour savourer une des 11 bières importées que compte le Hurley's.

MCKIBBIN'S IRISH PUB

1426, Bishop
514-288-1580
Lun-dim 11h-3h
6361, Autoroute Transcanadienne,
Complexe Pointe-Claire, Pointe-
Claire
514-693-1580
Lun-dim 11h30-3h
www.mckibbinsirishpub.com
Le magnifique bâtiment abritant ce pub irlandais plus que légendaire date de 1904 et est l'œuvre de l'architecte Robert Findlay. On ne compte plus les décennies qui ont vu défiler les discussions autour d'une bonne pinte et la tradition est loin de changer. Étudiants et Irlandais de souche ou de cœur fréquentent avec assiduité le McKibbin's. Son menu de bières fait bien évidemment honneur au pays du trèfle et le choix aux pompes fait définitivement l'unanimité. On peut rassasier sa faim avec les spécialités du chef, comme le fameux Irish Stew ou le burger récemment primé par La Gazette, se déhancher au son des nombreux groupes de musique et DJ de passage au pub, ou encore profiter des soirées à thème organisées aux deux adresses, comme le Lady's Night. Le McKibbins du centre-ville vaut définitivement le

détour lors des festivités de la Saint-Patrick, ne serait-ce que pour l'ambiance authentique qui y règne et son immense lutin à l'extérieur. On dit d'ailleurs que frotter son ventre porte bonheur.

OLD DUBLIN

1219A, University
514-861-4448
http://pages.infinit.net/dubpub/
Mº McGill. Lun–dim 11h30-3h.
Le Vieux Dublin est un incontournable pour les bièrophiles de Montréal depuis 1978. Johnny Assad, le propriétaire qui a acquis le pub en 1981, mise sur une vingtaine de bières en fût provenant d'Angleterre, d'Irlande, d'Écosse, de Belgique et du Québec pour satisfaire sa clientèle. Plus de 50 scotchs et whiskies sont disponibles, dont certains « single malt » d'une trentaine d'année. Pendant la journée, l'endroit est surtout fréquenté par une clientèle de gens d'affaires, mais le soir venu, étudiants et jeunes professionnels s'emparent du pub pour discuter autour d'un verre et écouter les groupes de musique qui s'y produisent tous les jours de la semaine à partir de 22h, sans compter leur fameuse soirée « open mic » du lundi soir. La cuisine, ouverte de 11h30 à 15h et de 17h à 21h, offre entre autres une grande sélection d'appétissants hamburgers grillés sur charbon de bois. Bon appétit… et à la vôtre !

YE OLDE ORCHARD

5563, Monkland - 514-484-1569
Lun-mer 11h30-1h, jeu-ven 11h30-2h
sam 9h-2h, dim 9h-1h
1189, de la Montagne - 514-874-1569
Lun-ven 11h30-2h (ou 3h), sam-dim
9h-2h (ou 3h)
www.yeoldeorchard.com
Une rumeur circule au sujet de Ye Olde Orchard sur Monkland… Il semblerait qu'on y sert la meilleure pinte de Guinness en ville ! Non seulement la meilleure, mais versée selon les règles de l'art. On entend d'ailleurs souvent les habitués dire qu'il vaut la peine d'attendre un peu pour cette pinte tant désirée. Les deux pubs ont par contre leur propre identité, une atmosphère

qui leur bien est distincte. Pour une ambiance digne des pubs celtiques, on opte pour Monkland, question de savourer sa pinte au son des «violoneux». On peut d'ailleurs y voir certains employés arborer fièrement le kilt ! Au centre-ville, le pub est situé dans un magnifique bâtiment d'époque, mais on y retrouve une clientèle qui reflète davantage le cœur de Montréal : les gens d'affaires et les touristes. Des spectacles gratuits ont lieu quatre soirs par semaine aux deux adresses.

RIVE-NORD

PUB LE SAINT-PATRICK
774, Saint-Pierre, Vieux-Terrebonne
450-964-7418
Lun-mer 16h-2h, jeu-dim 15h-2h.
Carte 2,50-14$. 90 à 100 places
assises à l'intérieur. Dans ce pub irlandais on déguste une grande diversité de bières importées, en écoutant des airs de jazz, soft rock, ou de la musique française. Le menu n'est pas très varié (nachos, pizza au four à bois, frites, clubs sandwiches), mais certaines originalités doivent être signalées, comme des hamburgers à la viande de cerf, d'autruche et de bison ou encore au tofu. Le décor, lui, même s'il ne sort pas de l'ordinaire, est plaisant, avec ses murs sombres en briques et quelques touches personnalisées. La clientèle est surtout locale et sympathique. Populaire pour ses 5 à 7, le repère compte d'ailleurs ses habitués. Certains reviennent si souvent qu'ils possèdent même un verre identifié à leur nom. Ça donne envie de chanter «Where everybody knows your name…and they're always glad you came…» (Cheers!).

HUMOUR

COMEDYWORKS
1238, Bishop
514-398-9661
www.comedyworksmontreal.com
M° Lucien L'Allier. Heures des
spectacles : lun «open mic» 21h
3$, mar-mer «improv comedy» 21h
7$ (5$ pour étudiant), jeu-sam,

*«international headliners» 21h &
23h15 10-12$ (8-10$ pour étudiant). En
anglais seulement.*

L'adresse par excellence pour se dilater
la rate! Depuis près de 20 ans, les
humoristes défilent sur les planches du
Comedyworks qui a accueilli de grands
noms tels que Ray Romano, Jon Stewart,
Norm McDonald, etc. La salle compte
90 places assises et un bar à l'arrière.
Surveillez la liste des spectacles durant le
Festival Juste pour Rire.

CLUBS ET DISCOTHÈQUES

DÉCONTRACTÉS

AU DIABLE VERT

4557, Saint-Denis
514-849-5888
www.audiablevert.net
*M° Mont-Royal. Mar-ven 17h-3h,
sam 21h-3h. Ouvert certains dim
seulement. Entrée : entre 3 et 6$
selon la soirée.*

Ne vous laissez pas influencer par
tout ce rouge, car malgré son nom,
vous êtes bien Au Diable Vert ! Un
bar à l'ambiance jeune et décontractée
où le hip hop, l'électro et le rock à
la mode s'agrémentent de choix de
consommations pour le plus grand plaisir
des clients. La piste est petite mais on
s'y amuse bien et l'endroit demeure fort
achalandé surtout en fin de semaine.
Quelques soirées à thème rythment la
semaine : soirée des dames le mardi,
spéciaux sur les bières mercredis
et jeudis.

CAFÉ CAMPUS

57, Prince Arthur E
514-844-1010
www.cafecampus.com
*Angle Saint-Dominique. Dim &
mar 20h-3h, mer variable, jeu-sam
20h30-3h. Tarifs entrée (Campus en
haut) : mar 6$, mer variable, jeu 5$
- étudiants 3 $, ven-sam 4 $, dim 3$.
Concerts fréquents. 500-600 places.*

Fréquenté par de jeunes étudiants friands
de nouveautés, le Café Campus est un

des lieux ultra-connus à Montréal ! On
parle sans arrêt de son ambiance et de la
qualité de sa programmation musicale.
Café campus se divise en deux parties:
le Petit Campus, en bas, salle de taille
moyenne et le Campus du haut, un
grand espace équipé d'une scène et d'une
mezzanine. Quand ce n'est pas une salle
de concert, c'est un bar-discothèque
à l'ambiance survoltée qui fait la joie
d'une clientèle jeune et dynamique. À
chaque soir de la semaine son thème :
lundi : " ligue d'impro", mardi : "rétro"
(musique des années 50 à 80), mercredi :
«Blues», jeudi : «Hits-moi» (les hits des
années 90), vendredi et samedi : week-
ends XL (bonne musique pour danser),
dimanche : «francophone» et tous les
premiers samedis du mois : maximum
rétro (musique des années 80). Si vous
n'avez pas peur de bouger, essayez
les mardis rétro et vous comprendrez
l'ambiance du Café Campus !

ELECTRIC AVENUE

1469, Crescent
514-285-8885
www.clubsmontreal.com
M° Guy-Concordia. Jeu-sam 22h-3h.

La clientèle du Electric Avenue se
distingue de celle des clubs de la rue
Crescent : elle est majoritairement
francophone, pas trop snob, plutôt jeune.
La foule envahit la place à chacun des
trois soirs. Le secret est probablement
la musique des années 80 qui conserve
ses fans. Une fois l'endroit bien rempli,
on s'amuse franchement dans cette belle
salle aux reflets bleu électrique.

EL ZAZ BAR

4297, Saint-Denis
514-288-9798
*Angle Marie-Anne. Lun-dim 15h-3h.
Entrée (à partir de 21h) : dim-mer
gratuit (2$ en été), jeu 4$, ven-sam 5$.*

Après le succès obtenu avec El Zazium,
un restaurant mexicain parmi les plus
beaux et originaux en ville, quoi de plus
normal que d'ouvrir un bar, pour finir
la soirée en beauté. Et, là aussi, c'est une
réussite. Forcément, avec une déco aussi
sympa, la foule se précipite. On vient
également pour la qualité de l'ambiance

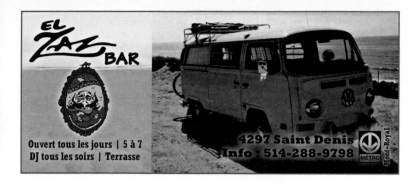

et de la musique. Car ici, on danse tous les soirs, même en début de semaine. La clé de cette fiesta garantie ? L'éclectisme musical proposé par de talentueux DJs : musique latine mais aussi disco, techno et électro chauffent la piste enflammée dès 22h !

FOUFOUNES ÉLECTRIQUES

87, Sainte-Catherine E
514-844-5539
www.foufounes.qc.ca
M° Saint-Laurent. Lun-dim 16h-3h.
Entrée (au 2e étage) : dim-lun & mer gratuit, mar 3$, jeu 4$, ven-sam 5$ (8$ le sam après 22h30).
Bienvenue dans ce temple de la musique underground qui a su attirer avec le temps les plus marginaux des Montréalais. Les Foufounes demeurent l'un des endroits où l'originalité domine sur tous les plans. Soirées thématiques : les mardis à gogo (alternatif, rock n roll, old-shool punk), les mercredis Under attack (la seule soirée avec une mini-rampe intérieure de Montréal), les jeudis Sweet N' Sour (soirée des dames), les vendredis Black Out, et les samedis Brawl où la bière et les shooters sont à 1,50$ seulement. Les Foufounes sont également synonymes de spectacles. Les contacter ou visiter le site Internet pour le calendrier.

JELLO BAR

151, Ontario E
514-285-2621
www.jellobar.com
Angle de Bullion. Mar-sam 21h/21h30-3h. Peut ouvrir les dim-lun lors

d'événements ou pour location privée.
Entrée : 5-10 selon la soirée (inclus généralement une consommation).
Le Jello Bar se distingue des autres bars par la qualité de son décor, sa carte de boissons et sa musique. Pour commencer, parlons déco. Ici, c'est le rétro qui revient, qui triomphe même : fauteuils, lampes, décoration murale... Tout cela d'une autre époque ! Côté boissons, jetez un coup d'œil sur cette carte qui propose plus de 50 martinis. Vous avez déjà vu ça ? Les thèmes des soirées et les styles musicaux changent sans cesse, question de nous faire toujours apprécier quelque chose de nouveau. Soirées DJ les vendredis et samedis et spectacles fréquents tout au long de la semaine.

LOFT

1405, Saint-Laurent
514-281-8058
www.clubleloft.com
M° Saint-Laurent. Mar & jeu-sam 21h-3h. Entrée : mar 4$, jeu 8$, ven-sam 6$.
Voici un autre incontournable du nightlife montréalais qui a fait ses preuves depuis fort longtemps. Le pub est équipé de deux bars plus un à shooters, d'une petite piste de danse, et de tables de billard et de baby-foot. Beaucoup de places assises et une musique rock alternative. En haut, c'est une autre histoire ! C'est la fête en permanence avec une grande piste de danse et une musique beaucoup plus électrisante. En été, sa terrasse sur le toit offre une vue imprenable sur le Centre-ville.

THURSDAY'S
1449, Crescent
514-281-5322
www.thursdaysbar.com
M° Guy-Concordia. Lun-ven 22h-3h. Entrée gratuite. Tenue de ville obligatoire.

Un des clubs les plus fréquentés sur Crescent et un arrêt quasi obligé des touristes anglophones de passage dans la métropole. La moyenne d'âge est un peu plus élevée mais l'esprit est à la fête… et aux rencontres. La musique, entraînante à souhait, est variée et saura plaire à tous. Attention de ne pas vous retrouver sur le plancher de danse si vous avez beaucoup trop bu : ce dernier tourne sans cesse et pourrait provoquer le tournis.

RIVE-NORD

FUZZY
1600, boul. Saint-Martin Est, Laval
450-669-2404
www.fuzzylaval.com
Mar & jeu-sam 22h-3h. Entrée 7$. Gratuit pour les femmes avant minuit les mardis et les vendredis. Jeudi staff night. Samedi soirée célibataire.

Ouvert depuis 1990, ce club pour les 18-30 ans se vante d'accueillir les plus beaux gars et les plus belles filles de la Rive-nord. Les spécialités: musiques hip hop, house, dance et RnB. Le décor comprend une vaste piste, des cages pour danser et des jeux de lumière. Des écrans de projection géants diffusent divers extraits vidéo et un DJ anime la soirée. L'endroit est très grand et comprend même une salle avec des tables de billard. Vous pourriez y faire des rencontres intéressantes, surtout lors des soirées célibataires ! Le Fuzzy est assurément un des clubs les plus connus et les plus populaires sur l'île de Laval.

PLUTÔT SELECT

ALTITUDE 737
1, Place Ville-Marie
514-397-0737
www.altitude737.com
M° McGill. Horaire disco/lounge hiver : ven-sam 22h-3h ; été : jeu-sam 22h-3h.

Suspendues entre ciel et terre, les terrasses du 737 offrent une vue imprenable sur le bouillant centre-ville montréalais. Reconnu pour ses 5 à 7 estivaux du mardi au samedi au bar du restaurant, le 737 accueille également une foule internationale tous les week-ends. Le lounge spacieux et confortable qui sépare les terrasses en surplomb propose des rythmes hip hop et R&B pendant que la discothèque au-dessus suggère une ambiance plus dynamique où les sons technos et latins vibrent sous un éclairage recherché. Le 737 est donc un lieu unique où l'on doit se présenter avec une tenue vestimentaire correcte.

CLUB 1234
1234, de la Montagne
514-395-1111
www.1234montreal.com
M° Lucien L'Allier.

Ce club est de toute beauté et peut accueillir, paraît-il, environ 1500 personnes ! Il faut avoir 21 ans et plus pour être admis et, surtout, arborer une belle tenue vestimentaire. Le club s'étend sur trois niveaux : salle principale au premier étage avec piste de danse, mezzanine avec lounge (la Salle rouge) et un autre lounge au rez-de-chaussée, près de l'entrée. Non seulement y offre-t-on un son super (Hip hop, RnB, House et hits du moment), mais les effets visuels créent aussi une atmosphère des plus électrisantes. Le Club 1234 organise régulièrement des soirées à thèmes et des DJ de renom, tels Bob Sinclair et Manny Ward, y font escale de temps à autre.

FUNKY TOWN
1454, Peel
514-282-8387
www.clubsmontreal.com
M° Peel. jeu-sam 20h-3h. Entrée : 7$ (entrée gratuite avant 21h).

On s'imagine souvent une discothèque de musique des années 80 avec des filles qui dansent sur des colonnes de son. Cette image n'est pas celle du Funky Town, même si la musique de cette époque engendre rapidement l'excitation. L'endroit est plutôt chic, très bien décoré, et ceux qui le fréquentent n'en sont plus à

leurs premiers pas de danse. La clientèle est fortement francophone et sa moyenne d'âge tourne autour de trente ans. Les nostalgiques sont nombreux à vouloir revivre l'époque du Saturday Night Fever et cette discothèque est l'endroit idéal pour le faire. Quand le plancher de danse s'allume, on se croirait vingt ans plus tôt, pour le plus grand plaisir de tous.

HOUSE NIGHT CLUB
4521, Saint-Laurent
514-815-4687
www.housenightclub.ca
Angle Mont-Royal. Jeu-sam 22h-3h.
Entrée : 10$.
Ancien musée converti en banque, l'édifice aux allures de temple grec qui abrite le House avait tout pour séduire de nouveaux promoteurs. Ceux-ci ont créé un club pour les jeunes branchés sur trois étages, dont le majestueux premier à plafond haut où l'on retrouve d'immenses colonnes. Trois étages, trois DJ, trois ambiances, et plein de monde à la mode, voilà en quelques mots le House Night Club. Tenue de ville exigée et réservé aux 21 ans et plus seulement.

MILE-END BAR
5322, Saint-Laurent
514-279-0200
www.mileendbar.com
Angle Groll. Ven-sam 22h30-3h
(ouverture dès 21h au 1er étage). Peut
ouvrir plus tôt et/ou d'autres jours selon
les événements. Entrée au 2e : 7$.
Le quartier Mile End devient de plus en plus populaire chez les étudiants et jeunes professionnels et on le remarque

par l'apparition continuelle de nouvelles adresses «tendance». Ce bar ne fait pas exception à la règle ! Trois paliers sont reliés par des mezzanines où se produisent nombreux DJs de la scène électronique. Pour les amoureux de ce style musical, on y fait d'excellentes découvertes. Si vous devez faire le plein avant d'attaquer la piste de danse, le bar à tapas est tout désigné

NEWTOWN
1476, Crescent
514-824-5912
www.newtown.ca
Mº Guy-Concordia. Ven-sam 22h-3h.
Entrée : 10$.
À cause de toutes les controverses suscitées à son sujet, on connaît le Newtown sans jamais y avoir mis les pieds. On s'imagine une copie de Planet Holywood version rue Crescent, avec des affiches du héros Jacques Villeneuve sur tous les murs. Mais non, rien de tout cela sur aucun des quatre étages. Un décor minimaliste, rien de pompeux, pas de tape-à-l'œil. Très moderne mais simple. La déco du club se démarque par ses murs de carreaux illuminés un peu partout et son éclairage qui confère une couleur rosée aux lieux. À noter l'immense comptoir bar qui nous évite de s'accrocher les coudes en commandant son verre. L'établissement, qui se veut à la fois bistro, resto et discothèque, attire une clientèle large mais dont la moyenne d'âge se situe vers la fin de la vingtaine.

SORTIR

ORCHID

3556, Saint-Laurent
514-848-6398
www.orchidnightclub.com
Angle Prince-Arthur. Mar & ven-sam,
22h-3h. Entrée : 10$.

Le Orchid, malgré son décor très tendance, donne dans la sobriété et l'élégance. Chaque fenêtre arbore le logo du club et l'intérieur est aménagé pour faciliter les déplacements et les moments de détente entre deux chansons. De nombreux bars sont disséminés autour du plancher de danse qui couvre pas moins de 5 000 pieds carrés ! Les DJs ont accès à un système de son de 30 000 watts... de quoi vous décoiffer en dansant au rythme de musiques reggae, r&b, hip hop, old school, funk ou club hits. Les demoiselles semblent être plus nombreuses à fréquenter ce club que les messieurs... avis aux intéressés.

TOKYO

3709, Saint-Laurent
514-842-6838
www.tokyobar.com
Angle des Pins. Mer-dim 22h-3h.
Entrée : mer gratuit, jeu & dim 5$,
ven-sam 3$.

Louangé par le magazine américain Maxime comme étant LA discothèque par excellence à Montréal, le Tokyo est effectivement un lieu très branché, avec un lounge, une salle principale et des terrasses. La fin de semaine, le succès est tel que les cartes d'identité sont obligatoires ; l'âge exigé est de 21 ans. Pas question non plus de s'exhiber les chaussures Nike ni les espadrilles : on n'accepte que la «crème de la crème». Cette clientèle «crémeuse» semble se réjouir de la diversité musicale du club car chaque soirée offre son genre différent, sans compter les nombreux spectacles de funk, soul, old school, r&b et top 40.

RIVE-NORD

MOOMBA

1780, Pierre-Péladeau, Centropolis,
Laval
514-730-0660
www.moombaclub.com

Cuisine : mer-sam 17h-23h. Club:
jusqu'à 3h. Entrées 4-15$. Carte 11-
46$. Visa, MC, AE, DC et Interac.

«Moomba»: mot aborigène signifiant «se réunir et avoir du plaisir». C'est la promesse que fait ce club branché pour les 25 ans et plus. Le décor impressionne avec ses jeux de lumières et ses mises en scène. Chaque soirée a un thème: soirée techno house et Eurotrash, soirée lounge et rétro, soirée latine. La fin de semaine, des spectacles sont présentés (humour, chant,...). L'espace est grand, confortable, se remplit assez vite, et la population est éclectique. Lorsqu'il n'y a pas de spectacle l'endroit est peut-être un peu impersonnel et semble beaucoup fonctionner par groupes. Peut-être pas l'idéal pour les rencontres, mais certainement intéressant entre amis. Tenue de ville obligatoire. Quant à la portion restaurant, le menu (autant la nourriture que les boissons) est varié et recherché avec des plats de fruits de mer, de poisson, de viande, de volaille, etc.

LE TOPS ET FOXY'S

1545, boul. Le Corbusier, Laval
450- 973-8677
www.tops-laval.com
Onyx (www.onyx-laval.com) et
Hippoclub 450-978-5075
Cinéma 450-686-0266. *Horaires*
variables selon les salles.
Toutes les CC et Interac.

Vaste complexe de divertissement au décor original, Le Top's, est avant tout une discothèque avec des DJ, animateurs, un concept audio-visuel électrisant, une piste et une scène pour danser. On vous le conseille pour les fins de semaine. En été, les fêtards profiteront d'une terrasse entièrement rénovée avec 2 bars. Les gourmets ont le choix entre le Resto Bar terrasse Foxy's qui sert des tapas abordables et des tables d'hôte et le restaurant Onyx, pour les fins palais. Onyx se spécialise dans les grillades et les sushis. Les joueurs apprécieront l'Hippo Club, un des plus beaux salons de pari au Canada avec bar et écrans géants. Enfin les cinéphiles iront voir les films qu'ils ont raté au cinéma au Cinéma Tops ou les films sont à 2,99$ en tout temps.

RYTHMES AFRO-LATINS

CLUB BALATTOU

4372, Saint-Laurent
514-845-5447
Angle Marie-Anne. Mar-dim 21h-3h :
spectacles en semaine, discothèque
le week-end. Entrée : 5-10 pour
les spectacles (hors festivals et
événements), 10$ pour la discothèque
tropicale, ce qui inclut une
consommation.

Suzanne Rousseau et Lamine Touré
ont eu la bonne idée de conquérir une
petite partie de «La Main» avec des
rythmes tropicaux. Le Balattou est donc
vite devenu le pionnier des musiques
du monde et merci à tous ceux qui
ont contribué au succès de cet endroit
exotique qui compte maintenant plus
de 20 ans d'existence. Le Balattou, c'est
la diversité culturelle par la musique,
l'enchantement des découvertes,
l'abolition des frontières. «Le tour du
monde en une soirée.»

LE CACTUS

4461, Saint-Denis
514-849-0349
www.lecactus.com
M° Mont-Royal. Restaurant : dim-mer
12h-22h, jeu-sam 12h-23h. Bar : jeu-
ven 20h30-2h, sam 22h-3h. Terrasse.
Sur deux étages, ce bar-discothèque
ravira les adeptes de la salsa. Plusieurs
écoles, du reste, y envoient leurs élèves.
Il n'est pas rare de voir des spectacles
s'improviser. Du jeudi au samedi, soirées
salsa et merengue. Ambiance chaude
et latine sont au rendez-vous. En plein
Plateau, un bel endroit pour sortir pas
cher et faire des rencontres mémorables.
Pour les cours de salsa : 514-844-
1755.

SALSATHÈQUE

1220, Peel
514-875-0016
www.salsafolie.com/micro_site/
salsatheque/salsatheque-club.php
M° Peel. Mer-dim 22h-3h. Entrée :
mer-jeu & dim gratuit, ven-sam 7$.
Véritable institution de la salsa à
Montréal depuis 25 ans. Qu'on en soit
à ses premiers pas de danse latine ou
professionnel en la matière, chacun
use de ses charmes dans ce cruising
bar. Inutile de préciser que vous n'avez
pas besoin d'un partenaire : vous
en trouverez plusieurs sur place…
Nombreux miroirs, néons et plancher de
danse illuminé : on se croirait presque
dans le décor de Saturday Night Fever.
DJ Carlos assure la direction musicale
du jeudi au dimanche et orchestre live
presque tous les jeudis. Une piste de
danse bondée, une ambiance survoltée :
parfait pour sortir entre amis et faire
la fête !

Salsafolie © Annie Joubert

AFTERHOURS CIRCUS

915, Sainte-Catherine E
514-844-0188
http://myspace.com/circus_afterhours
M° Berri-UQAM. Jeu-sam (& dim à
quelques occasions) dès 3h. Entrée :
selon les soirées et les DJs invités.
Deux salles pour vous faire bouger
jusqu'aux petites heures du matin : la
main room où l'électro est roi, et le hip
hop room. De nombreux DJs de renom
y font escale : DJ Buddha, DJ Dan…
bref, on n'est jamais déçu par le son et
l'ambiance et côté espace, il y a de la
place pour tous sur l'immense plancher
de danse.

CLUB STÉRÉO

858, Sainte-Catherine E
514-286-0325
www.stereo-nightclub.com
M° Berri-UQAM. Ven-dim 2h-10h (ou
11h). Entrée : selon les soirées et les
DJs invités.
Les créateurs de cette boîte afterhour
sont des pros en matière de sons et, pour
les familiers du milieu, ne sont autres
que le DJ montréalais Mark Anthony,
le DJ new-yorkais David Morales et son
frère Angel. La clientèle, pour la plupart
gai, est jeune et se laisse porter par le son
techno jusqu'aux petites heures du matin.

RIVE-NORD

RED LITE

1755, de Lierre, Laval
450-967-3057
www.red-lite.net
Ouvert jeu (l'été seulement), ven-sam
2h-11h, dim minuit-8h. Entrée: ven
20$, sam 25$, dim 5$ femmes 10$
hommes.
Comme dans tous les «afterhours»,
on est inspecté de la tête aux pieds
avant d'entrer. Reste qu'une fois à
l'intérieur, les DJ en résidence assurent
magistralement la soirée (jeu & sam :
house, ven & dim : house et hip hop).
Cinq sections réparties sur 2 étages,
du Chill Room au Vip House. De
nombreux événements y sont organisés
durant l'année.

BOÎTES À CHANSONS

LA BOÎTE À MARIUS

5885, Papineau
514-274-9090
www.laboiteamarius.com
Angle Rosemont. Ouvert tous les
jours mais chansonniers du jeudi au
samedi à 21h. Entrée : 5$.
En 1991, la Taverne de Fleurimont
changeait de vocation… non plus
une taverne de quartier mais une
boîte à chansons aux reflets de notre
identité culturelle. Depuis ce temps,
chansonniers de tout acabit ont défilé
dans ce bar de la rue Rosemont et ont
fait chanter et swinguer jeunes et moins
jeunes. Définitivement l'endroit pour
passer une bonne soirée entre amis !

LES 2 PIERROTS

104, Saint-Paul E
514-861-1270
www.lespierrots.com
M° Champ-de-Mars. Ven-sam de 20h
à 3h (et la veille des Fêtes... question
de bien débuter ce long congé !).
Les deux Pierrots sont incontournables
si l'on veut plonger dans une atmosphère
enivrante et joyeuse, sur fond de
standards québécois comme de tubes
internationaux. Pour avoir une chance
de s'asseoir, prévoir de venir en avance
tellement l'endroit grouille de monde :
jeunes et moins jeunes, Québécois et
touristes en mal de spectacles «pure
souche». Les serveurs font un travail
impressionnant pour satisfaire tout
le monde : du sport avec un sourire
omniprésent. Une référence pour les
éternels fêtards. Toujours d'actualité !

BARS À SPECTACLES

CABARET MADO

1115, Sainte-Catherine E
514-525-7566
www.mado.qc.ca
M° Beaudry. Lun-dim 11h-3h. Entrée :
selon les soirées, gratuit de jour et
certains soirs.
Le Cabaret Mado est un lieu mythique
réputé pour avoir les meilleurs shows de
Drag Queens de Montréal. Conçu dans

un style kitsch et disco, il a été crée à l'image de son extravagante propriétaire, Mado Lamotte. Célèbre personnage des nuits montréalaises, elle est la reine des grandes soirées Drag Queens mais est également auteur de nouvelles gaies dans les magazines «Fugue» et «Ici». Les thèmes des soirées varient chaque soir. Vous pouvez consulter le programme des soirées sur le site Internet. Le Cabaret Mado est l'endroit rêvé pour une sortie atypique où, tous les jours, la folie et la magie sont au rendez-vous. Après les shows, il est possible de danser sur les airs des années 80-90 jusqu'au bout de la nuit… Ambiance garantie, on adore !

CAFÉ SOHO
6289, Saint-Hubert
514-271-3006
www.cafesoho.ca
Angle Bellechasse. Lun-dim 11h-3h.
Entrée : variable selon le spectacle.
Interac et comptant.
Situé en pleine rue marchande de la Plaza Saint Hubert, le Café Soho est un petit bar sympa où les artistes de la relève se produisent. Les spectacles sont très abordables voire même gratuits, et ont généralement lieu le jeudi et le samedi. Des soirées de conte se tiennent également une fois par mois les mardis. Pour ceux qui ont envie de faire des découvertes musicales, c'est l'endroit tout désigné.

KOLA NOTE
5240, du Parc
514-274-9339
www.kolanote.com
Angle Fairmont. Ouvert en fonction de l'horaire des spectacles. Interac, comptant, V, MC & AE. Les tarifs varient selon les spectacles (voir le site Internet pour la programmation).
Le Kola Note, installé dans les anciens locaux du Club Soda, est principalement connu pour ses spectacles de musique du monde mais est également un tremplin pour les jeunes artistes, notamment avec la présentation des finales locales de Cégep en Spectacles. Le Festival Juste pour Rire prend également possession des lieux en juillet, sans compter les nombreux événements spéciaux organisés tout au long de l'année.

CASA DEL POPOLO & SALA ROSSA
4873 (Casa) & 4848 (Sala), Saint-Laurent
514-284-0122
www.casadelpopolo.com
Angle Saint-Joseph. Les heures d'ouverture varient d'un endroit à l'autre ainsi que les tarifs pour les spectacles.
Deux excellentes adresses de la scène musicale et culturelle à Montréal ! La programmation musicale de la Casa del Popolo et de la Sala Rossa marque la diversité car tous les genres ou presque viennent se mêler : Pop, Rock, Jazz, Rock alternatif, Folk ou Électro. La Casa del Popolo propose une cuisine végétarienne à des prix tout à fait abordables pour ceux qui souhaitent y manger, tandis que la Sala Rosa n'est qu'une salle de spectacles.

© Jean-Marc Beausoin

LE DIVAN ORANGE

4234, Saint Laurent
514-840-9090
www.ledivanorange.org
Angle Rachel. Mar-dim 11h-3h. Interac et comptant. Contribution de 5$ suggérée les soirs de concert.
Ce sympathique bar à concerts-expos-festival-contes-etc. invite le monde à s'affaler dans l'un de ses divans au vécu bien entamé, écouter de la musique ou laisser son esprit errer au gré des contes. Chaque soir est différent, des musiciens tziganes, folk, jazz, rock, en passant par le reggae, se partagent ce chaleureux endroit. Cela fait plusieurs bonnes raisons pour s'y retrouver entre amis autour d'un hurluberlu (riz au coco, lime et curcuma, accompagné de rouleaux impériaux et brochettes de fruits), ou d'un bourrelet d'amour (camembert chaud, poire, noisettes et chocolat noir).

LA PLACE À CÔTÉ

4571, Papineau
514-522-4571
www.laplaceacote.com
Angle Mont Royal. Lun-dim 15h-3h. V, MC, Interac & comptant. Entrée: 5-15 selon les groupes.
Juste à côté du Théâtre de la Licorne, la Place à Côté ressemble à une taverne, qui hésite entre une salle de spectacle et un bar de quartier. Possédant une salle spacieuse et une scène remarquable, cet espace permet à de nombreux artistes de venir se produire. Au programme, musiques du monde, funk, reggae, carnaval brésilien, rock.... Du coup, la clientèle change à chaque spectacle. Pour tous les programmes, n'hésitez pas à aller sur leur site Internet.

LE PETIT MEDLEY

6206, Saint-Hubert
514-271-1960
www.lepetitmedley.ca
Angle Bellechasse. Lun-dim 15h-3h. 150 à 200 places. Pour réserver le lounge ou louer la salle, appeler au 514-271-7887.
Petit frère du Medley, ce bar-lounge propose régulièrement des spectacles de haute qualité dont on peut se procurer

le programme sur le site Internet : des spectacles de type cabaret, des ligues d'impro, des soirées de conte, des groupes musicaux... Les mardis Swing et les samedis French kiss, c'est eux ! Pour déguster un porto ou un whiskey, il suffit d'aller au lounge. Si vous avez un petit creux, laissez-vous tenter par le menu Tapas spécial Petit Medley...

O PATRO VYS

356, Mont-Royal E
514-845-3855
www.opatrovys.com
Mᵒ Mont-Royal.
Ne pas rater cette annexe culturelle du Bílý Kůň, le O Patro Vys qui se trouve à l'étage supérieur. On y assiste à à des séances d'improvisation, des pièces de théâtre, performances diverses, concerts, projections de courts-métrages...

P'TIT BAR

3451, Saint-Denis
514-281-9124
www.ptitbar.com
Mᵒ Sherbrooke. Lun-dim 16h-3h. Interac & comptant.
Cet endroit ne connaît pas vraiment l'angoisse de la salle vide, et on comprend pourquoi. Une vingtaine de places assises seulement, un espace minuscule en guise de scène, on se sent un peu comme dans son salon un soir de party. Il faut avouer que l'exiguïté du lieu permet de mieux apprécier les spectacles intimistes : pas de brouhaha du public, les chahuteurs seraient vite repérés. Ce sont les chansonniers francophones qui ont fait la légende de cet endroit indémodable. Des artistes nourris aux Brassens, Brel, Leclerc, Barbara et autres grands se produisent ici.

QUAI DES BRUMES

4481, Saint-Denis
514-499-0467
Mᵒ Mont-Royal. Lun-dim 14h-3h.
Le Quai des Brumes est devenu, par son ambiance agréable, son cachet et sa situation géographique enviable, l'un des bistros incontournables du Montréal francophone. Ouverte sur le trottoir de Saint-Denis, impossible de rater la faune

urbaine qui s'y assoit sans relâche. On est certain de ne jamais être seul. Certain aussi d'assister à d'excellents concerts de jazz (dim soir), de rock (jeudi soir), de concerts de la relève (lun-mar), de groove (mercredi) et des DJ (ven).

ZOOBIZARRE

6388, Saint-Hubert
514-270-9331
www.zoobizarre.org
Mᵒ Beaubien. Jeu & sam 21h-3h, ven 22h-3h (horaire régulier). Ouvert tous les jours selon les événements. Paiement comptant seulement. Entrée: 5-15 selon les groupes.

Concept créé par le Zoobizarre de Bordeaux en France : être une référence en art alternatif, sous toutes ses formes ; créer un lieu de rencontre entre les créateurs et le public. Pari réussi : la version montréalaise fait son apparition en juillet 2005. Depuis, le Zoo accueille sur ses planches des artistes émergents. L'horaire des spectacles est disponible sur leur site Internet.

RIVE-NORD

CAFÉ D'EN FACE

292, du Palais, Saint-Jérôme
450-432-2727
www.cafedenface.com
Lun-sam 11h-3h, dim 14h-3h. Entrées 2-13$. Carte 2,50-17$. Table d'hôte midi à partir de 6,95$; soir à partir de 17,95$. Visa, MC. Entrée payante les soirs de spectacles. Des 4 à 7 et des spéciaux sur la nourriture tous les jours.

Existant depuis 1984, ce bar restaurant situé en face du Cégep de Saint-Jérôme ne dessert pas seulement la population étudiante. Toutefois, le changement de propriétaires en 2004 a redonné un coup de jeune à l'endroit. La nourriture ne peut pas être caractérisée de fine gastronomie, mais si vous aimez la musique hard rock et la musique alternative, vous serez choyés. Des spectacles de musique live alternent avec des shows d'humour. L'ambiance est conviviale et les employés sont chaleureux. Même les patrons, Jean-

Claude et Alex, sont sur le plancher, servent aux tables, parlent aux clients. Restez-y pour vous dégourdir les jambes sur la piste de danse ou simplement pour vous imprégner de l'atmosphère.

LE VIEUX SHACK

338, Saint-George, Saint-Jérôme
450-436-7500
www.vieuxshack.com
Le Shick Disco-bar, www.leshick.com Prix d'entrée le soir. Discothèque mer-sam 22h-3h. Cuisine ouverte 7 jours de 11h-22h. Brunch du dimanche à 10,50$: 9h-13h30. Entrées 2-7$. Carte 8-27$. V. et Interac.

Ouvert depuis 1994, le Vieux Shack vous invite à sa table au premier étage jusqu'à 22h. Par la suite, les chansonniers prennent la relève dans la boîte à chansons. L'ambiance est à la fête, tout le monde participe et frappe des mains au rythme d'airs québécois connus. On ne peut faire autrement que de se faire prendre au jeu, et il est absolument recommandé de s'y rendre à plusieurs pour profiter pleinement de l'expérience. Au deuxième étage, l'endroit se transforme en boîte de nuit dès 22h du mercredi au samedi. Juste à côté, Le Shick Discobar, un complexe du Vieux Shack, accueille les 25 ans et plus de 22h à 3h les samedis et dimanches. Au menu: musique latine, dance, techno et RnB.

SALLES DE SPECTACLES/ CONCERTS

CENTRE BELL

1260, de la Gauchetière O
514-989-2841
www.centrebell.ca
Mᵒ Bonaventure/Lucien-L'Allier. Achat de billets sur place, par téléphone ou sur le réseau Admission.

Le Centre Bell est le plus vaste amphithéâtre de la grande région montréalaise avec un total de 21 273 sièges. Lieu de rassemblements de masse au profit de la rondelle de caoutchouc, mais aussi des spectacles à grand déploiement tels Céline Dion, les tournées des stars du rock, les divers cirques et ballets sur glace. Pour les aventuriers, il est toujours possible de se procurer des billets de dernière minute à la porte auprès de revendeurs à la sauvette.

CLUB SODA
1225, Saint-Laurent
514-286-1010
www.clubsoda.ca
M° Saint-Laurent. Billetterie ouverte lun-ven 10h-18h, sam 12h-17h.
Cette scène est incontournable dans la vie culturelle montréalaise. Des systèmes de son et d'éclairage sophistiqués lui permettent de s'adapter à l'ambiance du spectacle, assis, debout, en prenant un verre, en dansant. Les musiciens servent leur assortiment sonore sur un plateau d'argent. Le répertoire des nouvelles recrues musicales partage aussi la vedette avec beaucoup de spécialistes de l'humour.

CORONA
2490, Notre-Dame O
514-931-2088
www.theatrecorona.com
M° Lionel-Groulx. Billetterie ouverte lun-sam 12h-18h et les soirs de spectacles.
Suite à un incident mineur survenu le 28 mars 2007, le théâtre est fermé pour rénovation à l'heure de la parution de ce guide. Consultez leur site Internet afin de connaître la date de réouverture.

MEDLEY
1170, Saint-Denis
514-842-6557 #10
www.medley.ca
M° Berri-UQAM. Billetterie ouverte lun-ven 10h-17h30 ainsi que les soirs d'évènement, ou achat par téléphone.
Cette ancienne taverne bavaroise propose des shows très variés toute l'année. Pour une somme modique, on peut assister à des hommages à des groupes de rock mythiques, donnés par des musiciens confirmés. Party étudiants, party techno, matchs d'improvisations, etc. Clowns sans frontières y a organisé quelques-unes de ses soirées bénéfices.

MÉTROPOLIS
59, Sainte-Catherine E
514-390-3500
www.metropolismontreal.ca
M° Saint-Laurent. Billetterie ouverte à partir de 16h les soirs de spectacles uniquement. En journée, acheter les billets au Spectrum. Achat possible avec Ticketpro.
Situé en plein cœur de la ville, le Métropolis est une salle immense qui peut accueillir 2 300 personnes. Les travaux de rénovations en 2002 et 2003 ont inclus entre autres la reconstruction du balcon en gradins afin d'avoir une meilleure vue sur la scène, l'achat d'un nouveau système de son, la construction de nouveaux bars et points de services et la rénovation des loges. Les grands noms de la chanson tels que David Bowie, The Wailers, Ben Harper, Les Rita Mitsouko, INXS, ou encore Björk s'y sont produits.

MONUMENT-NATIONAL
1182, Saint-Laurent
514-871-2224
www.monument-national.qc.ca
M° Saint-Laurent. Billetterie ouverte lun-mer 12h-18h, jeu-sam 10h-18h, dim et jours fériés 2h avant le spectacle. Achat possible avec Admission.
Le Monument-National compte trois salles de spectacles et de multiples espaces pour divers événements. Pièces de théâtre, spectacles musicaux, soirées de conte, etc.

PLACE DES ARTS
260, de Maisonneuve O
514-842-2112
www.pda.qc.ca
M° Place-des-Arts. Billetterie ouverte lun-sam 12h-20h30 (jusqu'à 20h par téléphone), dim selon l'horaire des spectacles.
Cinq salles sont réunies à la Place des Arts : le Théâtre Maisonneuve, le Studio-théâtre, la Salle Wilfrid-Pelletier, le Théâtre Jean-Duceppe et la Cinquième Salle. Musiciens, chanteurs, comédiens ou humoristes se retrouvent dans un formidable complexe culturel où les salles sont toutes reliées entre elles par un réseau souterrain.

Réservation concerts et spectacles

RÉSEAU ADMISSION

514-790-1245 / 1-800-361-4595

www.admission.com

Ouvert lun-dim 8h-22h.

Achetez vos places sur Internet, par téléphone 7 jours/7 ou dans l'un des 100 points de vente. Incontournable, la façon la plus simple de réserver sa place pour tous les spectacles au Québec.

TICKETPRO

514-908-9090 / 1-866-908-9090

www.ticketpro.ca

Ouvert lun-dim 9h-22h.

Six salles Montréalaises se sont déjà associées à ce système de réservation de spectacles : Club Soda, Medley, Métropolis, Spectrum, Théâtre Olympia et Théâtre Outremont. Les membres du club pourront profiter de certains avantages comme la priorité pour l'achat de billets, un accès aux meilleurs sièges, etc.

VITRINE CULTURELLE DU QUARTIER DES SPECTACLES

La Vitrine Culturelle vient d'ouvrir sur la rue Sainte-Catherine et sur Internet. Plus qu'une simple billetterie, elle présente la diversité de l'offre culturelle de la région avec un système de recherche à la fine pointe de la technologie. *Pour plus d'informations : www.quartierdesspectacles.com*

SORTIR

SPECTRUM

318, Sainte-Catherine O

514-861-5851

www.spectrumdemontreal.ca

M° Place-des-Arts. Billetterie ouverte lun-mar 12h-18h, mer-ven 12h-21h, sam-dim 12h-17h. Aussi ouverte jusqu'à 21h les soirs de spectacles.

Studio de télévision, salle de spectacle mais aussi et surtout grande scène musicale, avec une capacité de 1 200 personnes. Le Spectrum est fort reconnu pour la qualité de ses installations et la variété des spectacles présentés, notamment lors des festivals. À surveiller : le bruit court que l'endroit fermera définitivement ses portes à la mi-août. Sera-t-il relocalisé ? Une histoire à suivre…

THÉÂTRE ST-DENIS

1594, Saint-Denis

514-790-1111

www.theatrestdenis.com

M° Berri-UQAM. Billetterie ouverte lun-dim 12h-21h.

Avec ses deux salles, le Saint-Denis est un des théâtres les plus beaux et populaires en ville. Très prisées par les humoristes, bon nombre d'artistes de la musique d'ici et d'ailleurs et des comédies musicales s'y produisent.

THÉÂTRES

CENTAUR THEATRE

453, Saint-François-Xavier

514-288-3161

www.centaurtheatre.com

M° Place-d'Armes. Billetterie ouverte lun-dim 12h-17h.

Situé dans le magnifique bâtiment de la Vieille Bourse, le Centaur présente des pièces de théâtre en langue anglaise depuis 1969. En plus de la programmation annuelle, il y a aussi le Wildside Festival, les séries pour enfants,

Musique symphonique

La musique symphonique a sa place et surtout, ses grands amateurs, dans la région de Montréal. Petits et grands sauront apprécier la variété et la qualité des concerts. Surveillez les répétitions grand public, les concerts en plein air, les matinées jeunesse, etc.

ORCHESTRE DE CHAMBRE I MUSICI MONTRÉAL
934, Sainte-Catherine E, bureau 240
514-982-6038
www.imusici.com
Ouvert lun-ven 9h-17h. Achat possible sur Admission.

ORCHESTRE MÉTROPOLITAIN
514-842-2112
www.orchestremetropolitain.com
Voir horaire de la billetterie de la Place des Arts.

ORCHESTRE SYMPHONIQUE DE LAVAL
Salle André-Mathieu : 475, L'Avenir, Laval
450-667-2050
www.osl.qc.ca
Ouvert lun-sam 12-20h. Achat possible sur Admission.

ORCHESTRE SYMPHONIQUE DE MONTRÉAL
260, de Maisonneuve O, 2e étage
514-842-9951
www.osm.ca
Ouvert lun-ven 9h-19h, sam 10h-16h. Achat possible sur Admission.

… Du classique au contemporain, avec une grande place pour les pièces d'ici et notre relève, le Centaur diverti par ses pièces innovatrices et actuelles.

ESPACE LIBRE
1945, Fullum
514-521-4191
www.espacelibre.qc.ca
M° Frontenac. Billetterie ouverte mar-ven dès 15h30, sam dès 13h. Fermeture une heure avant le spectacle. Salle de spectacle de 200 places et 2 salles de 50 places.
D'abord caserne de pompier, puis fief de la troupe de danse Carbone 14, l'Espace libre est maintenant occupé par la compagnie Omnibus et le Nouveau Théâtre expérimental. L'originalité du lieu est de remodeler l'espace pour chaque nouvelle production. Une salle pour les shows d'envergure et deux petites salles,

utilisées pour les soirées plus intimistes de lecture publique, poésie, petites productions théâtrales ou ateliers.

GESÙ CENTRE DE CRÉATIVITÉ
1200, de Bleury
514-861-4036
www.gesu.net
M° Place des Arts. Billetterie ouverte mar-sam 12h-18h (20h les soirs de spectacle) ou sur Admission.
Le centre possède une salle de spectacle de 425 sièges, un hall d'exposition, des ateliers ainsi que des salles de conférence. Lieu de création et de diffusion, le Gésù offre une programmation dynamique et riche, et de nombreux concerts, spectacles de danse, d'humour et de pièces de théâtre.

THÉÂTRE D'AUJOURD'HUI

3900, Saint-Denis
514-282-3900
www.theatredaujourdhui.qc.ca
Entre Roy et Duluth. Achat à la
billetterie ou en ligne.

La vie sur scène, toute nue, définie mais surtout redéfinie, à travers le regard d'auteurs d'aujourd'hui, voilà ce qu'entend présenter le théâtre dirigé pendant de longues années par René Richard Cyr, remplacé en 2004 par Marie-Thérèse Fortin. Depuis 1968, les textes qui brûlent la scène de cet ancien cinéma du carré Saint-Louis sont tirés exclusivement du terroir québécois, que ce soit des créations ou du répertoire.

THÉÂTRE DENISE-PELLETIER

4353, Sainte-Catherine E
514-253-8974
www.denise-pelletier.qc.ca
Angle Morgan. Billetterie ouverte lun-sam 12h-17h ou sur Admission.

Le spectacle est déjà dans la salle avant la représentation. Les motifs décoratifs qui ornent la salle rappellent les grands textes mythiques présentés par ce théâtre et sont autant de références au répertoire classique. Sous les projecteurs, les acteurs jouent aussi bien Dumas que Goldoni ou Molière. Le théâtre héberge également la salle Fred-Barry, dédiée quant à elle aux pièces plus contemporaines, parmi lesquelles Satie, Ionesco, Garcia Lorca, et celles de la relève.

THÉÂTRE ESPACE GO

4890, Saint-Laurent
514-845-4890
www.espacego.com
Angle Saint-Joseph. Billetterie mar-sam 12h-18h, et jusqu'à 20h les soirs de représentations.

Ce théâtre a choisi de rencontrer le public, voire de nouer des liens avec les spectateurs. Il possède une scène amovible qui se transforme d'une pièce à une autre. Le genre de détail qui rappelle l'approche pamphlétaire du Théâtre Expérimental des Femmes, précurseur du genre en 1976. Aujourd'hui, la compagnie poursuit la recherche de nouvelles formes esthétiques. Elle donne la parole aux auteurs contemporains d'ici et d'ailleurs. Quelques classiques restent aussi à l'affiche.

THÉÂTRE DE L'ESQUISSE

1650, Marie-Anne E
514-527-5797
www.theatredelesquisse.qc.ca
Angle Marquette.

Depuis 16 années, le Théâtre de l'Esquisse offre des spectacles pour petits (voir détails dans la section Junior) et grands : contes du monde, chansons et musique. Ces deux salles de spectacle ont été fondées par les directeurs artistiques Sylvie Belleau et Gerardo Sanchez de la compagnie de danse Tango libre. Ce lieu intimiste peut accueillir une quarantaine de spectateurs.

THÉÂTRE JEAN DUCEPPE

175, Sainte Catherine O
514-842-2112
www.duceppe.com
Mº Place-des-Arts. Billetterie ouverte lun-sam 12h-21h ou sur Admission.

« Le théâtre est un miroir qui favorise le sentiment d'appartenance » selon le maître d'œuvre Michel Dumont. Les productions de cette compagnie présentent la vie sous toutes ses coutures, amusante et triste à la fois. La tradition veut que les fidèles aient leur siège tout confort, réservé de saison en saison.

THÉÂTRE LA LICORNE

4559, Papineau
514-523-2246
www.theatrelalicorne.com
Angle Mont-Royal. Billetterie ouverte lun-dim 12h-17h ou sur Admission.

La saison 2005-2006 a fêté les 25 ans de ce charmant théâtre d'à peine plus de 140 places, et les 30 ans de La Manufacture, la compagnie théâtrale qui l'a fondé et qui s'occupe toujours de la direction artistique. La Licorne présente des pièces qui interpellent, écrites par des auteurs contemporains du Québec et d'ailleurs. Urbains et modernes, les sujets abordés dans ce lieu intime reflètent bien la société actuelle et sont souvent traités avec beaucoup d'humour.

THÉÂTRE DU NOUVEAU MONDE

84, Sainte-Catherine O
514-866-8668
www.tnm.qc.ca
M° Place-des-Arts. Billetterie ouverte lun-sam 12h-18h ; en période de spectacles : lun 10h-18h, mar-sam 12h-20h. Les classiques deviennent de superbes productions dans cette salle de 845 places. Le plancher de la scène peut se démonter et s'ouvrir dans tous les sens, permettant ainsi les mises en scène les plus ambitieuses. Par leur envergure, les classiques comme «Tristan & Yseult», «Un tramway nommé Désir», «Homère» prennent des allures de blockbuster. Les abonnés de la saison bénéficient même de l'occasion de rencontrer les metteurs en scène et l'équipe de production après le spectacle.

THÉÂTRE PROSPERO

1371, Ontario E
514-526-6582
www.laveillee.qc.ca
Angle Panet. Billetterie ouverte mar-sam 12h-20h lors des représentations, 12h-17h lors des relâches. Le spectateur, en toute intimité, participe au travail de l'acteur sur la scène. Le directeur artistique utilise un «matériel» théâtral tiré de sources littéraires inhabituelles. Il accueille également des compagnies à la recherche d'un lieu de production. Avis aux intéressés, l'équipe propose des ateliers de formation pour acteurs.

THÉÂTRE DE QUAT'SOUS

100, des Pins E
514-845-7277
www.quatsous.com
Angle Coloniale. Billetterie ouverte lun 12h-17h, mar-sam 12h-19h30 lors des représentations, lun-ven 12h-17h lors des relâches. Les retardataires ne sont pas acceptés. Lentement, la petite salle de 159 places se remplit, donnant au lieu une chaleur confortable, propice à la réflexion et aux cerveaux en ébullition. Sur scène les acteurs prennent possession de textes originaux d'auteurs d'ici et d'ailleurs. Les spectateurs sont invités à discuter à chaud de leurs impressions avec les auteurs. Chaque année, le théâtre reçoit les jeunes finissants des écoles d'interprétation, et les interprètes autodidactes, pendant trois jours pour des auditions.

THÉÂTRE DU RIDEAU VERT

4664, Saint-Denis
514-844-1793
www.rideauvert.qc.ca
M° Laurier. Billetterie ouverte lun-ven 10h-19h, sam-dim 11h-17h. Confortablement assis dans son quartier depuis plus de 50 ans, ce théâtre a vécu de grands moments qui l'ont fait connaître jusqu'à l'étranger. Antonine Maillet, Michel Tremblay, Gratien Gélinas, Marie-Claire Blais et plusieurs autres grands noms ont fait leurs classes sur les planches de cette scène. Encore aujourd'hui, ce théâtre attire un grand auditoire avec son répertoire classique et sa filière contemporaine. Dernièrement les citoyens lui ont manifesté leur attachement en offrant au Rideau vert une fresque. À noter que le théâtre propose également des débats-conférences et des concerts de musique classique.

THÉÂTRE DE VERDURE

Parc Lafontaine
514-87-ACCES
www.ville.montreal.qc.ca
En plein cœur du parc Lafontaine, le grand amphithéâtre de 2 500 places présente des spectacles de qualité tout l'été. Gérées par le service culturel de la ville de Montréal, toutes les activités du Théâtre de Verdure sont gratuites. Un programme à saveurs multiples où tout le monde trouvera son bonheur : des spectacles de danse (Grands ballets canadiens), de la musique classique (Orchestre de Montréal, I Musici), multiculturelle (Vues d'Afrique, longs-métrages canadiens,...). Certains spectacles sont si populaires qu'il faudra s'attendre à faire la queue. Prévoir chaise pliante et citronnelle en juillet.

tous les groupes d'âge. On y présente des expositions d'arts visuels avec visite commentée. Des artistes, professionnels et amateurs, y brûlent les planches avec des spectacles d'humour, de musique et de théâtre pour tous les âges. Les forfaits varient. La location de trousses éducatives en arts visuels pour les groupes scolaires est aussi possible: 10 $ ou 15 $/trousse. Les camps de jour Articulture initient les enfants à l'art durant la période estivale. Réduction de 5 % avec la carte Avantages Laval.

IMPROVISATION

LIGUE NATIONALE D'IMPROVISATION
514-528-5430
www.lni.ca
Voir horaire de la billetterie du Medley ou sur Ticketpro.
Depuis maintenant 30 ans, la Ligue Nationale d'Improvisation est bien établie dans le monde du théâtre québécois. Le jeu se déroule sur une patinoire de hockey miniature (et sans glace), et l'arbitre donne les thèmes et règlements. L'idée est venue de Robert Gravel et d'Yvon Leduc de faire de l'impro en reproduisant la forme et la structure d'un match de hockey. Le succès ne dément pas depuis tout ce temps et bon nombre de comédiens ont fait leur premiers pas avec la LNI. Tous les matchs ont lieu au Medley.

DANSE

AGORA DE LA DANSE
840, Cherrier
514-525-1500
www.agoradanse.com
Mº Sherbrooke.
Haut lieu pour les créateurs et amateurs de danse contemporaine, l'Agora de la Danse est le seul endroit au Canada entièrement dévoué à ce type de danse. Le Studio du l'Agora peut accueillir jusqu'à 241 sièges dans cette salle à géométrie variable. Plus d'une centaine de spectacles sont présentés chaque année. Le Fonds de création de l'Agora permet d'investir l'argent recueilli à la

USINE C
1345, Lalonde
514-521-4493
www.usine-c.com
Angle Cartier. Billetterie ouverte mar-sam 12h-20h lors des représentations, 12h-18h lors des relâches.
La cheminée de cette ancienne usine de confitures Raymond témoigne de l'histoire de ce quartier industriel. Dans cet univers de béton, des danseurs déambulent sur une scène où les gradins sont configurables. Tantôt les sièges se font face, tantôt ils prennent un air à l'italienne. Ce lieu de création et de diffusion pluridisciplinaire a fait sa renommée grâce à la compagnie de création Carbone 14, qui y a élu domicile. Théâtre, opéra, performance artistique, danse et spectacles de compagnies étrangères viennent animer la salle.

RIVE-NORD

LA MAISON DES ARTS
1395, de la Concorde O, Laval
450-662-4440
Billetterie générale: 450-667-2040
Majestueuse bâtisse aux lignes droites et à l'architecture moderne, La Maison des arts est un musée doublé d'une salle de spectacle. Cette institution culturelle de renom est entièrement dédiée à la promotion de l'art sous toutes ses formes et offre plusieurs activités pour

SORTIR

création d'œuvres chorégraphiques par les artisans et artistes de la danse d'ici.

CABARET DU CASINO DE MONTRÉAL

1, du Casino
514-790-1245
www.casino-de-montreal.com
M° Jean-Drapeau et bus 167.
Billetterie lun-dim 12h-21h.
Un cabaret revisité offrant des prestations de grande ampleur rehaussées par des costumes sophistiqués et des mises en scènes colorées. Music-hall, danse, humour et chanson figurent au menu. Les soupers spectacles sont l'occasion idéale pour se retrouver entre amis. Confortablement assis, l'auditoire savoure des repas gourmets mis en vedette par un service impeccable digne de l'envoûtement que procure le spectacle.

LES GRANDS BALLETS CANADIENS

4816, Rivard
514-842-2112
www.grandsballets.qc.ca
Pour spectacles : Place des Arts, salle Wilfrid-Pelletier ou Théâtre Maisonneuve. L'arrivée du directeur artistique Gradimir Pankov en 2000 a orienté davantage la compagnie vers la création et l'innovation. On peut assister à des représentations de grands classiques tels que «Roméo et Juliette» ou «Casse-noisettes».

LES SORTILÈGES

5563, Fullum, Suite 202
514-522-5955
www.lessortileges.com
Fondée en 1966, Les Sortilèges est connue pour ses créations et sa mission: faire la promotion du folklore national et international. Il renouvelle le genre, intégrant des nouvelles tendances et des sonorités particulières. Des spectacles grand public, entreprises et jeune public sont créés régulièrement. On sent une équipe passionnée et dynamique derrière la magie des pas. Les Sortilèges compte aussi une école de danse où des professionnels transmettent leur énergie aux petits et aux grands (éveil à la danse pour les petits et pour les grands, des cours de gigue québécoise ou irlandaise entre autres).

CIRQUE

CIRQUE DU SOLEIL

514-722-2324
www.cirquedusoleil.com
Achat des billets sur leur site Internet, ou par téléphone : 514-790-1245.
On ne présente plus le Cirque du Soleil, figure mythique des arts de la scène québécois. À l'origine, une petite troupe d'amuseurs publics dans les rues de Baie Saint-Paul, menée par Guy Laliberté, et 20 ans plus tard une machine à rêves. Le siège social est toujours basé au Québec, où la compagnie ne manque pas de se produire au moins une fois par an. Le reste de l'année, elle parcourt le monde entier avec divers spectacles aussi féeriques que novateurs. Modernisateur de l'univers «circassien», le Cirque du Soleil réinvente cet univers au moyen de décors majestueux, de costumes somptueux et de numéros magiques. Des spectacles à ne rater sous aucun prétexte !

TOHU, LA CITÉ DES ARTS DU CIRQUE

2345, Jarry E
514-376-TOHU
www.tohu.ca
Angle d'Iberville. Billetterie lun-dim 9h-17h sur place ou sur Admission.
La Tohu a été fondée par 3 principaux acteurs du milieu : Le Cirque du Soleil, l'École nationale de cirque et En Piste (regroupement national des arts du cirque). Souhaitant réhabiliter le quartier St-Michel, la Tohu propose dans son pavillon, au centre de cette cité du cirque, des spectacles mêlant tous les arts du cirque : équilibrisme, contorsionnisme, jonglage, trapèze… ainsi que des expositions, des conférences, mais également des événements indépendants tels que la fête bio paysanne. Riche programme alternant spectacles de troupes de tous horizons et démonstrations des élèves de l'école du cirque.

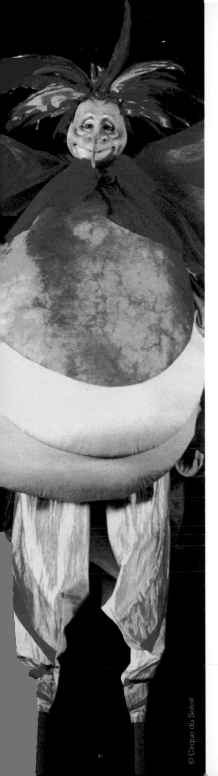

© Cirque du Soleil

CINÉMAS

Afin d'obtenir tous les horaires ainsi que les programmations de chaque cinéma de la ville, vous pouvez visiter le site www.cinemamontreal.com.

AMC FORUM 22

2313, Sainte-Catherine O
514-904-1250
Mº Atwater. Adultes 13 $, étudiants/ aînés 10 $, enfants 8 $. Matinées 10 $, mardis 8 $.
Le complexe de divertissement AMC Forum offre 22 supers salles de cinéma, des restaurants et bien d'autres attractions. D'ailleurs, on ne le présente plus comme un cinéma en tant que tel mais plutôt comme un parc d'attractions urbain au cœur de la ville. Une majorité de films en anglais, présentés avec toutes les dernières technologies disponibles.

CINÉMA BEAUBIEN

2396, Beaubien E
514-721-6060
www.cinemabeaubien.com
Angle Louis-Hébert. Adultes 10 $, en semaine avant 18h : 7 $, week-ends avant 18h : 8 $, 13 ans et moins : 5 $, étudiants, jeunes de 14 à 17 ans, et 65 ans et plus : 7 $. Carte cinéma : 10 films pour 60 $.
Flash back dans les années 60, les néons clignotants de la façade de ce cinéma de quartier, et la guérite à l'entrée auprès de laquelle on achète ses billets, nous transportent instantanément dans «Happy Days». Gagnant du prix Jutra 2004 du meilleur exploitant de salle au Québec pour son soutien au cinéma québécois, le cinéma Beaubien met à l'affiche des films d'auteur. Pleins feux sur les réflexions intimes de réalisateurs de tous horizons. À noter : seul cinéma à accueillir à toutes les séances les familles avec bébés.

CINÉMA DU PARC

3575, du Parc
514-281-1900
www.cinemaduparc.com
Angle Prince-Arthur. Adultes 10 $, étudiants et aînés 7 $, enfants 5 $. Matinées (avant 18h) : lun-ven

7$ ainsi que les dim après 18h et
les lun & mer. Carte membre (8
films) : 40$. Stationnement (entrée
Jeanne-Mance) gratuit pour 3h sur
présentation du coupon.
Le Cinéma du Parc fermait ses portes
en août 2006… pour mieux nous revenir
quelques mois plus tard. C'est un lieu de
diffusion de films étrangers (sous-titrés),
de cinéma indépendant et de répertoire,
de rétrospectives. Il participe activement
aux nombreux festivals de cinéma et de
documentaires. Avec des billets à des
prix très abordables, un stationnement
gratuit pour les spectateurs, des coupures
de presse sur tous les films projetés, on
est très satisfaits de la nouvelle direction.

CINÉMA ONF - CINÉROBOTHÈQUE

1564, Saint-Denis
514-496-6887
www.onf.ca
M° Berri-UQAM. Mar-dim 12h-21h.
Tarifs à l'heure : adultes 3$, enfants/
étudiants/aînés 2$.
L'Office National du Film du Canada
est un organisme public qui produit et
distribue des films canadiens. On peut
également y assister à des projections de
courts-métrages, des films étrangers,
des cinés-débat… On y trouve une salle
de visionnement ultramoderne équipée
d'un robot gérant les vidéocassettes que
l'on peut visionner individuellement.
Le catalogue propose plus de 9 000
documents. Confortablement installé, le
spectateur visionne le film à son rythme.
Les groupes peuvent bénéficier de
séances de visionnement privées. L'ONF
organise également des ateliers sur le
cinéma d'animation.

CINÉMATHÈQUE QUÉBÉCOISE

335, de Maisonneuve E
514-842-9768
www.cinematheque.qc.ca
M° Berri-UQAM. Mer-ven 11h-20h,
sam-dim 16h20h, fermé lun-mar. En
été, mer-ven 11h-17h, fermé sam-
dim. Adultes 7$, étudiants/aînés 6$,
enfants (6-15 ans) 4$, gratuit pour les
5 ans et moins. Forfait 10 séances:
50$. Abonnement annuel : adultes

150$, étudiants et aînés 125$.
La Cinémathèque Québécoise abrite
en son sein 35 000 titres d'archives
cinématographiques et télévisuelles
ainsi que des nouveautés expérimentales
dans le domaine du multimédia.
Elle projette chaque année plus de
1 500 films, émissions de télévision
ou vidéos. Beaucoup d'hommages,
de rétrospectives, de festivals divers
(Rendez-vous du cinéma québécois,
Festival du film sur l'Art, etc…) et
d'expositions sont organisés dans ce lieu
dédié au patrimoine cinématographique
et télévisuel. Pour encourager cette
institution et faire des économies,
on peut adhérer aux Amis de la
Cinémathèque : gratuité à toutes les
activités de la programmation régulière
(projections et expositions).

DOLLAR CINÉMA

6900, Décarie
514-739-0536
www.dollarcinema.ca
M° Namur. Lun-dim, consultez le
site Internet pour l'horaire des films
(représentations tardives les ven et
sam).
Le Dollar Cinéma est la parfaite
alternative lorsqu'il nous reste peu
de sous dans le portefeuille. Une
représentation coûte seulement 2$!!!
Boissons, bonbons, chocolats et pop corn
sont au modique prix de 1$. Ça sent
définitivement la bonne affaire… Pas que
les nouveautés mais plutôt, environ cinq
films par semaine qui changent selon
leur popularité. Prévoyez de l'argent
liquide car aucune carte n'est acceptée.

EX-CENTRIS

3536, Saint-Laurent
514-847-2206
www.ex-centris.com
Angle Milton. Lun-dim, consultez le
site Internet pour l'horaire des films.
Adultes 10$, étudiants/aînés 7,5$,
enfants (-12 ans) 6$. Lundi spécial 8$.
Semaine avant 18h 8$. Ciné-carte (6
séances): 42$.
Ex-Centris mène le bal du cinéma de
répertoire à Montréal sur un ton très
sérieux. Sa programmation se tient

même à l'écart des grands festivals cinématographiques. Un café chic a pris la place du marchand de friandises. Certaines idées très originales, comme celle de poser des hublots où est projetée l'image de la guichetière, contribuent à accentuer le style «Métropolis».

PARAMOUNT

977, Sainte-Catherine O
514-866-0111
www.cineplex.com
Angle Metcalfe. Lun-dim, consultez le site Internet pour l'horaire des films. Tarif séance : 10,95$ pour tout le monde (1 à 2$ de plus pour IMAX et films en 3D). Rabais en journée la semaine. Accès pour handicapé.
Ce cinéma correspond plus que jamais à la nouvelle version des salles de cinéma revues et corrigées. 13 salles de projection dont IMAX, des restaurants, des jeux vidéo, un billard et un bar sont réunis dans cet immense complexe.

QUARTIER LATIN

350, Emery
514-849-4422
www.cineplex.com
Mº Berri-UQAM. Lun-dim, consultez le site Internet pour l'horaire des films. Adultes 10$, enfants (0-12 ans) et aînés 7,5$. Rabais en journée la semaine. Café, salle de jeux.
18 salles de projection de films européens, québécois et américains majoritairement doublés en français. Les salles sont de grandeur moyenne avec écrans incurvés, haut-parleurs de basses fréquences et sièges confortables. Des films sont aussi offerts dans les deux langues.

STAR CITÉ

4825, Pierre-De Coubertin
514-899-8900
www.cineplex.com
Mº Viau. Lun-dim, consultez le site Internet pour l'horaire des films. Adultes 10$, enfants (0-12 ans) et aînés 7,5$. Rabais en journée la semaine.
Ce complexe de l'est de l'île comprend en plus des 17 salles de projection, une

immense aire de restauration, des jeux vidéo… Tous les films sont en français.

CINÉMA GUZZO

1055, des Laurentides, Laval
450-967-4455
www.cinemasguzzo.com
Ouvert 7 jours/7. Lun-jeu dès 18h30, ven-lun dès 12h30. Tarifs : régulier 10$, enfant (13 ans & -) 6$, aîné 6,5$. Mar-mer 6$. Matinées avant 18h 7$.
Ce mégaplex, un des plus grands cinémas de Laval, comprend 16 salles et se spécialise dans la projection de films de traduction française. Une arcade de jeux est accessible au deuxième étage pour vous aider à patienter pendant que vous attendez. Pour connaître les adresses des neuf autres succursales dans la région de Montréal, vous pouvez visiter le site Internet.

COLOSSUS

2800, du Cosmodôme, Laval
514-861-0111
www.cineplex.com
Sam-jeu, consultez le site Internet pour l'horaire des films. Adultes 10$, enfants (0-12 ans) et aînés 7,5$. Rabais en journée la semaine.
Les 18 salles de cet immense complexe, toutes dotées du meilleur son, proposent des films en anglais et en français. Des services de restauration rapide étancheront vos petites faims, soifs, ou votre gourmandise…

BILLARD

ISTORI

486, Sainte-Catherine O, suite 100
514-396-2299
www.istori-bar.com
Mº McGill. Lun-ven 11h30-minuit (et plus les jeu-ven), sam 17h-minuit et plus. Fermé les lundis en été.
Ce resto-bar est immense ! Une vingtaine de tables de type «Boston» et une table de snooker sont dispersées sur tout l'étage, de manière à ménager suffisamment d'espace entre les joueurs. Également resto-bar, la maison propose

sandwiches, pizzas, nachos, salades, hamburgers et autres mets pour remplir les petits creux entre deux parties. Si vous souhaitez organiser une soirée privée, le salon VIP sera sans doute le choix le plus judicieux. Avec sa table de billard et ses quelques tables, il peut accueillir environ 25 personnes.

RIVE-NORD

LE SKRATCH
965, Curé-Labelle, Laval
450-686-7665
www.leskratch.com
Lun-dim 8h-3h. De 1,60 $ (entrée) à 15 $ (plat principal).
Plusieurs bars et stations de restauration sont aménagés dans ce club spacieux. La nourriture est habituellement du type fast-food, mais on peut aussi y déguster des fruits de mer, des salades et divers plats de viandes. La clientèle semble principalement masculine, peut-être à cause des serveuses sexy, mais aussi parce que l'endroit abrite plus de 300 tables de billard. On y organise d'ailleurs régulièrement des tournois pour amateurs et professionnels. Autres activités : simulateurs de jeux électroniques, jeux de dards et téléviseurs à petits et à grands écrans pour les amoureux du sport. Soirées spéciales avec animation sur demande : spectacles, DJ, piste de danse. Un conseil : payer en argent comptant, surtout dans les aires de restauration. Dans cet immense édifice, il n'existe qu'un comptoir central de paiement où la file peut s'allonger indéfiniment. Il peut être angoissant de ne pas savoir où est passée sa carte de crédit pendant une quinzaine de minutes !

QUILLES

SHARX
1606, Sainte-Catherine O
514-934-3105
www.sharx.ca
M° Guy-Concordia. Lun-dim 11h-3h.
Une immense salle à l'intérieur du faubourg Sainte-Catherine qui abrite tables de billard et de snooker, 3 écrans géants pour le sport seulement, une section bar et un grand bowling de 11 allées. Une salle VIP est disponible pour les groupes. La clientèle envahit les lieux à la fermeture des bureaux et l'on s'y amuse ferme. Service traiteur pour les groupes d'au moins 20 personnes.

RIVE-SUD

SALON DE QUILLES CHAMPION
2999, Taschereau, Greenfield Park
450-671-5577
www.bowlingchampion.ca
En face de l'hôpital Charles-Lemoyne. Lun-jeu 9h-minuit, ven-sam 9h-3h, dim 8h30-minuit.
Rien de moins que 77 allées pour les mordus de la quille, dont vingt consacrées aux grosses boules. Une institution mythique dans l'imaginaire sportif québécois, haut lieu des compétitions télévisées et des ligues de quilles. Pour du bon temps tout simple, à des prix minimes qui défient toute compétition.

activités

CUISINER COMME UN CHEF

ACADÉMIE CULINAIRE

360, Champ-de-Mars
514-393-8111
www.academieculinaire.com
M° Champ-de-Mars.

Une adresse bien connue de tous les curieux désireux de parfaire leurs connaissances culinaires. Le programme de l'Académie comprend une multitude de cours : techniques de base, cours santé, cuisine « sur le pouce », cuisines du monde, viandes, sauces, desserts, etc. Les différentes saisons apportent également leur lot de cours thématiques. Pour les amoureux des produits de la vigne et du houblon, des cours spécialisés plongent l'amateur dans la découverte, la dégustation et l'harmonie des mets et vins/bières. Pour les plus jeunes, des cours et camps de cuisine sont offerts durant la relâche scolaire et les vacances d'été.

COURS DE CRUSINE

Ateliers : Centre Écosanté de Montréal
5805, Christophe-Colomb
www3.sympatico.ca/jpboisvert20/
M° Rosemont.

« Manger vivant pour se sentir vivant ! ». C'est ce que Brigitte Cousineau et Josée Marinelli, diplômées en naturopathie bionomiste, enseignent durant leurs cours de crusine (préparation de mets sans cuisson). Trois ateliers, d'une durée de 9 heures chacun, sont disponibles : « Initiation à l'alimentation vivante », « Recettes plus élaborées ou nécessitant plus d'équipements » et « Maladies, intoxications et cures ». Leur objectif : une augmentation de votre énergie et une meilleure santé. Bref, la santé

est délicieuse ! Consultez leur site Internet pour connaître les dates des prochains ateliers et les inscriptions.

ITHQ (INSTITUT DE TOURISME ET D'HÔTELLERIE QUÉBEC)

3535, Saint-Denis
514-282-5108
www.ithq.qc.ca
M° Sherbrooke.

L'ITHQ a cessé depuis peu ses cours de cuisine pour les particuliers mais offre toujours des ateliers dédiés aux groupes privés et aux entreprises. Ces ateliers sont suivis du repas et le choix s'offre entre quatre types de cuisine : italienne, provençale, québécoise et menu de canard. Des conférences sont présentées par des formateurs ou des chefs sur les arts de la table, les thématiques culinaires et la sommellerie. Des camps de jour d'une durée d'une semaine sont offerts, pendant l'été et la semaine de relâche, aux jeunes entre 12 et 17 ans (environ 485 $ par participant) ainsi qu'aux 8-11ans (400 $ par participant).

LES TOUILLEURS

152, Laurier O
514-278-0008
www.lestouilleurs.com
Angle De L'Esplanade.

Les Touilleurs c'est avant tout une boutique d'outils pour la cuisine mais depuis quelques années, c'est également devenu un lieu convivial où l'art de cuisiner est enseigné par le biais d'ateliers, de démonstrations et de dégustations. Les chefs invités font tout le travail et les convives se chargent de suivre l'élaboration du repas pour ensuite prendre part à la dégustation tant attendue. Pour obtenir l'horaire des démonstrations, il faut impérativement passer à la boutique et un conseil, réservez tôt car la liste d'attente peut être longue.

MAGASIN MIYAMOTO

382, Victoria
514-481-1952
www.sushilinks.com/miyamoto/fr/
accueil.html
Angle Sherbrooke.
Miyamoto est une boutique spécialisée dans la vente au détail et en gros de produits japonais. Spécialité oblige, ils donnent maintenant des cours tous les dimanches, à l'exception des jours fériés, et il en coûte une centaine de dollars pour un bloc de quatre heures. Pour parfaire ses techniques, le chef Mikio Owaki du restaurant Mikado, se chargera de vous faire découvrir la cuisine japonaise en trois mardis consécutifs.

MEZZANINE DU MARCHÉ JEAN-TALON

7070, Henri-Julien
M° Jean-Talon.
Situé dans le plus grand marché public de Montréal, la Mezzanine qui sert à de nombreux évènements gastronomiques, accueille également des cours de cuisine internationale donnés par le maître des épices Philippe de Vienne, propriétaire de La Dépense et d'Olives et Épices, boutiques qui ont pied-à-terre au marché. Les cours ont lieu le samedi matin et il en coûte entre 35 $ et 50 $ par atelier. Pour les horaires, il faut passer en magasin. *Pour plus d'information : La Dépense 514-273-1118 et Olives et Épices 514-271-0001.*

RISTORANTE SAPORI PRONTO

4894, Sherbrooke O
514-487-9666
www.saporipronto.com
Angle Prince Albert.
Le chef du restaurant, Peppino Perri, se fait fier représentant de la cuisine italienne et offre tous les mardis soirs des démonstrations de plats quatre services suivies d'une dégustation (49 $ par personne). Les fleurons de la cuisine typique italienne en feront saliver plus d'un : les pâtes, les sauces, le veau, les poissons, les rôtis, sans oublier les délicieux desserts. Pour une expérience totale, les « samedis découverte » permettent aux participants d'élaborer le menu avec le chef, de faire les emplettes à même le marché, et de préparer le tout qui rentrera avec soi à la maison. L'inscription coûte 95 $ et un repas du midi accompagné d'un verre de vin est inclus.

ATELIERS ARTISTIQUES

ATELIER DE PAPIER JAPONAIS

24, Fairmount O
514-276-6863
www.aupapierjaponais.com
Angle Saint-Laurent.

Les Japonais ont développé l'art du papier fait à la main :dont le Washi. Au cours des ateliers, on utilise ce beau papier pour faire des aquarelle sur papier japonais, des photographie sur Washi, des boîtes, des livres, etc. Sur leur site Internet, vous pouvez avoir une description de chaque cours avec coût selon l'activité choisie : « dessin, peinture et calligraphie », « arts du papier et applications », ou « livres, boîtes et albums photo ». La boutique est une vraie petite caverne d'Ali Baba et on y fait des découvertes plutôt inattendues : œuvres d'art, kimonos, paravents, abat-jour… sans oublier les quelques 500 sortes de papier japonais.

GAÏA ATELIER-BOUTIQUE DE CÉRAMIQUE

1590, Laurier E
514-598-5444
www.gaiaceramique.com
Angle Fabre.

Gaïa, c'est le petit bijou d'artisans ayant à cœur la promotion, la diffusion et l'enseignement de l'art de la céramique. Pour ceux qui aimeraient s'initier à cet art et pour les plus avancés, des cours de façonnage, tournage ainsi que des ateliers thématiques enseignent la maîtrise de différentes techniques afin de créer ses propres œuvres. Il en coûte 330$ pour 30 heures de cours et 10 heures d'atelier libre les samedis.

MOSAÏKASHOP

319, de Castelnau E
514-582-7476
www.mosaikashop.com
Mº de Castelnau. Coût : 250$.

Suzanne Spahi, fondatrice et propriétaire de Mosaïkashop, se fait un plaisir de vous faire découvrir cet art ancien qu'est la mosaïque. Des cours d'initiation, d'une durée de 5 semaines, jour ou soir, permettent l'apprentissage des concepts et des techniques de la mosaïque professionnelle, tant pour les novices que les plus avancés. Il est possible d'effectuer ce cours de 13 heures sous forme d'atelier intensif d'un week-end. Pour les 6 à 10 ans, des ateliers de 2 heures les plongeront dans un univers d'expression et de création. Coût : 50$. La boutique, située à la même adresse, nous subjugue tant par la couleur vive des ses tuiles provenant du monde entier que par les projets de création qui germent dans notre esprit. ... Vous avez complété votre cours et c'est le coup de foudre ? Leurs portes restent toujours ouvertes pour vous inspirer, vous conseiller, vous donner des idées... bref, partager cet art !

VERRIERS SAINT-DENIS

4326, Saint-Denis
514-849-1552
www.glassland.com/indexFr.html
Angle Marie-Anne.

Cette petite boutique établie sur le Plateau depuis près de vingt-cinq ans en éblouit plus d'un avec les couleurs et les reflets de ses œuvres de verre. Boris Chasin, artisan verrier et propriétaire de la boutique, est fort réputé dans son domaine et vise à le faire découvrir depuis de nombreuses années. Dans cette lignée, les Verriers rendent accessible au grand public l'art du verre par le biais de cours se déroulant à l'atelier de la boutique : « atelier de fusion pour débutants », « atelier d'initiation au vitrail », « atelier de lampes », ou encore « atelier de billes ». Les frais de cours varient entre 85 $ et 350 $ et comprennent le matériel ainsi que le prêt d'outil pour réaliser les œuvres.

CENTRE D'ÉBÉNISTERIE EXCELLENCE
8100, Jean-Brillon, LaSalle
514-364-9663
www.ebenesterie-excellence.com
Angle Bernie.
L'amoureux du bois qui sommeille en vous pourra ici laisser libre court à sa passion. Vous ne vous tromperez pas d'adresse ici car ce centre d'ébénisterie porte très bien son nom. Les cours pour débutants et intermédiaires sont d'une durée de 36 heures chacun répartis sur 6 semaines. Il en coûte 700 $ par cours incluant le matériel et le bois et bien évidemment, vous rapporterez à la maison le meuble que vous aurez conçu en atelier. Des cours de tournage de bois et de finition traditionnelle sont également offerts pour quiconque désire se perfectionner en ébénisterie.

CENTRES D'ACTIVITÉS ET ORGANISMES DE LOISIRS
Il existe de nombreux centres d'activités et organismes de loisirs liés aux arrondissements. Une palette d'activités artistiques et de cours sont offerts à un prix plus qu'abordable. Les cours varient d'un centre à l'autre et il est donc conseillé de consulter le site Internet de la ville : www.ville.montreal. qc.ca (choisir l'arrondissement afin d'obtenir la liste des cours) ou votre bureau d'arrondissement.

COLLÈGE MARSAN
1001, Maisonneuve E, 9e étage
514-525-3030
www.collegemarsan.qc.ca
M° Berri-UQAM.
Cette école privée a conçu deux programmes distincts, en informatique et en photo. Le Collège Marsan est l'école de photographie la plus réputée de la métropole. Que ce soit au niveau de la photo artistique ou commerciale, la photo numérique ou l'infographie, l'étudiant apprendra à valoriser toute image qui lui sera communiquée. Enfin, ceux qui préfèrent un enseignement à la carte opteront pour des cours spécialisés de courte durée, de jour ou de soir.

L.L. LOZEAU
6229, Saint-Hubert
514-274-6577
www.lozeau.com
M° Jean-Talon.
Depuis près de 80 ans maintenant, L.L. Lozeau a pignon sur la rue Saint-

ACTIVITÉS

Mexique est organisé pour permettre aux participants de développer leurs techniques avec des spécialistes en la matière. Renseignez-vous pour les dates car les places sont limitées.

UNIVERSITÉS

Les quatre universités montréalaises organisent des cours de techniques de photographie, Les cours du soir sont la solution toute indiquée à un prix plus que raisonnable pour un trimestre entier. Renseignez-vous auprès du service de l'admission d'une des quatre universités de la métropole.

CLUBS DE PHOTOGRAPHIE

Il existe plusieurs clubs de photographie amateur dans la grande région de Montréal. Si vous fréquentez un établissement collégial ou universitaire, renseignez-vous auprès du service à la vie étudiante. Les écoles privées ainsi que les organismes municipaux et communautaires qui offrent des cours peuvent généralement vous communiquer de bonnes adresses, que ce soit pour la photographie amateur ou professionnelle. *Sur le site de Photo Service, vous trouverez une liste de clubs, question de partager cette nouvelle passion : http://www.photoservice.ca/sites. asp. Visitez aussi le site de la Société de promotion de la photographie du Québec au : www.sppq.com.*

Hubert. Cette entreprise familiale a su devenir la référence en matière de produits photographiques, de développement et de finition photo. Location d'appareils et service de réparation disponibles. Afin de s'initier ou d'approfondir ses connaissances, le « Grand Chef » partage son expertise par le biais d'ateliers tant théoriques que pratiques sur le choix d'une caméra, les techniques de photographie, les logiciels photo, etc. *Consultez leur site web pour l'horaire des ateliers et les thèmes abordés, offerts en français et en anglais.*

BEAD EMPORIUM OF MONTRÉAL
368, Victoria, Westmount
514-486-6425
M° Vendôme.
Des ateliers de fabrication de bijoux initient tant les ados que les adultes à cet art ancien et une fois l'an, un voyage culturel et artistique au

COURS DE DANSE

AFRIQUE EN MOUVEMENT
910, Jean-Talon E
514-270-6914
www.afrique-en-mouvement.ca
M° Jean-Talon. 10% de rabais pour les étudiants et les aînés. Portes ouvertes au début de chaque session permettant de s'initier aux diverses activités.

Les rythmes et la culture africaine sont au cœur des activités de ce centre d'arts et école de danse et de percussions. Les différents cours de danse et de percussions proviennent tous des traditions ouest-africaines et représentent des rites et coutumes propres à ces pays (Burkina Faso, Côte d'Ivoire, Guinée…). D'autres types de danse sont également au programme : Gumboots (Afrique du Sud), Baladi (Afrique du Nord et Moyen-Orient) et Danse Afro-pop (Côte d'Ivoire). À la demande des parents, les 6 à 12 ans ont maintenant leur propre cours de percussions, offert même temps que celui de papa ou maman… fort utile. Depuis quelques années également, Afrique en Mouvement propose des cours de mise en forme inspirés de la danse et de la musique africaine. Une excellente alternative pour ceux qui ne désirent pas aller dans un gym !

CAT'S CORNER
486, Sainte-Catherine O, suite 303
514-874-9846
www.catscorner.ca
M° McGill.

Ce joli studio avec mur de briques situé en plein cœur du centre-ville vous invite à venir « swinger » dans une atmosphère ouverte et détendue. Au menu : le « Lindy Hop », la danse swing originale. Le Charleston, le Dazzle et Flash, ainsi que le Blues, qui sont toutes des danses swing, y sont également enseignées. La soirée « Downtown Stomp » du vendredi soir permet à tous d'essayer cette danse pour seulement 7 $ (frais d'entrée), cours d'introduction inclus. Une façon plus qu'amusante d'apprendre les pas tout en rencontrant des gens dans une ambiance festive. Cours privés et ateliers disponibles. Consultez leur site pour les dates des sessions et la description des différents cours.

ÉCOLE DE DANSE LOUISE LAPIERRE
1460, Mont-Royal E
514-521-3456
www.danse-louiselapierre.qc.ca
Angle Garnier. Tarifs des cours (6 semaines) : adulte 93 $, adolescent 86 $, enfant 74 $-80 $.

Cela fait maintenant plus de trente

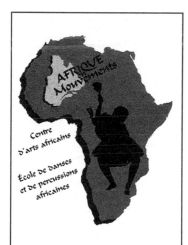

910 Jean-Talon Est. Mtl. H2R 1V4
tel.: (514) 270-6914 fax: 270-2569
www.afrique-en-mouvement.ca

© École de Danse Afrique en Mouvement

ans que cette école fait bouger petits et grands. Les cours s'adressent autant aux débutants qu'aux niveaux intermédiaires et avancés et surtout à tous les âges, avec des cours spécialisés pour les jeunes enfants (à partir de 2 ans), aux adolescents et aux adultes. Une grande variété de cours figurent au programme : danse jazz-moderne, classique, claquette, chanté-dansé, hip hop, jazz-funky, irish step. Pour choisir votre cour, profitez des classes d'essai gratuit durant les journées portes ouvertes. Durant l'été, camps de jour artistiques et stages.

LES SORTILÈGES
5563, Fullum, suite 202
514-522-5955
www.lessortileges.com
Angle Dandurand.
Les Sortilèges, c'est une école de danse où des professionnels transmettent leur énergie aux petits et aux grands, en leur enseignant la gigue irlandaise et québécoise. On explore les pas traditionnels mais aussi des rythmes plus actuels et urbains. Les jeunes de 15 à 25 ans, pensant éventuellement devenir des danseurs professionnels, pourront suivre les cours de la Relève. Ils seront initiés à des cours de danse de différents pays du monde et qui

sait, il s feront peut-être carrière comme danseur au sein de la compagnie Les Sortilèges...

SALSA ETC
936, Mont-Royal E
514-844-1755
www.salsaetc.com
M° Mont-Royal. Prix : 158 $, cours de 8 semaines, pour personne non accompagnée ; 148 $ par personne en couple, étudiant 145 $.
École de danse latine fondée par Alberto Azpuru, spécialisée dans l'enseignement de la salsa, à tous les niveaux. Lady's styling, jeux de pieds, techniques de tours complexes, techniques de portée, et bien plus encore pour les amoureux de cette danse qui désirent se perfectionner. Sans oublier les fameuses pratiques supervisées du samedi après-midi qui ont lieu au club Cactus au 4459 Saint-Denis, 2ème étage. Des professeurs venus de tous les horizons, de la Martinique, d'Haïti, d'Amérique latine, et bien entendu du Québec, se feront un plaisir de vous enseigner cette danse enivrante. Si vous êtes intéressé, des cours d'essai gratuit sont également disponibles, alors avouez, vous n'avez plus d'excuses pour ne pas essayer !

SAMBA NO PÉ

4557, Saint-Laurent (Studio Metronome, 514-845-9304)
514-586-7117
Angle Mont-Royal.

Mordue de la culture brésilienne, Nathalie Jacques, fondatrice de cette première école de samba à Montréal, partage avec ses élèves l'énergie et la chaleur des danses brésiliennes. La samba évoque en nous cette image de carnaval mais nul besoin de costumes éclatants et de paillettes, seule votre bonne humeur est de mise. Cette danse fera travailler votre cardio, votre tonicité… sans oublier votre postérieur. Les cours se donnent tous les mardis au studio et il faudra défrayer 120$ pour un cours de 10 semaines. Plaisirs et déhanchements garantis !

STUDIO BIZZ

551, Mont-Royal E, 3e étage
514-526-2455
www.studiobizz.com
M° Mont-Royal.

Voici une école de danse au concept très original : on y loue, pour répéter ou donner des leçons, une des 4 grandes pièces très éclairée, avec miroir et plancher de bois franc. Même si les professeurs louent l'espace, les inscriptions se font directement avec le Studio Bizz et on a le choix en terme de cours : tango argentin, ballet, claquettes, danses africaines, hip hop, rockabilly jive ou… strip jazz, un mélange de striptease, burlesque, jazz et danse moderne. De quoi faire tourner la tête de monsieur à la maison ! Aucune expérience requise mais féminité et ouverture demandées.
Location de studio entre 13$ et 40$ l'heure (selon la taille de la salle et l'option choisie).

TANGUERIA

6522, Saint-Laurent
514-495-8645
www.tangueria.org
Angle Beaubien. Multicarte de 20 classes : tarif étudiant 130$, tarif régulier 180$ (multicarte valide pour un an). Prix par classe et cours privés disponibles.

Tangueria est une des plus anciennes écoles de tango argentin en Amérique du Nord et les enseignants n'ont qu'une phrase aux lèvres : il faut avoir la passion de cette danse comme on devient obnubilé par un instrument de musique. Il y a un niveau pour les débutants et cinq pour les intermédiaires. Des classes ouvertes de valse tango et de milonga sont également offerts au coût de 10$ pour la soirée. Le dimanche dès 18h30, le point de rendez-vous est au 372 Crémazie pour une pratique guidée suivie d'une soirée de danse (8$). Pour ceux qui hésitent encore, surveillez les dates des cours gratuits d'initiation au tango argentin.

RIVE-SUD

ÉCOLE DE DANSE CORPS ET ÂME EN MOUVEMENT

Studio Marnier : 743, Marnier, Longueuil
450-674-4203
www.corps-et-ame-en-mouvement.org
M° Longueuil. Coût : 110$ à 252$ selon le cours choisi et la durée. 10% de rabais pour les étudiants à temps plein et 25% de rabais pour les moins de 14 ans.

Depuis maintenant 10 ans, Claudette Biron et les professeurs de cette école se spécialisent dans l'enseignement de danses et percussions issues de cultures étrangères. On peut s'inscrire à une des 3 sessions, d'une durée de 10 à 14 semaines chacune. Ateliers et classes de maître durant l'été. Leur boutique, qualifiée de « vraie caverne d'Ali Baba », renferme de nombreux accessoires de danse. *Ouverte lun-jeu 17h50-20h. Location de studios pour cours, ateliers, réunions ou répétitions à tarifs très avantageux.*

JOUER DE
LA MUSIQUE

ACADÉMIE DE MUSIQUE
DE MONTRÉAL
1564, ch. Herron, bureau 104, Dorval
514-376-8742
www.academiedemontreal.com
Une institution montréalaise qui
enseigne le phénomène musical
en son ensemble. Le chant, sous
toutes ses coutures, et les divers
instruments, classiques ou non,
allant du violon et du piano à la
guitare électrique et au synthétiseur.
L'aspect théorique n'est pas négligé,
puisque des cours de composition
et d'étude avancée de partition s'y
donnent aussi. Les cours, en anglais
ou en français, peuvent être suivis
soit à l'Académie même, soit chez
l'étudiant, soit chez le professeur,
ce qui rend l'apprentissage d'autant
plus flexible. Des cours de groupe
sont aussi disponibles, bien entendu
à moindre prix. Pas de boutique
d'instruments rattachée à l'école,
mais bientôt un magasin en ligne à
prix réduits (pour les étudiants de
l'Académie uniquement).

ARIA ATELIER DE CHANT
4525A, Saint-Denis
514-845-4242
www.aria-atelier.com
*M° Mont-Royal. Tarif à la semaine
et au mois, selon la durée du
programme ou cours. Tarif enfant et
étudiant disponibles.*
L'école toute désignée pour
développer la passion du chant !
Son programme, encadré par
des professionnels du domaine,
comprend, entre autres, la technique
vocale, le solfège et l'exploration
des différents moyens d'expression
du chanteur classique. Les élèves
sont invités à pendre part à diverses
activités : classes de maître,

conférences avec des professionnels
du milieu musical, etc. Des cours
d'éveil musical pour les enfants de
3 à 8 ans sont également offerts.
Aucune audition ou concours
d'entrée ne sont requis mais une
entrevue avec le professeur définira
les attentes et objectifs de l'étudiant.

CONSERVATOIRE DE
MUSIQUE DE MCGILL
555, Sherbrooke O
514-398-4543
www.mcgill.ca/music/
M° McGill. La vénérable institution
se distingue par sa variété de cours
et son cadre d'enseignement. Bien
sûr, la gamme plus que complète
des instruments, à peu près tous
ceux qui existent. Et le chant,
réparti en ses grandes tendances.
McGill utilise aussi un large éventail
de professeurs privés rattachés
officieusement à son Conservatoire
afin d'offrir absolument tout ce qui
est possible de l'être, au grand profit
des étudiants. Divers ensembles,
voire mêmes des productions à la
Broadway, sont produits chaque
année. Le chant vit donc, et même
prospère, bien au-delà des quelques
comédies musicales qui passent
dans notre firmament comme de
pâles et éphémères étoiles filantes.
Les cours sont aussi disponibles en
français, quoique leur disponibilité
puisse varier.

CENTRES D'ACTIVITÉS ET
ORGANISMES DE LOISIRS
**De nombreux centres d'activités
et organismes de loisirs liés aux
arrondissements organisent des
activités artistiques et des cours à
des prix abordables. *Consulter le site
Internet : www.ville.montreal.qc.ca.***

PERFECTIONNER SES LANGUES ETRANGÈRES

À Montréal, l'enseignement de l'anglais et du français langue seconde est le plus répandu et la qualité des cours reste satisfaisante. C'est au niveau des autres langues offertes que la qualité s'embrouille. Les écoles ont tendance à engager des étudiants universitaires maîtrisant la langue recherchée mais dont les qualités pédagogiques laissent parfois songeurs. Nous vous suggérons ici quelques institutions à la démarche sérieuse, sans omettre de mentionner les universités et les centre communautaires/de loisirs qui offrent également une palette assez vaste de cours de langues.

ACTIVITÉS

BERLITZ
2020, University, bureau 102
514-288-3111
www.berlitz.ca
Mº McGill.

Un incontournable dans l'enseignement des langues. Toutes les majeures y sont représentées au sein de l'équipe permanente ; pour les besoins plus pointus, l'on se charge de trouver un prof qualifié qui enseignera sa langue maternelle. L'enseignement y est privé ou en petit groupe ; l'on se déplace même pour des besoins d'entreprise. À des besoins spécifiques et des objectifs précis, le programme sera personnalisé à souhait. Mais toujours, l'emphase est mise sur une approche conversationnelle facile, où prime l'acquisition des connaissances linguistiques pratiques. L'on y trouve aussi des programmes d'orientation interculturelle, de même que des évaluations linguistiques au profit d'entreprises voulant évaluer des employés potentiels. Une adresse hautement professionnelle.

CENTRE CULTUREL CANADIEN-JAPONAIS DE MONTRÉAL
8155, Rousselot
514-728-1996
www.geocities.jp/jcccmcanada/francais.html
Angle Jarry.

Comme bien d'autres centres culturels desservant une ethnie particulière, celui-ci invite à l'échange de par sa gamme de cours linguistiques enseignés à des prix défiant toute compétition. Sa bibliothèque met à disposition des lecteurs différents ouvrages... pour ceux voulant dépasser le cadre un peu restreint des cours. De plus, une kyrielle d'activités, d'animation, d'échanges linguistiques et de rencontres avec la communauté japonaise de Montréal font de ce centre un must pour tout amant du Soleil Levant.

COLLÈGE DAWSON – CENTRE D'ÉTUDES LINGUISTIQUES
4001, de Maisonneuve O
514-937-0047
www.dawsoncollege.qc.ca
Mº Atwater.

Bien pratique ces cours du soir et de fins de semaine pour apprendre l'anglais, le français, l'espagnol, l'italien, le grec, le japonais, le chinois, l'allemand ou encore pour se préparer au TOEFL. Les élèves de tous les niveaux peuvent s'inscrire pour apprendre une langue, pratiquer et progresser. Les cours sont très axés sur la conversation. Possibilité de demander des cours en entreprise.

COLLÈGE PLATON
4521, du Parc
514-281-1016
www.collegeplaton.com
Angle Mont-Royal.
Depuis 1957, cette école se différencie par son caractère quasi-familial. Non pas une méga boîte à la Berlitz, mais une approche plus fine, encore plus personnalisée. Plus de 25 langues enseignées, dont un programme d'immersion pour les étudiants étrangers, avec hébergement possible dans une famille. Des programmes répondant à la fois aux besoins grammaticaux et langagiers. Évidemment, la clientèle d'affaire est bienvenue.

GOETHE INSTITUT
418, Sherbrooke E
514-499-0159
www.goethe.de/montreal
M° Sherbrooke.
L'institut culturel allemand propose de nombreux cours de langue et de civilisation, en groupe, privé ou semi-privé. Inscriptions aux différents niveaux de certificats de langue allemande : ZD, ZMP, ZOP, TestDaF (prérequis pour étudier ou travailler en Allemagne). Examens ouverts à tous mais un rabais est accordé aux étudiants de Goethe. Plusieurs services disponibles : librairie « Das Buch », bibliothèque, vidéothèque, activités culturelles ainsi qu'un cinéma projetant une sélection de films allemands, si peu présents sur les écrans commerciaux.

YMCA
1440, Stanley, 5 étage
514-849-8393 poste 709 ou 719
www.ymcamontreal.qc.ca/langues
M° Peel.
Le YMCA, dans sa logique d'échange et de partage, possède une école de langues depuis 1965. 15 salles de classes et 2 laboratoires informatisés à disposition des étudiants ainsi que l'accès aux infrastructures du YMCA. Cours de français, d'italien, d'espagnol, d'anglais ou de portugais disponibles pour adultes ; cours d'anglais ou d'espagnol pour les jeunes ; formation en entreprise.
Certifications : TOEIC et TOEFL pour l'anglais, TFI pour le français.

CENTRES D'ACTIVITÉS ET ORGANISMES DE LOISIRS
Il existe de nombreux centres d'activités et organismes de loisirs liés aux arrondissements. Une variété de cours de langues est offerte à un prix plus qu'abordable. Par contre, le choix des langues et le nombre de niveaux varient d'un centre à l'autre, il est donc conseillé de consulter le site Internet de la ville : www.ville.montreal.qc.ca (choisir l'arrondissement afin d'obtenir la liste des cours) ou votre bureau d'arrondissement.

PRATIQUER LE YOGA

Les cours de yoga sont en demande et il existe bon nombre de centres à Montréal. Le site de Yoga Montréal se veut un répertoire quasi exhaustif des cours disponibles avec courte présentation de chacun des centres. On y retrouve aussi les événements à venir, les petites annonces et autres informations pertinentes. À consulter ! www.yogamontreal.com

MOKSHA YOGA
3863, Saint-Laurent
514-288-3863
www.mokshayogamontreal.com
Mosksha Yoga vous invite à faire du yoga dans une pièce chauffée à … 36 ° C. Cela a trois vertus principales :
- suer pour éliminer les toxines
- détendre les muscles
- aider à se concentrer sur son corps et ne penser à rien d'autre.

Parole de futé qui a vécu l'expérience : un moment très intense qui fait un bien fou.

ASSOCIATION ZEN DE MONTRÉAL
982, Gilford
514-523-1534
www.dojozen.net
M° Laurier. Cotisation annuelle de 30$.
Le dojo est situé en plein cœur du Plateau et se spécialise dans la tradition zen qui utilise la technique zazen où la concentration et l'introspection sont à l'honneur. Des ateliers d'introduction ont lieu une fois par mois le samedi matin au coût de 25$. Des journées zen sont également organisées à chaque premier dimanche du mois pour seulement 10$. Il est impératif d'être membre de l'association afin de participer aux sessions et d'emprunter des livres à la bibliothèque. Les contacter directement pour connaître l'horaire des différentes activités.

CENTRE YOGA CORPS À CŒUR
3437, Saint-Denis
514-499-1726
www.yogacorpsacoeur.com
M° Sherbrooke. Coûts des cours à la carte : 16$ - 290$ selon le forfait choisi. Tarifs étudiants et aînés disponibles. Cours de 8 semaines : 120$. Inscription en tout temps.
Une invitation au développement personnel et au partage dans un cadre chaleureux et invitant à la pratique. Chacun y trouve son compte : cours réguliers pour adultes (hommes et femmes), cours prénataux, cours postnataux, cours ludiques et créatifs pour enfants. Méditation. Le centre de yoga organise aussi des retraites

Moksha Yoga

ACTIVITÉS

à travers le monde, des ateliers, des conférences et bien d'autres activités.

STUDIO LA JOIE DU YOGA

460, Sainte-Catherine O, suite 403
514-227-3763
www.joyofyoga.net
Mº Place-des-Arts.

Ce studio enseigne le Yoga Kripalu qui permet une prise de conscience de son corps impliquant différentes positions spécifiques et des exercices de respiration. Son approche met l'emphase sur l'art d'avoir une pleine conscience, une capacité de se centrer et de se concentrer. Lors de la belle saison, des pratiques de yoga sont organisées tous les mercredis au Parc Westmount. Des ateliers et des retraites sont également proposés tout au long de l'année. *Les contacter directement pour connaître l'horaire et les tarifs des différents cours et activités.*

STUDIOS LYNE ST-ROCH

4416, Saint-Laurent, bureau 103
514-277-1586
www.lynestroch.com
Angle Mont-Royal. Ouvert lun-jeu 9h30-20h30, ven 9h30-19h, sam-dim 9h30-14h. Différents tarifs selon le nombre de cours et la durée.

Lyne St-Roch a voué sa vie à l'activité physique et pratique le yoga depuis plus de 10 ans. Elle se consacre depuis 2001 à l'enseignement du hatha yoga, connu également sous le terme de yoga des postures. De loin le plus populaire en Amérique du Nord, ce yoga alterne postures statiques, exercices de respiration, de concentration et de relaxation. Des cours de hatha yoga, de vinyasa yoga, de yoga pré/post natal avec bébé, et de mise en forme sont offerts, sans compter les ateliers et les retraites.
Service de massothérapie également disponible.

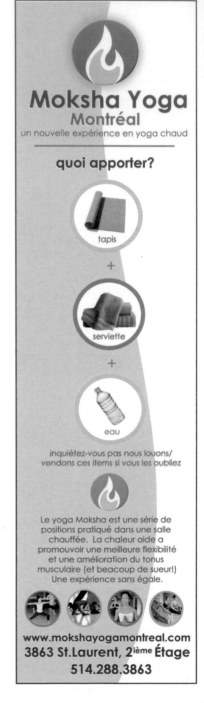

GARDER LA FORME

CENTRES SPORTIFS UNIVERSITAIRES

CAMPUS SPORTIFS DE CONCORDIA

Loyola Athletic Complex, 7200, Sherbrooke O
514-848-2424, poste 3858
Tarifs/session : étudiants Concordia 15-60, grand public 25-50. Laissez-passer à la journée : étudiants 3$, grand public 5$.
EV Fitness Centre, 1515, Sainte-Catherine O
514-848-2424, poste 3860
http://athletics.concordia.ca/
Pour les étudiants et employés seulement. Laissez-passer à la journée : étudiants 3$, grand public 5$.

Tous les sports sont à l'honneur avec un large choix de sports d'équipes : soccer, football, volleyball, basketball, hockey. Pour le reste, les activités telles que l'aérobie, le spinning, le yoga, la danse (ballet classique, salsa, tango et swing), les arts martiaux (kickboxing, capoeira, aïkido, kendo, karaté et iaido) sont disponibles à des horaires très variés. Prenez note que les activités ayant lieu au Fitness Centre ne sont pas accessibles au grand public.

CENTRE SPORTIF UQAM

1212, Sanguinet
514-987-7678
www.unites.uqam.ca/centreSportif
M° Berri-UQAM. De sept. à fin juin : lun-ven 7h-23h, sam 9h-17h, dim 9h-23h. De fin juin à sept. : lun-ven 9h-21h, fermé sam-dim. Tarifs abonnement : 40.32$ pour les étudiants à plein temps de l'UQAM (en général, compris dans les frais de scolarité).

Plus d'une centaine d'activités sont offertes. La liste alphabétique commence par abdos-fessiers-

cuisses et se termine avec yoga. Bien entendu, la plupart des activités se déroulent dans la piscine, la salle d'entraînement, la piste de jogging, le mur d'escalade, les terrains de badminton, etc.

CEPSUM (UNIVERSITÉ DE MONTRÉAL)

2100, Édouard-Montpetit
514-343-6150
www.cepsum.umontreal.ca
M° Édouard-Montpetit. Lun-ven 6h30-23h toute l'année, sam-dim 8h30-20h30 (sept. à mi-juin), 11h-18h (mi-juin à sept.). Tarifs : abonnement régulier gratuit pour les étudiants à temps plein de l'UdeM. Forfaits d'abonnement pour adultes et étudiants.

Ce centre sportif plaira aux plus exigeants. On y trouve une salle d'entraînement avec possibilité de suivi personnalisé, une piscine olympique et même une patinoire. Presque tous les sports y sont proposés : arts martiaux (karaté, kendo, taekwon-do, tai chi), activités aquatiques (natation, aquagym), danse (flamenco, salsa et merengue, tango, hip hop), escalade, squash, badminton, tennis, golf, trampoline, yoga, hockey, basket-ball, soccer, palestre et plus encore ! Les enfants aussi ont accès à une gamme variée de sports et activités.

SERVICE DES SPORTS DE L'UNIVERSITÉ MCGILL

475, des Pins O
514-398-7000
www.athletics.mcgill.ca
Angle University. Heures d'ouverture variables selon les installations. Tarifs/mois : étudiants à McGill 36-48, étudiants 38-50, grand public 44-56.

De nombreuses activités et sports pour tous les goûts. Le centre sportif de l'Université McGill dispose de grands gymnases, d'un gym, d'une piscine olympique, d'une patinoire, de terrains de tennis, d'un centre d'athlétisme et d'un stade de football, domicile des Alouettes de Montréal, équipe professionnelle de la ligue canadienne de football (LCF).

ÉNERGIE-CARDIO
1-877-363-7443
www.energiecardio.com
Une entreprise québécoise de conditionnement physique nec plus ultra. Des professionnels sont là pour vous conseiller sur la méthode la plus adaptée à votre corps et à votre condition physique. L'abonnement Optimum vous permettra une évaluation sur mesure et un programme personnalisé. Les centres « Sélect pour Elle » ont vu le jour depuis quelques années et sont réservés exclusivement aux femmes. L'approche est mieux adaptée aux besoins des femmes et des services complémentaires tels que l'Oasis Beauté (esthétique) et l'halte-garderie ont été instaurés.
Pour connaître l'adresse du centre le plus près de chez vous, composez le numéro sans frais ou visitez leur site Internet.

YMCA CENTRE-VILLE
1440, Stanley
514-849-8393 poste 704
www.ymcamontreal.qc.ca
Mº Peel. Lun-ven 6h-22h45, fin de semaine et jours fériés 7h15-19h45. Prix mensuel pour un abonnement régulier (sur une base annuelle, sans taxes) : adulte 46.95$, étudiant/aîné 34.95$, jeune (15-17 ans) 25.95$, ado (12-14 ans) 18.45$, famille 122.80$.
La variété des activités sportives dans ce centre entièrement rénové et équipé vous donne le tourni. Au centre de conditionnement physique, l'équipement épouse les toutes dernières technologies. L'abonnement donne accès à quantité d'activités sportives allant de l'aérobie, au karaté, au baladi

et à la natation et surtout, de façon illimitée. Des salles de squash, des gymnases et la piscine sont aussi à la disposition des abonnés. Ceux qui n'en croient pas leurs oreilles n'ont qu'à demander une visite guidée du centre proposée généreusement.

YWCA – LE Y DES FEMMES
1355, René-Lévesque O
514-866-9941
www.ydesfemmesmtl.org
Mº Lucien L'Allier. Lun-ven 6h30-21h, fin de semaine et jours fériés, 9h-17h. Nombreux forfaits disponibles : consultez leur site Internet pour la liste complète.
Le Y des Femmes offre des infrastructures sportives aux femmes seulement. Des cours en piscine et en salle sont disponibles. En plus d'une salle d'entraînement, la gente féminine a accès à un sauna sec et une piscine intérieure, à des services d'entraînements personnalisés et de soins corporels.

CENTRES D'ACTIVITÉS ET ORGANISMES DE LOISIRS
Il existe de nombreux centres d'activités et organismes de loisirs liés aux arrondissements. Une palette d'activités sportives et de cours sont offerts à un prix plus qu'abordable. Les cours varient d'un centre à l'autre et il est donc conseillé de consulter le site Internet de la ville : www.ville.montreal. qc.ca (choisir l'arrondissement afin d'obtenir la liste des cours) ou votre bureau d'arrondissement.

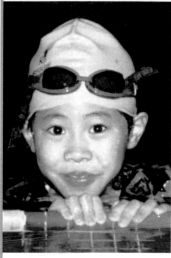

ARTS MARTIAUX

ACADÉMIE SHAOLIN WHITE CRANE KUNG FU
643, Notre-Dame O, 3e étage
514-843-5177
www.shaolinwhitecranekungfu.com
M° Square-Victoria.
Une école enseignant trois variantes du Kung Fu, dont le célèbre Shaolin White Crane (Grue Blanche du Shaolin) qui est un système d'autodéfense rare combinant les techniques de pieds, de mains et le chin na (saisies et contrôles). On peut préférer le Wing Chun, un système de combat qui fait intervenir, entre autres, des techniques de maniements d'armes. Aussi offerts : Northern Shaolin et le Kick-boxing féminin. Fermé le dimanche.
Autre adresse : 1545, Le Corbusier, Laval (450) 681-0546.

CAPOEIRA
On peut retracer l'origine de la Capoeira au Brésil vers la fin du 17e siècle avec les anciens esclaves noirs. En exode massif vers les villes à la recherche d'un emploi, leur situation économique et sociale était très difficile. La capoeira devint une forme d'expression de la résistance des Noirs contre les oppresseurs blancs (classe dominante) avec qui les conflits étaient inévitables. Cet art martial, né d'une fusion entre la lutte, la danse, le rythme, le corps et l'esprit, servit donc tant à se défendre qu'à attaquer. Les styles qu'on retrouve le plus souvent sont Angola et Regional. La capoeira désormais enseignée à travers le monde est devenue un jeu auquel se prêtent des milliers d'adeptes.

CAPOEIRA ANGOLA
514-270-5853
www.capoeiraangola.ca

ÉQUIPE CAPOEIRA BRASILEIRA
514-844-7077
www.capoeirabrasileira.com

GRUPO DE CAPOEIRA PORTO DE BARRA
514-737-1491
www.capoeiramontreal.com

CENTRE PRO-MARTIAL
3441, Jean-Talon E
514-374-2928
www.promartial.com
Angle 14e Avenue.
Un centre se spécialisant dans le maniement d'armes. Que ce soit le Ninjutsu, le Kobudo (maniement d'armes japonaises) ou l'autodéfense policière Taihojutsu (avec matraque s'il vous plaît), cette école réputée l'enseigne. Les gardes du corps y trouveront des formations spécifiques. Cours pour enfants disponibles.

KARATÉ AUTO-DÉFENSE ANDRÉ GILBERT
4010, Sainte-Catherine O
514-937-8302
M° Atwater.
André Gilbert et son comparse le (kick-)boxeur Alain Bonnamie enseignent le karaté de style Kyokushin (avec plein contact), le Kick-boxing, et la boxe tout court. Une adresse où l'on ne fait pas que donner des coups, mais où l'on apprend aussi à en recevoir...

CLUBS D'ESCALADE

CENTRE D'ESCALADE ALLEZ UP

1339, Shearer
514-989-9656
www.allezup.com
Angle St-Patrick. Horaire régulier : lun-mar 16h-23h, mer 14h-23h, jeu-ven 12h-23h, sam-dim 9h-21h. Horaire été (fin juin à mi-août) : lun-ven 16h-23h, sam-dim 9h-18h.

Situé dans un édifice industriel historique, ce centre comprend 35 moulinettes couvrant plus de 75 voies, et 30 voies sont à disposition des grimpeurs en premier de cordée. Il est nécessaire d'obtenir l'accréditation pour assurer d'autres grimpeurs et une note de 85% est requise. Un cours de base, « Apprendre à grimper et à assurer », montrera l'ABC de la grimpe à ceux qui n'ont aucune expérience ou très peu. Des passes de différentes durées sont vendues aux grimpeurs accrédités. Le lundi, c'est la soirée des dames. Tarif étudiant et réservation de groupes disponibles.

HORIZON ROC

2350, Dickson
514-899-5000
www.horizonroc.com
M° l'Assomption. Ouvert lun-ven 17h-23h, samedi 9h-18h, dim 9h-17h.

Quelle belle initiative ! Un vieil entrepôt désaffecté transformé en parois d'escalade (300 voies), ce qui en fait un des plus grands centres d'escalade au monde, avec des blocs au profil unique. Dans un milieu complètement sécuritaire, sous constante supervision de moniteurs qualifiés, il est possible de s'initier (plus de dix cours de niveaux différents) ou de pratiquer cette activité sportive dans une structure de plus de 27 000 pi^2.

Une réservation est recommandée pour la première visite afin de passer un test avec un moniteur et il existe des cours de transition pour pouvoir pratiquer à l'extérieur. On peut y louer ou acheter l'équipement nécessaire, des passes mensuelles avec accès illimité ou même des abonnements annuels. Des activités particulières pour les groupes sont aussi disponibles. Pour ceux qui hésitent avant de s'aventurer trop haut, un essai sous supervision d'un instructeur est possible.

VERTICAL – CÉGEP ANDRÉ-LAURENDEAU

1111, Lapierre
514-364-3320 poste 249
http://www.claurendeau.qc.ca/3202/index.html
Angle De la Vérendrye. Ouvert lun-ven 17h30-22h30, sam-dim 10h-17h30. Fermé durant l'été.

Le centre Vertical possède le plus gros mur de premier de cordée au Québec et s'est doté récemment d'un nouveau bloc géant pour la grimpe. Différents cours d'initiation et de perfectionnement sont offerts aux enfants âgés de 6 à 14 ans. Pour les adultes, trois cours sont disponibles à chaque semaine et les inscriptions sont acceptées en tout temps. Pour la pratique libre, des entrées à la journée ou multiples ainsi que des abonnements annuels permettent aux grimpeurs de s'adonner à leur loisir préféré. Notez qu'il faut absolument obtenir l'accréditation pour avoir accès aux murs de grimpe.

ACTION DIRECTE
4377, Saint-Elzéar, Laval
450-688-0515
www.actiondirecte.qc.ca
Horaire régulier : lun-ven 13h-23h,
sam 9h-18h, dim 9h-17h. Horaire
d'été : lun-ven, 9h-21h, sam 9h-18h,
fermé le dimanche.

Ce centre d'une superficie de 10
000 pieds carrés offre aux mordus
de la grimpe plus de 150 voies et
une douzaine de blocs en rotation.
Qu'on soit débutant ou expert on
trouvera son compte parmi les cours
intérieurs et extérieurs. Les 5 à 15
ans ont leur propre École du Petit
Grimpeur où, en dix sessions de 90
minutes chacune, ils apprendront
les techniques de grimpe tout en
aidant au développement de leur
coordination, de leur équilibre et
de leur concentration. Sorties en
extérieur, camps de jour et fêtes
d'enfants offerts. Pour les membres
accrédités, l'accès à la trampoline
est gratuit.

ROULER VERT

Selon le magazine américain Bicycling, Montréal se classe comme meilleure ville cyclable en Amérique du Nord. La métropole regorge de pistes cyclables qui la relient à la Route Verte (www.routeverte.com), et la plus populaire reste sans contredit celle du Canal de Lachine qui s'étend sur 11km, du Vieux-Port au Lac Saint-Louis à l'ouest. Procurez-vous votre plan des pistes dans une de ces boutiques ou auprès de Vélo Québec : www.velo.qc.ca.

BICYCLETTERIE J.R.

151, Rachel E
514-843-6989
Angle De Bullion. Ouvert toute l'année. Tarifs : 1h 10$, 4h 15$, 1 journée 20$ (15$/jour additionnel), 1 semaine 60$ (40$/semaine additionnelle). Location variable selon le type de cycle et le délai souhaité : 1, 4 ou 24 heures, 1 semaine ou plus. Antivols et casques compris avec le vélo. Numéro de carte de crédit en caution et apporter une carte d'identité avec photo. Prix de groupe disponibles. Pas de rollers. Riverain à la piste cyclable.

L'établissement assure depuis 1987 la location et la réparation de vélo. Les mécaniciens accomplissent un travail impeccable et la gamme de vélo en location est copieuse. En plus des deux langues officielles du pays, on vous répond également en espagnol et en portugais.
Autre adresse : 907, Bélanger, 514-278-4016.

ÇA ROULE MONTRÉAL

27, de la Commune E
514-866-0633
www.caroulemontreal.com
Mº Place-d'Armes. Les heures d'ouverture varient selon la saison et le climat. Tarifs vélo : en semaine, 1h 8$, 1 journée 25$; week-end, 1h 9$, 1 journée 30$. Tarifs rollers : en semaine, 1h 8,5$ (4$/heure supplémentaire), 1 journée 20$; week-end, 1h 9$ (4,5$/heure supplémentaire), 1 journée 22$. Dépôt ou pièce d'identité avec photo obligatoire.

Antivol et casque fournis avec le vélo. Coudières, genouillères et casque fournis avec les rollers. Personnel courtois qui prodigue les informations touristiques indispensables. Les commis aident avec sourire les candidats empêtrés avec leurs chaussures à roulettes et leur indiquent les meilleurs circuits. Si l'aventure s'avère impossible, les débutants peuvent suivre une leçon d'une heure. Tours guidés à vélo, service d'entretien et de location aussi disponibles.

CYCLE POP

1000, Rachel E
514-526-2525
www.cyclepop.ca
Angle de Mentana. Ouvert à l'année, tous les jours durant l'été. Tarifs rollers : 1h 7$, 4h 15$, 1 journée 25$. Tarifs vélos : 4h 15$, 1 journée 25$; vélo tandem, 4h 35$, 1 journée 75$. Livraison possible pour 10$.

Caution prélevée sur carte de crédit. Une équipe accueillante et serviable. Les casques, antivol et genouillères sont inclus dans les tarifs de location. L'atelier de réparation et mécanique remet votre vélo « sur ses deux roues » et si votre chez-soi est trop petit pour le garder à la maison une fois l'hiver venu, Cycle Pop vous l'entrepose à peu de frais. Les « Pop Tours », randonnées à vélo, vous convient à venir pédaler aux quatre coins de l'Amérique de Nord, et aussi loin qu'en France. Séances de spinning offertes tous les jours.

CYCLO NORD-SUD

7235, Saint-Urbain
514-843-0077
www.cyclonordsud.org
Mº De Castelnau. Ouvert lun-ven, 10h-17h ; entrepôt ouvert mer-ven, 13h-17h (jusqu'à 20h le jeudi). Organisme sans but lucratif, Cyclo Nord-Sud récupère votre vélo, le répare si nécessaire et l'expédie dans un pays du Sud où il fera le bonheur d'un plus démuni que soi. Une contribution minimale de 10$ est exigée par donateur de vélo qui recevra pour fins fiscales un reçu équivalent à la valeur du vélo et du don.

En 2005, c'est 3 643 vélos qui ont été expédiés et la même année, l'organisme remporta le Phénix de l'Environnement, catégorie Gestion des matières résiduelles.

LA MAISON DES CYCLISTES

1251, Rachel E
514-521-8356
www.velo.qc.ca
Angle de Brébeuf. Lun-ven 8h30-18h, sam-dim 9h-18h.

La justement nommée «Maison des cyclistes» située au carrefour de deux axes cyclables majeurs jouit de la présence verdoyante du parc Lafontaine adjacent. Visites guidées, location de vélos et restauration légère vous y sont proposées. Une terrasse conviviale vous accueille durant la belle saison, question de s'alanguir et reposer ses petits mollets endoloris par les kilomètres de pédalier. Vous pourrez d'ailleurs profiter de votre halte pour jeter un œil dans l'espace boutique et trouverez à l'évidence la publication, le plan et les accessoires pour cycle qu'il vous fallait. Les lundis soirs des conférenciers passionnés de randonnées cyclistes sauront vous faire partager leurs aventures (10$ grand public, 8$ membres Vélo Québec). En complément de programme, Vélo Québec dispense des séances de formation en mécanique pour ceux qui ne veulent pas pédaler idiots.

SOS VÉLO

2085, Bennett, suite 101
514-251-8803
www.sosvelo.ca
Mº Viau. Horaire variable selon la saison.

Organisme sans but lucratif et entreprise d'insertion, SOS Vélo combine avec intelligence le recyclage de la bicyclette et la « formation et l'accompagnement de personnes à difficultés d'intégration au marché du travail ». Cette ingénieuse alchimie « vélo-sociale » a permis l'accouchement de plusieurs modèles d'Écovélos, reconditionnés en grande partie à partir de composantes recyclées. L'originalité du concept ne s'arrête pas là puisque différentes créations sont réalisées à l'aide de produits dérivés issus du deux-roues comme portemanteaux, lampes, bougeoirs mais aussi articles de bureau ou lutrins. De façon plus simple, il est toujours possible de se limiter à l'achat d'un vélo usagé.

SPINNING

Le spinning (cardio vélo) est un concept d'entraînement cardio-vasculaire qui permet de s'entraîner 30 à 60 minutes en musique sur un vélo ergonomique conçu pour effectuer les mêmes mouvements que ceux exécutés en randonnée. Il permet de faire travailler pratiquement tous les muscles et d'acquérir un bon rythme cardiaque, tout cela sous supervision d'un professeur. Il est également un excellent programme d'entraînement pour les cyclistes l'hiver. Plusieurs centres sportifs ont mis sur pied ce programme : CEPSUM, Centre sportif de l'UQAM, Énergie-Cardio, Cycle POP, etc.

LES PLAISIRS DE L'EAU

AVENTURES H2O

2985B, Saint-Patrick (en face du Marché Atwater)
514-842-1306
www.aventuresh2o.com
M° Atwater. Ouvert lun-ven 12h-20h, sam-dim 10h-20h, de mi-mai à fin septembre. Tarifs : cours 35-39 ; location 10-35/1h.

En quête d'une excursion estivale sans quitter l'île ? L'endroit tout indiqué est indéniablement chez H2O. Comme son nom l'indique, cette compagnie se spécialise dans les embarcations nautiques. Vous ne pouvez pas vous rendre sur l'île H2O (propriété de l'entreprise) à la rivière Rouge pour un week-end de kayak en eaux vives ? Ils sont maintenant à Montréal aussi. Location de bateaux (kayak, pédalo, bateaux électriques), cours d'initiation au kayak de mer, club de kayak du canal offrant l'accès illimité à la location, bref, une belle initiative qui nous permet de découvrir le Sud-ouest et le Canal de Lachine sous un nouvel angle. Un indispensable : la crème solaire. Expéditions durant la belle saison, cours en piscine en hiver. À surveiller : l'ouverture d'un nouveau site à Sainte-Anne-de-Bellevue.

CENTRE OPTION PLEIN AIR DE MONTRÉAL

Parc Jean-Drapeau
514-872-0198
www.optionpleinair.com
M° Jean-Drapeau. Ouvert de fin juin à fin août, 10h-19h (dernière location à 18h). Tarifs location embarcations : entre 14$ et 25$ par heure.

Option Plein Air c'est entre autres une école de voile, un centre de location d'embarcations nautiques (kayak, canoë, pédalo 2 et 4 places, planche à voile et dériveur) et d'activités de plein air. Vous êtes un groupe en quête d'une nouvelle expérience ? Il est possible de s'initier au bateau-dragon sur le Bassin Olympique. Le bateau-dragon est une embarcation où vous devez synchroniser vos mouvements en pagayant au rythme des tambours. Tarifs par bateau : 1h 180$, 2h 275$. Il faut réserver au moins 5 jours à l'avance. Vous rêvez de faire de la voile ? Les cours privés sont au coût de 40$ à 180$. Cours pour enfants aussi disponibles. Bonne navigation !

PLANCHE À VOILE

Vous êtes mordus de planche à voile ? Le site Internet de l'Association de Planche à Voile de Montréal est une excellente source d'information pour les cours et boutiques de location d'équipements : www.apvm.ca. Ne négligez pas une visite sur celui de la fédération québécoise : www.voile.qc.ca.

PISCINES

Les nombreuses piscines municipales, couvertes ou en plein air, ouvrent leurs portes au public, gratuitement dans la plupart des cas. Des ratios d'un ou trois enfants par personne responsable sont exigés, selon l'âge des enfants, et vous devez être avec eux en tout temps. Les piscines extérieures sont généralement ouvertes de la mi-juin à la mi-août, de 11h à 19h. Gratuit la semaine et frais minime le week-end. Pour les adresses, horaires et coûts, renseignez-vous dans votre mairie de quartier ou sur : www.ville.montreal.qc.ca

AQUADÔME

1411, Lapierre, Lasalle
514-367-6460
www.aquadome-lasalle.com
Mº Angrignon, puis bus 113.
Horaire variable selon le jour, les
installations, les cours et bain libre
ainsi que différents créneaux horaires
suivant l'âge. Tarifs : adulte 3 $,
enfant (4-16 ans) et aîné 2 $, enfant
(- 4 ans) 1 $. Prix réduit pour les
résidents de Lasalle.
Terrasse intérieure.

L'Aquadôme dispose d'une piscine
principale de 50 mètres aménagée
de couloirs afin de pouvoir y faire
des longueurs, mais aussi d'une
pataugeoire immense pour les plus
petits. Peu profonde, elle permet une
meilleure sécurité pour les enfants
et au milieu se trouve une fontaine
en forme de champignon qui fera
leur bonheur. Pour les adultes, des
bains à remous sont situés dans
les coins de la pataugeoire, histoire
d'en profiter tout en ayant un œil sur
les petits. L'Aquadôme, c'est aussi
divers cours pour enfants et adultes :
aquagym, cours de plongeon,
de plongée sous-marine, d'aqua-
hockey, cours de sauvetage et cours
de moniteur de natation.

JET BOATING MONTRÉAL / SAUTE-MOUTONS

47, de la Commune O
Billetteries au Quai de l'Horloge et au
Quai Jacques-Cartier
514-284-9607
www.jetboatingmontreal.com
Mº Champ-de-Mars. Ouvert de mai à
octobre, 7 jours, 11h-18h.

Jet St-Laurent : 20 min de poursuites
riches en émotions dans de petits
bateaux à haute vitesse. *Départs*
toutes les 1/2h au Quai Jacques-
Cartier. Tarifs : adulte 25 $, ado
(13-18 ans) 20 $, enfant (6-12 ans) 18 $.
Rafting : pour ceux qui veulent encore
plus se mouiller. Départs tous les 2h
au Quai de l'Horloge. Tarifs : adulte
60 $, adolescent 50 $, enfant 40 $. Les
combinaisons étanches (fournies) ne
sont pas un luxe superflu.

LES DESCENTES SUR LE SAINT-LAURENT

8912, boul. Lasalle, Lasalle
514-767-2230
www.raftingmontreal.com
Mº Angrignon, bus 110. Ouvert de mai
à septembre 7 jours 9h-18h. Tarifs
rafting : adulte 40 $, adolescent (13-
18 ans) 34 $, enfant (6-12 ans) 23 $,
famille (2 adultes/2 enfants) 103 $.
Jet-boating : adulte 48 $, adolescent
38 $, enfant 28 $, famille 124 $.

La descente des rapides de Lachine
à bord de rafting ou en hydrojet
représente une belle activité de
fin de semaine. Rafraîchissante et
amusante, l'aventure en rafting dure
2h15, le temps nécessaire pour se
faire asperger en toute sécurité par
les gros bouillons et observer les
oiseaux. On fournit tout l'équipement
nécessaire. Le stationnement est
gratuit et une navette est disponible
depuis le centre-ville, devant le
Centre Infotouriste au 1001, Carré
Dorchester *(il faut réserver).*

SUPER AQUA CLUB

322, Montée de la Baie, Pointe-
Calumet
450-473-1013
www.superaquaclub.com
Sortie 2 de l'autoroute 640. Ouvert
7jours/7. Du 11 au 22 juin et du 13
au 26 août, 10h-17h. Du 23 juin au
12 août, 10h-19h. Tarifs selon la
grandeur, à la demi-journée, la
journée et la soirée. Abonnement
individuel et familial disponible.

Si les plaisirs de l'eau ont une
Mecque, elle se trouve à Pointe-
Calumet. Avec une quarantaine
d'activités, plus démesurées les unes
que les autres, petits et grands seront
au paradis. Cet immense site en
nature regroupe glissades de toutes
sortes, avec ou sans tubes, piscine
à vagues, plage, rivières, terrains
de volleyball, aires de pique-nique
(ombragée svp!) et de restauration.
Embarquez dans le jeu avec l'équipe
d'animation ou sirotez une boisson
bien froide au bar. Bref, tout a été
pensé et vivement que l'été arrive !

SE DORER AU SOLEIL

Qu'il fait bon, une fois l'été bien installé, de se prélasser sur la plage. La mer est à plusieurs heures de route... Qu'à cela ne tienne ! Voici trois petits paradis de la baignade et du « farniente ».

PARC-NATURE DU CAP-SAINT-JACQUES

20 099, Gouin O, Pierrefonds
514-280-6871
Visa, MC & Interac. Stationnement 7 $/jour. Lun-dim 10h-19h, de mi-juin à fin août. Tarifs : adulte 4.5 $, 6-17ans 3 $, 5 ans & - gratuit, famille 13 $. Sauveteurs sur place. Aire de volley-ball de plage, de pique-nique et service de restauration sur place. Petite plage également au Parc-Nature du Bois-de-l'Île-Bizard 514-280-8517.

PLAGE DU PARC JEAN-DRAPEAU

Île Notre-Dame
514-872-6120
www.parcjeandrapeau.com
M° Parc Jean-Drapeau. Stationnement P-4 10 $ pour la journée. Lun-dim 10h-19h, de fin juin à fin août. Tarifs : adulte 7.5 $, 6-13 ans 3.75 $, 5 ans & - gratuit, famille 19 $. Sauveteurs en fonction de 10h-19h. Rabais après 16h et pour les détenteurs de la Carte Accès Montréal. Passeport-saison disponible. Service de restauration et location de chaises longues sur place.

RIVE-NORD

BEACH CLUB

701, 38e Avenue, Pointe-Calumet
450-473-1000
www.beachclub.com
Autoroute 640 O, sortie 2. Ouvert tous les jours en été de 10h-21h. Entrée : adulte 10 $, enfant 6-12 ans 5 $, gratuit pour les 5 ans et moins.
Un petit Club Med à seulement 20min de voiture de Montréal. Ce site en bordure du lac au look très tropical est parfait pour les évasions loin de la ville. Qu'on préfère se prélasser sur la plage ou pratique le « wakeboard », tout y est et on a pensé aux tout-petits qui vous accompagnent. Des terrains de volley-ball de plage, mur d'escalade, ski nautique, piscines, pédalos et kayak, wakeboard, de quoi occuper toute la journée, si on arrive à tout faire. C'est aussi le seul endroit au Canada équipé d'un « Cable Park » pour le wakeboard et le ski nautique (système de cordes qui tire le skieur sur l'eau). Une série d'obstacles est disponible sur le parcours. Forfait une journée avec admission : 29.5 $. DJs, bar terrasse et restauration sur place. N'oublions pas de mentionner qu'ils sont situés à quelques pas du Super Aqua Club (glissades d'eau) et de la plage d'Oka...

ACTIVITÉS

Plage du Parc Jean-Drapeau © Gilles Proulx

PROFITER DE L'HIVER !

Le « cocooning » n'est pas pour vous et c'est tant mieux ! Lors de la saison froide, la métropole devient un véritable terrain de jeux, au plus grand bonheur des amateurs d'activités hivernales. Sans être exhaustive, celle liste de suggestions vous donnera amplement de quoi cous occuper en attendant le retour de l'été.

PATINOIRES EXTÉRIEURES

En hiver, de nombreuses patinoires en plein air vous offrent leur glace dans les parcs publics. On y reste aussi longtemps qu'on le souhaite et on remercie la mairie de l'entretien de ses patinoires. *Pour avoir les détails : www.ville.montreal.qc.ca.*

L'ATRIUM

1000, de la Gauchetière O
514-395-0555
www.le1000.com

Mᵒ Bonaventure. Horaire été : mar-ven 11h30-18h, sam 10h30-22h, dim 10h30-18h, fermé lundi. Horaire hiver : lun-jeu 11h30-21h, ven 11h30-minuit, sam 10h30-minuit, dim 10h30-21h. Tarifs entrée : adulte 5,75$, étudiant 4,75$, enfant (- 13 ans) 3,75$, famille 16$. Location de patins 5$. Visa, MC & Interac.

Cette patinoire intérieure, ouverte tout au long de l'année, accueille petits et grands, débutants ou confirmés. On note les soirées avec DJ les vendredis et les samedis (13 ans & + dès 20h, sauf l'été), mais aussi les matinées Bout D'chou de 10h30 à 11h30 les samedis et les dimanches, afin d'initier les plus petits au plaisir du patinage, tout en sécurité. Location d'équipement sur place.

ARÉNA DU YMCA HOCHELAGA-MAISONNEUVE

4567, Hochelaga
514-255-4651
www.ymcamontreal.qc.ca
Mᵒ Viau. Ouvert tous les jours pour location uniquement. Stationnement gratuit. Tarifs hiver (30 mn) : lun-ven (jusqu'à 15h30) 55$, 15h30-22h30 95$, après 22h30 70$; sam-dim 90$. Comptez 5 à 10$ de moins par demi-heure en saison estivale.

Vous désirez parfaire vos figures en patin ? Vous cherchez une patinoire pour un match de hockey amical entre amis ? L'aréna du YMCA est la solution toute désignée. On peut louer la glace à la demi-heure, à l'heure ou plus et pour ce faire, il faut impérativement réserver. Un dépôt de 50$ minimum est requis avant la date de location. S'il vous manque de l'équipement, vous le trouverez sur place au coût de 5$ la pièce, et pour le gardien de but, il faut compter 35$ pour l'équipement complet.

RIVE-SUD

LES 4 GLACES

5880, boul. Taschereau, Brossard
450-462-2113
www.icesports.com
Ouvert tous les jours. Horaire variable. Visa, MC & Interac.

Cours de hockey pour jeunes et adultes, hockey et patinage libre. Complexe sportif dédié presque exclusivement au hockey avec quatre patinoires. Au niveau mezzanine, le bar et le restaurant sont une excellente l'option pour relaxer avant ou après l'effort. L'espace est saturé de téléviseurs et écrans géants qui retransmettent les événements sportifs du moment. Trois ligues de

Curling à l'ancienne © Musée Stewart

hockey y nichent (jeunes et adultes). On peut s'y inscrire en équipe ou à titre individuel, et les inscriptions sont acceptées l'année durant. Plus de 300 équipes et 4500 mordu(e)s (car plusieurs dames y pratiquent leur sport favori) se partagent les glaces. On peut aussi réserver l'une des patinoires pour une occasion particulière.

CURLING À L'ANCIENNE
Saviez-vous que le premier club de sport au Canada fut « The Montreal Curling Club » en 1807 ? Ce sport, importé d'Écosse a été de loin un des plus populaires au pays. Le Musée Stewart sur l'Île Sainte-Hélène vous initie à ce sport d'une manière plutôt… ancestrale ! Boulets de canon forgés en « pierres » de curling, balais en paille, le tout sur des glaces naturelles sur le site historique du Musée. Et que dire de la vue sur la ville ! *Pour en savoir plus sur les horaires grand public et les réservations de groupe, contactez le Musée Stewart au 514-861-6701 ou visitez leur tout nouveau site Internet au www.stewart-museum.org.*

PISTES DE LUGE
N'avez-vous pas qu'une seule envie lorsqu'on reçoit une « bonne bordée

de neige »… aller glisser ! On sort alors tube, luge, toboggan, « crazy carpet » (en passant, le carton, ça ne glisse pas… cesser toute tentative), et les pistes s'improvisent un peu partout dans cette euphorie. Au Mont Royal, on peut s'y donner à cœur joie sur les pistes aménagées en bordure du Lac des Castors. *Ouvert de la mi-décembre à la mi-mars, lun-ven 10h-17h, sam 18h-20h, dim 10h-18h (fermé 25 déc et 1er janv.).Tarif de location des chambres à air pour la journée : 4-12 ans 4$, 13 ans et plus 8$. Déconseillé au moins de 4 ans.*

RAQUETTE ET SKI DE FOND
Les parcs de la ville deviennent de véritables terrains de jeu l'hiver. Pendant que plusieurs aménagent des sentiers généralement bien entretenus durant la saison, d'autres offrent en plus la location d'équipement de ski de fond et de raquette. C'est le cas notamment des parcs-natures (voir adresses plus bas) et du Parc du Mont Royal. Pour le ski de fond, des pistes sont aussi offertes au Parc Maisonneuve et Jardin Botanique, au Parc Jean-Drapeau et aux abords du Canal de Lachine.

ACTIVITÉS

GRANDS PARCS

Amants des espaces verts, voici votre section. Les parcs sont classés du plus grand au plus petit avec un survol des activités et services offerts sur place. Pour plus d'information sur le réseau des parcs de Montréal : www.ville. montreal.qc.ca.

PARC NATIONAL DES ÎLES-DE-BOUCHERVILLE
55, Île Sainte-Marguerite
450-928-5088
www.sepaq.com/pq/bou/fr/
Ce havre de 814 hectares situé en plein fleuve est réparti sur cinq îles, qui en font le paradis des kayakistes. Location d'embarcation et d'équipement de plein air. Plusieurs activités et sorties guidées pour découvrir les joyaux naturels du parc.

CAP-SAINT-JACQUES
20 099, Gouin O, Pierrefonds
514-280-6871
Un grand parc au point de rencontre de la rivière des Prairies et du lac des Deux-Montagnes. Sur place, une ferme écologique (514-280-6743), une cabane à sucre, une grande plage, un centre de plein air ainsi que deux bâtiments d'intérêt historique. Location d'embarcations et de ski de fond, rampe de mise à l'eau, aires de pique-nique et restauration sur place. Nombreux produits du terroir en vente.

PARC JEAN-DRAPEAU
514-872-6120
www.parcjeandrapeau.com
M° Jean-Drapeau.
Les Montréalais y affluent durant la saison chaude pour profiter des plaisirs de la plage, de la piscine et du centre nautique. Un réseau de sentiers de randonnées pédestre et cyclable parcourt les deux îles. De nombreuses aires de jeux pour les tout-petits et de pique-nique avec restauration sur place. Pistes de ski de fond aménagées durant l'hiver.

POINTE-AUX-PRAIRIES
Accueil Héritage :
14 905 Sherbrooke E, 514-280-6691
Accueil Rivière-des-Prairies :
12 980 Gouin E, 514-280-6772
Pavillon des Marais : 12 300, Gouin E,
514-280-6688
Ce parc immense composé de marais, de champs et de forêts, abrite un nombre incalculable d'espèces de la gent ailée. Des activités de plein air pour tous et location d'équipement en toute saison. Aires de pique-nique et restauration sur place. Camps de jour pour les enfants.

ARBORETUM MORGAN
Campus MacDonald de l'Université McGill, Sainte-Anne-de-Bellevue
514-398-7811
www.morganarboretum.org
Autoroute 40 O, sortie 41.
Un arboretum se définit comme un endroit destiné à être planté d'arbres d'essences différentes qui font l'objet de cultures expérimentales. On y trouve un lacis de sentiers aménagés pour la marche ou le ski de randonnée. Sentiers d'interprétation avec stations d'information.

BOIS-DE-L'ÎLE-BIZARD
2115, ch. du Bord-du-Lac, L'Île-Bizard
514-280-8517
Parc composé principalement d'érablières, de cédrières et de marais. Passerelle d'un demi-kilomètre au-dessus d'un grand marécage. Baignade, cyclisme, pêche, randonnée pédestre et ski de fond peuvent être pratiqués. Service de location de ski de fond en hiver. Observation de la faune et de

la flore. Belvédère, quai, rampe de mise à l'eau, aires de pique-nique et restauration sur place.

PARC DU MONT-ROYAL
514-843-8240
www.lemontroyal.qc.ca
Le poumon vert de Montréal où se côtoient marcheurs et cyclistes durant la belle saison. En hiver les sentiers se métamorphosent en pistes de ski de fond et l'étang, en patinoire, sans compter les pistes de luge. Deux belvédères offrent une vue exceptionnelle sur la ville. Locations d'équipement en toute saison au Pavillon du lac ; expositions, boutique, café et service d'accueil à la Maison Smith. Parc Jean-Mance adjacent avec de nombreux terrains de sports aménagés.

BOIS-DE-LIESSE
Maison Pitfield : 9432, Gouin O, Pierrefonds, 514-280-6729
Accueil des Champs : 3555, Douglas-B.-Floreani, Saint-Laurent, 514-280-6678
On qualifie ce site de forêt enchantée, probablement en raison

de la flore exceptionnelle qu'il abrite. Séjours éducatifs pour les scolaires et activités en environnement pour tous. Location de vélos, raquettes, luges et de ski de fond selon la saison. Base de plein air avec hébergement, aires de pique-nique et restauration sur place. Camps de jour pour les enfants.

PARC ANGRIGNON
Boul. des Trinitaires
514-872-3066
M° Angrignon.
Une dizaine de kilomètres de petits sentiers de randonnée pédestre et de ski de fond. Petite patinoire aménagée en saison. Amenez vos petits à la Ferme Angrignon en été et pour les plus vieux, le Fort leur fera vivre toutes sortes d'émotions (ouvert à l'annéc).

ANSE À L'ORME
Angle Gouin O ct ch. de l'Anse-à-l'Orme
514-280- 6871
Parc linéaire situé à l'extrême ouest de l'île de Montréal, face au lac des Deux Montagnes. L'endroit parfait pour les amateurs de planche à

Pointe-aux-Prairies © Ville de Montréal

voile et de dériveur grâce aux vents dominants d'ouest. Deux rampes de mise à l'eau, un quai, une aire de pique-nique et des douches extérieures. Aucune baignade sur le site.

PARC MAISONNEUVE
514-872-6555
Mᵒ Pie-IX et Viau.

Le parc Maisonneuve loge un terrain de golf (neuf trous), de nombreux sentiers et une patinoire en hiver. Y sillonne également un réseau de piste de ski de fond connu de tous les sportifs montréalais. Le Jardin Botanique et l'Insectarium de Montréal occupent une partie du site.

CENTRE DE LA NATURE DE LAVAL
901, du Parc, Saint-Vincent-De-Paul, Laval
450-662-4942
Ouvert 7 jours 8h-22h.

Dans ce parc de 50 hectares, les choix ne manquent pas pour les sportifs: ski de fond, raquette, glissade sur luges et chambres à air, canot et kayak. L'hiver, le lac artificiel se transforme en patinoire et les 5 à 8 ans peuvent s'initier au ski alpin. Si vous n'avez pas le matériel, vous le louerez sur place. L'été, les visiteurs peuvent se dégourdir les jambes sur 4 km de sentiers piétonniers. Les amoureux des animaux aussi seront servis puisque le Centre de la nature abrite une ferme et un parc de cervidés. Autres activités: un carrousel de poneys pour les tout-petits, un observatoire astronomique, une serre et des mini-concerts en plein air. Deux chalets avec casse-croûte sont aussi disponibles.

PARC JARRY
514-872-3464
Mᵒ de Castelnau.

Ce parc sert d'écrin au Centre de tennis du parc Jarry, hôte des Masters de Tennis. Aire de jeux, piscine et pataugeoire, circuits à obstacles aménagés pour les rollers et planches à roulettes, terrains intérieurs et extérieurs de tennis, et encore plus !

PARC LAFONTAINE
514-872-2644
Mᵒ Sherbrooke.

Ce parc est le principal espace de verdure du Plateau Mont-Royal. Des terrains de pétanque, de balle, de mini-soccer et de tennis sont mis à la disposition des amateurs, de même que la patinoire extérieure durant la froide saison. On y trouve également le Théâtre de Verdure où sont présentés des concerts, des pièces de théâtre, des films, etc. Une pataugeoire pour les plus petits est aménagée au 1450, Rachel E.

ÎLE-DE-LA-VISITATION
2425, Gouin E
514-280-6733

L'île, baignant dans la rivière des Prairies, comporte deux bâtiments historiques ouverts aux visiteurs : la Maison du pressoir et la Maison du Meunier (514-280-6709). Une foule d'activités pour tous les âges, du cyclisme à la glissade sur neige, de la visite en train balade aux spectacles en plein air. Location d'équipement, aires de pique-nique et bistro-terrasse. Camps de jour pour les enfants.

PARC RENÉ-LÉVESQUE
1, du Musée, Lachine
514-634-3471 #346

Cette petite péninsule verte offre une perspective imparable sur le majestueux lac Saint-Louis. Une langue de terre parallèle correspond à l'entrée initiale du canal, inauguré en 1825. Ce site comporte 22 sculptures contemporaines et un centre d'accueil et d'interprétation du Canal-de-Lachine. Le musée de Lachine est rattaché au parc et propose des découvertes avec l'art ou l'histoire, d'avril à décembre.

Parc Lafontaine

VOIR MONTRÉAL AUTREMENT

Montréal recèle de petits trésors, d'histoires insolites et surprenantes, de bijoux architecturaux, bref, c'est une ville à redécouvrir. À pied, à vélo, en bus ou en bateau, ces entreprises spécialisées en guidage sauront vous faire voir la ville autrement.

CROISIÈRES AML

Quai King-Edward, Vieux-Port
514-842-3871
www.croisieresaml.com
M° Place d'Armes. De mai à septembre. Coûts : circuits à prix variable.

Embarquez à bord du Cavalier Maxim pour une découverte du majestueux fleuve Saint-Laurent. Des croisières de jour, de soir et même de nuit, sont offertes avec des thématiques convenant à chaque groupe d'âge. AML organise également des soupers-croisières, des buffets-déjeuners, un service de navette entre la métropole et Longueuil en plus des nombreux forfaits adaptés aux groupes. L'entreprise opère aussi à Québec et au Saguenay avec notamment des sorties en zodiac pour l'observation des baleines à Baie-Sainte-Catherine et Tadoussac.

GUIDATOUR

477, Saint-François-Xavier
514-844-4021
www.guiatour.qc.ca
M° Place d'Armes. Visites guidées en toute saison. Coûts : circuits à prix variable. Forfaits sur mesure pour les groupes aussi disponibles.

La réputation de Guidatour n'est plus à faire et ses guides professionnels vous transporteront dans l'histoire de Montréal, de son développement, sa vie culturelle. À pied, à vélo ou en autobus, le choix de visites est vaste et la qualité, omniprésente. Pour les plus jeunes, des rallyes et des visites éducatives leur feront découvrir l'histoire et le patrimoine d'une manière plus qu'originale. Guidatour s'occupe également des Fantômes du Vieux-Montréal (www.phvm.qc.ca) où quatre visites nocturnes vous feront frissonner tout au long de l'été… sans oublier le spécial Halloween.

KALÉIDOSCOPE

514-990-1872
www.tourskaleidoscope.com
Coûts : visite à pied 10 $ à 12 $ (rabais avec carte étudiante), circuits à prix variable.

Cette entreprise, spécialisée dans les visites guidées des quartiers de Montréal, propose des visites à pied, en vélo ou des circuits en autocar pour les particuliers comme pour les groupes. De mai à septembre, vous pouvez découvrir plusieurs des plus beaux quartiers de la ville (la Petite Italie, Quartier chinois, Plateau Mont-Royal, Mille Carré Doré), visiter les lieux de culte (mosquée, église mormone, synagogue, temple hindou, etc.), et faire le tour de l'île selon des thèmes variés en circuit d'une durée de quatre heures à une journée (quartiers ethniques de la ville, route des vins de la vallée du Richelieu, marchés publics, chemins des patriotes, etc.). Une activité riche en découvertes !

Rallye du Vieux Montréal

WWW.GUIDATOUR.QC.CA

Votre mission : parcourir en équipe les rues et ruelles de la vieille ville en répondant à une série de questions sur l'histoire et l'architecture, dans un temps limité. Une activité bien amusante, à faire entre collègues, amis ou en famille. Les activités de Guidatour ne s'arrêtent pas là : l'agence organise aussi des rallyes dans les dédales de la ville souterraine ou sur le « hip » Plateau Mont-Royal et un combiné Quartier chinois – Vieux-Montréal. Les frais comprennent les guides Guidatour, les documents pour chaque équipe et une boisson. Les tarifs de la visite varient selon la taille du groupe.

Vieux Montréal

L'AUTRE MONTRÉAL

3680, Jeanne-Mance
514-521-7802
www.autremontreal.com
Angle Léo-Pariseau. Coûts : circuits prix variable.

Collectif d'animation urbaine qui se différencie de par son approche et thèmes abordés. L'histoire et le patrimoine côtoient les grands enjeux urbains et sociaux de notre ville. Marchés publics et agriculture urbaine, l'histoire des femmes dans la ville, lieux effacés, lieux perdus, Montréal en peinture, ne sont que quelques-unes des visites commentées offertes (pour groupe en autobus scolaire à l'année / grand public en été). Des circuits en autocar, à pied ou en bateau retracent l'histoire et l'évolution des différents quartiers de la métropole (grand public). Tours à pieds offerts tous les dimanches en août et septembre. Visites sur mesure et activités de formation adaptées aux écoles, entreprises et organismes sociaux et communautaires aussi disponibles.

GALERIES D'ART

ARTOTHÈQUE DE MONTRÉAL

5720, Saint-André
514-278-8181
www.artotheque.ca
Angle Rosemont. Ouvert mer-ven 12h30-19h, sam 11h-17h. Service de livraison à partir de 10$.

En devenant membre de cette association à but non lucratif (20$/an), vous pouvez louer des œuvres originales réalisées par quelque 1 000 artistes. Une collection qui comprend plus de 5000 tableaux, estampes, sculptures, collages et installations est disponible. L'intérêt de ce système, c'est la possibilité de changer de décor aussi souvent que vous le voulez. Si vous tombez amoureux d'une œuvre, vous pourrez toujours l'acheter.

ESPACE PÉPIN

350, Saint-Paul O
514-844-0114
www.pepinart.com
Angle Saint-Pierre. Ouvert lun-mer & sam, 10h-17h, jeu-ven, 10h-19h, dim, 12h-17h. Ferme généralement une heure plus tard en saison estivale.

Une galerie aux fonctions multiples puisqu'elle est à la fois atelier, boutique d'art, d'accessoires de décoration et de meubles divers, et propose une sélection de vêtements. L'artiste, Lysanne Pepin, fort consciente du luxe que constitue l'achat d'une œuvre d'art, propose aussi des impressions limitées permettant d'économiser sur le prix régulier. Il est aussi possible de se procurer des reproductions sur carte, affiches et autres à prix accessibles.

GORA

279, Sherbrooke O, espace 205
514-879-9694

350 St-Paul O., Vieux Montréal • 514.844.0114 • www.pepinart.com

ACTIVITÉS

263

www.gallerygora.com
*M° Place des Arts. Ouvert lun-ven
10h-17h, et sur rendez-vous.*
Dans un bâtiment centenaire, cette spacieuse galerie d'art contemporain, toute de blanc vêtue, diffuse les œuvres d'artistes locaux et du monde entier, que ce soit des peintures, sculptures, photographies ou des installations multimédia. Avec son immense salle de 8 500 pieds carrés, sa cuisine toute équipée et ses nombreux services allant du vestiaire au service de traiteur maison, la galerie est le lieu idéal pour les événements spéciaux tels les lancements, les réceptions, etc.

GALERIE CLAUDE LAFITTE
2160, Crescent
514-842-1270
www.lafitte.com
M° Guy-Concordia. Ouvert mar-sam 11h-17h, fermé le dimanche et lundi.
Des toiles de maîtres Canadiens, Européens et Américains tels le Groupe des sept, Riopelle, Borduas, Fortin, Picasso, Mirò, Léger, Chagall, Kline, Mitchell ou encore Renoir constituent en partie le fonds prestigieux de cette galerie.

GALERIE D'AVIGNON
102, Laurier O
514-278-4777
www.galeriedavignon.ca
Angle Saint-Urbain. Ouvert mar-jeu 11h-17h30, ven 11h-20h, sam 11h-17h, fermé le dimanche.
Une autre galerie où l'art contemporain prend la place qui lui revient, dans un espace calme permettant l'appréciation des œuvres qui s'offrent à nos yeux. Une grande place est donnée aux artistes canadiens, tant sur toile qu'en sculpture.

GALERIE DES MÉTIERS D'ART DU QUÉBEC
370, Saint Paul E
514-878-2787 #2
www.galeriedesmetiersdart.com
M° Champ-de-Mars. Ouvert tous les jours 10h-18h, jusqu'à 21h jeu-ven au printemps et en été.
Cette galerie, entièrement dédiée à la création contemporaine dans les différents métiers d'art, bénéficie d'un emplacement idéal. Située au cœur du marché Bonsecours, l'un des bâtiments les plus représentatifs de l'histoire du Vieux-Montréal, elle fait la promotion de l'art de plus de 200 artistes québécois. Leurs œuvres sont réalisées dans des matériaux aussi divers que la céramique, le verre, le textile, le bois ou encore l'or et l'argent pour la joaillerie.

NICOLIN & GUBLIN
333, Place d'Youville
514-844-3696
www.nicolingublin.com
Angle Saint-Pierre. Ouvert tous les jours 10h-18h.
L'originalité de cet atelier-galerie réside dans l'utilisation de nouvelles technologies pour les lithographies et les reproductions de certaines œuvres. Le procédé de la giclée sur canevas, effectué entièrement par ordinateur, réalise ainsi des copies plus vraies que nature. Des articles décoratifs et fonctionnels tels des plaques murales, des tuiles de céramique, des tasses, des vêtements ou des horloges sont d'autres créations disponibles à l'atelier-galerie.

ZEKE'S GALLERY
3955, Saint-Laurent
514-288-2233
http://zekesgallery.blogspot.com
Angle Napoléon. Ouvert sur rendez-vous seulement.
Chris Hand, alias Zeke, a mis sur pied ce qui est devenu une référence pour les arts visuels, misant sur les œuvres d'artistes locaux. Zeke a cette philosophie que « si vous l'aimez, c'est beau », ce qui permet d'avoir une grande diversité au niveau des expositions et des types d'œuvres qui, d'ailleurs, sont vendues à des prix raisonnables.

CENTRES D'ART

CENTRE CLARK
5455, de Gaspé, local 114
514-288-4972
www.clarkplaza.org
Angle Saint-Viateur. Ouvert mar-sam 12h-17h. Entrée libre.
Situé au cœur du quartier du Mile-end, ce centre d'exposition est à la fois résidence d'artistes, lieu d'exposition et organisateur de conférences, et occupe une place non négligeable sur la scène artistique montréalaise. À surveiller : une fois l'an, vers la fin de l'automne, le centre organise une vente aux enchères bénéfice, où est mise en vente une quarantaine d'œuvres d'artistes, dont les prix n'excèdent généralement pas 200 $. Une occasion d'acquérir sa première pièce d'art contemporain tout en faisant une bonne action.

CENTRE DES ARTS SAIDYE BRONFMAN
5170, Côte-Sainte-Catherine
514-739-2301
www.saidyebronfman.org
Mᵒ Côte-Sainte-Catherine. Consultez le site Internet pour les heures d'ouverture de la galerie ainsi que pour la programmation du théâtre.
Depuis la fermeture récente de l'Institut des Jeunes et de l'École des Beaux-Arts, le centre désire plus que jamais affirmer son rôle de diffuseur artistique, par le biais de sa galerie d'art et de son théâtre. La Galerie Liane et Danny Taran d'une surface d'exposition de 260 mètres carrés, présente les œuvres d'artistes de grande renommée en art contemporain. Le Théâtre Segal offre une programmation annuelle de pièces très variées, en anglais et en yiddish. Une grande place est laissée à la relève qui ne cesse de nous surprendre. À l'aube de

l'été 2007, le centre accueillera une académie des arts de la scène tenue par des professionnels du milieu.

ÉDIFICE BELGO
372, Sainte Catherine O
Mᵒ Place-des-Arts.
Situé en plein centre-ville, cet immeuble de brique datant de 1912, abrite un véritable vivier de tout ce qui peut se faire en matière d'art contemporain à Montréal. En y pénétrant, ses longs couloirs blancs et ses lustres d'époque donnent une première impression assez étrange. Mais une fois monté à l'étage, et une fois franchie la porte d'un des multiples espaces investis par des galeries et autres centres d'art autogérés, on se retrouve instantanément au cœur du sujet.

Voici une petite sélection (car il y en a bien d'autres !) de galeries et centres d'art qui ont élu domicile au Belgo :

CENTRE D'EXPOSITION CIRCA
Espace 444
514-393-8248
www.circa-art.com
Ouvert mer-sam 12h-17h30. Entrée libre.
Les artistes exposant au Circa sont en majorité sculpteurs, mais on y trouve également peintres, photographes et performeurs. Les œuvres choisies relèvent généralement d'un esprit très conceptuel et de l'expérimentation dans le domaine de l'art visuel contemporain.

GALERIE B-312
Espace 403
514-874-9423
www.galerieb-312.qc.ca
Ouvert mar-sam 12h-17h. Entrée libre.
Vidéos, peintures, sculptures... Les

artistes présentés dans cette galerie travaillent tous sur des supports variés mais ont en commun la représentation figurative.

OPTICA
Espace 508
514-874-1666
www.optica.ca
Ouvert mar-sam 12h-17h. Fermé quelques semaines en été.
Entrée libre.
L'un des premiers centres d'artistes autogérés au Québec et au Canada. Ouvert en 1972, Optica est un centre multidisciplinaire et réunit expositions, conférences et rencontres avec les artistes.

SKOL
Espace 314
514-398-9322
www.skol.qc.ca
Ouvert mar-sam 12h-17h. Entrée libre.
Installations, sculpture, peinture, vidéo, multimédia, performances, pratiques relationnelles : l'art actuel se déploie sous de multiples formes au centre des arts actuels Skol.

FONDERIE DARLING
745, Ottawa
514-392-1554
www.quartierephemere.org
Angle Prince. Ouvert mer-dim 12h-19h (jusqu'à 22h le jeudi). Entrée 3 $, gratuit le jeudi.
Situé dans l'ancien Faubourg des Récollets, quartier industriel du port de Montréal adjacent au canal de Lachine, ce lieu dédié à la création contemporaine s'est installé dans une ancienne fonderie ouverte par les frères Darling en 1880. Soutenue par le ministère de la culture québécois, Caroline Andrieux, jeune française, déjà fondatrice de l'Hôpital Éphémère à Paris, a investi cette friche industrielle en 2002 afin d'en faire un lieu avant-gardiste. La fonderie offre un soutien actif à la création et aux arts visuels, proposant des ateliers pour des artistes du monde entier, une programmation d'événements divers et surtout des expositions. Rien de plus étonnant que de découvrir ces œuvres d'art et installations dans l'immense espace de brique, offrant un cadre idéal à l'inspiration actuelle. Après une exposition, ne manquez surtout pas d'aller déguster un bon cappuccino et un succulent sandwich au Cluny ArtBar, le café attenant à la salle d'expo.

MONTRÉAL, ARTS INTERCULTURELS (MAI)
3680, Jeanne Mance
514-982-3386
www.m-a-i.qc.ca
Angle Léo-Pariseau. Expositions gratuites, spectacles payants (réductions pour les étudiants, aînés).
Ouvert en 1999, le MAI se compose d'une salle de spectacle, d'une galerie d'art et d'un café-bar. Son rôle : diffuseur d'arts contemporains, danse, musique, théâtre (en français et en anglais), peinture, sculpture, vidéo. Seul lieu à Montréal à proposer un tel programme et

RCAAQ

WWW.RCAAQ.ORG

Montréal regorge de centres d'art autogérés, et on retrouve la liste complète de ces derniers sur le site du Regroupement des Centres d'Artistes Autogérés du Québec (RCAAQ).

une telle diversité, le MAI s'est investi d'une mission permettant et provoquant des échanges multiculturels. Il est également possible d'assister aux répétitions des spectacles, et de participer à des conversations avec les artistes.

SOCIÉTÉ DES ARTS TECHNOLOGIQUES (SAT)

1195, Saint-Laurent
514-844-2033
www.sat.qc.ca
Mᵒ Saint-Laurent. Programme divers et varié en journée et le soir, à consulter sur le site Internet. Entrée libre pour les expositions, payante pour les soirées.
Fondée en 1996, cette société unique en son genre au Canada, offre un espace de regroupement aux différents arts numériques (clips, musique électronique, mixage, ...) et tout ce qu'on peut imaginer utilisant la technologie. Oscillant entre laboratoire de création, espace d'expositions, de concerts et de projections, lieu de débats et d'échanges, la SAT joue un rôle essentiel dans leur promotion. La SAT[Galerie], située au 1201 de la même rue, présente des œuvres souvent liées aux nouveaux médias et est ouverte du mar-ven 14h-18h et sam 12h-18h.

VOX

1211, Saint-Laurent
514-390-0382
www.voxphoto.com
Mᵒ Saint-Laurent. Ouvert mar-sam 11h-17h. Entrée libre.
VOX est un organisme à but non lucratif entièrement dédié à la

photographie contemporaine. Souhaitant offrir un contexte propice à la diffusion, à la recherche et à l'expérimentation, le programme des expositions présente généralement une sélection d'œuvres novatrices d'artistes vidéastes et photographes émergents aussi bien que de grande renommée. Avec un réseau international bien établi, VOX a permis également à plusieurs artistes d'ici d'exposer en dehors du pays.

RIVE-NORD

MAISON ANDRÉ-BENJAMIN PAPINEAU

5475, Saint-Martin O, Laval
450-688-6558
Mar-dim 13h-17h. Entrée libre.
La maison d'André-Benjamin Papineau, un patriote et le cousin de Louis-Philippe Papineau, a été construite vers 1818. Classée comme monument historique depuis 1974, celle-ci est devenue un centre d'art et de culture qui encourage les artistes de la région en exposant leurs œuvres. Certains vestiges du passé ont aussi été conservés pour ajouter à l'authenticité de l'endroit. Vous avez un petit creux ? Vous vous ravitaillerez au Café de la Grange. À l'arrière du terrain, le théâtre d'été La Grangerit, présente aussi des pièces de théâtre, des spectacles de musique, ainsi que des ateliers de magie et de cinéma. S'y tiennent aussi les soirées de la boîte à chansons et des matchs d'improvisation les mercredis soirs *(réservation obligatoire : 514-884-5669).*

BIBLIOTHEQUES ET MAISONS DE LA CULTURE

Plusieurs installations culturelles, telles les bibliothèques et les maisons de la culture du réseau de la ville, permettent aux citoyens d'avoir accès gratuitement ou à faible coût à toutes sortes de ressources et d'événements culturels et ce, tout au long de l'année.

BIBLIOTHÈQUES

BIBLIOTHÈQUE ET ARCHIVES NATIONALES DU QUÉBEC

475, de Maisonneuve E
514-873-1100
www.bnquebec.ca
M° Berri-UQAM. Mar-ven 10h-22h, sam-dim 10h-17h, fermé le lundi.

La section actualité et nouveautés ouvre tous les jours jusqu'à minuit. Nécessité de s'abonner (justificatif de domicile) pour accéder aux documents. Gratuit. Certains documents peuvent être empruntés, d'autres doivent être consultés sur place.

Dans ce nouvel espace ouvert au public le 30 avril 2005, plus de 4 millions de documents, dont 1,2 million de livres sont en accès libre. La bibliothèque réunit deux collections de premier plan : la Collection Nationale qui rassemble tout ce qui s'est publié au Québec, tout ce qui a été publié sur le Québec ailleurs dans le monde, et toutes les publications dont au moins l'un des créateurs est Québécois, et ce depuis l'époque de la Nouvelle-France ! Ce patrimoine impressionnant est offert à la libre consultation. La bibliothèque étant équipée d'un réseau sans fil (Wifi), il est facile de se connecter à Internet avec son portable. De plus, des ordinateurs sont à disposition du public un peu partout. L'aménagement des salles de lecture a été étudié pour que chacun puisse apprécier un calme et une luminosité optimale. Un auditorium, un centre de conférence et des salles d'exposition animent continuellement les lieux. Entre l'étude de deux ouvrages, on peut visiter une exposition, rencontrer des écrivains, assister à un débat ou encore apprendre une nouvelle langue...

De nombreuses bibliothèques d'arrondissements existent dans la métropole. En voici quelques-unes :

BIBLIOTHÈQUE DE CÔTE-DES-NEIGES

(Arrondissement de Côte-des-Neiges/Notre-Dame-de-Grâce)
5290, Côte-des-Neiges
514-872-6603

BIBLIOTHÈQUE FRONTENAC

(Arrondissement de Ville-Marie)
2550, Ontario E
514-872-7888

BIBLIOTHÈQUE DU MILE END

(Arrondissement Plateau Mont-Royal)
5434, du Parc
514-872-2141

Pour plus d'info

Afin d'obtenir la liste complète des bibliothèques à Montréal, consultez le site Internet de la métropole au : www2.ville.montreal.qc.ca/biblio

BIBLIOTHÈQUE DU PLATEAU-MONT-ROYAL

(Arrondissement du Plateau-Mont-Royal)
465, Mont-Royal E
514-872-2270 et 2271

BIBLIOTHÈQUE MUNICIPALE ROBERT-BOURASSA

(Arrondissement d'Outremont)
41, Saint-Just
514-495-6208

BIBLIOTHÈQUE DE WESTMOUNT

(Arrondissement de Westmount)
4574, Sherbrooke O
514 989-5300

MAISONS DE LA CULTURE

www.ville.montreal.qc.ca/maisons/maisons.htm

Au total 12 maisons réparties dans les principaux quartiers de Montréal permettent à un large public d'accéder à la culture gratuitement (dans la majorité des cas) et à une multitude d'activités artistiques. La force principale de ces maisons est d'élaborer une programmation en fonction de la population du quartier. En jouant la carte de la proximité, elles réagissent par rapport aux attentes d'un public qu'elles connaissent bien. En outre, elles sont un véritable banc d'essai pour des jeunes artistes et pour la recherche artistique. Si les expositions sont libres d'accès, il faut se procurer un laissez-passer gratuit pour profiter des autres activités en présentant la carte Accès Montréal ou une preuve de résidence.

MAISON DE LA CULTURE CÔTE-DES-NEIGES

(Arrondissement de Côte-des-Neiges/Notre-Dame-de-Grâce)
5290, Côtes-des-Neiges
514-872-6889
Ouvert mar-mer 13h-19h, jeu-ven 13h-18h, sam-dim 13h-17h.

MAISON DE LA CULTURE FRONTENAC

(Arrondissement de Ville-Marie)
2550, Ontario E
514-872-7882
Ouvert mar-jeu 13h-19h, ven-dim 13h-17h.

MAISON DE LA CULTURE MAISONNEUVE

(Arrondissement Mercier-Hochelaga-Maisonneuve)
4200, Ontario E
514-872-2200
Ouvert jeu-dim 13h-17h.

MAISON DE LA CULTURE NOTRE-DAME-DE-GRÂCE

(Arrondissement de Côte-des-Neiges/Notre-Dame-de-Grâce)
3755, Botrel
514-872-2157
Ouvert lun-jeu 13h-20h, ven-dim 13h-17h.

MAISON DE LA CULTURE PLATEAU-MONT-ROYAL

(Arrondissement du Plateau-Mont-Royal)
465, Mont-Royal E
514-872-2266
Ouvert mar-jeu 13h-18h, ven 13h-17h

ACTIVITÉS

SERVICE DES ACTIVITÉS CULTURELLES DE L'UNIVERSITÉ DE MONTRÉAL

Pavillon J.-A.-DeSève,
2332, Édouard-Montpetit, 2ème
étage, bureau C-2524
514-343-6524
www.sac.umontreal.ca
M° Édouard-Montpetit.

La cité universitaire étant située un peu en retrait du centre-ville, elle a créé sa propre effervescence culturelle. Outre les étudiants, toute la communauté y est conviée. Ainsi le commun des mortels peut s'inscrire à des cours touchant l'art visuel, la danse, la musique, l'astronomie, l'informatique, les langues, la création littéraire, le théâtre, le cinéma, la vidéo ou la photo. Ces vastes catégories se séparent en plusieurs ateliers. Les autodidactes y trouvent aussi leur compte, puisque dans ces trois derniers domaines, les services à la vie étudiante louent au public des salles, de l'équipement et un soutien technique compétent pour les répétitions ou les représentations.

CONSEIL CULTUREL DE LA MONTÉRÉGIE

305, Saint-Jean, Longueuil
450-651-0694
www.culturemonteregie.qc.ca

C'est un centre d'information sur la vie culturelle de la région, avec toutes les informations pertinentes sur les diverses facettes de la culture. Registre des associations locales, références et pamphlets à consulter. N'offre pas d'activités en soi, mais cherche plutôt à aiguiller l'usager vers la référence qui remplira les moments creux et illuminera les loisirs. Pour une vie bien remplie, même en dehors de Montréal...

Bibliothèque Nationale du Québec © Benji Wahiche

INSOLITE

Cette section est dédiée à ceux qui cherchent des activités qui sortent de l'ordinaire !

CERCLE DES MYCOLOGUES DE MONTRÉAL

4101, Sherbrooke E
514-872-7239
www.mycomontreal.qc.ca
M° Pie-IX.

Depuis 1950, le Cercle fait la promotion, par le biais, entre autres, d'activités, d'échanges et de cours, de l'étude et de la connaissance des champignons. Leur site Internet, très informatif, met à notre disposition, différents outils tels les portraits de champignons ou le service d'identification. Les notions de base pour les novices ; les cours de mycologie pour les plus familiers. Des activités de découverte font le bonheur des amateurs en herbe : excursions, lundis mycologiques, exposition annuelle, myco-neige, etc. Le Cercle organise, en partenariat avec le Jardin Botanique, tous les dimanches soirs, de mi-août à mi-octobre, des ateliers d'inventaires des champignons. Bonne cueillette !

ÉCOLE DE MIME OMNIBUS

1945, Fullum
514-521-4188
www.mimeomnibus.qc.ca
M° Frontenac.
Tarifs en fonction du niveau et du nombre de cours.

Qu'est-ce que le mime concrètement ? « C'est l'acteur, son jeu avant d'être perverti par la parole ». Ici on vous enseigne le langage du corps, que vous en soyez à vos débuts ou au perfectionnement de vos techniques. Le cours pour débutant initie les élèves à la pratique du mime corporel, tandis que le niveau avancé est une étude pratique de la dramaturgie non verbale. Des stages intensifs d'une durée de 55 heures réparties sur deux semaines sont également offerts l'été. Bref, c'est une expérience très intéressante mais qui s'adresse un peu plus à ceux qui désirent faire une carrière théâtrale.

FÉDÉRATION QUÉBÉCOISE DES ÉCHECS

La Fédération québécoise des échecs (FQE) chapeaute l'ensemble des clubs du Québec. Elle centralise l'information entre chacun de ces derniers et offre une multitude de services : revue « Échec + », matériel, babillard, organisation de championnats, stages de formation, etc. Vous cherchez des gens aussi passionnés que vous pour les échecs ? Consultez leur site Internet afin de trouver un club ou un lieu de pratique qui vous convient au : www.fqechecs.qc.ca. Échec et mat !

SOCIÉTÉ QUÉBÉCOISE DE SPÉLÉOLOGIE

4545, Pierre-De Coubertin
514-252-3006
www.speleo.qc.ca
M° Pie-IX.

Partez à la découverte et à l'exploration des cavernes et grottes. Combien d'entre vous savent qu'il existe une caverne ici à Montréal ? La SQS offre une foule de services et d'activités d'initiation pour le néophyte : sorties, soirées cave-in (soirées où les amateurs échangent photos, informations, expériences vécues), rassemblements et grandes expéditions. Lors des sorties, le matériel est fourni mais apportez avec vous vieux vêtements chauds, gants, bottes et vêtements de rechange. La Société chapeaute également l'École québécoise de spéléologie. Différents items sont disponibles à leur boutique : t-shirts, publications, matériel neuf et usagé. Une formidable expérience sous terre dans une nature pratiquement intacte !

ASSOCIATION D'ULTIMATE DE MONTRÉAL
514-221-2212
www.montrealultimate.ca
Voici quelque chose qui risque d'en intéresser plus d'un ! Vous connaissez le jeu où on se lance un disque, communément appelé le Frisbee ? Et bien croyez-le ou non, c'est devenu un sport d'équipe fort prisé car peu cher et accessible, il permet à tous de se garder en forme tout en ayant du plaisir. Entre quatre murs ou en plein air, de nombreuses ligues existent et si vous êtes seul, pas de problème, on vous trouvera une équipe. Que dire d'autre qu'un sport franchement amusant dans une ambiance plus que conviviale !

JEUX INTÉRIEURS

LASER QUEST
1226, Sainte-Catherine O
514-393-3000
www.laserquest.com
M° Peel. Mer-jeu 17h-21h, ven 16h-23h, sam 12h-23h, dim12h-19h, lun-mar sur réservation seulement. V, MC, AE, DC & Interac. Tarifs : adultes, enfants et étudiants, 8$ pour une partie de 25 minutes. Réservations 7j/7, 24h/24.
Le terrain de jeu s'étend sur trois étages. Muni d'un laser et d'une veste au design hi-tech, on se terre contre un mur pour tenter d'échapper aux adversaires ! Prenez garde aux miroirs et aux effets de fumée et de lumière ! L'objectif est d'accumuler le plus de points en visant son adversaire, tout en évitant d'être touché.

CIRCUIT 500 KARTING
5592, Hochelaga
514-254-4244
www.circuit500.com
M° L'Assomption. Tous les jours 24h/24. Tarif : selon la journée et le forfait choisi. Forfaits disponibles pour plusieurs courses et pour les groupes.
Les fous de voiture, de vitesse et d'adrénaline apprécieront faire des tours de piste dans ce complexe de karting bien équipé. Des tournois, des challenges, des classements y sont organisés : de quoi motiver les plus performants à y retourner !

ARNOLD PAINT BALL
8136, Jean Brillon, LaSalle
Pour le circuit extérieur :
474, chemin Covey Hill, Havelock, dans la région de Hemmingford, à proximité du Parc Safari
514-592-5117
www.arnoldpaintball.com
M° Angrignon. V, MC, AE & Interac. Tarifs forfaits : de 38$ à 155$ selon le nombre de balles (de 100 à 1 000). Terrain extérieur du 1er avril au 1er novembre.
Deux circuits : l'un l'intérieur, l'autre l'extérieur.
À l'intérieur, dans des bâtiments sur deux étages, vous vivrez une expérience intense, dans un décor du Far West. Les inconditionnels du paint ball pourront aussi tenter l'expérience extérieure, impossible à oublier. À condition que l'on aime combattre en pleine nature, ramper sous les buissons, traverser les rivières, courir dans les bois... Les non sportifs s'abstenir, car vous courez le risque d'épuiser vos forces !

magasinage

BEAUTÉ & BIEN-ÊTRE

SPAS & INSTITUTS DE BEAUTÉ

AQUALUD SPA CONCEPT
1484, Sherbrooke O
514-938-3665
M° Guy. Entre Guy et Mckay. Mar-ven de 10h à 19h30, sam-dim de 10h à 17h30. Fermé lun.
V, MC, AE, C, Interac & comptant.
La thérapie par l'eau, voilà le concept que propose ce spa en plein centre-ville. L'endroit rappelle, non sans surprise, la pureté de l'eau par les tons de bleus, de blancs et d'ocres. La décoration allie simplicité et raffinement. Pour vous faire décrocher rapidement de votre quotidien, l'endroit propose une gamme complète de soins en balnéothérapie, de massages Thai et de soins esthétiques pour le corps et le visage. Messieurs, Aqualud vous propose également des soins et des traitements adaptés à vos besoins. Une variété de soins au chocolat, qui possède des vertus hydratantes, est proposée aux femmes et aux hommes. Gageons que vous ne pourrez résister à l'idée de prendre un bain au cacao ou à draper votre corps d'un emballage d'algues, de boue... ou de chocolat ! Pour couronner le tout, Aqualud offre aussi des cours d'entraînement privé (maximum 6 personnes). Des entraîneurs qualifiés vont donneront des conseils pour structurer votre programme d'exercice physique.

BARAKA
1610, Marie-Anne E
514-525-3888
www.barakamassotherapie.com
M° Mont-Royal. Lun-dim 10h-21h. 45 $ pour 30 min, 65 $ pour une heure.
– 15 % de rabais entre 10h et 14h du lun-mer.
Une ambiance orientale, voluptueuse et sensuelle nous accueille dans ce très beau centre de massothérapie. Rien qu'en passant le pas de la porte, on se sent déjà fort détendu. Les lumières tamisées et les odeurs nous transportent au Maroc. Côté massage, on a le choix :

suédois, shiatsu, massage sportif, réflexologie, yogo-thaï (combinaison avec un massage), massage pour femmes enceintes et massage aux pierres chaudes. Les plus curieux essayeront le reiki, une technique tibétaine visant à faire mieux circuler l'énergie du corps et promouvoir la guérison. On pourra aussi prendre des cours de massage.

BODY SPA
1475, Amherst
514-527-2639
Entre Sainte-Catherine et de Maisonneuve. Lun-mer de 11h à 19h, jeu-ven de 10h à 20h, sam de 10h à 17h. Fermé dim.
V, MC, Interac & comptant.
En plein cœur du « village » de Montréal se niche un endroit où l'on est accueilli par trois grandes statuettes africaines en bois. Body Spa propose divers services. De la massothérapie jusqu'à la coiffure en passant par l'esthétique et le bronzage. L'endroit, aménagé judicieusement, se prête parfaitement aux soins personnels par son côté chaleureux, comme à la maison. Les prix ne sont pas donnés, mais pour les services professionnels et la qualité des produits proposés, on en ressort complètement changé et surtout, le corps et l'esprit en santé. Forfait intéressant : les journées Spa comme la journée relâche ou bien ying-yang, différentes séances permettant de se détendre et du même coup, de se faire dorloter par des mains magiques.

CENTRE DE MASSOTHÉRAPIE DU CEPSUM
Université de Montréal,
3, Vincent d'Indy
514-345-1741
M° Edouard-Montpetit.
Un service hautement professionnel pour la détente de ce corps fourbu par l'effort ou ravagé par l'usure. Massages suédois, californien, shiatsu, réflexologie et même drainage lymphatique sont au menu. La palme revient au massage sportif, allant vraiment en profondeur et revigorant la carcasse mise à l'épreuve. Bien entendu, les étudiants gardent la priorité, mais le

centre reste ouvert 7 jours/7 au public. Rien de tel qu'un séjour ici pour éviter les courbatures du lendemain !

DÉCLÉOR

585, Sainte-Catherine O, La Baie
514-281-4781
Au rayon cosmétique. Lun-mer de 9h30 à 19h, jeu-ven de 9h30 à 21h, sam 8h à 17h, dim de 10h à 17h (une esthéticienne seulement).
V, MC, AE, HBC, Interac & comptant.
Décléor se spécialise dans les traitements nettoyants pour le visage. Un vrai régal ! Ce type de soin commence par un massage du dos de 10 minutes, offert en guise de bienvenue. Suite à quoi les bienfaits de l'aromathérapie se feront mieux sentir. Pendant que le masque de visage agit, l'esthéticienne s'emploie à vous masser les mains. La méthode de massage Décléor est particulière, un mélange de Shiatsu, de massage suédois et thaïlandais. Un soin visage, d'une durée de 1h30, coûte 70 $-80 $, dépendamment du type de masque que vous choisissez. Un alléchant forfait de trois soins du visage pour 147 $ vous est proposé (l'équivalent de 30 % de rabais sur chaque traitement). *Comptez 70 $ pour 1h15 de massage aromatique. En semaine, il vaut mieux réserver à l'avance.*

FLEUR DE PEAU ESTHÉTIQUE

4337, Saint-Denis
514-843-5778
www.fleurdepeau.montrealplus.ca
M° Mont-Royal. Entre Mont-Royal et Marie-Anne. Mar-mer de 10h à 18h, jeu de 10h à 20h, ven-sam de 10h à 17h. V, MC, AE, Interac & comptant.
Boutique de soins du corps. Petit espace au cœur du Plateau pour se détendre et surtout raviver la beauté. Soins du visage comme le facial (71 $), l'oxyliance (99 $), l'hydroptimale THI3 (96 $), le lift defense (105 $), l'active contour (38 $)… Une série de soins permettant de prendre soin de la peau du visage, si exposée aux extrêmes du temps québécois. Electrolyse et épilation également pour les aisselles, le bikini, les jambes et les sourcils. Des prix

compétitifs, par exemple l'épilation complète des jambes et des aisselles pour seulement 68 $. Service de maquillage divers selon l'occasion et une leçon de maquillage d'une heure pour vous apprendre les différentes techniques qui vous permettront de vous maquiller en beauté ! Soin désaltérant à l'eau thermale spa pour fortifier l'épiderme, spa manucure et pédicure entre 40 et 55 $. Un oasis de détente et de beauté pour la femme ou l'homme qui aime prendre soin de son corps…

INSTITUT LISE WATIER

392, Laurier O
514-270-9296
M° Laurier. lun 9h-17h, mar-mer de 9h à 18h, jeu-ven de 9h à 21h, sam de 8h à 17h et dim de 10h à 17h.
V, MC, Interac & comptant.
Un salon très chic où l'on viendra se faire dorloter par des massages, des faciaux, des manucures, des séances d'épilation, des gommages, des coiffures, des maquillages. On peut même prendre des cours de maquillage en groupe ou seul. Les forfaits beauté sont particulièrement avantageux. Certains peuvent êtres complétés par un repas et une promenade en Limousine. Une idée de cadeaux pour les hommes en mal d'inspiration.

ORGANIK

5271, Saint-Denis
514-842-3816
www.salon-organik.com
M° Laurier. Coin Boucher. Lun-mer de 10h à 18h, jeu-ven de 10h à 20h, sam de 9h à 17h. Fermé dim. V & comptant, (Caisse populaire à côté).
Organik est un centre de beauté et de mieux être complet, qui offre des services de coiffure, de maquillage, d'esthétique, de massothérapie, de pédicure, de manucure, d'électrolyse et de d'épilation. Le nom de la boutique décrit merveilleusement bien la philosophie de l'endroit, où tous les produits utilisés sont faits à base de matières organiques et respectueuses de l'environnement. La dynamique et souriante propriétaire privilégie avant tout les produits du Québec. Les prix sont compétitifs :

massage d'une heure à 55 $, coupe de cheveux à 49 $ pour femme et entre 33 et 39 $ pour homme, maquillage complet à 35 $, soin du dos à 70 $, facial avec drainage pour 65 $. Organik offre aussi des cours de maquillage (45 $ pour une heure) et peut décorer votre corps (bodypainting) pour 150 $. Une adresse à retenir pour se faire plaisir.

OVARIUM
400, Beaubien E
514-271-7515
www.ovarium.com
M° Beaubien, angle Saint-Denis. 7 jours et 7 soirs, rendez-vous de 9h à 21h. Séance de bain flottant: 55 $; Séance de massothérapie: 72 $, forfait L'essentiel (bain-flottant et massothérapie) : 115 $.
Immergé dans un caisson individuel rempli d'un liquide à base d'eau chaude et de sel d'Epson, le corps flotte au son d'une douce musique, tel un fœtus bien à l'abri de toute agression. Bernard Meloche ne cesse d'améliorer cette thérapie douce depuis 21 ans, assurant à sa clientèle des résultats positifs sur le physique et le mental. L'endroit est très propre et muni de toutes les commodités (douches, shampoing, serviettes). Pour une relaxation totale, on peut opter pour un massage californien, shiatsu ou autres. *Abonnements et certificats-cadeaux disponibles.*

SPA DIVA
1455, Peel, Les Cours Mont-Royal
514-985-9859
M° Peel. Lun-ven de 9h à 21h, sam de

8h30 à 18h, dim de 10h à 17h.
V, MC, AE, Interac & comptant.
Un magnifique salon de beauté à l'étage dans les Cours Mont-Royal, où l'on vous offrira divers massages, des soins esthétiques et corporels, de l'épilation à la cire ou au laser. Décor épuré mais chaleureux, très chic. La principale attraction de ce salon, l'un des plus grands en ville, c'est l'enveloppement d'algues ou de boues et le massage à l'aide d'un jet qui rappelle l'eau de pluie.

SPA DR. HAUSCHKA
1444, Sherbrooke O
514-286-1444
M° Guy-Concordia. Sur rendez-vous seulement. Mar-mer de 9h30 à 18h, jeu-ven de 9h30 à 20h, sam de 10h à 17h. Fermé dim et lun.
V, MC, Interac & comptant.
Une atmosphère des plus intimes anime ce spa, où l'on reçoit un maximum de trois clients à la fois. Dans une atmosphère feutrée, les soins suivants vous sont offerts : bain de pieds à la sauge, massages, masques et applications sur le visage de compresses chaudes aux effluves thérapeutiques, mouvements de pression et de stimulation lymphatique du corps, etc. Mme Takla, thérapeute enseignante et propriétaire du spa, procure des soins qui apaisent le corps et l'âme selon une méthode bien particulière. Tous les soins offerts sont très personnalisé, et visent à rétablir l'équilibre entre votre système métabolique, rythmique et nerveux. Les produits du Dr Hauschka sont 100% naturels et certifiés biologiques par un

go. Après les soins, les clients sont invités à prendre une tisane, question de prolonger le moment de détente.

SPA EASTMAN

666, Sherbrooke O, 16ème étage
514-845-8455
www.spa-eastman.com
M° McGill. Lun-ven 8h-21h, sam-dim 8h-18h30,
V, MC, Amex, Interac & comptant.
Depuis son ouverture en 1977 dans le petit village d'Eastman dans les Cantons de l'est, le Spa Eastman jouit d'une réputation exemplaire. L'entreprise a aussi installé ses bons soins à Montréal, alors profitez-en pour dire halte à la vie urbaine et au stress de la vie quotidienne. Le spa Eastman propose toute une gamme de formules qui s'adapte à vos besoins. Massothérapie et soins esthétiques doux sont dispensés par une équipe de professionnels. Que vous ne disposiez que d'une heure ou de toute une journée, cet institut de beauté saura trouver la formule adaptée à vos moyens. La proximité du centre-ville vous permet de planifier vos cures sur une base régulière, que vous recherchiez d'abord la détente, la gestion du stress ou la remise en forme. L'environnement est harmonieux et paisible, avec une vue sur la montagne et un espace pour se détendre entre les soins. Une pause vivifiante tout indiquée ! Le Spa Eastman propose aussi un service de massage en entreprise, des forfaits et des certificats cadeaux. *À noter, l'existence d'un autre centre à l'Île-des-Sœurs : 7, Place du Commerce*

SPA MADEMOISELLE SOPHIE

1225, Greene
514-935-5333
www.mademoisellesophie.com
Entre Sainte-Catherine et de Maisonneuve. Mar de 9h à 16h, mer 9h-18h, jeu-ven 9h-20h, sam 8h30-17h. Fermé dim-lun.
Interac & comptant.
Mademoiselle Sophie qui offre une gamme diversifiée de soins dont certains traitements spécifiques comme le désintoxiquant pour les fumeurs, un nettoyage ultra profond sur le visage ou la cure cellulite par un drainage. Les produits utilisés proviennent principalement d'huiles essentielles ou de la marque Darphin. Autre service intéressant en plus des soins plus habituels (pédicure, manucure, soins du visage) : la réflexologie. *Une journée pour 375$. Une demi-journée pour 190$. Forfait mariés : 140$ pour les copines et 400$ pour la future et son compagnon.*

LE RAINSPA

55, Saint-Jacques
514-282-2727
www.rainspa.ca
M° Place-d'Armes. Dans l'hôtel Place-d'Armes. Lun-mer 9h-19h, jeu-ven 9h-21h, sam de 9h à 19h, dim de 10h à 18h. Ouvert en semaine jusqu'à 21h sur rdv seulement.
V, MC, Interac & comptant.
Le premier hammam de la métropole vient enfin d'ouvrir ses portes ! Qu'est-ce qu'un hammam ? Un bain de vapeur séculaire né en Turquie. La vapeur aide à purifier le corps et à le débarrasser de ses toxines. Le spa offre toute une gamme complète de soins pour le visage et le corps, comme l'épilation, les massages, les gommages, les enveloppements. Aussi un petit supplément qu'on ne retrouve pas dans tous les spas : des traitements paramédicaux employant des techniques de pointe pour combattre la cellulite, éliminer les imperfections de la peau et améliorer la circulation. Plusieurs autres techniques sont utilisées comme le laser LIP (lumière intense propulsée) ou la pressothérapie. Cette dernière technique permet de stimuler la circulation sanguine en enserrant ses jambes dans de longues bottes gonflables. Ainsi, la pression s'exerce sur les deux jambes afin d'éliminer la sensation de lourdeur. À essayer.

VITALITÉ MASSOTHÉRAPIE

5262 Bélanger Est
514-227-0207
www.vitalitetherapie.ca
M° Viau puis bus 132 nord . Mar- ven 9h –21h, sam 9h-17h.

*30 min, 60, 90 min. Prix : 40$, 63$,
86$, taxes incluses.*
Les cinq massothérapeutes sont
spécialisés dans le bilan de santé. Donc,
avant le massage, vous discuterez
ensemble de l'état global de votre
santé avant d'entreprendre un soin. Au
programme : on vous suggère d'arriver
15 min en avance afin de commencer
en profitant de la chaise à massage
…électrique. Pas aussi agréable que les
vrais mais une bonne mise en appétit.
Vitalité offre aussi le service de massage
sur chaise en entreprise.

RIVE-SUD

L'ODYSSÉE
**117, Saint-Charles O
Longueuil
450-677-2223
www.lodyssee.net**
*Lun-ven de 9h à 21h, sam-dim
de 9h30 à 17h. Interac, chèque &
comptant. Le prix des massages
varie, en moyenne 60$/heure. Bains
flottants 45$. Massage pour femmes
enceintes et enfants.*
Établie depuis 1994, cette adresse se
distingue par ses deux magnifiques
bains flottants et son décor recherché.
En plus des bains flottants, l'Odyssée
offre tous les services d'un grand spa:
enveloppe corporelle d'algues ou de
boue et même de chocolat, bains d'eau
ultra salée, huiles essentielles, et des
massages variés, shiatsu, suédois,
californien, polarisé, massage sportif et
drainage lymphatique. Nos préférences
vont au shiatsu et au massage suédois.
Les massothérapeuthes sont très
professionnelles, le service est de qualité.
Vous finirez votre escale par une tisane,
dans un univers relaxant.

RIVE-NORD

SPA ORAZIO
**1750, Pierre-Péladeau,
Centropolis, Laval
450-682-3900
www.spaorazio.com**
*Ouvert 7 jours. Lun-mer 9h-18h, jeu-
ven 9h-21h, sam 9h-17h, dim 10h-16h.*

*Service en massothérapie (20$
et plus), coiffure (15$ et plus),
esthétique (15-110$), soin du corps
(65-120$) et des ongles (7-55$),
épilation au laser (à partir de 59$) et
électrolyse (16-30$).*
Forfaits disponibles. Ce centre du bien-
être pour toute la famille impressionne
dès qu'on franchit la porte. Le décor
allie à la fois une ambiance moderne et
classique. Dans un environnement aux
lignes droites et au mobilier métallique
rappelant le monde des technologies, le
propriétaire satisfait ses élans musicaux
en caressant les notes d'un piano sous
un immense chandelier de cristal.
Les clients auront accès à un écran de
télé géant ou à des CD pour vivre une
expérience complète de relaxation et de
divertissement. Le plus grand confort
possible pour s'abandonner à des
mains expertes.

SALONS DE COIFFURE

ACADEMIE ST-LAURENT
**916, Sainte-Catherine E
514-284-2206**
*M° Berri-UQAM. Lun-ven de 9h à 21h,
sam de 9h à 17h, dim de 9h à 16h.
Académie : lun-ven de 9h à 21h30.
Fermé sam-dim. V, MC, Interac &
comptant. Coupe + brush par un
professionnel à partir de 35$ et par
un élève pour 14,5$.*
Un décor industriel, techno-branché
où la coupe à 9$ est offert par un élève.
Chose certaine, il est interdit de jeter
un petit coup d'œil au deuxième étage
où se déroulent les coupes laboratoires
des étudiants en coiffure. Les sièges aux
allures de plateau de tournage suscitent
l'imagination.

LA BOÎTE À COIFFER
**2025, Mont-Royal E - 514-529-9621
1594 Mont-Royal E - 514-598-1548**
*M° Mont-Royal. Lun-mar de 9h à 18h,
mer de 9h à 20h, jeu-ven de 9h à 21h,
sam de 9h à 17h. Fermé dim.
V, MC, Interac & comptant.*
Depuis 10 ans qu'elle a pignon sur
l'avenue Mont-Royal, la Boîte à coiffer
s'est taillé une solide réputation.

Les citations de Marcel Proust ou de Shakespeare nous tiennent compagnie : « Il faut que l'auteur ait de l'esprit pour que l'œuvre en ait ». Une petite touche qui rajoute au salon de la personnalité et de la couleur. *Les prix pour les coupes varient : pour les femmes 27 $ et pour les hommes 24 $. En plus, certificats-cadeaux disponibles.*

COIFFURE ET COLORATION LE BARBIER DU VILLAGE

1307, Bernard O
514-270-2012

Lun-sam 9h à 18h, dim fermé. V, MC, Amex & comptant. Coiffure et coloration. Coupe pour homme 32 $, coupe pour femme 40-45 $, prix coupe + brushing en fonction des cheveux, brush 27 $-31 $.
On coiffe indifféremment l'homme et la femme dans ce salon qui ne paye pas de mine de l'extérieur. À l'intérieur, tout le monde est aux petits soins pour une clientèle très variée: des jeunes et des moins jeunes. Un petit boudoir avec télé et musique crée une atmosphère chaleureuse.

COUPE BIZARRE

3770, Saint-Laurent
514-843-3433

M° Saint-Laurent et bus 55 Nord, angle des Pins. Lun-ven de 10h à 20h, sam de 10h à 18h et dim de 12h à 18h. V, Interac & comptant.
Bien campé sur un des boulevards les plus huppés de la métropole, ce salon éclate par sa blancheur et son mobilier tout en rondeurs de style un peu sixties. Le grand espace et la lumière qui émanent du salon de coiffure sont accueillants. Une coupe flyée ? Ou classique ? Peu importe votre choix, laissez-vous guider par le professionnalisme des stylistes qui ne désirent qu'une chose : vous voir ressortir avec un grand sourire. Évidemment, pour les gens qui aiment oser, cette place est parfaite. La coupe peut être tendance et même avant-gardiste selon votre humeur du moment ! Les produits sont sélectionnés avec soin pour votre plaisir et celui de vos cheveux.

EN TROIS ACTES

5439, du Parc
514-270-3128
www3.sympatico.ca/entroisactes
Angle Saint-Viateur. Fermé lun et mer. Mar de 8h30 à 17h, jeu-ven de 8h30 à 19h, sam de 8h30 à 16h, dim de 9h30 à 15h. V, MC, Interac & comptant.
Salon de coiffure dans un décor original. Les lampes à bronzer sont de première qualité, et les forfaits proposés vont de la simple séance à l'abonnement illimité (à vie !) pour 200 $. Pour la coiffure, Thierry Pertue, expert en coupe et soin du cheveu, utilise des produits naturels pour les teintures, et vous accueille au cœur de son agréable « concept ». *Pour les rendez-vous en ligne, contacter cette adresse : http://giovanna. netby3.com/en3actes/*

JÉRÔME B. ESPACE COIFFURE

5200, chemin de la Côte-des-Neiges - 514-342-4888
1110, Mont Royal E - 514-523-4888
www.jeromebcoiffure.com
Ouvert mar-mer 9h-18, jeu-ven 9h-20h, sam 9h-17h. Fermé dim-lun. V, MC & Interac. Coupe & brush femmes à partir de 60 $ TTC, tarifs étudiants (-25 ans) les mardis et mercredis avec -20% sur les tarifs réguliers et -15% sur les colorations.
Jérôme B, c'est avant tout un concept : l'équipe de coiffeurs qui tourne entre Côte des Neiges et le Plateau commence tout rendez-vous par une consultation par un visagiste pour trouver la coupe qui vous conviendra le mieux. Ensuite, on vous soigne les cheveux avec les produits Kerastase et Nioxin, tous deux de grande qualité. Les cheveux en mauvais état profiteront de la Kérathermie, un soin proposé par Kérastase pour une 'illumination et mise en beauté des cheveux'. Pendant les soins ou la coupe, on écoute des nouvelles musiques françaises branchées … Bref, fiez-vous donc aux mains expertes de cette équipe jeune et dynamique, et vous ressortirez à coup sûr « époustouflant(e) » ! En partant, on jettera un coup d'œil aux expositions d'œuvres d'art, qui se renouvellent tous les trimestres.

SALON SALON
3668, Saint-Laurent
514-843-1818
www.salon-salon.ca
Mᵒ Saint Laurent. Mar-mer 10h-17h,
jeu-ven 10h-20h, sam 10h-18h.
Coupe 48-55 $.
C'est dans une ambiance style loft,
avec des murs de briques et de beaux
fauteuils, que l'on vient relaxer et confier
sa tête à une équipe de coiffeurs experts.
Tellement experts d'ailleurs, que les
filles ayant réalisé le guide que vous lisez
présentement l'ont toutes adopté !

STUDIO KENNEDY
570, Président Kennedy
514-842-6651
Mᵒ Peel, mar-mer 10h30-18h, jeu-ven
10h30-20h, sam 10h-16h,
V, MC, Interac & comptant.
Voici un salon de coiffure pour hommes
et femmes sans fioritures ni décoration
exubérante, mais très bien situé. Que
ce soit pour une coupe (environ 35 $),
une coloration ou des mèches (à partir
de 70 $), choisissez le Studio Kennedy

en toute tranquillité. Avec seulement
quatre chaises de coiffeur sur un tout
petit plancher, l'endroit est intime et sans
prétention. Il plaira aux gens qui évitent
les salons de coiffure trop branchés où
la musique est semblable à celle d'une
discothèque. On se refait une beauté
à petit prix dans ce studio, où il est
également possible de recevoir des
soins esthétiques.

COSMÉTIQUES

BELLA PELLA
3933, Saint-Denis - 514-845-7328
1201, Mont-Royal E - 514-904-1074
www.bellapella.com
Lun-mer de 11h à 18h, jeu-ven de 11h à
21h, sam 11h-17h, dim 12h-17h.
V, MC, Interac & comptant.
Une petite boutique adorable pour celles
qui veulent une belle peau (bella pella
en italien). Bella Pella confectionne des
produits artisanaux inspirés de recettes
et de traditions d'origine italienne.
On y retrouve des savons aux couleurs
acidulées, coupés au poids, des masques

frais, des shampoings, des produits pour le bain, des crèmes. Tout est à base de produits naturels et produit à la main ! C'est mignon et on y donne de bonnes idées cadeaux. Et puis Bella Pella partage ses secrets puisque des ateliers de fabrication de savon, savon liquide et soins corporels sont proposés (45 $/atelier). Les ateliers se font deux fois par mois le lundi de 19h à 22h. Le kit de fabrication est fourni après le stage, et vous pouvez vous réapprovisionner en tout temps. Attention les ateliers ne se donnent qu'à la succursale de Saint-Denis.

BOUCLES ET FLACONS

1012, Bernard O
514-272-0772
Mº Outremont. Entre les rues Durocher et Hutchinson. Lun-mar de 9h à 18h, mer-ven de 9h à 21h, sam de 8h à 17h. Fermé dim.
V, MC, AE, Interac & comptant.
D'inspiration française, cette chic boutique est divisée en trois sections : la parfumerie, le salon de coiffure et le centre de soins esthétiques (soins du visage, manucure, pédicure, maquillage). Les parfums, les fragrances d'ambiance et les bains moussants côtoient donc les produits pour le corps et le visage, sans oublier les produits pour bébés. Reconnue pour sa parfumerie, on trouve dans cette boutique des marques de parfum connues comme Lalique et Molinard, qui sont peu distribuées ailleurs. Chaque parfum possède sa fiche signalétique (toutes les essences contenues), et si vous n'êtes pas sûr de votre choix, faites vous guider par le personnel qui se fera un plaisir de vous renseigner.

FRUITS ET PASSION

677, Sainte-Catherine O, Complexe les Ailes - 514-496-0030
4159A, Saint-Denis - 514-282-9406
7275, Sherbrooke E - 514-351-2820
www.fruits-passion.com
Lun-mer 10h-18h, mer-ven 10h-21h, sam 9h-17h, dim 10h-17h.
V, MC, Interac & comptant.
Pour trouver une boutique « Fruits et Passion », il suffit de fermer les yeux et de se laisser guider par son odorat. Des senteurs de mûres et de cassis vous attirent irrémédiablement à l'intérieur pour découvrir toute une gamme de bains moussants, des poudres, des sels de bain, des huiles de massage, des parfums d'intérieur, des savons multicolores. Difficile de résister à toutes ses bonnes odeurs, à ce ballet multicolores de flacons de toutes les formes.

HOLT RENFREW

1300, Sherbrooke O
514-842-5111
www.holtrenfrew.com
Mº Peel, lun-mer 11h-17h, jeu-ven 10h-21h, sam 9h30-17h, dim 11h-17h, toutes CC.
Les plus agréables péchés mignons pour la peau et le visage se trouvent dans le magnifique espace de cosmétiques de la boutique Holt Renfrew. Cette adresse est aussi réputée que distinguée, et elle présente les produits les plus innovateurs des grandes marques du monde de la beauté. La visite est agréable puisque les produits de beauté et de soins pour le corps vous sont présentés dans une surface bien éclairée, à proximité des autres rayons de vêtements, de bijoux et d'accessoires du magasin. Des « Évènements beauté » ont aussi lieu à chaque week-end au département des cosmétiques. Il suffit de téléphoner au magasin pour réserver sa place et ainsi profiter des séances de maquillages gratuites. Profitez du sympathique Café Bistrot Holt situé juste à côté sur la rue de la Montagne avant de rentrer à la maison.

L'OCCITANE EN PROVENCE

1000, Laurier O - 514-948-3663
4972, Sherbrooke O - 514-482-8188
www.loccitane.ca
Lun-mer de 10h à 18h, jeu-ven de 10h à 21h, sam de 10h à 17h et dim de 12h à 17h. V, MC, Interac & comptant.
Produits essentiellement venus de Provence, l'Occitane en met plein les narines ! Soins du visage au miel qui adoucissent et fortifient, amande qui lisse et raffermit, verveine apaisante

accessoires et des brosses. Les clientes raffolent de la gamme M.A.C. Pro, d'abord conçue pour les professionnels du milieu de la mode. On peut se faire maquiller sur place ou même prendre des cours de maquillage personnalisé. Attention, il est préférable de prendre rendez-vous pour la séance de maquillage, au coût de 40 $. La leçon coûte 90 $, avec l'achat d'un mascara en sus. *Autres adresses: 585, Sainte-Catherine O, 514-841-8701; 1307, Sainte-Catherine O, 514-845-8085.*

PERÇAGE

IMAGO MONTREAL
158, Prince-Arthur E
514-350-0015
M° Sherbrooke, angle de Bullion.
Boutique au deuxième étage.
Mar-sam 12h-20h. Fermée dim
et lun. Comptant.
Vous aimez avoir le corps dessiné ? L'endroit idéal où vous aurez le plaisir de vous faire tatouer par trois artistes compétents. L'important dans un studio de tatouage est de savoir si le matériel utilisé est propre et stérile. Bref, d'assurer une qualité au niveau de l'hygiène. Ici, avec des machines sophistiquées et bien stérilisées, on offre une gamme de couleurs impressionnante aux clients. Les conseils personnalisés sont de mises, et les mineurs refusés, comme stipule la loi canadienne. Les tatouages se font sur rendez-vous uniquement. Vous avez le choix d'amener vos propres dessins ou de choisir ceux d'Imago créés par les artistes du studio. Mais attention à votre choix, car certains tatouages peuvent être refusés…Question d'éthique.

SUPEROCK
23, Sainte-Catherine O
514-288-6225
M° Saint-Laurent. Lun-mer de 10h à 18h, jeu-ven de 10h à 21h, sam-dim de 10h à 18h. V, MC, Interac & comptant.
Une institution dans l'univers du perçage et du tatouage, avec les séances qui se déroulent sur deux tables devant de grandes baies vitrées à la vue de tout le monde. Le portefolio bien garni en dit

et rafraîchissante, olive équilibrante, lavande purifiante et relaxante… Il y a aussi des parfums pour la maison aux huiles essentielles, ou encore du gel douche, et des marques comme Occitane ou Verbana, pour hommes et femmes. Panier-cadeaux proposés dans un joli assemblage. Possibilité de recevoir le catalogue par le net et ensuite de passer votre commande sans vous déplacer ! Faites plaisir à votre corps…

M.A.C.
3487, Saint-Laurent
514-287-9297
www.maccosmetics.com
M° Saint-Laurent. Bus 55. Entre Sherbrooke et Prince-Arthur. Lun-mer de 10h à 18h, jeu-ven de 10h à 21h, sam de 11h à 18h et dim de 12h à 17h. V, MC, Interac & comptant.
Belle atmosphère dans les boutiques M.A.C., où l'on est surpris par tant de couleurs ainsi réunies. Des couleurs évidemment très tendances, qui plaisent aux jeunes femmes dans le vent. C'est l'endroit de prédilection de plusieurs femmes lorsqu'il est question de se procurer du maquillage de qualité supérieure, des soins pour la peau, des

long sur les nombreuses possibilités, le tout se faisant dans les règles de l'art de l'hygiène (triple stérilisation). Des bijoux originaux ou plus classiques sont proposés à la vente, en or, en argent, en nibodium et même en os...

TATOOATOUAGE
2057, Saint-Denis
514-848-9767
www.tatooatouage.com
M° Sherbrooke, angle Ontario. Dim-mar 12h-19h, mer 12h-20h, jeu-sam 12h-21h.
Une adresse nec plus ultra pour les amateurs de ce courant moderne-primitif. De véritables artistes transformeront toute surface cutanée en une œuvre d'art. Normes de propreté hautement respectées, une sélection impressionnante de dessins et modèles. On accepte volontiers les designs personnels, quitte à les enjoliver. À visiter tout de go, pour se persuader de la valeur incroyable du tatouage, et ensuite, prendre rendez-vous...

CADEAUX

AFFICHES

AFFICHE EN TÊTE
2034, Mont-Royal E
514-522-0919
M° Mont-Royal. Lun-mer 10h-18h, jeu-ven 10h-21h, sam 10h-17h, dim 12h-17h. V, MC, Interac & comptant.
Boutique spécialement conçue pour les amoureux de l'image, Affiche en Tête porte bien son nom. Non seulement elle propose une gamme imposante d'œuvres peintes, mais aussi un étalage complet d'affiches de tous genres, de toutes époques et de tous styles (paysages, portraits, abstraits, etc.). Très éclairé, l'espace bien aéré permet aussi au regard de balayer et d'examiner les nombreuses images. Aussi : petites cartes coquines, en couleurs ou noir et blanc, sur des photos originales. Centre décoratif permettant de laminer et d'encadrer avec 40% d'escompte. Les œuvres proviennent principalement d'artistes

québécois. D'autres objets, comme un miroir en forme de femme, ou des horloges aux contours or, miroitent sur les rayons pour le plus grand plaisir des amateurs visuels !

MONTRÉAL IMAGES
3620, Saint-Laurent
514-842-0160
M° Sherbrooke. Lun-mer de 10h30 à 18h, jeu-ven de 10h30 à 21h, sam de 10h à 18h, dim de 12h à 17h.
Au cas où vous seriez pris de court pour un anniversaire, un petit tour chez Montréal Images s'impose. Que ce soit pour faire un cadeau ou le compléter, les idées regorgent. Des cartes, des affiches, des gadgets, de la papeterie, tout pour encadrer vos reproductions préférées, des petites figurines, etc. On a le choix et cela s'adresse aux petites comme aux grosses bourses. Également : 35% de rabais sur les services de transfert sur toile, 35% sur le laminage et 20% sur l'encadrement. *Autre adresse: 3854, Saint-Denis, 514-284-0192.*

À L'AFFICHE
4415, St-Denis
514-845-5723
www.alaffiche.ca
M° Mont-Royal, lun-mer 10h-18h, jeu-ven 10h-21h, sam 10h-17h, dim 12h-17h, V, MC, Interac & comptant.
C'est le repère de l'amateur d'affiches de cinéma, qu'il cherche l'affiche du dernier film de l'heure ou celle de son oeuvre préférée des années cinquante. Les murs, chargés d'images, donnent un bon aperçu de la diversité contenue par les pochettes de démonstration ; affiches de groupes de musique, peintures, paysages, bandes dessinées, photos, vedettes, anciennes publicités...et des films, encore des films ! Certaines images sont aussi vendues sur leur site Internet. Il y en a pour tous les prix et pour toutes les envies de décoration. À l'affiche, on peut aussi faire des laminages, des encadrements et des reproductions. Des cartes de souhaits que l'on ne trouve nulle part ailleurs y sont aussi vendues.

BIJOUX

AQUA SKYE

2035, Crescent
514-985-9950
www.aquaskye.com
Angle Sainte-Catherine. Lun-mer de 11h à 18h, jeu-ven de 11h à 21h, sam-dim de 11h à 18h.
V, MC, AE & comptant.

Aqua Skye vous propose des pièces exclusives en provenance des quatre coins du monde. La majorité des bijoux fantaisistes qui y sont vendus sont l'œuvre d'artisans québécois. Le prix des longues boucle d'oreilles, des colliers extravagants et de ceux plus simples et délicats n'est certes pas donné. Mais les bijoux demeurent sans contredit éclatants, lumineux et surtout uniques en leur genre. Ligne de bijoux pour hommes et montres également disponibles.

BLEU COMME CIEL

2000, Peel
514-847-1128
M° Peel, angle de Maisonneuve. Lun-mer de 10h à 18h, jeu-ven de 10h à 21h, sam de 10h à 17h et dim de 12h à 17h. V, MC, Amex, Interac & comptant.

Boutique colorée à l'image de la collection Les Néréides (société de la Côte d'Azur spécialisée dans les bijoux de fantaisie, parfums et accessoires). Le rose, le vert, l'orange et le bleu à l'honneur pour le bonheur des yeux. On retrouve divers modèles de colliers en argent, en bois, en nacre… Quelques bijoux conçus par des artistes montréalais, des portes-clés et des bracelets colorés. Ici et là des petites poupées de chiffons veillent silencieusement sur la collection. Assez fantaisistes, ces accessoires plairont aux femmes qui aiment les bijoux délicats, colorés et tendance. Les prix peuvent varier, mais il faut s'attendre à payer un peu plus cher qu'ailleurs, par exemple un collier à 175 $.

CLIO BLUE

1468, Peel
514-281-3112
www.clioblue.com

Entre de Maisonneuve et Sainte-Catherine. Lun-mer de 10h à 18h, jeu-ven de 10h à 21h, sam de 10h à 17h et dim de 12h à 17h.
V, MC, Amex, Interac & comptant.

Bijouterie spécialisée dans l'argent. Pas n'importe lequel, de l'italien ! Pour les amateurs de bijoux argent délicats et féminins. La boutique, blanche et petite, donne l'impression d'avoir peu en quantité mais beaucoup en qualité. Compter une centaine de dollars pour un collier.

BIRKS & SON

1240, Carré Phillips
514-397-2511
www.birks.com
M° McGill, sorties promenades de la Cathédrale. Lun-mer 10h-17h, jeu-ven 10h-21h, sam 9h30-17h, dim 12h-17h.
V, MC, Interac & comptant.

Comme le sang royal, la réputation se transmet de génération en génération. Rien que la boutique en elle même est déjà un petit bijou d'architecture avec son magnifique plafond. Dans les comptoirs vitrés, on va d'émerveillement en émerveillement: le Luxe avec un grand « L ». Des diamants, des joncs, de l'or, des grandes marques comme Cartier, Mont-Blanc, ça brille de partout ! La collection de beaux objets pour la table ou pour la décoration est splendide: du classique à l'exotisme, de quoi préparer de belles listes de mariage. Ne soyez pas étonnés du prix. Vous êtes chez Birks, ne l'oubliez pas. *Autres adresses: Carrefour Laval, 450-688-*

Le salon des métiers d'art du Québec : une tradition depuis plus de 50 ans !

À chaque année, durant les trois premières semaines du mois de décembre, les Québécois affluent au Salon des métiers d'art de la Place Bonaventure. C'est l'occasion rêvée de mettre à profit le talent des artisans d'ici au service des cadeaux du temps des fêtes. Présenté par le Conseil des métiers d'art du Québec, le salon est ouvert 7 jours / 7 et l'entrée est gratuite. Un nombre incroyable d'exposants vous séduiront avec leurs créations conjuguant tous les besoins ; arts de la table et linge de maison, vêtements pour enfants, gastronomie, jeux, jouets, instruments de musique, joaillerie et bijoux mode, meubles, fringues, accessoires, objets décoratifs, savons et chandelles, etc. Sur place, des services de garderie et d'emballages-cadeaux écolos vous sont offerts, ainsi que de l'animation et des tirages d'objets des artisans. Une simple visite sur le site Internet du salon permet d'en découvrir les artisans : www.salondesmetiersdart.com. Un rendez-vous annuel à ne pas manquer pour les amateurs d'art ! *Au Mᵒ Bonaventure.*

3431; Centre Rockland, 514-341-5426; Fairview Pointe-Claire, 514-697-5180; Promenades Saint-Bruno, 450-461-0011.

OZ BIJOUX INC
3915, Saint-Denis
514-845-9568
Mᵒ Mont-Royal. Lun-mer de 11h à 18h, jeu-ven de 11h à 21h, sam de 10h à 18h et dim de 12h à 17h.
V, MC, Interac & comptant.
Bijoutier traditionnel qui ne fait pas dans l'extravagance mais plutôt dans le luxe de la simplicité. Choix imposant de colliers, bagues, bracelets et boucles d'oreilles. La qualité indéniable va de paire avec les prix assez élevés. D'un côté de la boutique, on retrouve une collection intéressante d'artisans québécois de styles divers et de couleurs variées comme le bleu, le rose, le jaune. La couleur argent prime ainsi que le bronze. De l'autre côté, on retrouve une collection de bijoux traditionnels provenant d'un peu partout dans le monde, des pièces un peu plus extravagantes ou plus classiques.

BOUTIQUES DE MUSÉE

BOUTIQUE DU MUSÉE DES BEAUX ARTS
1390, Sherbrooke O
514-285-1600
www.mbam.qc.ca
Mar 11h-17h, mer-ven 11h-21h, sam-dim 10h-17h.
V, MC, Interac & comptant.
Il est agréable de chercher une idée-cadeau dans la jolie boutique du musée des Beaux-Arts. Notre regard s'attarde sur les bijoux, les sculptures et les céramiques, directement inspirés de la collection permanente et des expositions temporaires du musée. Pour la table et la maison, les objets en céramique de l'artiste canadienne Carmen Mok se distinguent. Pour la décoration, un intéressant choix d'affiches d'art vous est bien sûr proposé. Les enfants ne sont pas en reste avec un éventail de jeux en bois, de marionnettes et de peintures tactiles. La section librairie propose des ouvrages en lien avec les expositions, ainsi que les catalogues des grandes expos ayant lieu à travers le monde. Certains objets sur les

rayons viennent d'ailleurs des boutiques du Musée du Louvre, du Guggenheim et du Metropolitain Museum.

BOUTIQUE DU MUSÉE D'ART CONTEMPORAIN

185, Sainte-Catherine O
514-847-6904
www.macm.org
Mer-ven 10h-21h, sam-mar de 10h-18h. V, MC, Interac & comptant.

C'est l'endroit tout désigné pour faire du shopping créatif. Au-delà des pièces classiques comme les T-Shirts et les tasses à café, on y trouve des objets hétéroclites et stylisés. Découvrez les jolis casse-tête reproduisant des oeuvres d'art et admirez les accessoires pour la maison, les bijoux, les montres, les jouets pour enfants et la papeterie décorative. En adéquation avec le musée, l'endroit est coloré et vivant. À visiter pour trouver des idées-cadeaux originales... et contemporaines !

BOUTIQUE DU MUSÉE POINTE-À-CALLIÈRE

150, Saint-Paul O
514-872-9148
www.pacmusee.qc.ca
M° Place d'Armes, mar-dim 11h-19h , V, MC, comptant & Interac.

Pas besoin d'avoir visité antérieurement le musée pour découvrir les beaux objets de la boutique Pointe-à-Callière : l'entrée est libre ! Remontez le temps et plongez au cœur des origines de la culture québécoise et amérindienne. Du côté des premières nations, on trouve des bijoux typiques, des sculptures en pierre de savon et des objets traditionnels tels que les capteurs de rêves et des petites répliques de canots d'écorce. Les objets proposés sont majoritairement le fruit du travail d'artisans québécois et amérindiens. Les pièces de céramiques, tels les bols et les assiettes, sont magnifiques. Et l'espace librairie plaira à ceux qui recherchent des ouvrages précis. La librairie se spécialise, à l'effigie de son musée, en archéologie et en histoire du Québec, du Canada et de la Nouvelle-France.

BOUTIQUES CADEAUX DES MUSÉUMS NATURE

www2.ville.montreal.qc.ca/museumsnature/ses.htm
Le Biodôme : 4777 avenue Pierre-de-Coubertin / 514-868-3068 / M° Pix-IX
Jardin botanique : 4101 Sherbrooke Est / 514-872-1434 / Métro Pie-IX
Insectarium : 4581 Sherbrooke Est / 514-872-8753 / M° Pie-IX
Planétarium : 1000 Saint-Jacques Ouest / 514-872-4530 / *M° Bonaventure.*

Les boutiques des muséums nature de Montréal regorgent de cadeaux éducatifs pour tous les âges et pour tous les goûts. Certains souvenirs sont exclusifs et sont fabriqués au Québec. Au Biodôme, vous trouverez des animaux en peluche, des bijoux à saveur environnementale et des bouquins spécialisés. La boutique du Jardin botanique propose des livres sur l'aménagement paysager et des plantes à rapporter à la maison. Les petits raffoleront des sucettes avec un insecte d'emprisonné à l'intérieur, des livres entomologiques et des chapeaux d'apiculteur vendus à la boutique de l'Insectarium. Au Planétarium, beaucoup d'objets telles au monde de l'astronomie et de l'exploration spatiale: affiches, livres, souvenirs, objets décoratifs, etc.

ART ET ARTISANANT

ESSENCE DU PAPIER

4160, Saint-Denis
514-288-9152
www.essencedupapier.com
M° Mont-Royal, angle Rachel. Lun-mer 10h-18h, jeu-ven 10h-21h, sam 10h-17h, dim 12h-17h, V, MC, Interac & comptant.

Quoi de plus original que d'offrir des agendas, des albums, des sceaux avec cire, des coffrets de calligraphie ou du papier Zamier, un papier fait artisanalement à partir d'écorce séchée ? La boutique est douce à l'œil et ses étalages sont raffinées : papier vélin, papier de soie, du parchemin et du papier florentin. Essence de papier se spécialise aussi dans les instruments d'écriture

(plumes, stylos, etc.) et les articles de décoration de la table. Une visite qui donne envie d'écrire, que ce soit sur du papier recyclé ou du papier rare. *Autres boutiques: 1, Place Ville-Marie 514-874-9834; 1307, Sainte-Catherine O 514-844-2666 ; Ogilvy 514-844-2666.*

GAÏA
1590, Laurier E
514-598-5444
www.gaiaceramique.com
M° Laurier. Lun-mer de 10h à 17h, jeu-ven de 10h à 19h, sam de 10h à 17h. Fermé dim. En soirée, sur rendez-vous. V, Interac & comptant.
Cours (30 heures): 330 $ (possibilité de paiement en 2 fois). Fondé en 1999 par Catherine Auriol et Marko Savard, cet atelier-boutique propose une collection de pièces en céramique artisanale, des petites séries de vaisselle fonctionnelle, réalisées par une poignée d'artistes locaux. Il est bien rare de nos jours de trouver de la céramique faite au Québec ! Autre bon point : la modernité du design des pièces et leur unicité. Intéressant aussi, le côté interactif de la boutique puisque l'on peut y commander des pièces sur mesure, décorées selon vos envies. Si vous désirez la faire vous-même, vous pouvez prendre des cours d'initiation aux diverses techniques de tournage et de façonnage, disponibles pour les débutants, intermédiaires et avancés, à raison de 3 heures par semaine pendant 10 semaines (cours du soir de 19h à 22h). L'autre point intéressant, c'est une politique des prix tout à fait sage pour un travail d'une si belle qualité.

COMMERCE ÉQUITABLE

KIF KIF LA PLANÈTE ÉQUITABLE
1228, Mont-Royal E
514-527-0404
www.equitableplanet.com
M° Mont-Royal et bus 97. Lun-mer de 10h à 18h, jeu-ven de 10h à 21h, sam de 10h à 18h et dim de 12h à 17h. V, MC, AE, Interac & comptant.
Une adresse équitable qui vous propose une panoplie d'objets d'art africain, de meubles et d'artisanat. Un endroit magique et coloré qui permet de visiter le Maroc, le Mali, le Burkina Faso, le Niger et la Côte-d'Ivoire à travers l'art. Tables bases sculptées dans le bois, plafonniers en forme d'oiseau, bijoux, sculptures, tapis, instruments de musique, services à thé marocain, peintures batik, chaussures en cuir, tous ces objets ont une petite odeur de justice sociale.

DIX MILLE VILLAGES
4128, Saint-Denis
514-848-0538
www.dixmillevillages.com
Dim-mer de 10h à 18h, jeu-ven 10h à 21h, sam 10h-17h, dim 11h à 18h. V, MC & Interac.
Une enseigne équitable dont les engagements moraux et écologiques émaillent ostensiblement les murs de la boutique. Dans un local spacieux au design recherché, on vous renseignera sur les meubles, les bijoux, les jouets et les objets de décoration en provenance de pays en voie de développement.

Tout ce qui est vendu chez Dix mille villages est le fruit du talent d'artisans d'une vingtaine de pays d'Asie, d'Afrique et des Amériques. Les objets sont produits dans des conditions respectueuses de la dignité des travailleurs et de leur milieu de vie. On vous propose également les cafés à emporter ou à consommer sur place. L'organisation est sans but lucratif et les profits sont réinvestis dans d'autres projets. Certaines vendeuses sont même des bénévoles.

VENUS D'AILLEURS

C-CASSIA
3753, Wellington
514-362-8368
www.c-cassia.com
M° de l'Église.

On n'en revient toujours pas … Nous sommes vraiment très fiers d'avoir déniché cette boutique de bijoux, sacs, foulards et batiks aux influences asiatiques. Beaucoup des produits sont dessinés directement par C-Cassia. Le rapport qualité-prix est renversant. Le secret des propriétaires ? Se rendre directement en Asie, auprès de producteurs qu'ils connaissent bien et revenir avec les meilleurs produits. Les colliers en perles, des bijoux en argent, des colliers en jade, des perles vendues à l'unité … Les pashmina d'une grande qualité ne coûtent vraiment pas cher. Les batiks, achetées directement aux Miao, un peuple dispersé entre la Chine, le Vietnam, le Laos et le Cambodge décorent à merveille une chambre à coucher. Les vêtements, également dessinés à Montréal, sont très intéressants. Bref, courrez-y !

PIERRES D'AILLEURS
4377, Saint-Denis
514-849-9311
Entre Mont-Royal et Marie-Anne. Lun-mar-mer de 11h à 18h, jeu-ven de 11h à 21h, sam de 11h à 17h et dim de 12h à 17h. V, MC, Interac & comptant.

Une odeur d'encens enivre cette caverne d'Ali Baba, qui déborde de trésors et d'objets inusités. Les collectionneurs et les amateurs de pierres seront ravis d'y découvrir des pierres de collection, des fossiles et des échantillons de roches et de minéraux. Les pierres précieuses sont disponibles à l'état brut ou montées sur différentes sortes de bijoux. L'argent du Népal, le bois et l'os de la Thaïlande et des objets provenant d'artisans d'ici, québécois et amérindiens, sont à l'honneur. Plusieurs modèles de trolls, au regard parfois effrayant ou sympathique, attirent la curiosité. Une autre petite trouvaille originale de chez Pierres d'ailleurs : des bougies d'oreilles. On installe une première bougie sur une oreille, et l'on allume l'extrémité. Bien sûr, le tout se déroule la tête penchée. Répétez avec l'autre oreille. Résultat ? Cela nettoie les oreilles.

UN MONDE INC.
1317, Mont-Royal E
514-521-2664
M° Mont-Royal. Entre les rues Chambord et Lanaudière. Dim-mer de 10h à 17h, jeu-ven de 10h à 21h, sam de 10h à 18h.
V, MC, Interac & comptant.

Un monde inc., c'est la certitude de trouver quelque chose d'exotique pour décorer la maison. L'espace est comblé dans cette petite boutique remplie d'objets tous différents les uns des autres, et où le plafond déborde de lampes et de bougeoirs. On y trouve des draperies orientales, des coussins colorés, des couvre-lits, des bijoux, des vêtements et des meubles. Provenant du Maroc, de la Chine, de l'Asie du Sud-Est, du Tibet, de la Thaïlande ou du Pakistan, ces trésors sont somptueusement présentés. Prenez votre temps pendant votre visite, car vous y ferez de véritables découvertes. Tous les recoins de la boutique emmènent la clientèle à passer par-dessus un voile pour découvrir les masques des dieux ou la sculpture en bois du dieu tibétain. C'est une véritable exploration de l'Orient en direct de l'avenue du Mont-Royal. Bonne escapade.

GIRAFFE
3997, Saint-Denis
514-499-8436

M° Sherbrooke ou Mont-Royal. Lun-mer de 10h à 18h, jeu-ven de 10h à 21h, sam de 10h à 17h, dim de 12h à 17h. V, MC, AE & Interac.

Giraffe propose au néophyte une belle exploration en terre africaine. La propriétaire fait le tour d'une grande partie du continent pour en ramener les plus beaux objets, bijoux ou décorations. Quelques exemples : des bijoux berbères du Sahara, des boucles d'oreilles en argent, immenses, incrustées de pierre, des statues en ébène du Kenya, de très jolies cartes postales… Les percussions faites de bois et de perles raviront les musiciens. Le plus original (et notre coup de cœur !), c'est la grande pièce au fond. Le cache sexe ancien (qui n'est pas à vendre) nous a certainement fait sourire, tout comme le ventre rond fait en bois, supposé aider les femmes à tomber enceinte. Les masques tantôt drôles, tantôt effrayants sont une invitation à découvrir ce continent.

KALAE
1600, Marie-Anne
514-528-9343
Angle Marquette. Mer-ven de 12h à 18h, sam de 12h à 17h, dim de 12h à 16h. Fermé lun-mar, avec possibilité de prendre rendez-vous.
V, MC, Interac et comptant.

Un autre monde, une autre époque et surtout une culture millénaire. La Chine impériale est racontée à travers cette boutique. L'odeur ancienne de bois remplit les narines et la tête d'images historiques. Les meubles exposés sont centenaires et font découvrir la Chine par ses différentes régions : Zhejiang, Shanghai, Shandong et bien d'autres. Carafes, chaises et tabourets provenant d'Afrique aussi, pour ceux dont le portefeuille ne permet pas d'acheter une armoire à 5 000 $! Originaux et reproductions. L'artisan, explique-t-on, utilisera ou a utilisé particulièrement le pin et l'orme, donnant ainsi de la vigueur et une teinte rouge aux meubles.

UN DÉTOUR EN PROVENCE
1328, Beaubien E
514-279-4528

M° Beaubien. Lun-mer 10h-18h, jeu-ven 10h-20h, sam 10h-17h, V, MC, Interac & comptant.

Dès qu'on passe le seuil de la porte de cette boutique, une chaleur toute particulière nous envahit. Les couleurs de la Provence sont mises en valeur et la fascination pour ce coin de France opère. Le choix de nappes déjà coupées est généreux, et des rouleaux de tissu attendent que vous donniez les mesures de votre table pour être taillé. Il y a de tout pour garnir la table ; des assiettes de céramiques, des verres, des accessoires Ricard et même d'excellentes huiles d'olive AOC. Les savons de Marseille sont vendus à petits prix et les poupées Fanette raviront les enfants. Entre les herbes de Provence et les produits d'épicerie fine, le choix ne manque pas pour les idées-cadeaux.

TURQUOISE DÉCOR
4461, Saint-Laurent
514-286-6161
Angle Mont-Royal. Lun-mer de 10h à 18h, jeu-ven de 10h à 18h, sam-dim de 12h à 18h.
V, MC, AE, Interac & comptant.

Les meubles voyagent de l'Orient à l'Occident. Ramener un coin de pays, ça vous dit ? Un peu d'Inde, de Chine, du Pakistan, du Tibet, de l'Indonésie…un tour du monde en quelques minutes ! Quelques accessoires proviennent du Maroc et de Thaïlande aussi. Les meubles indiens sont des pièces anciennes recyclées. C'est le cas, par exemple, d'un vieux cadre de porte transformé en armoire ou de fenêtres tibétaines devenues des miroirs.

SUKA SUKA
4639, Saint-Laurent
514-844-1118
www.sukasuka.ca
Angle Mont-Royal. Lun-mar de 11h à 18h, mer de 10h à 15h, jeu-ven de 10h à 20h, sam de 10h à 17h, dim de 11h à 17h. Interac & comptant.

Un petit goût d'ailleurs dans cette boutique fort sympathique, qui se spécialise dans la vente de fauteuils en teck et en cuir (dont les nombreux

modèles sont tous aussi jolis les uns que
les autres). Suka Suka propose des objets
d'importation que l'on ne risque pas de
trouver ailleurs. Des fauteuils de rotin,
des tapis de bois, des paniers et sacs
fabriqués en rotin pour la plupart, des
stores en bois, de grands vases décoratifs
en porcelaine, des peintures batiks
(sur tissus) montées sur un cadre, mais
aussi des assiettes et de grands bols de
cuisine en terre cuite. Vous y trouverez
également de beaux grands miroirs
décoratifs qui donnent de la profondeur
à une pièce.

CADEAUX INSOLITES

CRUELLA
63, Mont-Royal E
514-844-0167
www.cruella.ca
M° Mont-Royal, angle Saint-
Dominique. Lun-mer de 10h30 à
19h00, jeu-ven de 10h30 à 21h00,
sam-dim de 11h00 à 17h00. Interac.
Conformistes s'abstenir. Voici le repaire
des amateurs de tenues insolites et sexy.
La famille Adams viendrait refaire
sa garde-robe ici. Le décor est conçu
dans l'esprit gothique, un cercueil
trônant au milieu de la boutique. Bas
toile d'araignées, cuissardes aux talons
vertigineux, superbes lingeries, les belles
vampires y dénichent leurs meilleurs
appâts. Accessoires en cuir et tout le
bataclan. Une faune particulière s'y
retrouve. Cette boutique recèle une foule
de trésors, à des prix plus que généreux.
Le look final est du tonnerre. Assez
époustouflant pour valoir le détour,
encore plus pour y dépenser ses deniers !

MORTIMER SNODGRASS
209, Saint-Paul O - 514-499-2851
457, Victoria, à Saint-Lambert - 514-
465-5252
www.mortimersnodgrass.com
Lun-mer 10h-18h, jeu-ven 10h-21h,
sam 10-17h, dim 11h-18h,
V, MC, comptant & Interac
Attention ! Une visite chez Mortimer
Snodgrass est toujours plus longue
que prévu... L'exploration des lieux est
ludique, teintée de folie et placée sous

le signe de l'humour. L'originalité des
objets qui y sont vendus incite à flâner
pour prendre le temps de découvrir la
panoplie d'idées-cadeaux : vêtements,
bijoux, accessoires pour animaux,
décoration, jeux et jouets, objets pour
la maison, etc. Les vêtements pour
bébés et pour enfants ont été notre
coup de cœur. Des livres rigolos,
imagés et agréablement inutiles y sont
aussi vendus (en anglais seulement).
Depuis l'ouverture de la boutique, les
propriétaires des lieux déploient des
efforts soutenus pour dénicher des
créations que vous ne trouverez nul part
ailleurs, alors profitez-en ! Livraison
possible partout à travers le monde.:

ÉLYSE DE LA FONTAINE
514-807-0436
www.elysedelafontaine.com
Points de vente :
Galerie Elena Lee
1460 Sherbrooke Ouest
514-844-6009
& Galerie des métiers d'art du
Québec du Marché Bonsecours

350 Saint-Paul Est
514-878-2787 poste 2
Il y a une touche de magie dans chaque
création d'Élyse de la Fontaine. Cette
artiste vous propose des sculptures
textiles uniques faites de plumes et
de crins de cheval teints et tissés,
précieusement encadrées dans un
boîtier de plexiglas. De quoi décorer
superbement votre demeure ou votre
bureau. Élyse de la Fontaine conçoit
aussi de très originaux chapeaux pour
dames, ainsi que des colliers et des
bracelets en crin de cheval teint, sa
matière fétiche. Pourquoi ce matériau?
Selon la créatrice, il correspond
dans l'opinion publique à une
élévation spirituelle.

ZED OBJETS

4109, Saint-Laurent
514-845-0333
M° Saint-Laurent, bus 55. Lun-mer de
11h à 18h, jeu-ven de 11h à 21h, sam de
11h à 18h, dim de 12h à 18h.
V, MC & Interac.
Saint-Laurent recèle de jolis petits
magasins. Zed Objets en fait partie.
Cette boutique de la vie urbaine est
remplie d'objets art-déco, de vaisselle,
d'accessoires décoratifs en tous genres,
ainsi que de bijoux fantaisies et surtout
de sacs à mains aux couleurs et aux styles
différents. Bref, hommes et femmes y
trouveront des accessoires et des objets,
toujours humoristiques ou stylisés.
Les clients vont du bébé à la mamie.
Beaucoup de gadgets pour la cuisine et
la salle de bain, ainsi que des sacs à main
super sympa.

L'ESPLUMOIR DE MERLIN

7513, Saint-Hubert
514-270-6444
www.esplumoir.com
M° Jean Talon, angle Bélanger. Lun-
mer de 10h à 17h, jeu-ven de 10h à
21h, sam de 10h à 17h et dim de 12h à
17h. V, MC, Interac & comptant.
Située sur la Plaza Saint Hubert, cette
boutique médiévale enchantera tous les
amateurs de ce style. Des vêtements aux
objets de décoration, les amoureux de
cette noble époque apprécieront cette
adresse. La maison travaille avec des
artisans québécois, loue et confectionne
également des costumes ainsi que des
accessoires et de la décoration intérieure
sur mesure. Pour ceux qui rêvent d'un
mariage médiéval, l'équipe du Merlin se
fera un plaisir de réaliser votre rêve à des
prix forts intéressants. Excellent service
à la clientèle.

RIVE-SUD

IL ÉTAIT UNE FOIS...

420, Victoria, Saint-Lambert
450-466-3818
www.iletaitunefois.com
Lun-mer de 10h à 18h, jeu-ven de 10h
à 21h, sam de 11h à 17h, dim de 12h à
17h. Toutes CC & Interac.
Tous (ou presque) les gadgets et babioles
de vos personnages préférés des bandes
dessinées s'y retrouvent. Tintin y côtoie
Mafalda, Astérix y combat les Romains.
En plus, un assortiment d'objets étranges
de griffe locale, pour parfaire la démence
décorative. Il vous est maintenant
possible de consulter leur catalogue et de

commander sur Internet, mais une visite vaut la peine… Ne serait-ce que pour attraper le virus passionnel des proprios pour ces « machins-trucs » rigolos. On y offre même un service d'aménagement et de décoration intérieure.

FLEURS

FLEURS SUR INTERNET
Le fleuriste : www.lefleuriste.com
1-800-263-4212
Bloomex : www.bloomex.ca
514-312-5366 / 1-888-912-5666
Pour la livraison de fleurs partout au Canada et aux États-Unis, référez-vous à ces deux sites Internet. Très détaillés, ils proposent un nombre impressionnant de produits : bouquets de fleurs, paniers de fruits frais, chocolats, adaptés à tous les évènements. Des photographies de chaque item sont disponibles pour vous aider à faire un choix éclairé. La livraison de la composition florale de votre goût peut s'effectuer la journée même, à condition que la commande soit passée avant 13h. Bloomex livre gratuitement du lundi au vendredi, alors que Le fleuriste facture un surplus de 9,50 $ en tout temps pour l'acheminement de votre commande. Si l'inspiration vous manque, le classement des bouquets par type d'occasion risque de vous être bien utile. Les arrangements floraux sont plus sophistiqués sur le site du détaillant Le fleuriste. C'est aussi là que l'on trouve l'idée la plus originale : l'impression d'un message ou d'un logo sur une rose blanche. Séduction garantie !

MARIE VERMETTE
801, Laurier E
514-272-2225 / 1-877-272-2226
www.marievermette.com
Mº Laurier, angle Saint-Hubert. Lun-mer 9h-18h, jeu-ven 9h-19h, sam de 9h-17h, dim fermé.
Service de livraison dans Montréal et sa banlieue, ainsi qu'à travers le monde avec Téléflora. Une ravissante boutique où diverses odeurs de fleurs fraîches s'entremêlent, des plus exotiques aux plus traditionnelles. Le personnel réalise de très beaux bouquets originaux dignes d'agrémenter les grandes occasions de la vie comme les mariages ou encore les banquets, ou apporter une touche de romantisme dans des soupers plus intimes…

ZEN
1039, Mont-Royal E
514-529-5365
Mº Mont-Royal et bus 97. Lun-mer de 9h à 18h, jeu-ven de 9h à 19h, sam de 9h à 17h et dim de 10h à 17h.
V, MC, Interac & comptant.
Zen et le pouvoir des fleurs. Une boutique à l'ambiance sympathique et amicale. Trois grandes tables d'un côté pour les arrangements. Ça sent bon les fleurs et les plantes. Différents modèles de vases, transparents ou en couleurs. Possibilité de faire un arrangement floral ou un bouquet. La différence ? L'un sera arrangé avec les fleurs, mais aussi les branches et les feuilles pour un résultat plus artistique agrémenté d'un pot en céramique (non-inclus dans le prix). L'autre sera composé de fleurs coupées dans un vase ou entourées d'un papier décoratif. La livraison est gratuite pour les bouquets qui coûteront plus que 30 $.

BLUME
4815, Saint-Laurent
514-543-5526
www.blumefloral.ca
Mº Laurier, lun-mer 9h-18h, jeu-ven 9h-19h, sam 10h-17h, dim 12h-17h,
V, MC, Interac & comptant.
Plus qu'une simple boutique de fleurs, Blume est aussi l'atelier de création de l'artiste-concepteur floral Mario Godin. Sophistiquée, chic et différente, cette adresse saura ravir les plus exigeants. L'équipe de Mario Godin confectionne avec talent et créativité des arrangements floraux d'une beauté remarquable. Pour les évènements spéciaux, laissez parler le « savoir-fleur » de Blume ! Et visitez les yeux grands ouverts la très belle boutique qui regorge de plantes et de fleurs exotiques. Tout y est lumineux de beauté ; même les cache-pots en céramique ne manqueront pas de vous séduire. Blume fait aussi des installations

« archi-fleuri-texturales » visant à rehausser la décoration intérieure des restaurants et des entreprises. *Livraison à Montréal et sur la Rive Sud et la Rive-Nord.*

RIVE-NORD

LE PARADIS DES ORCHIDÉES

1280, Montée Champagne, Sainte-Dorothée, Laval
450-689-2244
www.leparadisdesorchidees.com
Ts les jours 9h-17h.
Interac et argent comptant.

Ouverte au public à l'année longue, cette serre d'orchidées est le plus important producteur d'orchidées dans l'Est du Canada. On y retrouve des centaines d'orchidées différentes, certaines ayant été primées lors de concours et étant exposées pour le délice des yeux. Bien sûr, ceux qui veulent repartir avec un joli cadeau le peuvent aussi. Les prix varient grandement, allant de 10 $ à des montants frisant presque les trois chiffres.

VINS

AUX PLAISIRS DE BACCHUS

1225, Bernard O
514-273-3104
www.auxplaisirsdebacchus.com
M° Outremont. Fermé dimanche.
Lun-mer de 10h à 18h, jeu-ven de 10h à 20h, sam de 10h à 17h.
V, MC & Interac.

Si votre chum est un adepte de Bacchus sans le tonneau, ne tournez pas autour de la bouteille trop longtemps pour lui offrir le cadeau de ses rêves. Une belle collection de verres à vin et à porto, des carafes superbes, des verres de dégustation dont les Impitoyables. À l'entrée de la boutique, un rayon consacré aux guides et aux magazines spécialisés. L'autre point fort de la boutique, c'est la possibilité de faire fabriquer son cellier ou sa cave sur mesure. Accueil très professionnel.

12 DEGRÉS EN CAVE

367, Saint-Paul E
514-866-5722
www.12encave.com
M° Champ-de-Mars. Llun-mer 10h-18h, jeu-ven 10h-19h, sam 10h-18h, dim 11h-17h,
V, MC, Interac & comptant.

Le vin est l'unique produit célébré par cette boutique située derrière le marché Bonsecours. De la conservation du vin jusqu'à sa dégustation, soyez assuré que 12 degrés en cave s'occupe de tout. L'ensemble des produits est proposé dans un vaste et chaleureux espace qui fera rêver les connaisseurs, et les néophytes. Vous y trouverez une collection exclusive d'accessoires consacrés au service et à la dégustation du vin, tels les tire-bouchons et les couteaux de la marque Laguide en Aubrac, et de nombreux objets de verre. Le personnel des lieux est passionné et vous conseillera dans le choix d'un cellier de petite ou grande capacité, ou encore dans l'entreposage de vos bouteilles dans les voûtes à atmosphère contrôlée que possède le magasin. Un service de conception et d'aménagement de cave à vin est proposé à ceux qui désirent se lancer dans l'aventure. Le magasin n'est toutefois pas réservé qu'aux objets haut de gamme Il contient aussi des idées-cadeaux, des livres spécialisés et des objets de décoration comme des plaques de marbre à l'effigie des grands vins. Livraison possible partout à travers le monde.

VINUM DESIGN

1480, City Councillors
514-985-3200
www.vinumdesign.com
Lun-mer de 10h à 18h, jeu-ven de 10h à 21h, sam de 9h à 17h, dim de 12h à 17h. V, MC & Interac.

Une belle adresse pour tout amateur passionné du nectar divin. Des verres sous toutes les formes, une sélection de cellier d'appartement se retrouvent ici. Pour les plus fortunés, côté immobilier, un service de construction de cave à vin réputé est disponible. Une clientèle d'affaires y gravite.

Futons fabriqués à la main au Québec depuis 1981
www.futondor.com

VIN & PASSION

1910, Pierre-Péladeau,
Centropolis, Laval
450-781-8467
www.vinetpassion.com
Lun-mer 10h-18h, jeu-ven 10h-21h,
sam 9h-17h, dim 12h-17h.

Cet antre de la viniculture satisfera certainement les passionnés, mais il peut aussi être intéressant aussi pour les dilettantes. L'endroit est gigantesque, car tous les articles associés à la consommation du vin ou de l'alcool s'y retrouvent: celliers, sabreurs à champagne, flasques, livres spécialisés... Que vous y alliez pour un service à fromage, pour louer un cellier, ou simplement pour le conseil d'un expert, un petit coup d'œil vaut la peine. Des ateliers sur l'art de choisir, de traiter et de profiter au maximum de ses vins sont offerts par la maison. Des dégustations se font aussi sur place lors de visites, ou même lors de cours spéciaux.
Autre boutique sur la Rive Sud aux
Promenades Saint-Bruno
(450-653-2120).

MAISON

AMEUBLEMENT

FUTON D'OR

3855, Saint Denis
514-499-0438
www.futondor.com

M° Sherbrooke, angle Roy. Lun-mer
10h-18h, jeu-ven 10h-21h, sam 10h-
17h, dim 12h-17h. V, MC & Interac.
Un futon fait au Québec ? C'est avec étonnement que nous avons découvert que chez Futon d'Or, tous les futons étaient fabriqués à Gatineau. Contrairement à ce que l'on pourrait préjuger, les prix restent très raisonnables. Disons même plus : les propriétaires garantissent le meilleur prix en ville, à qualité égale bien sûr. En furetant chez les compétiteurs, ils se renseignent au mieux afin de tenir leur promesse. Autre gage de qualité : la garantie à vie pour les futons (couture, déplacement de mousse etc.). La large gamme de produits va du futon-divan pour étudiants à partir de 300 $ (housse et livraisons incluses) au futon de très grande qualité, que l'on peut utiliser pour dormir tous les soirs. Pour ceux préférant une literie plus traditionnelle, optez pour les matelas en latex. C'est ce qu'on fait de mieux dans le domaine du lit. Autre plus : le choix des housses. De très belle qualité, elles sont généralement lavables en machine. Les coloris partent du classique monochrome à l'imprimé chinois en passant par l'africain, le brodé etc. Les coussins et les rideaux assortis sont également en vente.

BILTMORE

4419, Saint-Laurent
514-288-7632
M° Mont-Royal. Lun-mer de 10h à 18h,
jeu-ven de 10h à 21h, sam de 10h à
17h, dim de 12h à 17h.
Malgré la grande sobriété du local,

MAGASINAGE

cette entreprise est sans contredit une référence dans le monde de l'ameublement décoratif à Montréal. Les magazines de décoration qui reposent sur les tables de la boutique en font foi : Biltmore est cité ici et là, à travers les pages de papiers glacés. Outre les ensemble de salle à manger qui y sont vendus, la spécialité de la maison demeure les canapés et les fauteuils, proposés sous toutes les formes et les couleurs. Certaines pièces sont vraiment originales ; prenez le temps de vous asseoir et de savourer des yeux les courbes design des canapés. Les tableaux exposés sur les murs ajoutent une touche plus intimiste à l'espace-boutique.

CÔTÉ SUD

4338, Saint-Denis - 514-289-9443
4412, Saint-Laurent - 514-842-2605
www.cotesud.ca
Lun-mer 10h-18h, jeu-ven 10h-21h,
sam-dim 10h30-17h30.
V, Interac & comptant.
D'abord spécialisée dans les accessoires de décoration de cuisine et de salle de bain, cette boutique est aujourd'hui essentiellement axée sur le mobilier, et plus particulièrement les chaises, fauteuils, lits et ottomanes. Le tek en particulier y est à l'honneur, directement importé d'Indonésie et des Philippines. Tous les modèles sont modifiables, plusieurs coloris sont au choix, et environ 3 000 tissus sont disponibles en magasin. D'autre part, l'atelier étant situé non loin, il est possible de commander des meubles sur mesure. Ce n'est pas donné, mais c'est fait pour durer.

INTERVERSION

4273, Saint-Laurent
514-284-2103
www.interversion.com
M° Mont-Royal. Lun-mer de 10h à 18h,
jeu-ven de 10h30 à 21h, sam de 10h30
à 17h. Fermé le dimanche.
Les pièces exposées détournent le mobilier du design conventionnel. L'art devient fonctionnel. Cet immense magasin est entièrement consacré aux designers québécois et aux meubles de la ligne Interversion. De l'extérieur, la

gigantesque lampe d'environ 7 pieds de haut étourdit, étonne et surtout, attire. Les tableaux longent les murs, les œuvres s'alliant parfaitement avec ce décor qui semble tout droit sorti d'un film de science-fiction. Un véritable défilé de mode à des prix abordables pour la qualité et l'originalité des collections. Les meubles peuvent être conçus sur demande et ils sont tous adaptables. Interversion possède un atelier qui permettra au buffet de vos rêves d'entrer dans votre minuscule salon. Les amoureux du bon goût et de la matière qui tiennent la boutique sont là pour vous conseiller et vous aider dans vos choix. Les meubles sont livrés et installés. Avant d'acheter, ce magasin reste un plaisir pour les yeux et l'imagination. Rien à redire, c'est parfait.

MEUBLES MODERNO INTERNATIONAL INC.

4268, Saint-Laurent
514-842-4061
Entre Mont-Royal et Rachel. Lun-ven
de 10h à 18h, sam-dim de 10h à 18h.
V, MC, Interac & comptant.
Une boutique d'aménagement intérieur pour les adeptes du moderne et du classique. Meubles de tous genres pour agrémenter la maison. Aspect très urbain dans les architectures. Services personnalisés de design intérieur, clé en main, gestion de projet et atelier de conception. Une adresse à retenir pour ceux dont le portefeuille permet de se gâter. Surtout, de se faire gâter en laissant aux designers d'intérieur le soin d'aménager votre cocon à votre goût. Et ce, sans vous casser la tête !

MOBILIA

625, de Maisonneuve
514-848-0923
www.mobilia.ca
M° McGill. Lun-mer de 10h à 19h, jeu-
ven de 10h à 21h, sam de 9h30 à 17h
et dim de 11h à 17h.
V, MC, Interac & comptant.
Des meubles d'un cachet quasi-décadent, où le luxe s'étale avec une langueur rarement si opulente. Bien sûr, pareil déploiement ne plaira pas à tous les

goûts. Pour les amateurs, de belles trouvailles en perspectives qui ont de plus la grâce d'être des exclusivités. Les inventaires ont tendance à disparaître plutôt rapidement, surtout en période de « re-décoration ». Une recette assurée pour semer le trouble et l'envie chez les voisins.

MONTAUK

4404, Saint-Laurent
514-845-8285
www.montauksofa.com
M° Mont-Royal. Lun-mer 10h-18h, jeu-ven 10h-21h, sam 10h-17h, dim 12h-17h.

Chaque jeune fille bien née rêve de se blottir un jour dans un sofa Montauk, toujours bourré de plumes, produit sur mesure pour sa pièce préférée et recouvert du tissu de son choix. Dans leur atelier magasin, on redécouvre la qualité des fauteuils et canapés, de cette chaîne montréalaise qui a ouvert plusieurs autres boutiques au Canada et aux États-Unis. Avec beaucoup d'attention, on remarque la vaste étendue des modèles qui se réunissent autour du thème du confort. Les antiquités françaises fraîchement arrivées s'allient bien avec la sobriété des canapés. Il faut aimer le style moderne et être prêt à y mettre le prix.

STRUCTUBE

3782, Saint Denis
514-282-1666
www.structube.com
Lun-mer de 10h à 18h, jeu-ven de 10h à 21h, sam de 9h à 17h, dim de 12h à 17h. Livraison : 35 $.

Cette boutique d'ameublement et de décoration vaut le détour ! Le mobilier est véritablement design mais les tarifs y sont très abordables compte tenu de la qualité de ce qui vous est proposé, et très compétitifs comparés à d'autres enseignes plus connues. Vous pourrez aménager votre intérieur grâce à la diversité des articles : tables, lits, commodes, consoles, chaises, canapés, fauteuils, lits, bureaux… sans compter les lampes et tous les objets de décoration. Chacun y trouvera son

MAGASINAGE

La rue Notre-Dame Ouest

La rue Notre-Dame Ouest est l'épine dorsale du quartier des Antiquaires, compris entre les rues Peel et Atwater. C'est sur cette rue de Montréal que se trouve la plus grande concentration d'antiquaires au Canada. Les premières boutiques de brocante s'y sont installées dans les années 1970. Par le passé, la rue Notre-Dame a été une importante route pour le commerce de fourrures, car elle permettait de relier la Ville de Montréal à sa voie maritime : le fleuve Saint-Laurent. Entre 1880 et 1910, le développement du quartier ouvrier transforma l'artère en rue commerciale. Banques, bureaux de poste, bibliothèque et magasins divers s'y installèrent, ainsi que le Théâtre Corona et le Marché Atwater (qui y sont toujours). Le quartier des Antiquaires a été durement touché par le conflit syndical qui opposa l'industrie du cinéma local au géant Hollywoodien, en 2006. Les tournages américains se faisant moins nombreux, une vingtaine de boutiques d'antiquités fermèrent leurs portes parmi la soixantaine que comptait la rue. Heureusement il en reste encore beaucoup d'ouvertes aujourd'hui ! Prenez le temps de les visiter en faisant un détour par le Canal de Lachine, juste à côté.

---

bonheur. Certains meubles sont livrés en kit : monter les quatre pieds des tables à café ou de la table à dîner, ainsi que les chaises etc., mais ce n'est pas sorcier... Soyez rassurés, les canapés arrivent en un seul morceau ! À découvrir absolument !
Autres adresses : 289, Sherbrooke O, (angle du Parc), 514-844-4608 ; 1450, Sainte Catherine O, (angle Mackay), 514-393 8782.

RIVE SUD

LÉON

3386, Taschereau, Greenfield Park
450-466-9400
www.leons.ca
Lun-ven de 10h à 21h, sam de 10h à 17h, dim de 11h à 17h.
Toutes CC, chèques & Interac.
Vaste entrepôt du meuble qui s'adresse à tous les budgets. Une sélection incroyable d'ensembles de salles à dîner et de chambres à coucher, mais toujours selon l'optique de la rectitude stylistique. La qualité transpire et le personnel sait cultiver l'intérêt de la clientèle. Pour les électroménagers, on remarque une nette prédominance de la marque Frigidaire, une référence. Service après-vente adéquat, et garanties prolongées disponibles. Livraison rapide assurée.

ANTIQUITÉS

GALERIE ART SÉLECT

6300, du Parc, Local # 518
514-273-7088
www.artselect.ca
Mar-mer de 10h à 17h, jeu-ven de 10h à 21h, sam de 10h à 17h. Fermé dim-lun. V, MC, Interac & comptant.
La Galerie Art Sélect est une boutique qui importe des meubles français de haute qualité. Depuis 25 ans, elle offre aux férus de l'antiquité européenne une gamme de reproductions de meubles de l'époque classique. Les professionnels sur place se font un plaisir de répondre à toutes vos interrogations sur l'origine et la qualité du meuble en question. Chaque année, les propriétaires se rendent à Paris pour choisir des pièces uniques. Possibilité de faire une commande personnalisée d'un item. Vous retrouverez du Louis XV, XVI, Louis-Philippe et bien d'autres tous fabriqué de merisier français.

RÉTRO-VILLE

2652, Notre-Dame O
514-939-2007
M° Lionel-Groulx. Mar-sam 10h30-17h. Fermé dim-lun.
V, MC, Amex, Interac & comptant.

En passant la porte de ce bazar, laissez-vous porter par la nostalgie du buste en or d'Elvis qui trône en haut de la caisse. Les années cinquante et soixante revivent dans cet espace surchargé de souvenirs et d'objets rétro. Il y a peu de place pour circuler entre les bacs de vieux magazines Maclean's, Time et Paris Match et les étagères de bibelots et de vieilles bouteilles. Mais les nombreux objets issus de la culture pop sont très bien classés chez Rétro-Ville. Il y a de quoi décorer son chez-soi avec d'anciennes publicités, de la vaisselle Coca-Cola, d'authentiques lampes sixties et quelques belles poupées. Les amateurs de sports vont y trouver des objets de collection du Canadien de Montréal et du défunt club de baseball des Expos.

Y. PHILIPPE HARVEY ANTIQUES

2518, Notre-Dame O
514-846-1487
Mº Lionel-Groulx, lun-sam 11h-17h, fermé dim.
V, MC, Amex, Interac & comptant.

Voilà un antiquaire qui ne cache pas définitivement pas son goût du luxe ! Spécialisée dans les luminaires et les meubles d'époque, cette adresse plaira aux collectionneurs d'objets riches et distingués. Le plafond du commerce donne dans l'opulence et expose plusieurs dizaines de lustres dorés ou ornés de cristal. Les chandeliers muraux et les lampes de chevet qui y sont vendus sont magnifiques. Dans cette ambiance baroque qui célèbre les fioritures, n'oubliez pas de voir les antiques meubles en bois, qui sont plus discrets mais qui ont très bien résisté au passage du temps. C'est aussi l'adresse tout indiquée si vous cherchez à restaurer d'anciennes lampes.

ANTIQUITÉS BEAULÉ

2440, Notre-Dame O
514-931-2507
Mº Lionel-Groulx, lun-sam 10h-17h, fermé le dimanche.
V. MC, Amex & comptant.

C'est une visite digne de celle d'un musée du meuble ancien que vous proposent les antiquaires Neil Clément et Marc Beaulé. À cette adresse, les meubles en tous genres sont si bien disposés que l'on a l'impression de circuler entre les pièces d'un château. Le luxe est au rendez-vous, et il permet de décorer toute la maison, à condition d'en avoir les moyens ! Le plus intéressant sont les gros morceaux : des tables de salle à manger prêtes à accueillir une dizaine de convives, et de superbes buffets faits de bois et de marbre. Des fauteuils style Louis XIV y sont aussi vendus, ainsi que des lampes, des miroirs et des chaises de cuisine.

ZOFIA

2455, Notre-Dame O
514-932-6188
Mº Lionel Groulx, lun-sam 11h-16h30, fermé le dimanche.
V, MC, Interac & comptant.

Pierres précieuses, diamants, dentelles : voici l'adresse la plus féminine parmi toutes celles du quartier des antiquaires. Entre les bijoux et la vaisselle vendus chez Zofia, le cœur des dames balance. Les parures anciennes (colliers, camés, broches, bagues, boucles d'oreille) sont à la fois riches et sobres, et la vaisselle en porcelaine ou en argent est superbement ornementée. Il y a un peu de tout pour la table : assiettes, services à thé, couverts. Les murs exposent de très beaux encadrements d'anciennes peintures et photographies. La boutique, bien que petite, offre un éventail assez diversifié d'objets de décoration.

ARTS DE LA TABLE

L'AROMATE

1106, Mont-Royal E – 514-521-6333
1133, Fleury E - 514-384-1555
Lun-mer de 10h à 18h, jeu-ven de 10h à 21h, sam de 10h à 17h, dim de 12h à 17h. V, MC & Interac.

Le dépaysement sur une note très raffinée est la norme dans les deux établissements de l'Aromate. Que ce soit la collection de vaisselle représentant un olivier sur un fond jaune ou les théières orientales, les objets pour la table constituent de parfaits cadeaux pour les autres … ou pour soi ! Puisqu'on y est, autant en profiter pour faire l'acquisition d'une belle poivrière. Ne pas oublier les produits alimentaires, de grande qualité. De belles huiles et vinaigres aromatisés sont vendus en bouteille ou en vrac. Les prix en vrac sont très intéressants. Des confitures de l'île d'Orléans et tartinades au chocolat feront le bonheur des plus gourmands.

ARTHUR QUENTIN
3960, Saint-Denis
514-843-7513
www.arthurquentin.com
M° Sherbrooke ou Mont-Royal, angle Roy. Lun-mer de 10h à 18h, jeu-ven de 10h à 21h, sam de 10h à 17h30, fermé dim. V, MC, AE, Interac & comptant.
Les futurs jeunes mariés passent généralement par cette boutique pour dresser leur liste de mariage. Chez Arthur Quentin, c'est la grande classe, vaisselle rutilante, verres en cristal étincelants, ustensiles pour ceux et celles qui aiment que la table soit belle. Plusieurs marques européennes sont disponibles.

AU PRINTEMPS
4395, Saint-Denis - 514-845-0155
1110, Bernard O - 514-271-9851
M° Mont-Royal, Entre Mont-Royal et Rachel. Lun-mar-mer de 10h à 18h, jeu-ven de 10h à 21h, sam de 10h à 17h, dim de 12h à 17h.
V, MC, Interac & comptant.
Boutique proposant principalement divers accessoires pour la cuisine et la salle de bain. Autres petits gadgets étranges également disponibles, comme le distributeur de céréales Zevro ! Cette petite machine, conçue comme un distributeur de gomme, permet de remplir son bol de céréales avec la quantité désirée ! D'autres articles plus classiques permettront aux clients désireux de meubler leur salle de bain de rideaux de douche, de tapis ou autres objets. Pour mettre un peu d'éclat dans la cuisine, une spatule souriante, sortant sa langue, exposé sur la tablette, semble narguer malicieusement le client… Bref, une petite boutique remplie de trouvailles pour celui qui aime chercher

et trouver la perle rare - ou plus classique - pour orner son chez lui.

LA CORNUE
365, Laurier O
514-277-0317
Angle du Parc. Lun-mer de 10h à 18h, jeu-ven de 10h à 18h30, sam de 9h30 à 17h et dim de 12h à 17h.
V, MC, Amex, Interac & comptant.
Idées-cadeaux pour un mariage ? Le vôtre peut-être ? Depuis 1908, cette boutique est spécialisée dans les accessoires pour la cuisine…de luxe ! Vaisselles, casseroles, coutellerie de belle qualité, panier de paille décorative orné de pains à l'allure très nature, gadgets sophistiqués aux airs campagnards avec cette touche de bois et de paille un peu partout dans le décor. Le lieu est aménagé comme une cuisine avec de l'espace pour pouvoir tout regarder. Une gamme d'accessoires provenant de France, accessibles à un plus gros portefeuille.

LA MAISON D'ÉMILIE
1073, Laurier O
514-277-5151
www.lamaisondemilie.com
M° Laurier, angle Durocher. Lun-mer 10h-18h, jeu-ven 10h-21h, sam 9h30-17h, dim 12h-17h.
Cette boutique regorge de tout ce qu'il faut pour vous motiver dans la cuisine. Les plats en poterie signés Émile Henry, les ustensiles de tous les jours comme les moins communs, de la vaisselle (notamment des collections déclinées sur des thèmes, comme les fruits) et des accessoires design ou plus classique selon les goûts, du linge de maison et des objets de décoration. Et, que dire des tissus protégés (anti-tâches, donc ! Bien apprécié des mamans), des casseroles et des nappes de lin, importées de France ? Les amateurs de thé seront ravis d'apprendre que les produits Mariage frères sont vendus ici. En ce qui concerne les condiments, la Maison d'Émilie distribue les produits Cucina de la marque Fruits et Passions.

Restaurant la Casa Minhota

d'une qualité assez robuste pour la restauration, agrémentée d'une décoration aussi originale que délicate. Tagines, couverts, bols, ensembles pour le petit-déjeuner, c'est ce que l'on trouve sur les tablettes de cette boutique où la pureté du blanc est rehaussée d'une touche de couleur. Les pièces sont importées de France (Sarreguemines), du Portugal (Vista Alegre) et d'Italie (Missoni), pour ensuite être décorées à la main. Si la sobriété des motifs proposés n'est pas votre tasse de thé, demandez aux artisans d'appliquer sur la précieuse vaisselle des images qui vous représentent davantage. *Aussi : service de listes de mariage.*

RIVE SUD

PLEINE LUNE
402, Victoria, Saint-Lambert
450-672-5390
Lun-mer de 10h à 18h, jeu-ven de 10h à 21h, sam de 9h30 à 17h, dim de 10h à 17h. Toutes CC.
Faire de son cocon un nid douillet est une façon intelligente d'investir dans son sommeil. Depuis 1986, cette boutique propose en toute délicatesse des duvets et des housses, des draps, des oreillers, de la literie, des serviettes et des rideaux confectionnés avec un soin tout particulier. Les tissus proviennent des plus fins fabricants choisis à travers le monde. Tantôt les matières sont peintes à la main, tantôt elles s'ornent de broderies. La fine literie se parfume aussi à l'aide d'eau de linge, de brume d'oreiller et autres douces effluves disponibles en boutique. La salle de bain possède aussi ses accessoires de vanité qui se déclinent sous plusieurs tons.

DÉCO

CASA LUCA
1354, Fleury E
514-389-6066
Lun, mar, mer de 10h à 18h, jeu et ven de 10h à 21h, sam et dim de 10h à 17h.
Une boutique hautement acidulée ! Vert, jaune, orange et toutes une palette de couleurs acidulées font la notoriété de

LES TOUILLEURS
152, Laurier O
514-278-0008
www.lestouilleurs.com
M° Laurier puis Bus 51, angle de l'Esplanade et St-Urbain. Lun-mer de 10h à 18h, jeu-ven de 10h à 21h, sam de 10h à 17h, dim de 11h à 17h. V, MC & Interac.
Une boutique dédiée à l'art de la cuisine et tous ses accessoires. Tout ou presque pour cuisiner proprement et efficacement, des casseroles en passant par les appareils électroménagers, les ustensiles et les plats. Vous aimerez les petites trouvailles pratiques tels que le trancheur d'avocat, ou encore le bac isotherme pour garder vos plats au chaud. Une bonne adresse pour les professionnels, les amateurs ou tout simplement pour des idées cadeaux.

3 FEMMES ET 1 COUSSIN
783, Gilford
514-987-6807
www.3f1c.com
M° Laurier. Lun-mer, 10h-18h, jeu-ven, 10h-19h, sam, 10h-17h. V, MC, Interac & comptant.
Imaginez de la vaisselle en porcelaine,

cette boutique cadeaux. Rien de tel, un jour gris, qu'un tour à Casa Luca pour s'imbiber de couleurs joyeuses. Que ce soit pour la cuisine (sets de table, vaisselle, etc) ou pour la salle de bains (superbe collection de rideaux de douche) on se dégotera à coup sûr un petit cadeau. Les balles anti-stress rieuses et les couvre-téléphones à poils longs nous ont fait beaucoup rire.

CHEZ FARFELU
843, Mont-Royal E - 514 528-6251
838, Mont-Royal E – 514-528-8842
M° Mont-Royal. Lun-mer 10h-18h, jeu-ven 10h-21h, sam 10h-17h, dim 11h-17h.
V, MC, Interac & comptant.

Une avalanche de cadeaux, tous plus fantaisistes les uns que les autres. La vitrine, délicieusement décorée selon les saisons et les arrivages, est une explosion de couleurs. Bonne chasse dans la multitude de gadgets multicolores, qui se suspendent, se collent, se branchent, se mangent, changent de couleur etc. Tous les fantasmes décoratifs sont permis. Le succès de Farfelu s'est étendu jusque dans la cuisine et la salle de bain où tous les accessoires ont été relookées de pimpantes couleurs et formes bizarroïdes.

CURIO-CITÉ
3870, Saint-Denis - 514-286- 0737
81, Mont-Royal O - 514-282-0737
www.curiocite.com
Adresse sur Saint Denis : Mar-ven de 11h à 18h, sam-dim de 12h à 17h, fermé le lundi. Adresse sur Mont-Royal : lun-mer de 10h30 à 18h30, jeu-ven de 10h30 à 21h, sam de 10h à 18h30, dim de 11h à 18h.
V, MC, AE & Interac.

Une excellente adresse pour se procurer toutes sortes d'objets de décoration exotiques ou faire un cadeau à petit prix. Entrer dans la boutique, c'est tout d'abord une explosion de couleurs pour les yeux et puis c'est un peu partir à la chasse au trésor et découvrir la richesse créative de plusieurs pays. Tous les styles s'entremêlent. L'Asie est la mieux représentée avec un choix de masques en batik, de vaisselle en porcelaine et

d'ustensiles en bois. Sans oublier les paniers en osiers, rideaux de perles, des lanternes en papier pour tous les goûts, de stores et même quelques vêtements traditionnels tels les kimonos. Beaucoup de meubles d'influence asiatique et indienne.

LES VERRIERS SAINT-DENIS
4326, Saint-Denis 514-849-1552
M° Mont-Royal, angle Marie-Anne.
Mar-mer 12h-17h, jeu-ven 11h-18h, sam 10h-17h, fermé les dim-lun.
V, MC & Interac.

Étonnante boutique multicolore. Le reflet de la lumière fait scintiller les innombrables carreaux et billes de verres travaillés par des artisans verriers expérimentés. Toutes sortes d'objets de décoration originaux y sont exposés comme les lampes d'inspiration Tiffany, des carillons, des boules de cristal, des vitraux, et même des bijoux fantaisie (boucles d'oreilles, colliers). Dans l'arrière-boutique, les verriers proposent à la vente des outils de découpe, des panneaux de verre entiers et des chutes de toutes textures et couleurs (vendues au poids) pour confectionner ses propres mosaïques. Pour les amateurs de cet art ancien, la boutique propose un atelier d'initiation au vitrail. Ce cours, d'une durée de cinq heures, permet au débutant d'apprendre les rudiments du métier avec la technique Tiffany. Au coût de 85 $ (taxes en sus), le matériel et les outils sont prêtés pour permettre de confectionner sa propre pièce.
Pour informations supplémentaires : 514-849-1552 ou www.glassland.com

MÉMOIRE DES SENS
220, Laurier O - 514-270-8830
4926, Sherbrooke O - 514-481-1229
Angle de l'Esplanade, Saint-Urbain et du Parc. Lun-mer de 10h à 18h, jeu-ven de 10h à 21h, sam de 10h à 17h, dim de 12h à 17h.
V, MC, Interac & comptant.

La boutique attire l'odorat par ses effluves parfumées depuis la rue. Les encens de la marque Terre d'Oc, les bougies Pointe-à-ligne aux formes rigolotes et décoratives, ainsi que les

Mémoire des sens

≫ 220, Laurier ouest · 514.270.8830 ≪
≫ 4926 Sherbrooke Ouest, Westmount · 514.481.1229 ≪

huiles se partagent la vedette parmi d'autres produits naturels comme le savon de Bormes, les soins cosmétiques Florylis et les lampes Berger. Vous trouverez toutes les odeurs et les couleurs possible. Une chose est certaine, vous ne repartirez pas de là sans rien acheter !

ZONE

5555, Côte-des-Neiges - 514 340-5455
5014, Sherbrooke O – 514-489-8901
4246, Saint-Denis – 514-845-3530
www.zonemaison.com
Lun-mer de 10h à 18h, jeu-ven de 10h à 21h, sam de 10h à 17h30, dim de 10h à 17h. Ouvert tous les jours jusqu'à 21h pendant les fêtes de fin d'année. V, MC, Interac & comptant.

Une boutique Zone n'est jamais calme : il y a toujours des clients ! La réputation de ce magasin de décoration intérieure n'est plus à faire. On aime l'ambiance moderne et épurée du lieu, et les objets design et originaux qui y sont vendus. Outre les meubles (tables, chaises, fauteuils), on trouve chez Zone des luminaires, de nombreux objets de qualité pour la cuisine et pour la salle de bain, ainsi que des gadgets amusants à offrir en cadeau. Vous cherchez comment faire un drink ? Le « bar compass », fabriqué à la manière d'une horloge, pointe la boisson désirée pour vous en donner ensuite la recette complète. On pourrait aussi vous parler de l'ensemble salière-poivrière en tête de chevreuil, ou encore de l'étui à CD en forme de hérisson en peluche. Zone est un incontournable pour décorer son intérieur de façon branchée.

ÉLECTRO ET HIFI

BRAULT ET MARTINEAU

6700, Jean-Talon E
514-254-9455
www.braultetmartineau.com
Lun-ven 9h-21h, sam 9-17h, dim 10h-17h. V, MC, Interac & comptant.
La plus grande des surfaces d'ameublement. Bien entendu, les goûts traditionnels sous toutes leurs coutures et toutes leurs formes. Les prix y sont intéressants. Les départements électronique et électroménager sont intéressants, mais il ne faut pas hésiter à magasiner ailleurs. Ici, on offre moult services, dont la sempiternelle garantie prolongée, la livraison, la mise de côté, le crédit, etc. Brault et Martineau semble toutefois se fier uniquement à son inventaire. Ne pas hésiter à questionner le personnel, qui répond avec empressement.

CORBEIL ÉLECTROMÉNAGERS

7566, Saint-Hubert
514-271-1118
www.corbeilelectro.com
Lun-ven 9h-21h, sam 9h-17h, dim 11h-17h, V, MC, Interac & comptant.
LA référence absolue pour les électroménagers car il y a le plus grand choix en inventaire, et le personnel est très compétent. Chez Corbeil, l'heure est donnée avec justesse et précision. Les nuances entre les diverses marques y sont explorées avec soin, et il est toujours possible de commander ce qui manque, phénomène trop rarissime chez

les concurrents. Pour les rénovations majeures et l'achat d'une cuisine complète, les conseillers chercheront à répondre adéquatement aux besoins des clients.

DUMOULIN ÉLECTRONIQUE
1500, McGill College
514-288-7755
www.dumoulin.com
M° McGill, lun-ven 10h-21h, sam 9h30-17h, dim 10h-17h.
V, MC, Interac & comptant.
Plusieurs succursales dans la région. Spécialisé autant dans l'électronique que l'équipement informatique, la force de ce magasin se retrouve dans le personnel chaleureux et très nombreux. Une série de garanties de prolongement est proposée et même un service d'installation des logiciels achetés. La joie pour ceux qui n'étudient pas en informatique et qui n'aime pas trop se casser la tête avec ces engins parfois capricieux. Il existe aussi une section exclusive pour la photographie (appareils usagés ou neufs). Cette chaîne québécoise est une bonne alternative face aux magnats américains.

FILLION
5690, Sherbrooke E
514-254-6041
www.fillion.qc.ca
Lun-mer 9h-18h, jeu-ven 9h-21h, sam 9h-17h, dim 12h-17h.
V, MC, Interac & comptant.
Si votre système de son n'est plus à la hauteur, et que vous voulez vraiment vous faire plaisir, voilà l'endroit qu'il vous faut ! Un personnel qui s'y connaît, et du matériel de première qualité. Les marques populaires bien sûr, mais aussi des marques plus haut de gamme, qui séduiront les plus avertis. Le choix de téléviseurs à écran plat, de systèmes audio et vidéo est très vaste. De plus, Fillion est spécialisé dans les systèmes de cinéma maison et pourra aussi vous aider si vous souhaitez installer un système de son pour écouter de la musique dans les pièces préférées de chez-vous. Nul doute que votre discothèque saura apprécier.

LINGE DE MAISON

MAISON DU BEAU
1373, Mont-Royal E
514-523-8162
www.maisondubeau.com
M° Mont-Royal et bus 97. Lun-mer de 10h à 18h, jeu-ven de 10h à 21h, sam de 9h à 17h et dim de 12h à 17h.
V, MC, Interac et comptant.
Une boutique spécialisée dans le tissu sur mesure. Les deux côtés du magasin exposent un choix imposant, stylé et classique de tissus. Vous pouvez faire vos couettes, vos housses, vos duvets, oreillers, rideaux…bref, de quoi vous envelopper, vous et votre maison. Modèles de literie disponibles pour toutes les tranches d'âges en allant du poupon jusqu'à l'adulte. Il est même possible, via le site Internet, de recevoir un échantillon de tissu pour voir s'il est à votre goût. Pour les prix, un drap de lit simple peut coûter environ 130 $, jusqu'à 300 $ pour le King. Les budgets plus modestes opteront pour les tissus qui vienent directement des entrepôts (5-10 $ le mètre).

QUI DORT DINE
4393, Saint-Denis
514-288-3836
www.quidortdine.com
M° Mont-Royal, angle Marie-Anne.
Lun-mer de 11h à 18h, jeu-ven de 11h à 21h, sam de 10h à 17h, dim de 12h à 17h. V, MC, AE & Interac.
La boutique est un peu étroite, mais joliment décorée. On y trouve des objets de décoration pour la maison (cuisine, salle de bain, chambre à coucher, etc.) et surtout du linge de maison comme les draps et les rideaux. On peut aussi y acheter des articles sur mesure comme le tissu pour les rideaux ou autres. Différents tons de couleurs, des plus colorées au plus traditionnelles.

DUVET UNGAVA
10, des Pins #112
514-287-9276
M° Saint-Laurent, mar-ven 10h-18h, sam 10h-17h,
V, MC, Interac & comptant.

Entrez dans ce magasin du fabricant avec la certitude de bien dormir sans pour autant vous ruiner. Les prix sont en tous temps comparables à ceux d'un entrepôt, et des ventes saisonnières viennent régulièrement les faire baisser. Le personnel, patient, répondra à toutes vos questions concernant les oreillers, les couettes, les duvets, les matelas et les futons. C'est un très bon endroit pour acheter des draps (des marques Confort Zone et Early's of Witney). En bonus, vous y trouverez des rideaux, des serviettes et des nappes.

MODE

CHAUSSURES

CHAUSSURES O PAS
1326, Fleury E
514-388-2777
www.chaussuresopas.com
M° Sauvé. Lun, mar, mer 10h-18h, jeu et ven 10h-21h, sam 10h-17h. Dim fermé.V, MC, Interac & comptant.

Leur très large choix de chaussures fait le bonheur des dames et des jeunes femmes. La sélection de modèles venus du Canada et d'Europe s'adresse aux femmes actives, qui partent travailler, qui recherchent un petit talon aiguille plus sexy ou bien des chaussures de fin de semaine, plus décontractées. D'ailleurs, les pantoufles de la marque Garneau confectionnées au Québec sauront nous réconforter après une dure journée de labeur. Le choix de sacs à main et de portefeuilles, en cuir, est également très intéressant. Notons la présence de sacs A. Ouellet confectionnés par des artisans Québécois.

FÉLIX BROWN
1233, Sainte-Catherine O
514-287-5523
2305, Rockland, Ville Mont-Royal
514-341-3050
Lun-mer de 10h à 18h, jeu-ven de 10h à 21h, sam de 10h à 17h, dim de 10h à 17h. V, MC, AE, Interac & comptant. Attention fashion addict, il ne faut pas s'approcher de cette boutique.

C'est le rêve de la belle chaussure, de la très belle chaussure. Pour trouver la paire de mules de cet été, pour mettre des œuvres d'art à vos pieds, c'est simple, c'est le magasin. Gucci, Prada et Byblos, pour les sacs à mains, sont quelques-uns des grands noms de la mode présents sur les rayons. Pour les folies ou les gros budgets seulement, ou pour aller avec une robe merveilleuse qui ne peut être que très bien accompagnée.

MANNIX
375, Sainte-Catherine O
514-284-3936
www.mannix.ca
M° McGill. Lun-mer de 10h à 18h, jeu-ven de 10h à 21h, sam de 11h à 17h et dim de 12h à 17h.
V, MC, Interac & comptant.
Boutique spécialisée dans les chaussures de marche ou de course. Pour les amoureux des marques populaires colorées tels que Puma, Adidas, Diesel, Lacoste. Bref, un menu imposant qui ravira le consommateur de modèles diversifiés aux couleurs éclatantes comme le jaune, le vert et l'orange. Construit sur deux étages, le magasin propose également des sacs à mains (Diesel, Puma) et des casquettes. Homme et femme peuvent se chausser et même s'habiller (quelques articles). Une adresse intéressante pour ceux et celles qui désirent être tendance et stylés de la tête aux pieds.

LA GODASSE
3686 B, Saint-Laurent – 514-286-8900
4340, Saint Denis – 514-843-0909
Lun-mer 11h-18h, jeu-ven 11h-21h, sam 10h-17h, dim 12h-17h,
V, MC, Amex, Interac & comptant.
Deux boutiques pour les amateurs de chaussures très tendances. Les nouveaux modèles de Puma, Nike, Converse, Adidas, sont fraîchement arrivés sur les présentoirs. La décoration des boutiques va de paire avec les modèles présentés : une ambiance aérée, des éléments visuels qui s'inscrivent dans l'air du temps. Le service est d'une précision incroyable, en moins de temps qu'il ne faut pour le dire, le personnel revient avec LA chaussure.

Pas d'ampoules, pas de souffrance, ce sont des chaussures de peu que l'on vend.

LES PIEDS SUR TERRE
4123, Saint-Denis
514-284-5500
Entre Mont-Royal et Rachel. Lun-mer de 10h à 18h, jeu-ven de 10h à 21h, sam de 10h à 17h et dim de 11h à 17h.
V, MC, Interac & comptant.
Boutique de chaussure spécialisée dans les modèles pour la marche. Quelques modèles plus classiques s'étalent sur les tablettes. Plusieurs couleurs et modèles peuvent plaire à un large public. Sans extravagance, mais pratique, stylé et confortable. Les couleurs demeurent variées, du rose au noir ou du jaune au brun.

MARITZ
123 A, Laurier O
514-270-6161
M° Laurier, angle Saint-Urbain. Lun-mer de 10h à 18h, jeu-ven de 10h à 21h, sam de 10h à 17h et dim de 12h à 17h. V, MC, Interac & comptant.
Boutique spécialisée dans les chaussures très féminines. À la recherche d'une paire de souliers qui ira parfaitement avec votre tenue de soirée, ou votre robe d'été ? Ou simplement avec votre jean préféré ? En payant une centaine de dollars, soyez sûr de trouver la perle rare tendance ou classique. Avec ou sans talon, ou pour des chaussures de marche stylées aux couleurs pas trop voyantes comme le blanc, le brun ou le noir. Afin de compléter le tout, quelques sacs à main et des ceintures parfaitement assortis à vos nouveaux souliers ! Une petite section dédiée à la gent masculine offre également quelques paires pour l'homme stylé mais sobre.

TONY PAPPAS
1822, Mont-Royal E
514-521-0820
M° Mont-Royal, angle Papineau. Lun-mer de 8h30 à 18h, jeu-ven de 8h30 à 21h, sam de 8h30 à 17h, dim de 12h à 17h. V, MC, Interac & comptant.
Presque un musée de la chaussure, car Tony Papas a fêté son premier siècle

d'existence. Nettement plus design, l'espace a gagné en clarté et en choix. Des souliers confortables et de qualité (Clarks) pour hommes et femmes (grandes pointures disponibles), mais aussi pour enfants, de facture plutôt classique dans l'ensemble. Spécialisé dans la botte Western, Tony Pappas propose également des sacs à main en cuir. Son service de cordonnerie reste l'un des meilleurs en ville.

STONE RIDGE
1127, Sainte-Catherine O
514-286-9414
Mº Peel, lun-mer 10h-19h, jeu-ven 10h-21h, sam-dim 10h-17h,
V, MC, Interac & comptant.
Cette adresse est très prisée à l'heure actuelle, car elle sait manifestement suivre les modes. On y trouve les chaussures de grandes marques ainsi que leurs répliques... faites par la marque Stone Ridge elle-même ! Vous avez donc le choix entre des souliers haut de gamme et leurs copies vendues à des prix très raisonnables. Les pieds des femmes craqueront pour les marques Fornarina, Sugar, Blowfish, Rocket Dog, Miss Sixty et Juicy Couture. Et les hommes ne sont pas en reste avec un choix intéressant de chaussures Doc Marten's, Diesel, Thimberland, Rocket Dog et Aldo. Un incontournable pour pêcher des modèles originaux de souliers de ville et de style streetwear. Ne manquez pas de jeter un oeil sur les sacs et les accessoires.

CUIRS

CENTRE DU CUIR POUR ELLE ET LUI
1800, Mont-Royal E
514-522-2141
Angle Papineau. Lun-mer de 10h à 18h, jeu-ven de 10h à 21h, sam de 11h à 17h et dim de 12h à 17h. V, MC, Interac & comptant.
Le Centre du cuir pour elle et lui a pignon sur rue depuis 1948. Dès qu'on en passe le seuil de la porte, la bonne odeur du cuir chatouille nos narines. Chose certaine, la qualité est au rendez-vous. Les hommes et les femmes y trouveront des manteaux d'hiver et de printemps, des vestons, des pantalons et des jupes. Le choix est extravagant ; il y en a pour tous les goûts, et tous les budgets. On y vend à la fois des manteaux classiques (noir ou brun) et des vestes aux couleurs éclatantes (comme le rose et le vert lime). La boutique dispose d'un service de réparation pour articles en cuir, même pour ceux achetés ailleurs. Le magasin vous offre aussi la garantie que le manteau que vous y achetez restera en bon état pendant plusieurs années. À ne pas manquer : le nouveau département de chaussures en cuir pour elle et lui.

CUIRS DANIER
1, Place Ville-Marie - 514-874-0472
Carrefour Laval – 450-682-3303
www.danier.com
Lun-mer de 10h à 18h, jeu-ven de 10h à 21h, sam de 10h à 17h,
dim de 12h à 17h.
Une chaîne pan-canadienne de boutiques où le cuir est roi et maître. Depuis plus d'un quart de siècle, Cuirs Danier a la réputation d'être un leader en matière de design des peaux (cuir et suède). On aime les belles coupes de leurs manteaux pour hommes et femmes. Les collections sont classiques à souhait, et c'est tant mieux ! Ce que vous y achetez ne risque pas d'être démodé d'ici deux ans. Chez Danier, toutes les habits sont garantis un an, tant au niveau de la coloration, de la finition que des accessoires (boutons, fermetures éclair, doublures). Un service de réparation est aussi disponible pour les vêtements plus âgés (calculer 2-3 semaines pour la réparation, selon l'ampleur des dégâts). Possibilité de faire du shopping directement sur leur site Internet. Si le vêtement que vous commandez ne vous satisfait pas, vous pouvez le retourner au détaillant le plus proche.

M0851
3526, Saint-Laurent
514-849-9759
www.mo851.com
Mº Sherbrooke, angle Sherbrooke.
Lun-mar-mer de 10h à 18h, jeu-ven

de 10h à 21h, sam de 10h à 18h et dim de 12h à 17h. Attention l'horaire peut changer selon la saison.
V, MC, AE, Interac & comptant.
Des vestes, sacs et porte-monnaies taillés dans un cuir de très grande qualité. Les coupes sont très tendances. Les pièces sont bien plus que de simples vêtements ou accessoires : ce sont presque des œuvres d'art. On apprécie d'autant plus cette boutique que le cadre est très agréable et que la maque est canadienne. Bien sûr, ce n'est pas donné.

ENTREPÔTS

Pour se faire plaisir et réduire les coûts, les entrepôts de certaines grandes chaines valent le détour. On peut tomber sur de belles aubaines. Voilà quelques adresses d'entrepôts de grandes marques qui liquident leurs fins de stocks.

ALDO LIQUIDATION
250, Sainte-Catherine E - 514 282-9139
911, Mont-Royal E. - 514 598-1341
Chaussures et sacs à main.

BEDO LOFT
4903, Saint-Laurent - 514 287-9204
Vêtements à la mode pour hommes et femmes.

LE CHÂTEAU CENTRE DE LIQUIDATION
4119, Jean-Talon E - 514-722-4747
Vêtements pour hommes et femmes.

JACOB LA SOLDERIE
1220, Sainte-Catherine O
514 861-9346
Vêtements pour hommes et femmes.

MEXX ENTREPÔT
550, Sauvé O
514 385-6399
Vêtements à la mode pour hommes et femmes.

TRISTAN & AMERICA
1450, Mont-Royal E
514-904-1641
M° Mont-Royal, lun-mer 10h-18h, jeu-

ven 10h-21h, sam 10h-17h, dim 12h-17h, V, MC, Amex, Interac & comptant.
La chaîne de vêtements pour hommes et pour femmes.

SOLDERIES

LA CAGE AUX SOLDES
5120, Saint-Laurent
514-270-2037
M° Laurier, angle Laurier. Lun-mer de 10h à 18h, jeu-ven de 10h à 21h, sam de 10h à 17h, dim de 12h à 17h.
V, MC, AE, Interac & comptant.
On y magasine pour diverses raisons. Les vêtements sont de très belle qualité, offerts pour la moitié de leur prix d'origine. L'arrivage est régulier, et ici on ne plaisante pas avec le service. L'accueil et les conseils sont adorables, à l'image des propriétaires. Une vaste collection occupe les tablettes, allant du vêtement de tous les jours à la qualité décidément haute couture. L'acheteur peut évaluer combien il économise car la marque et le prix de base restent indiqués sur chaque vêtement, sous le nouveau prix.

L'ATELIER : SOLDERIE DES BOUTIQUES ARTHUR QUENTIN ET BLEU NUIT
4247, Saint-André
514-843-7513
Jeu-ven de 10h à 18h et sam de 10h à 17h. Fermé le dimanche.
Dans cette boutique, vous retrouverez les modèles de fin de séries de ces deux magasins. Arthur Quentin est spécialisé dans l'art de la table : vaisselle, verrerie et objets de décoration. Bleu Nuit se spécialise surtout dans le linge de maison : draps, couettes, housses, couvre-lits, etc.

L'AUBAINERIE
1490, Mont-Royal E
514-521-0059
www.aubainerie.com
M° Mont-Royal. Lun-ven 9h-21h, sam-dim 9h-17h,
V, MC, Interac & comptant.
La philosophie de ce vaste espace mode : habiller toute la famille à bon prix. Présente depuis 60 ans au Québec,

l'entreprise se targue de « comprendre la valeur de l'argent »…et vu le prix des étiquettes, c'est vrai ! L'Aubainerie, c'est le bonheur de tout trouver au même endroit ; pyjama pour maman, chemise pour papa, manteau d'hiver pour adolescent et chaussures pour nouveau-né. Le streetwear cohabite habilement dans les rayons avec les tenues de ville. On y trouve même des objets de decoration pour la maison. Très peu de marques connues y sont vendues, ce qui n'empêche pas les vêtements d'être au goût du jour. Pendant que les parents font des trouvailles, les enfants s'amusent dans l'espace de jeux aménagé à leur intention.

WINNERS
Plusieurs boutiques dans Montréal
www.winners.ca
Exploitant plus de 170 magasins au Canada, Winners est une boutique incontournable pour tout trouver en un seul lieu, à bon prix. Vêtements hommes, femmes, enfants, lingerie, accessoires pour la salle de bain, la cuisine et le salon et le rayon de chaussures. Des marques réputées à des prix inférieurs. DKNY, Seven, Diesel, Versace, Dior, Armani, Nike, Adidas et plusieurs autres aussi reconnuesBoutique aussi géniale pour tous ces petits gadgets qui font de bonnes idées-cadeaux. Bref, une place tout-en-un qu'il ne faudrait surtout pas négliger ! *À la Place Montréal-Trust, 1500 avenue McGill College (514-788-4949), Place Alexis-Nihon, 1500 avenue Atwater (514-939-3327), et autres adresses.*

FRIPERIES

FRIPE-PRIX RENAISSANCE
7250, Saint-Laurent
514-906-0804
www.renaissancequebec.ca
M° du Collège, angle de l'Église. Lun-ven de 9h à 21h, sam de 9h à 17h, dim de 10h à 17h. Pas de taxes. Toutes CC.
Presque toute la marchandise s'échange entre 3 et 5 $. La propreté est flagrante dans ce magasin sûrement parce que cette entreprise de réinsertion sociale fourmille d'employés assidus. Les vêtements sont soigneusement étiquetés, classés, le plancher reluit de propreté Seule la section livres et magazines semble un peu plus relâchée. *Autres adresses: 6960, Saint-Hubert, 514-74-9666; 7205, Saint-Jacques, 514-84-0145; 3200, Masson, 514-76-8836; 4261, Wellington, Verdun, 514-766-5059; 1480, Saint-Jean-Baptiste, 514-640-0245; 801, Décarie, 514-747-2635.*

REQUIN CHAGRIN
4430, Saint-Denis
514-286-4321
M° Mont-Royal. Lun-mar-mer de 11h à 18h, jeu-ven de 11h à 21h, sam de 10h30 à 17h, dim de 12h à 17h.
V, MC, Interac & comptant.
Petite friperie sympathique ouverte depuis 1989. Beaucoup de vestes pour hommes et femmes, des pantalons, quelques robes et des hauts pour femmes. Les prix peuvent varier de 35 à 185 $ pour une veste de cuir. Le petit lutin au fond du magasin attire la curiosité et emmène le regard vers les rangées de vestes.

MAGASINAGE

309

SWING
151, des Pins E
514-845-8361
M° Sherbrooke, bus 144 ou 30, angle
De Bullion. Lun-ven de 12h à 18h,
sam-dim de 12h à 18h.
V, MC, Interac & comptant.
Au premier regard, le vendeur a l'air
timide derrière le comptoir mais il suffit
d'une toute petite question pour s'offrir
une véritable visite guidée de l'endroit.
C'est qu'il existe tout un jargon du
vêtement rétro. Par exemple, le chemisier
très ajusté est du style banana. La robe
années 50 est une « coco dress ». En
fait, cette boutique à l'enseigne peu
voyante est prisée des Japonais, raconte
le vendeur. Ils viennent chercher ici ce
qu'ils trouvent difficilement ailleurs.

EVA B.
2013, Saint-Laurent
514-849-8246
www.buyeva-b.com
M° Saint-Laurent ou Bus 55. Dim-mer
de 12h à 18h, jeu-ven de 12h à 21h et
sam de 10h à 18h.
V, MC, Interac & comptant.
La boutique Eva B. ravira les gens
qui adorent trouver dans un seul lieu
plusieurs services. Au premier plancher,
on retrouve d'un côté des vêtements
de plusieurs collections de designer
québécois. Divers accessoires comme
des sacs à main, des bijoux, lunettes,
etc. Certains des morceaux exposés
sont même fabriqués à l'intérieur
de la boutique au 2e étage. Des
marques American Apparel aussi
ou des vêtements confectionnés à
partir de tissus recyclés. Sur le même
plancher, de l'autre côté on retrouve
une gamme imposante de costumes.
Une soirée sombrero ? Armez-vous de
ce magnifique chapeau typiquement
mexicain ! Années 50, 60, 70 et 80 sont à
l'honneur à travers ces costumes qui vous
permettront de vous changer en cowboy
ou en fan des sixties. Bref, un éventail
impressionnant de costumes d'époque,
contemporains, modernes ou délurés.
Il est possible de louer, d'acheter ou de
vendre. Au sous-sol, une friperie avec un
mélange de vêtements usagés et neufs

ravit les amateurs de petits prix ! Au 2e
étage, une galerie d'art expose les artistes
de la relève. Et pour combler le tout,
un café-bistro avec terrasse au toit vert
sur laquelle sont servis vins et de portos
québécois. Finalement, vous désirez
louer un espace pour un party, une
exposition, un événement quelconque ?
La boutique Eva B. vous offre aussi
ce service.

RIVE SUD

PRISE 2
207, Woodstock, Saint-Lambert
450-923-1725
Mar-sam 10h30-17h, jeu 10h30-20h.
Fermé dimanche et lundi. Interac &
comptant.
Si la mode est l'art d'agencer les tissus,
les tons et les matériaux de façon
originale et avec doigté, cette boutique
est sans contredit une référence en
matière de design de griffe féminine.
La propriétaire a l'œil pour choisir
des morceaux de grandes marques,
bien entendu, et teintés d'un brin de
sa personnalité colorée. Les vêtements
sont disposés avec soin sur les cintres,
à l'image de la propreté des lieux.
Un certain choix d'accessoires et de
chaussures est aussi offert. Au sous-
sol, le petit bazar permet de profiter
d'aubaines vraiment avantageuses. Le
service de consignation est administré
avec autant de délicatesse. C'est avec un
sourire et beaucoup d'entregent que le
personnel accueille sa clientèle qui vient
et revient inlassablement.

LINGERIE

LA VIE EN ROSE
150, Sainte-Catherine O, Complexe
desjardins
514-848-0867
www.lavieenrose.com
M° Place-des-Arts. Lun-mer de 9h30
à 18h, jeu-ven de 9h30 à 21h, sam de
9h30 à 17h et dim de 12h à 17h.
Comme la vie peut sembler rose
lorsqu'on pénètre dans cette boutique.
Une garde-robe de merveilles pour ce
corps qui en redemande, pour mettre en

valeur le charme inné de chacune, dans le confort et le bon goût. Un personnel attentif aux besoins de la clientèle (car nombre de messieurs viennent magasiner pour leur belle, qu'on se le dise). Les conseils rendent un moment de magasinage plus doux que le satin que l'on revêt. Les vêtements de nuit complètent la gamme, avec toujours ce souci de confort et de séduction. *Autres boutiques: Complexe Les Ailes, 514-844-5225; Fairview Pointe-Claire, 514-694-9033; Promenades Saint-Bruno, 450- 441-6996.*

LINGERIE SUZANNE KAINE
895, de la Gauchetière O
514-931-0149
Entre Mansfield et Duke. Lun-ven de 9h à 19h, sam de 9h à 17h. Fermé dim. V, MC, Interac & comptant.
Boutique de lingerie spécialisée dans le soutien gorge au-delà du D. Suzanne Kaine ira habiller la poitrine volumineuse. Par ses conseils sur votre confort, le bonnet, l'allure, elle trouvera le soutien-gorge qui vous sierra parfaitement. Quelques modèles aux divers motifs des marques connues mais un peu dispendieux comme Piège, Primadona ou Fantaisie. Toutes les femmes peuvent cependant aller y faire un tour, car elle offre de la taille 32A au 46GG… Les prix peuvent varier de 30 $ à 150 $.

LA SENZA
1133, Sainte-Catherine O
514-281-0101
www.lasenza.com
M° Peel, lun-mer 10h-19h, jeu-ven 10h-21h, sam 10h-19h, dim 10h-17h, V, MC, Amex, Interac & comptant.
La Senza commercialise mondialement une vaste gamme de sous-vêtements pour femmes. La recette de son succès? Proposer un choix exubérant de lingerie aussi coquine qu'utile, aussi sportive que belle et vendue à des prix très concurrentiels. Parmi toutes les adresses du détaillant, la plus intéressante est celle du centre-ville, car elle n'offre rien de moins que trois étages de produits féminins. Au premier plancher, les

tenues de nuits partagent l'espace avec la gamme de vêtements sport La Senza O spirit. Cette collection est franchement étonnante et propose des tenues de sports taillées dans des matériaux novateurs. Au deuxième étage, les sous-vêtements sont très bien classés par styles et par couleurs. Et n'oubliez pas de vous aventurer au troisième étage… c'est là que se cachent les soldes !

CRÉATEURS QUÉBÉCOIS

BLANK
4276, Saint-Laurent
514-849-6053
www.portezblank.com
www.wearblank.com
Entre Mont-Royal et Rachel. Lun-mar-mer de 11h à 18h, jeu-ven de 11h à 18h, sam-dim de 11h à 17h. V, MC, Interac & comptant.
Boutique de vêtements portant la marque de créateurs québécois. La simplicité s'impose comme style. Des couleurs éclatantes, passant du rose au jaune. T-shirts, petites jupes, pantalons. Le coton reste à l'honneur. Section hommes et femmes. Les prix raisonnables incitent à regarder par deux fois les étalages. Pour le naturel, le style relax et le confort d'enfiler un vêtement confortable sans se ruiner. Petite boutique sympathique, et accueil du même ordre.

MAGASINAGE

CRAZY LILY

6300, Plaza Saint-Hubert
514-293-4598
M° Beaubien, mar-mer 11h-17h, jeu-ven 11h-21h, sam 11h-17h, dim 12h-17h,
V, MC, Interac & comptant.
L'espace mode Crazy Lily fait partie du répertoire d'adresses inscrites sur le site du consommateur responsable www. etiquette.ca. Tous les vêtements de la boutique sont fabriqués localement. Il y en a vraiment pour tous les goûts « étiques » dans ce magasin à la décoration négligée. Une fois la tiédeur de l'endroit oubliée, les hommes et les femmes s'y attardent pour découvrir les dernières créations québécoises des Ève Gravel, Slak, Jude, Oöm Ethikwear, Anne-Marie Chagnon, Manifest design, Vilaine et bijoux grenadine. La marque Oöm Ethikwear fait partie des écodesigners très à la mode en ce moment. Ses vêtements faits de cotons équitables savent merveilleusement allier simplicité et originalité. Les coupes sont belles et les prix sont abordables.

DO SUR ST-DENIS

4439, Saint-Denis
514-844-0041
M° Mont-Royal. Lun-ven de 11h à 18h, sam de 11h à 17h, dim 12h à 17h.
V, MC, Interac & comptant.
Cette petite boutique située sur Saint-Denis pourrait facilement passer inaperçue, si ce n'était de la solide réputation que s'est forgée Dominique Girard, designer et propriétaire du magasin. Cette dernière ouvre la porte de son commerce exclusivement aux griffes québécoises. Dans ce joli magasin aux murs de briques, on trouve les collections de la propriétaire (DO) et celle de Ça va de soi. Pour la femme moderne, des tons variés et tendance, comme le vert lime ou le lilas, et d'autres couleurs plus classiques, comme le blanc, le beige et le noir. DO semble avoir un faible pour les motifs imprimés, et ses créations se distinguent. C'est une excellente adresse pour dénicher une jolie robe de cocktail ou de soirée. Et soyez assuré que vous y trouverez le collier qui mettra en valeur votre achat. Les délicats bijoux ornementés de plumes sont tout simplement magnifiques. Les prix des vêtements varient, mais pour le style original, la qualité et le coup de pouce aux artistes d'ici, cela vaut la peine d'y mettre un peu plus de sous.

SCANDALE

3639, Saint-Laurent
514-842-4707
M° Saint Laurent ou Sherbrooke.
Ouvert lun-mer de 11h à 18h, jeu-ven de 11h à 21h, sam de 11h à 18h, dim de 12h à 17h.
Les créations originales et très design de George Lévesque sont vendues en exclusivité dans la boutique Scandale. Pour trouver une robe de soirée qui ne soit pas guindée, pour encourager un designer 100% québécois, c'est ici qu'il faut venir magasiner. Et, si vous appréciez ce qui est fabriqué ici, vous serez ravis d'apprendre que George Lévesque confectionne ses collections dans le cœur de Montréal, au deuxième étage de sa boutique sur la Main. Les tissus sont de grande qualité, les coupes très originales sauront s'adapter à merveille aux corps de toutes les femmes branchées. Dernier argument pour vous convaincre de la qualité des lieux : les costumes de la comédie musicale Don Juan qui fait la tournée des plus grandes scènes d'Europe et d'Amérique du Nord ont été dessinées par George Lévesque.

KA

4482, Fabre
514-524-2319
www.agenceka.com
M° Mont-Royal, mar-ven 11h-20h, sam-lun 11h-17h,
V, MC, Interac & comptant.
On remarque à peine cette boutique en marchant sur l'avenue Mont-Royal. Et pourtant, elle mérite tous les détours ! Ka s'est donné pour mission de commercialiser et de mettre en valeur les vêtements de six designers québécois. Même si l'espace est petit, il déborde de bonnes idées et des beaux tissus. Le personnel du magasin est passionné de mode, et il vous donnera avec plaisir des renseignements sur les

Création d'une designer Montréalaise

vous offre même la possibilité de rajouter une touche personnelle à ses vêtements : à partir des modèles déjà existants, vous pouvez choisir les couleurs et les tissus de votre choix pour créer des pièces uniques. Dans la boutique, vous trouverez aussi des accessoires branchés (bagues, sacs et baskets). En tout temps, les étudiants bénéficient d'un rabais de 15% sur les articles en magasin.

ÉLIANE DESIGN TEXTILE
Boutique Rifka (point de vente)
1058 Laurier Ouest
& Atelier ouvert au public
5445 de Gaspé # 112
514-794-7416

Éliane design textile est une compagnie d'impression textile. Éliane peint ou imprime directement sur la soie importée de Chine, de la laine, du coton ou de velours et transforme le tissu en produit fini (mode, décoration intérieure, accessoire). L'artiste crée de superbes foulards de velours peints à la main, des robes de soirées (osées ou classiques), des taies d'oreiller, des coussins, de la literie imprimée en sérigraphie, des sacs de tout genre et des petits encadrements. La créatrice demeure ouverte à toute idée impliquant le textile... vous pouvez donc fournir le concept artistique ! Éliane travaille en collaboration avec le client pour créer une atmosphère distincte pour une occasion particulière. Ses produits, conçus de A à Z, sont exclusifs et magnifiques. Un choix intéressant pour des cadeaux corporatifs.

griffes Ruelle, Ève Gravel, 88 Queen st., Kollontaï, Dollface et Slak. Ces marques québécoises sont très différentes les unes des autres. Jeunes et moins jeunes y trouvent donc de quoi vêtir en beauté leur quotidien comme leurs plus chics soirées. Ève Gravel est une designer très en vogue qui offre aux femmes des tenues chics et sobres. Kollontaï se spéciale dans les tuniques colorées, Ruelle dessine de très jolis tricots et 88 Queen st. mise sur les matières recyclées pour créer des fringues anticonformistes.

514 CONNEXION
3450, Saint-Denis
514-287-7288
www.514connexion.com
Mº Sherbrooke, lun-mer 11h-18h, jeu-ven 11h-21h, sam 11h-17h, dim 12h-17h, V, MC, Interac & comptant.

Voilà une petite boutique qui ne manque pas d'audace. Inspirées de la culture hip-hop, les créations de la designer Liliane Anctil séduiront les femmes qui aiment se démarquer. Le look proposé par la griffe 514 Connexion est urbain, jeune et séduisant. Le prix des vêtements est tout à fait raisonnable, d'autant plus que les fringues sont conçues, réalisées et produites à Montréal. La designer

RIVE SUD

LILI LES BAINS
404, Victoria, Saint-Lambert
450-937-9197
www.lililesbains.com
Lun-mer de 10h à 18h, jeu-ven de 10h à 20h, sam de 10h à 17h, dim fermé. Comptant & Interac.

Peu importe le tour de taille, peu importe l'âge, la créatrice québécoise Louise Daoust conçoit des maillots de bains sur mesure, des tenues de détente et de croisière qui présentent la femme dans toute sa splendeur. Les tissus de grande qualité sont légers, faciles d'entretien. Les coupes des vêtements sont habiles et permettent d'être portés près du corps. Les pièces peuvent aussi être drapées autour de la taille comme des paréos. Les longs chemisiers, les tenues de plage, les robes de soirée sont infroissables et résistent au voyage en valise. Attention, il vaut mieux prévoir un certain délai avant de se procurer toutes pièces faites sur mesure. La designer propose aussi des robes de mariée et des tenues pour parer la mère et tout le cortège. Une ligne de vêtements intelligente habillant les 6 à 22 ans.

VÊTEMENTS ÉTHIQUES

ARTERIE
176, Bernard O
514-273-3933
M° Outremont et Laurier, mar-dim 12h-18h, V, MC, Interac & comptant.
Ce magasin est l'un des attraits du Mile-End. À l'effigie de ce quartier, à la fois très écolo et très à la mode, L'Arterie propose au public de découvrir de magnifiques petits objets fabriqués au coin de la rue ! De nombreux créateurs montréalais y déposent en consigne des sous-vêtements féminins, des bijoux inventifs, des fanzines, des savons bios et des accessoires faits de matières recyclées. L'originalité est au rendez-vous dans un décor résolument rétro. Pour les vêtements, la boutique est divisée en deux sections : les items neufs et la friperie. La plupart des fringues sont pour les femmes. Elles y trouvent des t-shirts avec des motifs faits en sérigraphie et des robes, des jupes et des pulls faits à la main. L'Arterie vend aussi les populaires Vegetarian Shoes, faites avec du faux cuir.

ON & ON ÉCOLO CHIC
7245, Clark
514-840-9019
www.onandon.ca
Angle De Castelneau. Lun-ven de 11h à 16h. Fermé sam-dim.
Cette enseigne propose des vêtements mo̶d̶e̶r̶n̶e̶s confectionnés à partir de tissus et matières récupérées et

recyclées. Chaque vêtement est unique et entièrement fabriqué à la main. Comme quoi, on peut avoir du style tout en réutilisant et en recréant de nouveaux modèles à partir d'anciens.

RIEN À CACHER
4141, Saint-Denis
514-907-6187
www.rienacacher.com
M° Mont-Royal et Sherbrooke. Lun-ven 11h-21h, sam 10h-17h, dim 12h-17h, V, MC, Interac & comptant.
On ne peut que se réjouir de l'ouverture récente de cette boutique qui a pour devise « Chic & Éthique ». Un bref coup d'œil sur la collection de Rien à cacher saura vous convaincre que se vêtir de bonne conscience ne se fait pas obligatoirement au détriment de la mode ! Sur les cintres, il y a un large choix des très jolis vêtements pour femmes Preloved, une marque canadienne spécialisée dans le recyclage de tissus. Les hommes découvriront aussi les vestes de sport colorées de Misericordia, une marque péruvienne 100 % équitable. Et tous s'attarderont devant les t-shirts aux logos jeunes et engagés de New Kind Industry, la première marque québécoise de vêtements de coton issue du commerce équitable. Les vêtements de Oöm Ethikwear et les chaussures de type basket de la marque brésilienne Veja sont aussi vendus dans cette adresse à ne pas manquer.

HARRICANA PAR MARIOUCHE
3000, Saint-Antoine O
514-287-6517
www.harricana.qc.ca
M° Atwater, lun-ven 10h-18h, sam 10h-17h, dim 12h-17h,
V, MC, Interac & comptant
Le concept de vêtements élaboré en 1994 par Mariouche Gagné, dont le slogan était « fait à partir du manteau de votre mère », a pris de l'ampleur. La designer a maintenant son propre atelier-boutique où elle vend des créations fabriquées à partir de fourrures recyclées. Que ce soit des manteaux chics ou de sports, ses créations sont uniques et écologiques.

Visiter la boutique Harricana est une occasion en or pour se gâter : les femmes seront ravies d'y trouver des chapeaux, des pantoufles, des sacs, et des corsages d'été tout léger fait à partir de soie recyclée. Mariouche créé également de très jolis cousins de fourrure en damier et des animaux de peluche pour les enfants. Elle offre aussi un service de création sur mesure si l'envie vous prend de transformer votre vieux manteau de fourrure.

MADRAS

4304, Saint-Denis
514-286-0138
M° Mont-Royal, entre Marie-Anne et Rachel. Lun-mar-mer de 10h à 18h, jeu-ven de 10h à 21h, sam de 10h à 17h et dim de 12h à 17h.
V, MC, Interac & comptant.
Découverte étonnante. Madras est une véritable friperie de luxe. Confectionnés en partie de tissus recyclés, les vêtements de cette boutique ravissent l'environnementaliste. Conformistes s'abstenir : il y a de la couleur et de l'originalité sur chaque bout de tissu. Une merveilleuse boutique pour ceux qui aiment se démarquer. Les plupart des créations qui y sont vendues sont québécoises. L'endroit est un peu sombre, mais les tricots, vestes, robes, jupes et pantalons sont lumineux. Vêtements uniquement pour les femmes. Les prix sont raisonnables, mais évidemment, il faut payer un peu plus cher pour être sûr que le voisin ne porte pas le même chandail !

MOLY KULTE

4523 St-Denis
514-223-8477
www.molykulte.com
M° Mont-Royal, lun-mer 10h-17h, jeu-ven 10h-21h, sam 10h17h, dim 12h-17h.
V, MC, Interac & comptant.
Entrer dans l'atelier boutique de Geneviève Flageol et de Geneviève Dumas est un vrai bonheur pour son garde-robe. Leurs créations uniques et audacieuses sont toutes fabriquées à partir de matériaux recyclés. Rien n'est vendu hors de prix, et tout est original.

La spécialité des deux créatrices est la personnalisation de vêtements délaissés. Grâce à la sérigraphie, à des motifs colorés et à des coutures inhabituelles, elles parviennent à transformer n'importe quel tissu en morceau très in. Et puisqu'elles ont besoin de matières premières, pourquoi ne pas leur apporter un sac de vêtements que vous ne portez plus? Vous bénéficiez alors d'un rabais de 20% sur votre achat. Moly Kulte offre plusieurs services, comme le réajustement de vêtements qui ne sont pas à votre taille et des défilés de mode à domicile. C'est aussi une bonne adresse pour pêcher des accessoires rigolos, faits à la main.

MODE FEMME

CANNELLE

1139, Mont-Royal E
514-521-4229
M° Mont-Royal, angle Christophe Colomb. Lun-mer de 11h à 18h, jeu-ven de 11h à 18h, sam de 10h à 17h et dim de 11h à 17h.
V, MC, Interac & comptant.
Cannelle propose du linge très stylé, qui s'adresse aux dames aimant les matières souples, confortables, un rien classe (créateurs québécois Algo, Farouche). Des couleurs discrètes, des motifs sobres et des matières nobles, cuir, soie, coton de qualité sont les lignes directrices de la boutique. Pour les bals de finissantes, la boutique propose des robes de princesse. Pour accompagner ces tenues chics, de petits accessoires tels colliers, bagues, foulards, sacs à mains, gants et autres mitaines en hiver.

FÊT'ART

1109, Mont-Royal E
514-521-2873
M° Mont-Royal, angle Christophe Colomb. Lun-mer de 11h à 18h, jeu-ven de 11h à 21h, sam de 10h à 17h, dim de 12h à 17h. TPS comprise dans tous les articles. Interac & comptant.
Chez Fêt-Art, c'est le rendez-vous des filles toujours en quête de la tenue adéquate ou du petit accessoire qui va faire toute la différence. Les

MAGASINAGE

rayons débordent de marchandises. La sélection de vêtements comprend des créations québécoises (Losange, Léo, Métamorphose) et des importations de marques de qualité (Mexx, Part two, In Wear, Sandwich, René Derhy, Jackpot). En toute saison, il est possible de trouver des vêtements élégants et de bonne qualité. On y trouve des pantalons à la ligne impeccable, des ensembles, des pulls et une multitude d'accessoires dont des bijoux de créateurs québécois à des prix très accessibles. Un monde de vêtements et d'accessoires pour avoir la tenue parfaite.

HOLT RENFREW

1300, Sherbrooke O
514-842-5111
www.holtrenfrew.com
M° Peel ou Guy. Angle de la
Montagne. Lun-mer de 10h à 18h, jeu-
ven de 10h à 21h, sam de 9h30 à 17h
et dim de 12h à 17h.
V, MC, Interac & comptant.
Établie au Québec depuis le XIXème siècle, Holt Renfrew est la référence en matière de grand magasin de luxe. Les femmes y trouvent des marques de vêtements haut de gamme, comme MaxMara, Jil Sander, Valentino, Naeem Khan, Fendi et Dolce & Gabbana. Le vaste espace de la boutique Holt Renfrew propose un peu de tout ; du maquillage, des bijoux, des chaussures, des sacs à main, etc. La visite est agréable et riche en découverte. Comble du luxe, Holt Renfrew, propose un service de magasinage personnalisé qui vous permet d'être conseillé et habillé selon vos goûts par un styliste. On y trouve aussi des vêtements pour hommes.

LOLA & EMILY

3475, Saint-Laurent
514-288-7598
www.lolaandemily.com
M° Saint-Laurent. Entre Prince-Arthur
et Milton. Lun-mer de 11h30 à 18h,
jeu-ven de 11h30 à 21h, sam-dim
de 12h à 18h.
V, MC, AE, Interac & comptant.
Cette boutique se démarque avant tout pour l'originalité de son agencement et

de sa décoration. Celle-ci ressemble fort à un appartement, avec un coin salle de bain, un lit planté au milieu du magasin, une commode par ci, par là et bien entendu, une vaste étendue d'étagères et de cintres remplis de vêtements, rangés selon les couleurs. Des t-shirts réguliers aux robes et aux tops sexy et classe à la fois, les femmes n'auront que l'embarras du choix. La ligne de vêtements de la maison « lne » essaie de mêler le style tendance à l'originalité en offrant des modèles en quantité limitée. On remarque également quelques pièces de la marque québécoise Ça va de soi, Filipa K (Suède), Velvet (É-U), Cynthia Vincent, Essentiel, Colcci (Brésil) ou Free People.

MEOW

74, Mont-Royal E
514-843-3055
M° Mont-Royal, angle Coloniale. Lun-
mer de 12h à 19h, jeu-ven de 12h à
21h, sam-dim de 12h à 17h.
À cause des couleurs rouges, de sa décoration enragée, de la musique hard metal, punk, obligeant le vendeur à crier la bienvenue aux clients, on fréquente cet endroit comme si on allait faire un saut dans un slam. En fait, on vient surtout y choisir le t-shirt qui fera fureur, c'est-à-dire déjà raccommodé à l'aide d'une fermeture éclair et de quelques entailles très volontaires. Le service d'impression sur t-shirts (divers modèles possibles) collabore au succès de cette boutique.

PARIS PAS CHER

4235, Saint-Denis
514-848-9478
M° Mont-Royal ou Sherbrooke (entre
les deux). Lun-mer de 11h à 18h, jeu-
ven de 11h à 21h, sam de 10h à 17h,
dim de 12h à 17h.
V, MC, Interac & comptant.
Paris Pas cher est une grande boutique de vêtements pour hommes et femmes qui offre l'avantage de vendre des articles de marques françaises en soldes, et ce, tout au long de l'année. Il y a deux sections permanentes dans le magasin ; celle des soldes, et celle de la liquidation (imaginez les aubaines !). Peu importe

quel est votre style vestimentaire, vous trouverez quelque chose à votre goût dans ce magasin passe-partout. Une vaste sélection de pantalons, chemises, jupes, vestons et t-shirt de toutes les formes et les couleurs pour 10 à 20% moins cher qu'ailleurs. On gagne à y aller souvent, car les nouveaux arrivages sont fréquents.

RETRO RAGGZ
171, Mont Royal E
514-849-6181

Lun-mar-mer de 12h à 18h, et jusqu'à 21h jeu-ven. Sam-dim 12h à 17h.
Attention, ici, vous pousserez la porte des marques très mode, mais ... vous dénicherez des modèles très bon marché. On n'en revient toujours pas. Sur Ralph Lauren, Diesel, American Apparel les réductions vont jusqu'à 70% ! Bon, c'est sûr que les nouvelles collections ne sont pas toutes représentées et qu'il y a parfois des imperfections, mais à ce prix là... La deuxième idée qu'on aime beaucoup : les choix de sticker (musique, série TV, humour) que l'on peut incruster dans les fibres de son t-shirt American Apparel, pour une trentaine de dollars, tout inclus !

LA MAISON SIMONS
977, Sainte-Catherine O
514-282-1840
www.simons.ca

Mᵒ Peel, lun-mer 10h-18h, jeu-ven 10h-21h, sam 9h30-17h, dim 12h-17h, V, MC, Amex, Interac & comptant
Cette grande surface de vêtements pour hommes et femmes est un fleuron québécois. Fondée dans la vieille capitale, ce n'est qu'un siècle et demi plus

tard que la maison Simons a décidé de percer le marché montréalais. Depuis l'ouverture de son commerce au centre-ville, les jeunes et les moins jeunes y accourent pour découvrir les dernières tendances de l'heure. Les collections exclusives au magasin sont nombreuses ; pour les filles (Twik), pour les femmes (la contemporaine), les hommes (Le 31), la lingerie féminine (la guêpière) et la mode pour la maison (la lingère). À ces items plutôt abordables viennent s'ajouter des vêtements de grand renom. Que vous soyez à la recherche d'un morceau classique ou encore d'une cravate ou d'une robe excentrique, vous êtes à la bonne adresse. Et non seulement la qualité du service à la clientèle est impeccable, mais les politiques d'échange et de remboursement le sont aussi.

ZARA
1500, McGill College,
Place Montréal Trust
514-281-2001
www.zara.com

Mᵒ McGill ou Peel. Lun-mer de 10h à 18h, jeu-ven de 10h à 21h, sam de 10h à 17h, dim de 12h à 17h.
V, MC & Interac.
La boutique vient juste d'être rénovée. Déjà très présent en Europe, le designer espagnol est parti à l'assaut des garde-robes des jeunes nord-américains branchés. Une belle boutique au design intérieur épuré tout comme les modèles de vêtements que ce soit pour la femme, l'homme ou les enfants. Les prix sont intéressants. Une mode près du corps, très féminine pour les filles, presque trop efféminée pour les garçons. De beaux

ensembles néanmoins, pour une marque qui a su mériter sa bonne réputation.

RIVE SUD

MAISON LAMBERT
590, Victoria, Saint Lambert
450-465-0635
Lun-mer de 10h à 18h, jeu-ven de 10h à 21h, sam de 10h à 17h, dim de 12h à 17h. Toutes CC & Interac.
Un personnel souriant et attentionné, un local haut en couleur où la qualité sature le champ de vision. Vêtements à prédominance sportive et lignes tout en griffes de prestige. Les vêtements sont parfaits pour se vêtir les fins de semaine sur son voilier ou pour des rencontres informelles hors du bureau. Mode décontractée de haute voltige, voilà comment se résume la Maison Lambert.

MODE HOMME

5ᴵᴱᴹᴱ AVENUE
705, Sainte-Catherine O,
Centre Eaton
514-396-6697
Lun-mer de 10h à 18h, jeu-ven de 10h à 21h, sam de 10h à 17h et dim de 12h à 17h. Toutes CC, Interac & chèques.
Située dans le tunnel qui rejoint le Centre Eaton à la place Ville Marie, cette boutique spécialisée dans le prêt-à-porter pour hommes offre des vêtements de qualité à des prix fort intéressants. Des tailleurs aux manteaux en cachemire ou en cuir, en passant par les vestes, les chemises et les cravates, tout nous plait. Le service est impeccable et les prix imbattables. Une chose est sûre, ces messieurs ne sortiront pas les mains vides !

HARRY ROSEN
1455, Peel, Cours Mont-Royal
514-284-3315
www.harryrosen.com
Mᵒ Peel. Lun-mer de 10h à 19h, jeu-ven de 10h à 21h, sam de 10h à 18h, dim de 12h à 17h. Toutes CC, Interac & Travelers. Livraison à l'hôtel. Vêtements faits sur mesure.
Le magasin accueille les passants avec une cascade de cravates sur tous les étalages. Harry est le plus gros magasin de vêtements pour hommes de la ville. Grand dans les deux sens, puisqu'il ne contient que de nobles marques comme Hugo Boss, Versace, Brioni, Armani et D & G. Naturellement, une série de vestons suit le flot de cravates. Chaque designer est représenté dans sa salle privée avec les accessoires de la collection.

OLD RIVER
705, Sainte-Catherine O,
Centre Eaton
514-271-1164
www.oldriver.ca
Mᵒ McGill. Lun-mer de 10h à 18h, jeu-ven de 10h à 21h, sam de 10h à 17h, dim de 12h à 17h.
Un incontournable du prêt-à-porter masculin qui propose un look décontracté, quoique vaguement conservateur. Chemises, pulls où la laine est à l'honneur, Old River offre une garde-robe intemporelle. On parle de vêtements simples et de qualité avec des prix au-dessus de la moyenne, mais le service est hors pair. Cette boutique fera bien des heureux le temps des fêtes venu. *Autres magasins : 6815, Transcanadienne, Pointe-Claire, 514-426-2110; 2305, Rockland, Ville Mont-Royal, 514-733-1000; 3035, Le Carrefour, Chomedey, 450-688-1777*

SECRET D'HOMMES
812, Mont-Royal E
514-521-7556
Mᵒ Mont-Royal. Lun-mar-mer de 10h à 18h, jeu-ven de 10h à 20h, sam de 10h à 17h et dim de 12h à 17h. V, MC, Interac & comptant.
Boutique de sous-vêtements pour hommes. Marques populaires tels que Hörst, Punto blanco. De tout pour satisfaire l'homme en boxer flanelle, l'homme en boxer sexy ou l'homme en boxer coton. Endroit pratique et intéressant pour le mâle à la recherche du sous-vêtement qui lui sierra parfaitement.

ANIMALERIES

ANIMALERIE TOO ZOO
4072, Saint-Laurent
514-842-9996
M° Sherbrooke. Entre Rachel et
Duluth. Lun-mer de 11h à 18h, jeu-ven
de 11h à 20h, sam de 10h à 17h et dim
de 12h à 17h.
V, MC, Interac & comptant.
Une animalerie sympathique regroupant
diverses espèces de petits oiseaux,
beaucoup de poissons de toutes les
grandeurs possibles, quelques chiens, des
hamsters et quelques reptiles comme des
pythons ou des caméléons. Évidemment,
divers accessoires pour combler l'animal,
comme des shampoings, des jouets,
des revitalisants ou tout simplement
sa nourriture. Une animalerie avec
beaucoup de charme dans son
aménagement intérieur ainsi qu'une
odeur plus agréable que dans d'autres
boutiques du même genre. Possibilité de
faire garder son reptile (petite grandeur)
pour 3 $/jour, même pendant un voyage
d'une durée indéterminée.

MAGAZOO L'UNIVERS
DES REPTILES
1951, Bélanger E
514-593-5538
www.magazoo.com
M° Fabre. Lun-mer de 9h30 à 18h,
jeu-ven de 9h30 à 21h, sam de 9h30 à
17h, dim de 11h à 17h.
Vous rêvez d'acheter (ou de simplement
d'admirer) un boa arc-en-ciel brazillian,
un boa albino, un python royal,
un hognose tricolor ou encore un
Tarahuamana ? Aventurez-vous chez
Magazoo, un magasin spécialisé depuis
10 ans dans la vente de reptiles. Bonne
sélection (environ 125 espèces), mais
surtout une excellente évaluation des
goûts et des capacités du client pour
maximiser l'expérience et assurer à
l'animal des conditions optimales de
survie. Le personnel est qualifié et vous
trouverez sur les lieux de la nourriture
à reptiles (gerboises, grillons, lapins,
rats, vers, souris, etc.). Magazoo propose
aussi un service de pension pour vos
amis rampants. Le magasin participe
à chaque année au Salon des reptiles,
dont les objectifs sont de faire connaître,
informer et éduquer les gens afin
d'éliminer les craintes et diminuer les
préjugés envers les reptiles.

RIVE SUD

CENTRE D'ANIMAUX SAFARI
6633, Taschereau, Brossard
45- 462-7373
Lun-mer de 10h à 18h, jeu-ven de 10h
à 21h, sam de 9h30 à 17h, dim de 11h à
17h. Toutes CC & Interac.
Une animalerie pas comme les autres.
Vaste, décorée comme une jungle, sur
trois paliers différents, avec la carcasse
d'un avion écrasé pour ajouter à
l'exotisme un tantinet kitsch. À l'étage,
la gamme complète d'accessoires pour
chiens et chats. Quelques exemplaires
de ces mammifères à vendre, au fond,
dans des cages très propres. Au premier
palier, un choix correct d'oiseaux, avec

MAGASINAGE

Boris

perroquets colorés en liberté pour attirer l'attention des bipèdes. En bas, un immense bassin de tortues, et un antre des poissons et reptiles aux allures de grotte. Un beau concept, à visiter pour le coup d'œil plus que pour la variété de la faune. Le personnel s'empresse de répondre aux questions. Les enfants adoreront, quitte à vouloir repartir avec le perroquet géant donneur de maux de tête.

PENSION

SURVEILLANCE VACANCES
514 489-7777
Une agence dépêchant du personnel chez la clientèle en cavale, histoire de ramasser le courrier, arroser les plantes et prendre soin des animaux domestiques. Calculer environ 10 $ la visite de trente minutes.

VÉTÉRINAIRES

CLINIQUE VÉTÉRINAIRE DELORIMIER & ROSEMONT
5931, de Lorimier
514-721-4946
Lun-ven de 9h à 11h, de 13h30 à 15h, de 16h30 à 19h30, sam de 9h à 11h, dim de 10h à 12h (urgences seulement).
Une clinique comptant sept vétérinaires, pour des consultations SANS rendez-vous (mais une salle d'attente digne des malades bipèdes) et un service d'urgence le dimanche. Un service hautement professionnel.

LIBRAIRIES

LIVRES NEUFS

ARCHAMBAULT
500, Sainte-Catherine E
514-849-6201
www.archambault.ca
M° Berri/UQAM. Lun-ven 9h30-21h, sam 9h-17h, dim 10h-17h. V, MC & I.
Archambault, ce sont des disques et des instruments de musique avec un choix toujours bien équilibré, mais c'est aussi

une librairie généraliste bien fournie en revues de toutes sortes, best-sellers, CD-Roms, DVD, guides pratiques et de voyages. C'est toujours bien agréable de magasiner un CD, une partition ou un bon bouquin dans les allées aérées. À noter: rabais hebdomadaires, et prix chocs. *Autres boutiques: Les Halles d'Anjou 514-351-2230 ; Complexe Les Ailes 514-875-5975 ; 2100, Fleury E, 514-722-0084 ; Place des Arts, 175, Sainte-Catherine Ouest, 514-281-0367 ; 131, Sherbrooke E, 514-288-4992 ; Boucherville : 584, chemin de Touraine, local 104 450-552-8080 ; Brossard : 2151, boulevard La Pinière, local G-30, 450-671-0801 ; Laval : 1545, boulevard Le Corbusier 450-978-9900*

AUX QUATRE POINTS CARDINAUX
551, Ontario E
514-843-8116/1 888 843-8116
www.aqpc.com
Coin saint Hubert, M°Berri-UQAM. Lun-mer 9h-18h, jeu-ven 9h-21h, sam 10h-17h, dim fermé.
Librairie numéro un en vente de cartes topographiques, marines, routières, aéronautiques mais aussi en guides géographiques, en CD-rom et accessoires tels que des boussoles, loupes ou GPS. Des services de laminage et de plastification sont proposés sur place. Vous pouvez commander et vous faire livrer à domicile.

CHAPTERS
1171, Sainte-Catherine O
514-849-8825
www.chapters.ca
La libraire anglophone par excellence au centre ville. Trois étages pour accueillir toute une collection d'ouvrages : du roman au magazine en passant par les guides de voyages, des œuvres de philosophie, de musique, d'art, de cinéma, de sciences politiques et sociales, sans oublier la section informatique bien fournie. Les livres français se trouvent au rez-de-chaussée. Rabais sur les meilleures ventes pouvant aller jusqu'à -20%. *Service de commande en ligne*

sur le site Internet (livraison sous
4 à 5 jours selon les disponibilités.
Possibilité de se faire livrer chez soi
ou gratuitement au magasin).

L'ÉCUME DES JOURS
125, Saint-Viateur O
514-278-4523
Lun-mer 9h-18h; jeu-ven 9h-22h; sam
10h-6h; dim 12h-17h.
Bus 46, angle Waverly.
Vous tomberez sous le charme de cette
librairie indépendante du quartier
Mile-End. Son co-propriétaire, Roger
Chénier, libraire depuis plus de 20 ans,
a travaillé pour la librairie Hermès avant
d'ouvrir sa propre boutique en 1999
en collaboration avec Maryse Dubois.
Ce connaisseur vous transmettra sa
passion des livres a coup sûr et saura vous
conseiller avec justesse si besoin est. La
section consacrée à la littérature jeunesse
est particulièrement bien fournie.

LA LIBRAIRIE
Sciences sociales . 3200, rue Jean-
Brillant, Université de Montréal
514-343-7362
Scientifique et médicale : Pavillon
Roger Gaudry, 2 900, Edouard
Montpetit 514- 3436120
www.librairie.umontreal.ca
M° Côte-des-Neiges, bus 51, angle
Decelles. Ces magasins forment à eux
deux la plus grande librairie universitaire
du Québec. On y trouvera donc tous
les ouvrages recommandés par les
professeurs, mais aussi un grand choix
de livres de poches. L'avantage est que
la librairie propose des rabais de -5% à
-20% aux étudiants. On trouvera aussi
une sélection de fournitures diverses
telles que la papeterie et autres
matériels scolaires.

LE PARCHEMIN
505, Sainte-Catherine E
514-845-5243
librairie@parchemin.ca
www.parchemin.ca
Lun-mer 8h30-20h; jeu-ven 8h30-21h;
sam 9h-17h; dim 12h-17h.
M° Berri/UQAM. (La librairie est
située dans la station de M°)

MAGASINAGE

Le Parchemin est une librairie qui offre une vaste sélection de livres dans tous les domaines ou presque: littérature générale et jeunesse, voyages, sciences, politique, langues, manuels universitaires, etc. et cela à des tarifs préférentiels pour les possesseurs de la carte « privilège » (environ -10% sur le prix ordinaire et parfois jusqu'à -25% sur les dictionnaires). La librairie propose aussi un rayon papeterie et écriture.

LE TEMPS DE LIRE
3826, Saint-Denis
514-284-3196
letempsdelire@qc.aira.com
M° Sherbrooke, angle rue Roy. Lun-sam 10h-22h, dim 11h-21h. Interac.
La boutique offre des livres neufs à prix réduit (-25% à -80%). Le choix n'est pas vaste, mais vous pourrez trouver votre bonheur surtout dans les livres d'art et dans une sélection de livres de poche, magazines, livres jeunesse.

LIBRAIRIE LAS AMÉRICAS
10, Saint-Norbert
514-844-5994
info@lasamericas.ca
Fax : 514 844 5290
www.lasamericas.ca
M° St-Laurent, angle boul. St-Laurent. Lun-mer 9h-18h, jeu-ven 9h-19h, sam 9h-17h, dim fermé.
Librairie spécialisée dans l'apprentissage de la langue espagnole, Las Americas propose en plus des livres en espagnol, tout les outils nécessaires à l'acquisition de cette langue : des manuels scolaires, des méthodes et du matériel audio-visuel. De grandes maisons d'éditions espagnoles telles que Edi Numen, Edelsa ou encore Santillana et Vox y sont représentées. Vous pouvez passer vos commandes directement par fax ou par email.

LIBRAIRIE DU SQUARE
3453, Saint-Denis
514-845-7617
librairiedusquare@librairiedusquare.com
M° Sherbrooke. Lun-mer 9h-18h, jeu-ven 9h-21h, sam 10h-17h, dim 12h-17h.
Petite librairie réputée du Quartier Latin

qui regorge de tous les genres littéraires en passant par une sélection variées de revues et une section de livres pour enfants. Vous y découvrirez aussi une sélection de guides de voyage, d'essais, de livre d'art et de cuisine. La libraire, Françoise Careil, se fera un plaisir de vous conseiller si vous hésitez dans vos choix.

LIBRAIRIE GALLIMARD
3700, Saint-Laurent
514-499-2012
www.gallimardmontreal.com
M° Sherbrooke. Angle Prince-Arthur.
Ouvert lun-mer 10h-18h, jeu-ven 10h-21h, sam 10h-18h, dim 12h-17h. Outre les livres portant la griffe du célèbre éditeur parisien, la librairie Gallimard est une librairie généraliste qui se démarque pour un choix d'ouvrages rares, plus pointus. Les classiques de la littérature, un large choix de poésie, l'art, les biographies d'illustres penseurs sont disponibles dans un décor qui incite à la lecture. Une très belle librairie tant par le contenu que par le contenant. Pour ce qui ne peuvent pas se déplacer, vous pouvez magasiner via le site Internet et opter pour la livraison (1 à 2 jours).

LIBRAIRIE GOURMANDE
Marché Jean Talon,
7070, Henri Julien
514-279-1742
www.librairiegourmande.ca
M° Jean Talon. Marché couvert. Lun-mer 9h à 18h, jeu-ven 9h à 20h, sam 9h à 18h, dim 9h à 17h.
Une très jolie librairie distribuant toutes sortes de livres et de revues autour du thème de la cuisine (pour enfants, pour amoureux, d'ici et d'ailleurs), des vins, des saveurs, des thés et cafés, des soupes, du chocolat mais aussi sur l'alimentation saine, les régimes et bien plus encore.
À noter : une sélection de livres d'importation, plus rares au Canada.
La librairie est parfaitement bien située puisqu'on ira faire ses courses au marché en sortant !

LIBRAIRIE INDIGO

1500, McGill College, Place Montreal Trust
514-281-5549
www.chapters.indigo.ca
M° McGill. Lun-dim 9h-22h.

Des livres en français et en anglais sur tous les sujets imaginables, des revues, des disques, des DVD, du café et des brioches pour prendre le temps d'apprécier sa dernière acquisition avant de rentrer chez soi. À noter, la section de livres audio ou en gros caractère pour les mal-voyants ou non-voyants. Vous pouvez aussi profiter du site Internet et de ses promotions allant jusqu'à -80%, pour commander en ligne, moyennant un supplément peu élevé pour les frais d'expédition (livraison gratuite pour un achat supérieur à 39 $).

LIBRAIRIE MICHEL FORTIN

3714, Saint-Denis
514-849-5719
www.librairiemichelfortin.com
M° Sherbrooke. Lun-mer 9h-18h, jeu-ven 9h-21h. sam 9h-17h, dim 11h-17h.

Librairie spécialisée dans les langues étrangères, vous trouverez tout le matériel littéraire (manuels et dictionnaires) mais aussi audio (cassettes) et vidéo (CD-Rom) nécessaire pour l'apprentissage de la langue désirée. Commandes par téléphone possible.

LIBRAIRIE OLIVIERI

5219, chemin de la Côte-des-Neiges
514-739-3639
service@librairieolivieri.com
M° Côte-des-Neiges, angle Jean-Brillant. Lun-ven 9h-22h, sam 10h-19h été 22h, dim 10h-19h.

Cette librairie expose sur ses tablettes les ouvrages classiques ou d'essayiste dans le domaine de la pensée, de la psychanalyse, de la critique littéraire, théologique ou sociologique. Elle cherche à sortir des sentiers battus dans les titres qu'elle propose et c'est tout à son honneur. Découvrez le bistro qui se situe au fond de la librairie, pour une pause café ou un repas à des prix honnêtes. Dans sa succursale du musée d'art contemporain, Olivieri propose une large sélection de livres d'art.

LIBRAIRIE RAFFIN

6330, Saint-Hubert
514-274-2870
raffin.montreal@qc.aira.com
Lun-mer 9h30-18h30; jeu-ven 9h-21h; sam 9h-17h; dim 10h-17h

Le personnel est expert dans tous les domaines, tant dans la littérature pour adulte que celle dédiée à la jeunesse. Des véritables librairies de fond. *Autres adresses : 3, de la Commune E 514-393-4343 ; Place Versailles 7275, Sherbrooke E 514-354-1001.*

LIBRAIRIE ULYSSE

4176, Saint-Denis
514-843-9447
www.ulysse.ca
M° Mont-Royal. Lun-mer 10h-18h, jeu-ven 10h-21h, sam 10h-17h30, dim 11h-17h30.

Qui ne connaît pas Ulysse ? L'éditeur québécois spécialisé dans les guides de voyages a aussi deux libraires spécialisées dans ce domaine. Quelque soit votre destination, vous trouverez toutes les informations indispensables pour préparer votre voyage. *Autre adresse : 560, Président Kennedy. M° McGill 514-843-7???*

LIBRISSIME

62, Saint Paul O
514-841-0123
www.librissime.com
M° Square Victoria. Horaires provisoires : lun 10h-18h, mar fermé, mer 10h-18h, jeu-ven 10h-20h, sam 10h-17h, dim 12h-17h.

Une nouvelle librairie, à découvrir de toute urgence ! La famille Tremblay (les parents, le fils et la fille) a ouvert la librairie idéale, dans laquelle on est certain de trouver un cadeau pour soi ou pour offrir. Les vendeurs connaissent leurs rayons sur le bout des doigts et se font un plaisir de transmettre leur passion. Les livres vendus sont absolument superbes. Que dire de l'édition spéciale sur le Rajasthan, avec sa couverture en velours, présentée dans un sari venu tout droit du Nord de l'Inde ? Plusieurs éditions spécialisées dans des domaines aussi variés que la mode, le design, l'architecture, la cuisine, le voyage, la religion, rivalisent d'intérêt et d'originalité. *Service de livraison.*

MARCHÉ DU LIVRE
801, de Maisonneuve E
514-288-4350
www.marchedulivre.qc.ca
M° Berri/UQAM, angle Saint-Hubert.
Tous les jours 10h-21h. Interac.
Cette librairie est une vraie merveille pour sa collection de bandes dessinées avec plus de 9500 titres en stock. Outre cette spécialité, c'est une librairie générale où vous pourrez trouver une large sélection de livres neufs mais aussi d'occasion dans tous les domaines.

RENAUD-BRAY
5252, chemin de la Côte-des-Neiges
514-342-1515
www.renaud-bray.com
M° Côte-des-Neiges. Ouvert tous les jours, 9h-22h.
Renaud-Bray reste une référence en matière de librairie au Québec. Une grande chaîne très bien approvisionnée dans pratiquement tous les types de littératures. Outre les livres qui occupent la plus grande place, on trouve des espaces pour les disques, les DVD, les jouets, les jeux, la papeterie, les revues et une section réservée aux enfants. Si vous êtes un peu déboussolé par tant de choix, Renaud-Bray vous propose une sélection de « Coup de cœur » toujours très judicieux. *Plusieurs succursales : 5117, avenue du Parc 514-276-7651; Carrefour Angrignon 514-365-2587; 1155, rue Sainte-Catherine E 514-527-4477; 4380, Saint Denis 514-844-2587 ; 6255, Saint Hubert 514-288-0952 ; Centre Laval 450-682-2587; Galeries d'Anjou 514-353-2353; 1691, rue Fleury E 514-384-9920; Complexe Desjardins 514-288-4844; 1 Place Ville Marie 514-527-4477.*

RIVE-SUD

LE FURETEUR
615, av. Victoria, Saint-Lambert
450-465-5597

Lun-mer 9h-18h, jeu-ven 9h-21h, sam 9h-17h, dim 11h-17h, été : dim fermé. Toutes CC & Interac.
Vaste sélection de livres de poche, Publications du Québec, ouvrages de référence et guides de voyage; bon éventail de collections pour enfants. Les nouveautés se trouvent à l'entrée. N'hésitez pas à demander conseil, le personnel s'anime à insuffler à quiconque le goût de la lecture. Et si la perle recherchée ne s'y trouve pas, on peut commander. Ici, tout est affaire de personnalité, ce qui donne au Fureteur sa vocation de boîte à surprises méritant le détour.

LIRE LA NATURE
1198, ch. Chambly, Longueuil
450-463-5072
www.lirelanature.com
lirelanature@videotron.ca
Lun-mer 10h-18h, jeu-ven 10h-21h, Sam 10h-17h, dim 12h-17h. Toutes CC & Interac.
Bien plus qu'une simple librairie spécialisée en sciences naturelles. En fait, il s'agit d'une boutique où l'on trouve tout ce dont un vrai naturaliste a besoin : ouvrages de référence et divers accessoires, des jumelles, des boussoles, des loupes. Un inventaire de télescopes afin de mieux découvrir l'univers qui nous entoure. Le personnel connaisseur saura répondre aux questions de la clientèle. Si l'objet désiré manque à l'appel, un service rapide de commande ira jusqu'à décrocher la lune (enfin, presque).

LIVRES USAGÉS

AU HUARD CURIEUX
3778, Saint-Denis
514-499-0654
M° Mont Royal. Lun-mer 10h à 18h, jeu-ven 10h à 21h, sam 10h à17h, dim 12h à 18h.
Cette librairie a changé entièrement de style, et propose désormais un grand choix de livre neufs et usagés pour des prix qui ne dépassent jamais les 5 $. Une adresse bien futée pour tous les amateurs de littérature, d'art, d'histoire ou encore d'ésotérisme.

BOUQUINERIE ST-DENIS

4075, Saint-Denis
514-288-5567
Angle Duluth. Lun-mer 10h-18; Jeu-dim 10h-22h.

Cette librairie vend principalement des livres d'occasion, mais aussi des livres neufs à prix réduits dans toutes les catégories : littérature, policier, langues étrangères, arts, sciences, avec une section spéciale concernant les fables et contes pour enfants. Service d'achat à domicile. *Autre adresse : 799, Mont-Royal 514-523-5628.*

DÉBÉDÉ

3882, Saint-Denis
514-499-8477
Lun-sam 10h-21h, dim 12h-21h.
Être client et fouineur par dessus le marché est un bonheur total. Les collectionneurs de BD vont être ravis puisque cette librairie est spécialisée dans la vente de bandes-dessinées neuves (rabais -20%) et usagées ! Les tintinophiles trouveront leur compte dans un assortiment d'affiches et de bébelles.

LE COLISÉE DU LIVRE

908, Sainte-Catherine E
514-845-1792
Ouvert 7 jours, 10h-22h. Livres ou disques ou CD usagés à des prix dérisoires dont la majorité sont francophones. Pour les romans, ce sont de vraies aubaines. On trouve des livres neufs à prix réduits. On pratique l'échange. *Autre adresse : 1809, av. du Mont-Royal 514-521-6118.*

L'ÉCHANGE

713, Mont-Royal E
514-523-6389
www.cdechange.com
M° Mont-Royal.
Ouvert 7 jours 10h-22h.
La boutique vient de doubler sa superficie ! Une raison de plus pour y faire un tour. Des livres de seconde main, classés par thèmes, dictionnaires, méthodes de langues, philosophie, livres d'art, polars, psychologie, histoire, gastronomie, même les mélomanes ne sont pas oubliés avec un choix de musique de toutes les origines sur CD. La boutique achète ou échange des livres. Une section DVD est maintenant disponible.

LIBRAIRIES DE COMIC BOOKS

CAPITAINE QUÉBEC

1837, Sainte-Catherine O
514-939-9970
M° Guy. Lun-mer 11h-18h, jeu-ven 11h-20h, sam 10h-17h, dim 12h-17h.
Une adresse que tous les amateurs sérieux de comics connaissent. Mais, au fil des ans, le marché s'est transformé et le vaillant capitaine semble s'être écarté des goûts du jour, d'où la fermeture de son adresse sur Décarie, bien mieux garnie que ce semi sous-sol. Une bonne sélection des héros de base, avec un grand nombre de figurines issues de l'imaginaire.

MAGASINAGE

LEGEND ACTION FIGURES

7104, Saint-Hubert
514-277-1867
www.legendsaf.com
M° Jean-Talon. Lun-mer 10h-18h, jeu-ven 10h-21h, sam 10h-17h, dim 12-17h.
En plein cœur du Plaza Saint-Hubert, une adresse futée pour les amoureux des Comic books, mais aussi et surtout pour ce qui est des produits dérivés, des figurines aux statuettes de vos héros, avec des arrivages réguliers. Cette équipe de passionnés est toujours à l'affût des plus belles figurines, et recherchera pour vous celle qui fait envie. En outre, vous pouvez y vendre vos plus belles pièces (même anciennes), puisque nombre de collectionneurs considèrent cette adresse comme une référence, réputation qui est selon nous bien méritée.

LIBRAIRIE FICHTRE

436, de Bienville
514-844-9550
www.fichtre.qc.ca
Lun-mer 11h-18h, jeu-ven 11h-21h, sam 12h-18h; Dim 10-18h.
À la fois, maison d'édition et librairie alternative avec beaucoup d'exclusivités québécoises pour les fans de BD, fanzines. Ils ne sont pas sectaires puisque la majorité des rayons sont remplis par les nouveautés européennes (Plus de 3000 par an à traverser l'océan). Un lieu culturel aussi avec diverses activités (séances de signature, expositions, lancement de livres).

LIBRAIRIE MONET

2752, de Salaberry
514-337-4083
www.librairiemonet.com
M° Henri-Bourassa puis bus 69 O Gouin ou 164 Ouest Dudemaine; M° Sauvé et circuit 189 de Salaberry. Autoroute 15, sortie 4 aux Galeries Normandie. Lun-mer 9h30-18h, jeu-ven 9h30-21h, sam 9h-17h, dim 10h-17h.
Cette librairie généraliste spécialisée dans la bande dessinée n'a pas d'égal dans la ville. Plus de 15 000 titres de Bd et 25 000 titres à disposition dans les catégories jeunesse, ados et adultes, mais aussi et surtout des titres exclusifs ou à tirage limité. Ici, vous pouvez faire une confiance aveugle au personnel qui, en plus de sa courtoisie, connaît son sujet sur le bout des doigts.

MUSIQUE

ARCHAMBAULT

Voir coordonnées dans l'article de la section librairies
www.archambault.ca
Un coin avec les dernières nouveautés et les bonnes affaires du mois se partage l'espace avec les sections rock, jazz, musiques du monde, folk, etc. La section francophone offre un vaste choix. Le service est personnalisé et généralement assez connaisseur dans son domaine. La maison propose un service de mise de côté et il est possible de commander un CD qui n'est pas disponibles en magasin.

ATELIER GRIGORIAN

1599, Saint Denis
514-844-6477
www.grigorian.ca
M° Saint-Denis
Lun-jeu, de 10h à 18h, ven de 10h à 19h, sam de 10h à 18h, dim de 12 à 17h.
La collection de CD et DVD classique, jazz et musique du monde de l'atelier Grigorian est impressionnante. Ils disent même avoir la plus vaste collection du Québec ! Le magasin est beau, vaste et pourvu de nombreux postes d'écoute. On peut soit découvrir de nouveaux CD en écoutant ceux déjà placés dans les bornes soit demander à en écouter un en particulier. Pratique !

ATOM HEART

364-B, Sherbrooke E
514-843-8484
www.atomheart.ca
M° Sherbrooke, angle Saint-Denis. Lun-mar 11h-18h, mer 11h-20h, jeu-ven 11h-21h, sam 11h-17h, dim 12h-17h. MC, V & I.
Une boutique qui a non seulement le mérite d'être très jolie et une des rares à Montréal à proposer un tel éventail de musique produite sous label

indépendant. Vous y trouverez de la musique « de tous les styles pourvu que ce soit bon ». Si vous ne trouvez pas ce que vous recherchez, on se fera un immense plaisir de dénicher la perle rare. Vous pouvez faire vos commandes par le biais du courriel.

L'ÉCHANGE
713, Mont-Royal E
514-523-6389
www.cdechange.com
M° Mont-Royal.
Ouvert 7 jours 10h-22h.
La boutique vient de doubler sa superficie ! Une référence du livre et du disque de seconde main. On vend une myriade de titres, classés selon le sujet, en bon état, à des fractions du prix d'origine (bien entendu). Au gré des arrivages, les découvertes peuvent être de taille. La politique maison veut que tous les disques soient garantis, donc pas de mauvaise surprise de ce côté.

LE FOX-TROC
819, Mont-Royal E
514-521-9856
M° Mont-Royal, angle Saint-Hubert.
Lun-mer 10h-18h, jeu-ven 10h-21h,
sam 10-18h Dim 10h-17h.
D'un côté, tout un mur de musique hétéroclite: disco, country, humour, danse, compilation 70's, compilation 1990-2000 et autres. De l'autre, soigneusement alignés les CDs pop-rock font la loi. À noter : une nouvelle section de vinyles d'occasions. Le local étroit accueille une clientèle plutôt jeunes. Les albums son ordonnés avec un soucis de bibliothécaire.

FRANCOPHONIES
3883, Saint-Denis
514-843-8812
www.francophonies.ca
M° Sherbrooke, angle rue Roy. De mai à sept : Fermé le lun, mar-sam 11h à 18h, dim 11h à17h ; d'oct à avril : fermé lun et mar, mer-sam 11h à 18h, dim 11h-17h.
Ouvert depuis mai 2003, ce magasin a pour vocation de promouvoir la chanson française et met en vente près

de 30 000 produits (dont la plupart proviennent de France) ayant attrait à la musique francophone : disques en vinyle (33 tours et 45 tours), mais aussi magazines, livres et vidéos. Ici, vous trouverez tous les styles de musiques pour des prix variables puisque on vous propose du neuf et de l'occasion. Les propriétaires étant des passionnés, ils se feront un plaisir de vous guider dans le magasin et de trouver votre bonheur. Pour les amoureux de Céline Dion, une « Célinothèque » regroupe environ 10 000 articles relatant sa carrière. Une collection impressionnante !

HMV
1020, Sainte-Catherine O
514-875-0765
www.hmv.ca
M° Peel. Magasin central, autres petites boutique un peu partout.
À l'intérieur de cette succursale géante, de jeunes amateurs s'affèrent autour des comptoirs de rap, de rock alternatif, dance, musique électronique. Au sous-sol, un peu de soul et de country, mais surtout une importante sélection de disques heavy metal attirent les adeptes. Au rez-de-chaussée une grande sélection de DVD généralistes, dont des films d'action, souvent assez sanguinaires, en langue originale américaine. Les beaux locaux de l'étage du haut s'ouvrent au jazz et au classique. *Entre autres adresses: Centre Fairview 514-426-0093 ; Carrefour Laval 450-687-7452.*

POP SHOP
4081, Saint-Laurent
514-848-6300
Bus 55, angle Prince Arthur.
Lun-mer 12h-18h, jeu-ven 12h-21h,
sam – dim 12h-18h.
On y trouve des CD usagés et quelques nouveautés. Les vendeurs de CDs sont aux petits soins. Avant tout achat, le personnel s'assure de la bonne qualité de la marchandise. Une belle petite adresse.

MAGASINAGE

VIDEOS

LA BOÎTE NOIRE

4450, Saint-Denis, suite 201 – 514-287-1249
380, Laurier O - 514-277-6979
42, McGill – 514-844-8727
www.boitenoire.com
Ouvert tous les jours 11h-23h.
Abonnement à vie 17,95 $. Location :
5,50 $/film, 3 pour 2 tous les jours, et
en tout temps, la location de séries
télé, documentaires, animations et
films familles donnent droit à un autre
film gratuit.
Cette petite boîte fait la renommée du
cinéma de répertoire depuis quinze
ans. Elle offre ce qui est généralement
difficile à louer au club vidéo du quartier.
Le cinéphile qui s'aventure en cet antre
est subjugué par le vaste éventaire des
35 000 films en location et 10 000 en
vente. Le tout, judicieusement classé par
réalisateur, pour chaque pays.

METRO VIDEO

977, Sainte-Catherine O
514-499-9499
www.metrovideo.ca
M° McGill. Lun-jeu 10h-21h, ven
10h-22h, sam 10h-18h, dim 11h-18h.
Ici, tout est à vendre et le cinéphile
trouve son bonheur. Une collection
incroyable de DVD et de cassette (plus
de 25 000 copies). Les coffrets de vos
séries préférées sont là. Vous cherchez
un film? On le trouve, on le commande !
Le service est très personnalisé,
avec possibilités de mises de côté et
commandes spéciales. Vous ne repartez
que lorsque vos vœux sont exhaussés !
Pour les films en version française, un
ingénieux système d'étiquette colorées
vous les signale. *Autre adresse: 3035,*
boul. Le Carrefour, Laval 450-687-
8487: un peu plus petit que celui de
Montréal, le magasin n'en reste pas
moins notre référence locale pour les
DVD.

PHOS

5147, chemin de la Côte-des-Neiges
514-738-1040
M° Côtes-des-Neiges, angle
Jean-Brillant. Ouvert de 11h-00h
tous les jours incluant les jours
fériés. Adhésion gratuite. Location
nouveautés et dvd 5,25 $.
« Un trésor dans un champ de navets »,
slogan audacieux pour un vidéoclub bien
à part. Rien que du répertoire classé par
réalisateur pour chacune des divisions:
cinéma des pays anglophones, cinéma
québécois, cinéma du monde, primeurs
et nouvelles acquisitions, documentaire,
série télé, animation et plusieurs autres.
Le personnel discute de ses goûts et
de ses couleurs avec les « Suggestions
marrantes » ou les « Suggestions des
employés » fièrement affichées.

LOISIRS

PHOTO

L.L. LOZEAU
6229, Saint-Hubert
514-274-6577
www.lozeau.com
M° Beaubien. Plaza Saint-Hubert.
Lun-mer 8h-18h, jeu-ven 8h-21h, sam-
dim 9h-17h. V, MC & I.
La référence du Grand Montréal
lorsqu'il est question de photographie.
Toutes les grandes marques y sont.
Heureusement, un personnel qualifié
est à l'affût des besoins du client, et
sait offrir les combinaisons optimales
pour agrémenter la prise de photos du
maximum de plaisir. Aussi, un vaste
choix d'appareils numériques pour les
premiers de classe côté technologie.
Encore un peu onéreux, mais les résultats
semblent confirmer la prochaine vague
de l'art photographique. Excellent
choix aussi de logiciels de traitement
de l'image. Encore une fois, il ne faut
pas hésiter à se confier à la personne-
ressource, choisie pour son savoir en
la matière. Il est rafraîchissant de
faire affaire avec des gens hautement
compétents. LL Lozeau propose
aussi des cours de photographie et de
traitement de l'image.

PHOTO SERVICE
222, Notre-Dame
514-849-2291
www.photoservice.ca
M° Place-D'Armes, angle Saint-
François. Lun-ven 8h30-17h15, sam
9h30-16h30, dim fermé.
Une adresse bien futée, mais qui
ne s'illustre guère par ses heures
d'ouvertures... On parle ici d'un véritable
entrepôt de la photographie, desservant
les amateurs, mais à la base les
professionnels et l'industrie du milieu.
Le magasin propose un plus grand
choix d'équipements et d'accessoires
de toutes les marques renommées. Un
service de livraison, couvrant Montréal
et la banlieue est proposée. D'autre
part, un service de location de matériels
est également disponible, il suffit de

demander le catalogue ou de visiter le
site Internet.

SPORTS

ALTITUDE SPORTS PLEIN AIR
4140, Saint-Denis
514-847-1515
www.altitude-sports.com
Entre Marie-Anne et Rachel. Lun-
mar-mer de 10h à 18h, jeu-ven de 10h
à 21h, sam de 10h à 17h et dim 12h à
17h. AE, V, MC, Interac & comptant.
Boutique sport réglementaire avec
tous les articles pour les sportifs
professionnels, en herbe et les
aventuriers. Marques populaires tel
que North Face ou Summit series. Un
manteau peut osciller entre 100 et 750 $,
dépendamment de son utilité (ski, vélo
de montagne, randonnée pédestre,
etc.) Sur les présentoirs, chaussures
de marche, de randonnée ou autres
pour divers activités sportives. Sac
à dos, équipement de camping aussi
disponibles, ainsi que des accessoires
de voyage. Bref, une gamme d'articles
intéressants pour les amateurs de sports
toutes saisons confondues ! Possibilité
de faire des achats en ligne (voir site
internet). *Autre boutique affiliée :*
The North Face, situé au 4932,
Sherbrooke O, 514 489-1517

BOUTIQUE COURIR
4452, Saint-Denis
514-499-9600
www.boutiquecourir.com
M° Mont-Royal. V, MC, AE & Interac.
Lun-mer de 9h30 à 18h, jeu-ven de
9h30 à 21h, sam de 9h30 à 17h et
dim de 12h à 17h.
Ce magasin offre une gamme variée
de vêtements et d'équipements pour
la marche, le vélo, la randonnée en
montagne, le ski de fond et la marche
à pied. Parmi les marques vendues :
Ski Fisher, New Balance, Patagonia
et Swix. De l'expert au novice, vous
trouverez forcément votre bonheur. De
plus, l'équipe de vendeurs est experte
en la matière et se fera un plaisir de
vous renseigner et de vous conseiller
au mieux. Règle générale, surtout

concernant les chaussures sportives, la qualité se paie, mais apporte le soulagement du confort à l'usage. Suite à des travaux d'agrandissement, l'endroit est vaste et des plus agréable. On s'y attarde en rêvant d'escapades et de week-end sportifs. Justement, le magasin organise des sorties sportives tout au long de l'année. *Autre magasin: 1085, Chemin Chambly, Longueuil, 450 674-4436.*

LA CORDÉE

2159, Sainte-Catherine E
514-524-1106
www.lacordee.com
M° Papineau. Entre De Lorimier et Parthenais. Lun-mer de 9h à 18h, jeu-ven de 9h à 21h, sam de 9h à 17h, dim de 10h à 17h.
V, MC, AE, Interac & comptant.
L'une des références absolues lorsque vient le temps de préparer une excursion en pleine nature. Tout pour le plein air, quoi. Vêtements, accessoires, sacs à dos et tentes, sacs de couchage et bottes. Bonne sélection de vélos, et quelques kayaks. L'équipement complet pour l'escalade. Pour toute expédition, les ravitaillements nécessaires, soit la nourriture déshydratée, les divers carburants pour brûleur, etc. Une adresse qui ne lésine pas sur la qualité, et qui demande le gros prix pour chaque item vendu ici. *Autre boutique: 2777, Saint-Martin (intersection autoroute 15), Laval 450 524-1106; 1595, des Promenades, Saint-Hubert.*

LULULEMON ATHLETICA

4361, Saint-Denis
514-849-3719
www.lululemon.com
M° Mont-Royal. Lun-mar-mer de 10h à 18h, jeu-ven de 10h à 21h, sam de 10h à 18h, dim de 12h à 17h.
V, MC, Interac & comptant.
Fondée à Vancouver, cette entreprise se dédie corps et âme aux vêtements de yoga et d'entraînement pour hommes et femmes. Les phrases accrocheuses de sa vitrine donnent sans conteste le goût de bouger : « Le stress est relié à 99% des maladies ». Alors, qu'attendez-vous ? Découvrez cette belle boutique aux couleurs vivantes et ses vendeurs, enthousiastes, toujours prêts à répondre aux questions. Les vêtements de Lululemon sont définitivement à la mode, et leurs tissus sont adaptés pour tous types de sport. Un dimanche par mois se déroule, dans ce même espace, une activité physique en groupe (exemple un cours de baladi). Les amateurs de yoga trouveront aussi des adresses utiles sur des services, des cours et autres activités. En somme, une boutique unique en son genre, avec une approche particulière, un décor différent et une ambiance zen !

SPORT DÉPÔT

1153, Mont-Royal E
514-526-3805
www.sportdepotmtl.com
M° Mont-Royal et bus 97, angle de la Roche. Lun-mer de 10h à 18h, jeu-ven de 10h à 21h, sam de 10h à 17h et dim de 11h à 17h. V, MC, Amex Interac &

comptant. *Financement Accord D.*
Boutique conçue pour le et la sportive.
Atelier de réparation, échange et
location sur les vélos, les patins et les
raquettes. Attention, location pour
enfants seulement durant l'hiver sur
les équipements de ski alpin. Pour
les adultes, la location se fait sur les
raquettes à neige au prix de 15 $ pour 24
heures. Vêtements et souliers sport de
marques populaires telles que Adidas,
Nike, Salomon. Près de 400 modèles
de vélos de montagne (dont les marques
Giant, Garry Fisher et Marin), des
patins à glace, à roues alignées, des sacs
à dos, des casques… L'amateur de vélo,
de snowboard, de ski, de raquettes et de
hockey pourra se vanter de s'équiper au
complet dans un même endroit.

RIVE SUD

PLEINAIR ENTREPÔT
6678, Taschereau, Brossard
450-672-3217
Lun-mer de 10h à 18h, jeu-ven de 10h
à 21h, sam de 10 à 17h, dim de 11h à
17h. V, MC, Interac & comptant.
Il n'est plus nécessaire de vider son
porte-monnaie pour s'habiller sport
et s'équiper adéquatement. Ce petit
entrepôt présente des vêtements tout
droit sortis de l'entrepôt, ou encore des
échantillons des grands fournisseurs. De
20 à 80% de rabais sont appliqués sur
le montant initial. Des marques aussi
prestigieuses que North Face, Marmot,
Pearl Izami sont offerts à prix séduisants.
Chaque semaine, un nouvel arrivage
débarque au magasin. Sacs de couchage,
sacs à dos, espadrilles et autres tennis,
manteaux, maillots, tenues sportives
féminines, masculines et pour enfants
sont disposées avec soin. Le personnel
conseille amicalement et connaît tout ce
qu'il faut sur l'entretien des divers items.
Un magasin qui cultive l'excellence.

SAIL
1085, de l'Industrie, Beloeil
450-467-5223 / 1-800-363-9400
www.sail.qc.ca
Lun-mer de 9h à 18h, jeu-ven de 9h à
21h, sam de 9h à 17h, dim de 11h à 17h.

Toutes CC & Interac.
La grande surface de la chasse et de la
pêche avec deux niveaux d'équipements
qui vont du surplus militaire dans le
nec plus ultra du « plein air ». L'accent
est toutefois mis sur le camping de type
familial. Vaisselle, tentes à armatures
métalliques, sacs de couchage et
matelas, pour un « plein air » hautement
confortable. Les sections armurerie et
pêche sont bien garnies. Une gamme
d'accessoires hivernaux est
également proposée.

VOYAGE

AMERIK AVENTURE
1-866-679-7070
www.amerikaventure.com
Pour découvrir le véritable visage de
l'Amérique, partez en voyage avec
un guide de chez Amerik Aventure.
Il vous communiquera sa passion
pour les trésors naturels et culturels
de ce grand continent. Mais pas de
n'importe quelle façon ! Cette agence
de voyages prône le tourisme solidaire,
oeuvre à soutenir l'économie locale et
à préserver l'environnement. Quatre
types de circuits dans une vingtaine
de pays vous sont proposés :
écotourisme (par exemple, au coeur
de l'Amazonie), éco-aventure (cela
peut être en Patagonie), circuit naturel
(pourquoi pas sur la route des Mayas?) et
circuit de randonnée (au Québec !). Les
groupes déjà formés de plus de quatre
« écovoyageurs » peuvent demander
à Amerik Aventure de leur concocter
un périple sur mesure. En général, les
circuits sont adaptés aux enfants.

CORAIL BLEU VOYAGES
4351, Saint-Hubert
514-284-37934
www.corailbleu.qc.ca
Lun-ven de 10h à 18h, sam de 10h à
15h, fermé dim. V, MC & Interac.
M° Mont Royal.
Une agence de voyage toute mignonne,
au service personnalisé et à l'accueil
plus que charmant. La spécialité de
Corail bleu Voyages est d'organiser
des circuits et des séjours individuels

ou pour groupe. On y trouve tout: les locations de voiture, le tourisme culturel et d'aventure, les croisières, les voyages de dernière minute…Tous les types de voyageurs seront satisfaits. Les prix sont toujours indiqués avec taxes. De part leurs origines et leurs coups de cœur, l'agence a une prédilection pour les destinations du sud-est de la France et l'Amérique Latine, du Mexique à la Terre de feu.

BOUTIQUE AVENTURE VOYAGES

3702, Saint-Hubert
514-842-4139
www.boutiqueaventure.com
Lun-ven de 10h à 18h.
M° Mont Royal.
Bon nombre d'agences de voyages se contentent d'offrir des forfaits incluant tout de A à Z, se liant à un fournisseur ou à une compagnie aérienne. Ici, rien de tel. On recherche le meilleur prix possible. On fidélise le voyageur au moyen d'une carte de membre (25 $ par an), qui lui rapportera des dollars-voyage, selon l'ampleur de la dépense ainsi qu'à chaque référence de nouveaux clients. Quant aux destinations, l'équipe offre des itinéraires personnalisés, favorisant l'immersion dans la culture d'accueil. On propose des voyages en petit groupe partant à travers le monde. De plus, Boutique Aventure offre des circuits de « tourisme équitable » en Amérique Latine. Les petites auberges (visitées au préalable par l'équipe) seront préférées aux complexes hôteliers géants.

Les forfaits prennent en compte les activités de prédilection du voyageur. Avant chaque départ, un dossier technique complet sur la destination est remis. Toute l'année, des activités diverses sont organisées, histoire de garder son monde bien informé.

LA FORFAITERIE

7999, Galeries d'Anjou
514-355-9990
www.laforfaiterie.com
Lun-ven de 10h à 21h, sam de 9h à 17h, dim de 10h à 17h. V, MC & Interac.
Un tout nouveau concept dans le monde des agences de voyage. Des séjours dans des hôtels de renom sont combinés à des séances de thalassothérapie, des repas mémorables (plusieurs services) dans divers restos, des croisières sur le Saint-Laurent, des forfaits sportifs d'été ou d'hiver, à moins de craquer pour le casino, les cinémas Imax ou le golf. La Forfaiterie a concocté une liste plutôt exhaustive de ces possibilités, que l'on consulte sur papier ou sur le net. Pour visiter la province avec un budget prédéterminé, tous les arrangements fixés à l'avance, se laisser aller, relaxer, et apprécier le coup d'œil. La liste des 600 possibilités peut rendre un peu fou.

GLOBE-TROTTER AVENTURE

2467, Sainte-Catherine E, suite 200
514-849-8768
www.aventurecanada.com
Cette agence s'est donné pour mandat le projet ambitieux de réaliser les rêves des globe-trotters désirant découvrir

le Québec ou le Canada. On entend par projets ambitieux ceux emportant l'intrépide à bord d'un hydravion ou d'un char d'assaut, galopant à cheval jusqu'au sommet d'une montagne de Lanaudière, s'oubliant dans le Parc de la Mauricie à bord d'un canot. D'après l'agence, le remède miracle anti-stress demeure le voyage de pêche. Le golf est rendu accessible grâce au transport organisé. L'aventure en rafting nécessite deux jours de disponibilité. La nuit on compte les étoiles, depuis son sac de couchage ou dans ses rêves, sous la tente.

KARAVANIERS

9, de la Commune
514-281-0799
www.karavaniers.com
M° Champs de Mar Lun-ven 9h-18h,
sam 10h-16h.
Les voyageurs soucieux de faire du tourisme responsable trouvent chaussure à leur pied avec les Karavaniers. Cette agence de voyages respecte une charte éthique guidée par le respect des cultures, de l'environnement et des individus visités. Adeptes de la politique « Sans trace », les Karavaniers s'engagent à laisser intacts tous les endroits qu'ils visitent. L'agence organise des séjours partout à travers le monde pour les amateurs de randonnée, de kayak, de vélo et d'alpinisme. Accompagnés d'un guide, des petits groupes de voyageurs partent à la rencontre des habitants locaux. Par exemple, le forfait Mexique-Copper Canyon permet aux randonneurs de rencontrer des Indiens Tarahumara, qui leur serviront à la fois de guide et de porteur. Visitez le très joli site Internet de l'agence pour connaître la multitude de forfaits offerts. Les Karavaniers organisent aussi des conférences pour vous faire rêver avant votre grand départ.

SWAP

Renseignement auprès des agences
de Voyage Campus, présentes dans
toutes les universités.
www.swap.ca
Les courts séjours ne vous suffisent plus ? Alors, faites le grand saut et partez travailler à l'étranger ! SWAP vous

propose des formules d'encadrement pour vous aider à partir et à trouver du travail une fois sur place. Avec cette formule, découvrez, entre autres, l'Afrique du Sud, les États-Unis, la Nouvelle-Zélande, l'Autriche, l'Australie, la France, etc. Certes, l'emploi n'est pas fourni, mais les conseils pour en dénicher un sont nombreux et utiles. Le forfait comprend en général le visa, l'hébergement sur place pour les premiers jours, une conférence sur le pays d'accueil et l'accès au centre SWAP sur place où vous trouverez téléphone, fax, Internet.

TOURISME JEUNESSE

205, Mont Royal E
514-844-0287
www.tourismejeunesse.org
Ouvert lun-mer de 10h à 18h, jeu-ven
de 10h à 21h, sam de 10h à 17h. Fermé
le dimanche, à l'exception de la
saison estivale.
M° Mont-Royal.
Cet organisme à but non lucratif vise à promouvoir le voyage et à le rendre plus accessible. La découverte commençant en bas de chez soi, Tourisme Jeunesse gère l'excellent réseau québécois d'auberges de jeunesse de Hostelling International. Mais voyager, c'est aussi aller loin ! On peut donc se procurer des billets d'avion et des séjours pour les destinations internationales, à des prix avantageux. Tourisme Jeunesse organise régulièrement des conférences pour ceux qui veulent en savoir plus sur l'Europe, l'Amérique du Sud etc. Leur boutique montréalaise vend des accessoires de voyages, des guides, des sacs à dos et divers matériels de camping.

VOYAGE CAMPUS

5 succursales, dont une dans chaque
université
514 864-5995 / 1-866-832-7564
www.travelcuts.com
Lun-ven de 9h à 17h.
Ça voyage dans ces bureaux !
Le service n'en demeure pas moins attentif aux moindres volontés des étudiants. L'agence négocie directement les meilleurs prix avec les lignes

Procurez-vous absolument le guide des adresses érotiques à Montréal et au Québec disponible chez les libraires et dans les kiosques. Plus de 400 adresses, testées et commentées ont été répertoriées dans ce guide unique en son genre: de la boutique sexy aux lignes de rencontres téléphoniques en passant par les cruising bars, les clubs échangistes, les restaurants avec serveuses sexy. Une véritable bible que doit se procurer un (e) amateur (e) digne de ce nom.

aériennes. Malgré la queue au comptoir, on prend le temps de conseiller. En y achetant la carte ISIC, vous aurez d'agréables surprises, et ferez notamment des économies sur les tarifs ferroviaires et aériens. Possibilité de réserver des circuits et des nuits dans les auberges de jeunesse. *Adresses : 1455 boulevard de Maisonneuve O., local H222 (514-288-1130), 3480 rue McTavish (514-398-0647), 1613 Saint-Denis (514-843-8511), 5150 avenue Decelles (514-735-8794) et 225 avenue du Président Kennedy, local PK-R-206 (514-281-6662).*

VÉLO QUÉBEC
514-521-8356 / 1-800-567-8356 poste 361
www.velo.qc.ca cliquez sur « Agence de voyage »
Que diriez-vous de faire une partie du célèbre chemin de Compostelle sur deux roues ? Chaque année, 5 000 amateurs de vélo voyagent avec l'agence de tourisme de Vélo Québec. L'organisme sans but lucratif propose une soixantaine de destinations locales et internationales pour ceux qui désirent voir le monde... tout en faisant de l'exercice ! Les participants partent avec leur propre vélo sur les routes du Québec, de l'Ontario, du Mexique, des États-Unis, de la France, de l'Espagne, du Maroc, etc. Les groupes de 12 à 28 cyclistes sont pris en charge par un guide et les circuits organisés correspondent à différents niveaux de difficulté. Les forfaits incluent le transport aérien (pour l'étranger), les nuits d'hôtel, certains repas et même la prise en charge des bagages personnels pendant le périple à

vélo. La durée des séjours varie entre 3 à 15 jours. Il est possible de faire certaines excursions en famille.

BOUTIQUES COQUINES

BOUTIQUE SEXECITÉ
1821, Sainte-Catherine O
514-937-3678
6225, Saint-Hubert – 514-277-5470
Lun-sam 9h30-00h, dim 10h30-00h.
Incontestablement, cette boutique mérite son surnom de « supermarché du plaisir ». Il y a de tout, vraiment de tout pour s'adonner à des plaisirs, même les plus interdits. Vous n'aurez jamais vu autant de vidéos et de DVD réunis en un seul endroit. De la lingerie partout, de la plus soft à la plus coquine, voire extravagante. Les yeux ne savent plus où donner de la tête. C'est impressionnant. C'est plus qu'une visite, c'est un pèlerinage !

LA CAPOTERIE
2061, Saint-Denis
514-845-0027
www.lacapoterie.net
Angle rues Sherbrooke et Ontario.
Tous les jours 11h-21h. V, MC, AE & I.
Des capotes en tous genres, de tous les goûts, de toutes les couleurs, de toutes les grandeurs. Beaucoup de livres expliquant l'art du massage, différents jeux sexuels et érotisants, des objets humoristiques, des jeux de société, des condoms japonais, des Diva Cups, des boules chinoises, des petits jouets érotiques, des essences, de l'encens... Il fait chaud tout d'un coup.

ÉROTIM

723, Mont-Royal E
514-522-6969
Lun-sam 10h-21h, dim 12h-21h.
Une petite boutique pas mal étroite
mais qui offre une multitude d'objets
coquins. Beaucoup de produits sensuels:
huiles, crème, encens, jeux érotiques
pour couple. Très diversifiée, la boutique
propose à l'entrée ses produits les plus
softs. Plus on s'enfonce dans la boutique,
plus les objets s'adressent aux personnes
initiées aux plaisirs charnels.

IL BOLERO

6842/46, Saint-Hubert
514-270-6065
www.ilbolero.com
Lun-mer 10h-18h, jeu-ven 10h-21h,
sam 10h-17h, dim 12h30-17h.
Qui ne connaît pas la boutique de
Johnny? Sur deux étages, une variété
d'habits et de produits sexys et flyés. Au
premier des vêtements pour les raves et
de la lingerie pour hommes et femmes.
Au deuxième, les portes du fétichisme
s'ouvrent. Possibilité d'avant-goût et
même commande sur le net. Mais
une visite est toujours intéressante
notamment pour voir la chaise
de gynécologue.

SALON DE L'AMOUR ET DE LA SÉDUCTION

4141, Pierre-de-Coubertin,
Stade Olympique
www.amouretseduction.com
La fin de semaine autour de la Saint
Valentin. Métro Pie-IX. Ven 16h-00h,
sam 10h-00h, dim 10h-18h.
Admission: 12$.
Tous les ans, une sortie coquine des plus
interessantes ! Défilés, shows érotiques
et exposants de toute sortes. Une chose
est sûre, vous n'en sortirez pas les mains
vides. Bien entendu, avoir 18 ans et plus
pour y accéder…

MULTIMÉDIA

INFORMATIQUE

LA CENTRALE INFORMATIQUE

2490, Sainte-Catherine E
514-598-1002
www.shoplci.com
Lun-mer de 9h30 à 18h, jeu-ven de
9h30 à 21h, sam de 10h à 17h,
dim fermé.
Une chaîne de magasins hautement
spécialisés qui vous offrent des
ordinateurs et des composants à des prix
très compétitifs, le tout accompagné d'un
service sur mesure. Comme l'inventaire
physique est très petit, il vous faudra
patienter quelques jours pour recevoir
l'objet de vos rêves, mais le résultat est là,
et les conseils judicieux aussi. À noter:
les garanties qui sont très appréciables.
Autres adresses: 4830, Cousens, Ville
Saint-Laurent, 514 331-5400 ; 5710,

MAGASINAGE

Cartouches d'encre sur le Net

WWW.BLANKDVDMEDIA.COM ET WWW.PILOSHOP.CA

Des prix imbattables !

Deux magasins virtuels canadiens spécialisés dans la vente de fournitures à bas prix pour vos imprimantes. Le principe est simple : plus vous achetez de cartouches d'encre, plus vous économiser. Chez Blank DVD Media, la cartouche de marque Brother se vend 5 $ l'unité, et vous payez 4 $ l'unité à l'achat de 10 cartouches, et 3,25 $ l'unité pour 25 cartouches et plus. Les mêmes bas prix sont en vigueur chez Pilo Shop. Toutes les grandes marques sont disponibles aux deux adresses ci-dessus ; Canon, Epson, Hewlett Packard, Xerox, LexMark et Brother. Ces magasins en ligne vendent également des imprimantes, du papier photo, des clés USB, ainsi que des CD et DVD en grande quantité. *Blank DVD Media accepte toutes les cartes de crédit.*
Info : 514-910-6946. Chez Pilo Shop, on accepte les cartes Visa et Mastercard.
Contact : 1-866-NOW-PILO.

Thimens 514 331-7566 ; 335, Saint-Martin O, Laval 450 667-1002 ; 2152, Lapinière, Brossard 450 926-1089

MICROBYTES
625, René Lévesque
514-871-8515
www.microbytes.com
Lun-mer de 9h à 18h, jeu-ven de 9h à 21h, sam de 10h à 17h, dim de 12h à 17h.
Garantie de 2 ans sur les pièces et la main d'œuvre. Prêts étudiants acceptés. Possibilité de commander par Internet. La boutique s'adresse aux initiés. Pas question d'acheter l'ordinateur tout installé, logiciels compris. Le magasin vend surtout à la pièce : disques durs, processeurs, cartes maîtresses, graveurs, souris, scanners, haut-parleurs, caméras pour Internet, et la liste d'épicerie se poursuit presque à l'infini.
Autres adresses: 577, Saint-Martin O,

Laval, 450 629-8707; 7163, Newman, Lasalle, 514 368-0606 ; 940, Saint-Jean, Pointe-Claire, 514 426-2586.

LOCATION D'ORDINATEURS

LOCATEL
3966, Wellington
514-769-5555
www.locatel.ca
Pour une clientèle qui ne cherche pas à s'équiper au grand complet, c'est réussi. Aucun dépôt n'est requis, et les tarifs de location sont véritablement les plus bas en ville. On ne trouve pas les dernières trouvailles technologiques, mais il y a une bonne sélection de portables. Divers plans de bail avec option d'achat complètent une politique où aucun crédit n'est refusé. *Autres adresses: 5591, Paré, Ville Mont-Royal, 514-735-3000.*

bio-nature

ALIMENTATION

BOULANGERIES

AU PAIN DORÉ
13 magasins à Montréal
www.aupaindore.com
V, MC & Interac.
La célèbre boulangerie française sait répondre aux attentes des amateurs de farines bios. Dans leur gamme de pains biologiques, notons le pain Kamut, aux discrets parfums de noisettes. Le Sarrasin a une mie tendre et de bonnes qualités diététiques. Le Bio-lin satisfera les envies d'assoiffés d'Omega 3.

AUTOUR D'UN PAIN
1253, Beaubien E - 514-276-0880
1459, Mont-Royal E - 514-526-3305
100, Mont-Royal O - 514-843-0728
http://pages.infinit.net/painsbio
Ouvert tous les jours.
Interac et comptant.
La plupart des pains de cette boulangerie artisanale sont confectionnés à base de farine biologique, mis à part ceux fait de farine blanche. Pour satisfaire votre curiosité, les voilà tous : pains de campagne, 9 grains, blé concassé, noix, olives, tomate, raisin, choco-date, choco-raisin, levain, épeautre, tournesol, seigle. Les gros gourmands se procureront un petit bout de plaisir extra parmi la belle sélection de fromages québécois. Les viennoiseries, qui sont fabriquées selon des méthodes artisanales, avec des produits naturels mais non bios, sont vivement recommandées ! Légère restauration sur place possible également.

BOUCHÉE DE PAIN
910, Duluth E
514-523-6922
Angle Saint-André. M° Sherbrooke. Lun-ven 7h30-19h, sam-dim 8h-17h. Interac.
Ce petit nid d'exotisme réserve bien des surprises. Les pâtisseries sont naturelles (sans sucre et faible en gras) et délicieuses. On propose aussi des pâtisseries vegan (sans produit animal) et sans gluten, pour ceux qui ne le tolèrent pas : biscuits Lin, sésame et dattes, Negrito aux pruneaux et noix, carré de rêves aux chocolat, biscuits au café, à la cannelle ou au gingembre, et bien d'autres. Un joli coup de cœur à visiter!

CAPUCINE ET TOURNESOL
226, Bernard O
514-277-0232
9121, Lajeunesse, coin Legendre
514-389-8344
www.capucine-et-tournesol.com
Lun-ven 8h-18h30, sam 8h-17h30, fermé dim. Comptant & Interac.
La seule boulangerie-meunerie à Montréal ! Les grains utilisés, certifiées bio, sont moulus sur la pierre, quelques heures avant la cuisson. Ni matière grasse ni sucre ne sont ajoutés, et le résultat est savoureux. Plus de quinze années d'expérience dans la fabrication des pains à farine intégrale auront eu raison des sceptiques. De même que les pains au levain à base de farine d'épeautre ou de kamut, et ceux à la levure, comme le « 12 grains ». Avouez qu'ils sont délicieux ces carrés aux dattes et ces muffins aux fruits !

LE FOURNIL ANCESTRAL
4254, Beaubien E
514-721-6008
Lun-ven 7h30-18h30, sam 7h30-18h, dim 8h-18h. Argent comptant et interac.
Monsieur Gidoiu prépare son pain avec une farine biologique moulue sur pierre dans la région de la Mauricie, selon un procédé traditionnel de panification sur levain intégral et levain de pâte. Une grande variété de pain est cuite tous les jours : kamut, épeautre, quinoa, sarrasin, blé complet, multi-grains, raisins-cannelle, olive, sans compter les nombreuses combinaisons... En tout une douzaine de variétés.

LE FROMENTIER
1375, Laurier E
514-527-3327
Angle De Lanaudière. M° Laurier. Fermé le lun, mar-mer 7h-19h, jeu-ven 7h-20h, sam 7h-18h, dim 7h-17h. V, Interac & comptant.
Farine biologique et levain sont les principaux composants des pains

fabriqués ici. Même la farine blanche est biologique, ce qui est assez rare ! Le goût s'en ressent et les miches campagnardes partent, justement, comme des petits pains… Difficile de résister aux petits pains spéciaux aux raisins, aux noix de Grenoble, chocolat noir et raisin. Rien à dire, non plus, sur les fougasses au thym. Les fromages et autres charcuteries accompagneront le pain à merveille.

PREMIÈRE MOISSON

14 magasins dans le grand Montréal Voir le site www.premieremoisson.com pour trouver le plus près de chez vous.
Cette célèbre chaîne de boulangeries a développé sa propre gamme de pains biologiques. Une farine de blé biologique moulue sur meule de pierre, mêlée à une farine blanche bio, de l'eau filtrée, du sel de mer, du levain et un peu de levure, fait la particularité des miches et autres baguettes de blé bio. Le Kamut bio Montignac, grâce à sa haute teneur en protéines, peut être qualifié de « pain complet supérieur ». L'intégral bio Montignac ravira les amateurs de blé entier. Le « grains germés bio » (tournesol, trèfle rouge, millet, blé mou, sésame, germe de blé, luzerne, lin, amande de l'avoine) est probablement le plus goûteux.

BOUCHERIES

BOUCHERIE LES VIANDES SAINT-VINCENT

138, Atwater, Marché Atwater
514- 937-4269
Marché Jean Talon - 514- 271-0209

Lun-mer 9h-18h, jeu 8h-20h, ven 8h-21h, sam-dim 8h-17h. V, MC & Interac.
Cette boucherie, présente dans les deux grands marchés montréalais, se différencie des autres par le simple fait que la plupart des viandes proviennent de l'élevage de la ferme Saint-Vincent et toutes sont certifiées biologiques (bœuf, poulet, dinde, veau, canard, oie). D'autres produits tels que les saucisses maison ou encore les terrines, sont également préparés avec des viandes bio.

LE MAÎTRE GOURMET

1520, Laurier E
514-524-2044
Angle Fabre. M° Laurier. Lun-mer 9h-18h30, jeu-ven 9h-20h, sam 9h-17h, dim 11h-17h. V, MasterCard & Interac.
Cette épicerie de qualité offre un large choix de viandes exotiques. Le gibier y est disponible presque tout au long de l'année. Au niveau des viandes bio, on trouvera du poulet frais et du bœuf, veau, agneau et porc congelé. Des produits du Québec, notamment des assaisonnements, iront à merveille avec votre viande.

FROMAGERIE

FROMAGERIE DU VIEUX SAINT-FRANÇOIS

4740, boul. des Mille-Îles, Laval
450-666-6810
www.fromagerieduvieuxstfrancois.com
Sortie 14 de l'autoroute 25. Mar-mer 10h-18h, jeu-ven 10h-20h, sam-dim 10h-17h. Interac ou argent comptant.
Depuis 1996, cette petite fromagerie

BIO & NATURE

fabrique des produits maison à partir de lait de chèvre. Suzanne Latour-Ouimet, la propriétaire, nourrit de manière écologique son troupeau situé dans une ferme non loin de ce lieu de vente. On y retrouve de petits délices comme le fromage Le Lavallois, les Bouchées d'amour, fromage crémeux dans de l'huile bien assaisonnée, le yogourt L'Avalanche, ou encore La Tour St-François, fromage au lait cru. Les produits, distribués dans divers marchés d'alimentation à travers le Québec, sont dignes des plus grands fromages.

CAFÉS & THÉS

Le café et le thé font partie des produits que l'on trouve le plus fréquemment dans les rayons bios. Nous présentons donc une sélection d'adresses mais beaucoup de cafés proposent désormais des boissons bios.

AUX QUATRE VENTS
Marché Jean-Talon - 514-276-4000
Marché Atwater - 514-932-6068
Lun-mer 6h-18h, jeu-ven 6h-20h, sam 6h-18h, dim 7h-18h.
Interac & comptant. Terrasse.
Un petit coin convivial pour savourer les divers crus de la maison ou les emporter et les apprécier chez soi. Parmi les produits bios, notons le café éthiopien et le sumatra noir décaféiné. On peut aussi y grignoter un casse-croûte à l'heure du déjeuner.

CAFÉ RICO
969, Rachel E
514- 529-1321
www.caferico.qc.ca
M° Mont Royal ou Sherbrooke. Lun-mer 10h-18h, jeu 10h-19h, ven 10h-18h, sam 10h-17h, fermé dim.
Argent comptant.
Un grand bravo à ce maître-torréfacteur, situé en plein cœur de Montréal. Les produits sont tous équitables et la plupart sont issus de l'agriculture biologique. Le café provient des coopératives de petits producteurs du Sud (voir les détails sur le site web, très intéressant). Douze mélanges fins de grains latino-américains et africains (9 $ le demi-kilo) torréfiés sur place sont disponibles dans leurs versions café filtre ou espresso. Notons le prix du café sur place : 1 $ le café filtre et 1,25 $ pour l'espresso. Qui dit que c'est forcément plus cher quand c'est équitable ? On rapportera chez soi une sélection de tisanes, du riz thaïlandais, du sucre de canne du Paraguay et de Costa Rica, des noix de macadam ou d'acajou. Pour une petite faim, le succulent sandwich au brie et pesto avec une salade de quinoa (spécialité des Andes) vaut le détour!

TOI, MOI ET CAFÉ
244, Laurier O - 514-279-9599
2695, Notre-Dame O - 514-788-9599
Ouvert lun-ven 7h-23h30, sam-dim 8h-minuit. Toutes CC & Interac.
Café en grains 13-65$ le kilo.
Toi, moi et café préserve le don d'entretenir une atmosphère chaleureuse et animée, enveloppée par l'odeur du café frais brûlé sur place et les ronrons passagers du torréfacteur. Dans la salle rectangulaire, des clients se prélassent, du lecteur assidu jusqu'à la petite famille. Plus d'une cinquantaine de mélanges de café sont proposés dont la moitié bio et équitable. Les desserts sont monstrueusement bons et les brunchs de fin de semaine, absolument délicieux. N'hésitez pas à demander conseil à l'un ou l'une des serveurs : ils auront toujours une petite merveille à vous proposer. La terrasse, l'été, sur l'avenue Laurier, est un véritable bonheur

ÉPICERIES & ALIMENTS NATURELS

ALFALFA
7070, Henri Julien,
Coin marché du nord
514-272-0683
Marché Jean-Talon. Lun-mer et sam-dim 9h-18h, jeu-ven 9h-21h. Interac, V, MC.
Une quinzaine d'années d'existence pour cet espace alimentaire santé et beauté jouxtant le bâtiment principal du marché Jean-Talon où vous trouverez des produits frais et secs, des jus, des huiles, herbes et épices biologiques, des

Les paniers biologiques

Une solution parfaite pour les amateurs de fruits et légumes bios qui veulent soutenir les fermes du Québec ! Les paniers bios, résultat concret de l'agriculture soutenue par la communauté, permettent aux agriculteurs de planifier leurs saisons : le consommateur verse une somme en début de saison et en échange, il reçoit un panier par semaine. La totalité de la somme versée par le consommateur va au producteur. Les paniers arrivent dans un point de chute, que vous choisirez sur une liste.

Pour choisir votre ferme, allez sur le site d'Équiterre : www.equiterre.org ou par téléphone au 514- 522-2000.

---

farines biologiques moulues sur pierre, des substituts alimentaires, ainsi que du café et du thé Equita. Les produits de beauté, naturels, sont de plus en plus nombreux. On trouvera, entre autres, les marques Druide, Kariden, Oris, des produits à base d'aloès, des savons faits main, du beurre de karité et d'autres délices qui raniment le corps. Les mamans dénicheront pour leurs enfants la crème pour les fesses et une autre pour les bobos de la marque Souris verte ainsi qu'un beurre de massage pour bébé fait par Green Beavor.

LES ALIMENTS MERCI
Marché Jean-Talon - 514-274-3962
Promenade Ontario, 3623, Ontario E
514-528-7295
Marché Maisonneuve, 4445, Ontario E
514-899-1066

De prime abord, la boutique semble un dépôt d'aliments en vrac : d'énormes sacs de 10 kg de riz ou de semoule par ci, de 20 kg de farine par là, satisfont les amateurs de grosses quantités, moins dispendieuses au kg et sans emballages superflus. Mais les tablettes disposent aussi de plus petites quantités d'arachides, d'épices, de graines et d'innombrables autres aliments, conditionnés au poids. Outre le vrac, la boutique Aliments Merci offre en plus la qualité de produits plus traditionnels, d'importation pour la plupart (produits du monde entier) et dont une bonne proportion est biologique et parfois équitable (farines, céréales, huiles, etc.).

À VOTRE SANTÉ
5126, Sherbrooke O
514-482-8233
Angle Vendôme. M° Vendôme. Lun-ven 9h-20h, sam 10h-18h, dim 11h-17h30. V, MC, AE & Interac.

N'était-ce de sa fréquentation assidue, ce petit supermarché certifié biologique(logé au sous-sol) d'un immeuble passerait presque inaperçu dans le paysage opulent de la chic banlieue westmountaise. Richement fourni, l'établissement tient toute la gamme des produits bio et naturels : suppléments alimentaires, céréales et farines en vrac, herbes et épices biologiques, café équitable, etc. Même la viande provient de l'agriculture biologique. Étal de fruits et légumes bio qui varient selon les saisons.

BIO-TERRE
201, Saint-Viateur - 514- 278-3377
www.bioterreresto.com
Angle De l'Esplanade. Lun-mer 9h-19h, jeu-ven 9h-21h, sam-dim 9h-19h. V, MC & Interac.

Une épicerie incontournable dont les étals se composent, pour la plupart, de produits issus de l'agriculture biologique. Plusieurs sortes de céréales et des graines en vrac, des produits frais, une multitude de sachets à infuser, des fruits séchés, des huiles végétales, ouvrent de nouvelles perspectives aux cuisiniers investigateurs. Beaucoup de produits de beauté ainsi que des compléments alimentaires complètent les rayons.

BIO & NATURE

Les jardins urbains

450-589-7814

www.lesjardinsurbains.ca

Une solution très pratique pour les urbains pressés qui veulent néanmoins soigner leur alimentation ! Avec les Jardins Urbains, vous pouvez commander par téléphone ou par internet vos fruits, légumes, viandes, poissons, produits d'épicerie, et bien d'autres choses encore. La liste des produits est longue. Bien sûr, les produits sont bios et écologiques. On reçoit les produits chez soi, 48 h après avoir passé sa commande. Des promotions sont toujours en cours et le prix des autres produits restent raisonnables. Beaucoup des fruits et des légumes proviennent directement de la ferme des propriétaires, à Saint Sulpice, et ceux-ci vous garantissent qu'ils vous livrent ce qu'ils ont cueilli le matin même !

COOP LA MAISON VERTE

5785, Sherbrooke O

514-489-8000

www.cooplamaisonverte.com

Angle Melrose. Lun-mer, ven 10h-18h, jeu10h-21h, sam 10h-17h, dim 11h-17h.

La Maison verte est une coopérative écologique qui propose des produits pour la vaisselle, des lessives, produits et services pour l'entretien non toxique des pelouses et jardins, jardinage organique ; équipements pour limiter la quantité d'eau utilisée par les toilettes et les douches ; équipements pour améliorer la qualité de l'air, des vêtements à base de chanvre, de la papeterie recyclée, etc. Des petits cadeaux, comme les porte-monnaie faits à base de canettes recyclées ou les dessous de plats faits avec des vieux journaux sont de très bonnes idées. Un coin café sert du café et du thé biologique et équitable ainsi que des produits organiques.

ESPACE SANTÉ BEAUTÉ JOHANNE VERDON

1278, Jean-Talon E - 514-279-3709

www.johanneverdon.com

Lun-mar 9h à19h, mer- ven 9h à 21h sam-dim 9h à 17h.

En plus de l'épicerie biologique, la boutique vend au détail les produits de beauté Johanne Verdon distribués dans plusieurs boutiques du Québec et sur Internet. Johanne Verdon, naturopathe de formation, a créé une ligne de produits de beauté, naturels : crèmes pour le visage, lotions pour le corps et

shampoings. On trouvera également des ampoules et des gélules destinées à améliorer son bien-être.

FERME MICHACA

Marché Jean-Talon

Marché Atwater

Lun-mer 9h-18h, jeu-ven 9h-19h, sam-dim 9h-18h. Comptant.

Cet étal de la Ferme Michaca propose sa production de fruits et légumes certifiés biologique, pendant toute l'année. Vous y retrouverez aussi toute une gamme de divers produits d'épicerie bio.

FOLIES EN VRAC

1554, Sainte-Catherine E

514-526-3689

1307, Mont Royal E - 514-523-4622

Pour l'adresse sur Sainte Catherine :

M° Beaudry. Horaires : lun-mer 9h-22h, Jeudi-samedi 9h-23h, dim 10h-22h

Pour l'adresse sur Mont-Royal :

M° Mont-Royal. Horaires : lun-mer 9h-19h, jeu-ven 9h-21h, sam 9h-18h, dim 11h-18h. V, MC & Interac.

Ces boutiques offrent, comme leur nom l'indique, toute une gamme d'épices, thés, tisanes et cafés, huiles d'olives (une trentaine de variétés), vinaigres balsamiques, biscuits, un étal de fromages et de charcuteries. On puisera dans un choix de plus de 100 plantes et thés bio pour se confectionner ses propres tisanes à la maison.

LE FOUVRAC

1451, Laurier E- 514-522-9993
M° Laurier
1404, Fleury E - 514-381-8871.
M° Sauvé puis bus 140.
Lun-mer 8h-19h, jeu-ven 8h-20h30,
sam 8h-17h, dim 9h-17h.V, MC, AE & I.
L'odeur de café fraîchement moulu
n'échappera pas aux épicuriens venus
faire un tour au Fouvrac. Le café n'est
certainement pas l'unique produit
en vente mais c'est sans doute le plus
odorant. La spécialité, ici, le thé, occupe
une large superficie des deux boutiques,
celle du Plateau Mont-Royal et celle sur
la rue Fleury. Alors, mieux vaut avoir
du temps pour choisir le thé que l'on
ramènera chez soi. Parce qu'entre toutes
les marques renommées (Betjeman et
Barton, Dahman et beaucoup d'autres),
choisir n'est pas facile… Il faut aussi
remarquer les belles collections de
théières. Dans les autres rayons, on
trouvera de délicieux biscuits pour
accompagner sa boisson préférée et
une vaste sélection de chocolats. Pour
finir, une belle collection de pâtes, très
originales, de toutes les couleurs, de
toutes les formes.

LE FRIGO VERT

2130, Mackay
514-848-7586
M° Guy Concordia. Horaires
réguliers : ouvert en semaine
seulement, 11h-19h, et en d'été : lun-
jeu, de 12h à 19h.
Surprenante, cette minuscule boutique
en plein centre-ville où l'on découvre
des aliments biologiques (farines, lait de
soya, huiles, sandwiches, plats préparés
…), du café équitable ainsi que d'autres
produits écologiques, d'hygiène féminine
(en coton) ou d'entretien ménager. Autre
surprise : les prix. Grâce à l'aide des
membres et des étudiants de Concordia
(l'adhésion au Frigo vert est incluse
dans les droits de scolarité), les prix des
produits bios demeurent moins élevés
qu'ailleurs. Le Frigo Vert n'hésite pas
à faire appel aux bénévoles dans ses
activités quotidiennes et se finance grâce
aux adhésions. C'est également un point
de distribution des paniers de légumes,
achetés directement aux agriculteurs
biologiques.

LEMIEUX – NETTOYANTS ÉCOLOGIQUES

1329, Mont Royal E - 514-528-9102
6845, Taschereau, Brossard -
450-676-6066
4777, Papineau - 514-528-7770
www.nettoyants-lemieux.com
Lun- mer 9h30-18h ; jeu-ven jusqu'à
19h ;am-dim jusqu'à 17h.
Enfin des liquides à vaisselle qui ne
sentent pas les produits chimiques
mais les agrumes ! Chez Lemieux, les
produits pour laver la vaisselle, les sols, les
vêtements, sont essentiellement d'origine
naturelle. Comparativement aux autres,
ces produits sont meilleurs à la fois pour
les utilisateurs et pour l'environnement
parce qu'ils se biodégradent plus
rapidement. On conseille aux clients de
venir avec leur propre récipient afin de ne
pas avoir besoin d'en acheter un autre. Les
excellents produits pour le corps Druide et
Lemieux garnissent également les rayons.

HEALTH TREE

3827, Saint-Jean, Dollard-des-
Ormeaux - 514-624-2896
7133, Côte Saint Luc - 514-484-5031
Lun-mer 9h-19h; jeu-ven 9h-21h
L'établissement de Dollard des Ormeaux
est l'un des plus grands magasins
bio de la région. Les étals de fruits
et légumes (environ 70 variétés !) ne
sont approvisionnés que de fruits et
légumes biologiques distribués par Pro-
Organic et Distribu-Vie trois fois tous
les deux jours. Les allées regorgent de
produits secs (farines, céréales, graines,
légumineuses, noisettes, croustilles, etc.),
liquides (boissons de soja, jus, huiles),
de produits frais (lait, yaourt, beurre,
œufs, crème) et de viandes biologiques
(poulet et bœuf). La moitié de la
surface est occupée par les compléments
nutritionnels (marques Natural Factor,
Troffic, Phytovie, Clé-des-champs,
Flora, Ehm et bien d'autres). Bon choix
de plats préparés par des établissements
renommés (Commensal, Fou du Roi,
Fine Tulipe, Végémenu, Fontaine-santé,
entre autres).

Les marchés bios

A Outremont, sur Dollard, entre Van Horme et Lajoie, coin Lajoie.
Les dimanches, du 20 août au 8 octobre.
Au marché Maisonneuve, rue Ontario entre Pie IX et Viau. Les samedis du 19
août au 7 octobre.

On profitera de ces quelques journées pour aller à la rencontre des producteurs de fruits, légumes et autre produits bios. Cela ne dure pas longtemps, alors notez-le sur vos calendriers !

KI NATURE ET SANTÉ

4279, Saint-Denis - 514-841-9696
997A, Saint-Jean, Pointe-Claire
514-695-7934
www.kinat.com

Le Ki (à prononcer ch'i) représente la substance originelle de toute création. Ce centre, membre de l'Association Canadienne des Aliments de Santé, prône des méthodes alternatives de soins de santé et propose des herbes médicinales, des huiles essentielles, des remèdes homéopathiques, des vitamines et des suppléments minéraux, des produits d'aromathérapie, ainsi que des produits naturels pour les soins et la beauté du corps. En tout, plus de 10 000 produits disponibles, rehaussés des conseils attentionnés d'un personnel qualifié dont la plupart sont naturopathe, phytothérapeute ou homéopathe.

MISSION SANTÉ THUY

1138, Bernard O
514-272-9386
Angle de l'Épée. M° Outremont.
Lun-ven 9h-20h, sam 9h30-18h, dim 10h-18h. V, MC & Interac.

Dans la série des magasins de produits naturels à rayons multiples, la Mission Santé Thuy propose toute la gamme des cosmétiques, des produits de soins, masques à crème et shampoings divers. Les étals de légumes et de fruits biologiques avoisinent les additifs nutritionnels. Les clients fidèles viennent compléter ici leurs traitements naturels avec des discussions animées sur les différents effets des cures prescrites.

RACHELLE-BERY

505, Rachel E - 514-524-0725
2510, Beaubien E - 514-727-2327
4660, Saint-Laurent - 514-849-4118
1332, Fleury E - 514-388-5793
1636, De l'Avenir, Laval
450-978-7557
www.rachellebery.com
V, MC, Interac & comptant.

Rachelle-Bery fait office de vétéran dans le domaine de l'épicerie-santé. Il est vrai que le choix est impressionnant : fruits et légumes biologiques, conserves et produits en vrac, café équitable, produits de beauté, suppléments alimentaires, matériel, conseils. Chaque point de vente, selon son espace, offre un choix abondant dans un décor agréablement coloré. Les vendeurs ne sont pas avares de conseils et ne ménagent pas leur temps auprès des clients qui découvrent cet univers souvent méconnu.

TAU ALIMENTS NATURELS

4328, Saint-Denis - 514- 843-4420
3188, Saint Martin O, Laval
450-978-5533
6845, Taschereau, Brossard
450-443-9922
www.marchestau.com
Lun-mer 9h-19h ; jeu-ven 9h-21h ;
sam 9h-18h ; dim 10h-18h.
Interac & comptant.

Pour ceux qui se soucient de la qualité des aliments, Tau propose en vrac sa gamme de produits organiques. Le soin apporté à l'agencement des rayons ou la simple curiosité donnent le goût de venir s'y approvisionner régulièrement. Qu'il s'agisse de conserves naturelles, de compléments alimentaires, de plats cuisinés, de légumes biologiques ou de miels, Tau prêche le naturel et l'équilibre alimentaire. Mais rien n'empêche de succomber à la gourmandise avec des crèmes glacées et des fromages santé !

LE TOURNESOL

1251, Beaubien E
514-274-3629

M° Beaubien puis bus 18. Ouvert tous les jours : lun-mer 9h-18h, jeu-ven 9h-20 et sam 9h-17h. Fermé le dim.
Épicerie biologique traditionnelle de quartier où se côtoient fruits et légumes, produits laitiers biologiques (marque Liberté), boissons au soja, tartinades, café équitable, céréales, une grande gamme d'épices et d'herbes biologiques, grains et farines en vrac… Ainsi qu'une profusion de compléments nutritionnels vendus avec les conseils des vendeurs avisés. Le Tournesol est le royaume des produits sans gluten, cette matière visqueuse de nature protidique qui se retrouve dans les farines de céréales et qui provoque chez certains des allergies. Ceux qui réagissent mal au gluten pourront s'alimenter ici sans difficulté grâce aux pains et galettes de riz, de maïs et de seigle.

FRANCO

1602, Fleury E
514-384-6660

Angle Francis. Lun-mer 9h-18h, jeu-ven 9h-21h, sam-dim 10h-17h.
V, MC & interac.
En plus de proposer une grande variété de produits biologiques frais et produits localement (fruits et légumes, viandes, laitages), la boutique offre toute une gamme d'aliments en vrac ainsi qu'une section dédiée à l'homéopathie et aux compléments alimentaires. On y découvrira aussi un café végétarien et une salle de consultation pour divers thérapeutes.

LE SERPOLET

1457, Van Horne - 514-495-1661
Angle Stuart. M° Outremont. Lun-mer 9h-19h, jeu 9h-19h30, ven 9h-19h, sam 9h30-17h, dim fermé. V, MC, AE & Interac.
Une boutique d'alimentation saine qui vend toute une gamme de produits biologiques : fruits et légumes, produits frais (yaourts, jus, œufs), des graines à germer et des farines. On y trouvera des suppléments alimentaires ainsi que de la phytothérapie. La boulangerie Capucine et Tournesol y fait également un dépôt de pains.

VOGEL BIODESJARDINS

7500, boul. Les Galeries d'Anjou, Anjou
514- 354-9277

Lun-mer 9h-18h, jeu-ven 9h-21h, sam-dim 9h-18h.
Vogel est une épicerie complète de produits biologiques qui propose également une très grande variété de plantes, remèdes, vitamines et tisanes fabriqués à partir de plantes biologiques. On y vend aussi céréales, farines, pains, pâtes et huiles d'olives de première pression à froid, des fruits et légumes biologiques et une gamme de cafés équitables, chocolat, cacao et sucre… et bien plus encore ! Il est bon de savoir qu'un service de naturopathie est offert sur place. L'ensemble du personnel a suivi une formation pour pouvoir répondre aux questions de la clientèle.

RIVE-SUD

LE NATURALISTE EN VRAC

7800, boul. Taschereau, Brossard
450-465-9646

Lun-mer 9h-19h, jeu-ven 9h-21h, sam-dim 9h-18h. Interac et comptant.
Tout naturellement, le client circule librement dans cet univers constitué de

pots de verre et de bacs chargés à bloc de denrées vendues à la livre et au kilo. Les balances sont omniprésentes. Une affiche invite les consommateurs à se servir eux-mêmes. L'inventaire est tel que parfois il n'est pas facile d'atteindre le produit ciblé. L'aide d'un commis est alors nécessaire et rapidement proposé. Tisanes, épices, fèves, lentilles, noix, bonbons, presque tout se trouve ici en grande quantité.

RIVE-NORD

PANIER SANTÉ
LE PETIT PRINCE
3151 B, Dagenais O, Laval
450-622-5957
Fermé le dim. Lun-mer de 9h30-18h,
jeu-ven 9h30-21h, sam 9h30-17h.
V, MC & Interac.
On vous accueille tout sourire dans cette échoppe de produits biologiques. Le choix est varié : légumineuses, farines, céréales, noix, confitures, café bio, sucre, boissons de soja, pain du Fournil Ancestral. On y trouve aussi des fruits et des légumes biologiques, fournis entre autres par Michel Jetté, un maraîcher local, ainsi que de la viande biologique de La ferme du crépuscule. Les rayons frais et surgelés proposent des produits laitiers et des plats préparés. Les rayons beauté et cosmétiques sont intéressants. Des herbes médicinales sont également en vente.

LES GRANDES CHAÎNES D'ALIMENTATION

IGA, LOBLAWS, MAXI &CIE, MÉTRO, PROVIGO
La plupart de ces magasins proposent maintenant des aliments biologiques et/ou équitables, que ce soit des fruits et légumes, du café, du thé, des aliments secs, frais ou laitiers. Pour les autres qui n'en ont pas, demandez au gérant de la section qui vous intéresse qu'il s'en procure: vous deviendrez alors un «consommateur»!

RESTAURANTS VÉGÉTARIENS ET/OU BIOLOGIQUES

BIO TERRE
201, Saint-Viateur O
514-279-3484
www.bioterreresto.com
M° Laurier puis bus 55 Nord sur Saint-Laurent. Ouvert du mar au dim, de midi à 20h. Compter 10$ pour une salade et un sandwich et 15$ le plat.
Un délicieux petit resto végétalien et biologique. Il est très rare de réussir à cuisiner uniquement à base de produits bios, alors soulignons les efforts de Bio-Terre, où le menu change chaque jour. Le chef concocte généralement une soupe, une salade, un sandwich et un plat. Le choix demeure assez limité mais on ne s'en plaindra pas car tout est délicieux ! Le savant mélange d'herbes et d'épices crée des saveurs inédites. Les plats sont copieux et le rapport qualité-prix très correct. Avec sa décoration originale, ce petit resto, situé au fond de la boutique du même nom, est agréable. L'été, il faut profiter d'une terrasse fort sympathique.
Service de traiteur sur demande.

BIO-FERME LAVAL
573, rang Saint-Antoine, Sainte-Dorothée, Laval
450-962-5532
Ouvert de mai à octobre.
Située sur le circuit de la Route des Fleurs, la Bio-Ferme, propriété des Entreprises Qualité Vie, base son exploitation sur la production d'aliments entièrement biologiques et cultive même des produits peu connus. À l'avant, une boutique des produits de la ferme (œufs, confitures, marinades, miel, salsa, etc.), en plus d'autres produits (café équitable, huile d'olive). Une table au menu changeant, aménagée pour une trentaine de personnes dans une maison séparée, permet aussi de déguster le fruit du travail sur la ferme : volaille, agneau, cochonnet, lapin, pain de type ancestral, fruits, légumes, fines herbe (TH 29-39 $). Le Centre d'interprétation bio-écologique, inauguré en septembre 2004,

Le compostage en hiver

A Outremont, sur Dollard, entre Van Horme et Lajoie, coin Lajoie.
Les dimanches, du 20 août au 8 octobre.
Au marché Maisonneuve, rue Ontario entre Pie IX et Viau. Les samedis du 19
août au 7 octobre.
On profitera de ces quelques journées pour aller à la rencontre des producteurs de fruits, légumes et autre produits bios. Cela ne dure pas longtemps, alors notez-le sur vos calendriers !

offre finalement un circuit autoguidé afin de visiter les terres avec leur petit étang artificiel, les serres, les enclos d'animaux, les ateliers d'ébénisterie et de céramique, ainsi que le four à l'ancienne.

CAFÉ SANTROPOL

3990, Saint-Urbain - 514-842-3110
www.santropol.com
M° Saint-Laurent puis bus 55 nord.
Ouvert tous les jours de 11h30
à minuit.
La réputation des sandwichs de ce superbe café n'est plus à faire. Été comme hiver, vous pouvez y déguster votre sandwich sur la magnifique terrasse agrémentée d'un très beau jardin. Exemple de sandwich parmi tant d'autres : celui composé de noix, de gingembre et de coriandre que l'on accompagnera d'un jus frais au Ginseng. D'autres plats, comme le chili végétarien maison, les tartes salées ou les salades, sont également offertes. Bon et copieux... Les prix restent abordables pour des portions aussi généreuses : comptez entre 6,75 $ et 8,25 $ pour assouvir vos envies végétariennes… Sans oublier que la maison vend aussi des cafés certifiés biologiques et équitables.

CASA DEL POPOLO

4873, Saint-Laurent
514-284-3804
www.casadelpopolo.com
M° Laurier, bus 55.
La Casa Del Popolo (la Maison du Peuple) est non seulement un café végétarien et équitable, mais également un lieu propice à la musique avec sa salle de spectacles, aux beaux-arts avec des expositions régulières. Au menu : une liste de sandwiches divers et variés

(5 $), tous servis avec nachos et salsa, mais aussi des soupes (2,50 $-3,50 $) et des salades (3,50 $-6 $). Pour 9 $, vous pouvez opter pour le spécial qui comprend une soupe, une salade et un sandwich.

CHU CHAI

4088, Saint-Denis
514-843-4194
M° Mont-Royal, angle Duluth.
Ouvert tous les jours 12h-15h, lun-mer 17h-22h, jeu-sam 17h- 23h,
dim 17h-21h. Traiteur de 11h à 23h,
sans interruption. Comptez 25 $
le repas. Toutes les CC & Interac.
Un établissement qui remporte la victoire («chu chai» en langue thaïe) du végétarisme exotique. Les propriétaires du restaurant, Lily et Patrick, ont rapporté de leur séjour en Thaïlande leur savoir-faire culinaire. Ils ont élaboré des plats originaux qui séduiront les amateurs de fine cuisine végétarienne. Après vous être mis en appétit avec les algues de mer panées croustillantes, à la sauce sucrée et épicée, ou encore les rouleaux à la vapeur aux pousses de bambou, vous goûterez avec ravissement les plats poêlés au gingembre frais, au brocoli, aux épinards croustillants et à la sauce d'arachide. Un traiteur logé à la porte voisine, Chu Végéthai Express, vous propose quelques-unes des préparations du resto à consommer sur place ou à emporter : petite assiette à 7 $ et grande à 10 $. *Au 4094, Saint-Denis.*
Ouvert tous les jours 11h à 22h.

LE COMMENSAL

1720, Saint-Denis - 514-845-2627
5199, Côte-des-Neiges - 514-733-9755
1204, McGill Collège - 514-871-1480;

BIO & NATURE

347

La maison du développement durable

A l'angle de Ste Catherine et Clark, un des bâtiments les plus écologiques du monde verra le jour à l'automne 2008. Hydro-Quebec et diverses ONG environnementales construisent actuellement un pôle de développement durable, sur 7 étages. Organismes à but non lucratif, commerces d'économie « sociale », et centre d'interprétation du bâtiment seront réunis dans un immeuble où les techniques d'efficacité énergétique, d'économie d'eau et de réduction des déchets de construction seront poussées à leur maximum. (certificat LEED platine)

En savoir plus : www.equiterre.qc.ca

3180, Saint-Martin, O. Laval
450-978-9124. *Buffet au poids.*
C'est l'endroit idéal pour s'initier au végétarisme. Pas de gaspillage, pas d'attente, chacun mange à sa faim et selon son budget. Le tofu s'immisce subtilement au menu : le fricassé de tofu, le tofu à la grecque ou au gingembre, ou bien le gâteau de soya qui ressemble à s'y méprendre au gâteau au fromage. Les légumes au gratin ou la pizza rassureront les plus craintifs alors que d'autres tenteront l'expérience des algues marinées, de la salade quinou, des quesadillas ou encore de la salade japonaise au gingembre. Au total, plus de 100 mets sélectionnés.

LES DÉLICES BIO
1327A, Mont-Royal E
514-528-8843
M° Mont-Royal, angle de Lanaudière. Lun-mer 9h-18h, jeu-ven 9h-19h, sam 9h-17h, fermé le dimanche. Interac. Service de traiteur.
Une vraie cuisine maison comme on en trouve rarement ! Quelques tables donnant sur l'avenue du Mont Royal, une cuisine ouverte au fond et un service souriant sont les composantes des délices bio. Pour se délecter de façon végétarienne et santé, la patronne invente ses propres recettes et propose un menu du jour à déguster sur place ou à emporter à des prix d'amis. Légumineuses, algues, pâtisseries à base de sucre non raffiné et pain sans gluten forment l'ordinaire des Délices bio.

OLIVE + GOURMANDO
351, Saint-Paul O
514-350-1083
www.oliveetgourmando.com
M° Square-Victoria. Mar-sam de 8h à 18h. Interac & comptant.
Affirmer qu'Olive+Gourmando est la boulangerie la plus branchée de Montréal serait-il une exagération ? A vous d'y répondre… Pour le cadre, la musique lounge, les murs colorés, les belles tables en bois et les menus écrits à la craie sur des ardoises attirent les jeunes professionnels du quartier. À l'entrée, un comptoir boulangerie vend un assortiment de pain, dont des grosses miches au levain et des pains ronds grillés. Au fond le comptoir de sandwichs et de salades confectionne de délicieux repas santé, à base de produits biologiques pour la plupart. Le choix des mets varie régulièrement : leur qualité leur originalité ne déçoivent jamais. Un délicieux café ou un thé (mangue et citron, menthe poivrée, entre autres) concluent admirablement un bon repas. Les fans repartent avec de la confiture maison, des mélanges de noix, une bouteille d'huile d'olive ou une pâtisserie. Les prix sont raisonnables, vu la qualité supérieure des produits.

PHARMACIE ESPERANZA
5490, Saint-Laurent
514-948-3303
M° Sherbrooke puis bus 55 nord, angle Saint-Viateur. Fermé le lun. Les autres jours ouverts de 9h à 2h. Comptant uniquement. A la carte : 5$ -12$.

Venez donc soigner votre corps et votre esprit dans cette « pharmacie » pas comme les autres ! Autrefois pharmacie véritable, Pharmacie Esperanza est aujourd'hui un café fort agréable pour y manger ou y passer un moment relaxant. Le menu propose une cuisine végétarienne, préparée à base de produits frais biologiques et équitables pour la plupart : petits déjeuners, sandwiches, soupes, burritos, pâtés végétariens, pâtisseries et boissons chaudes (thés, tisanes et cafés bio et équitables). En outre la salle arrière du café, appelée la «salle d'attente», est un lieu de rencontre pour des activités communautaires et artistiques. Concerts fréquents. Un café « engagé », tout à fait abordable. À ne pas manquer !

AUX VIVRES
4631, Saint-Laurent
514-842-3479
Mar-dim 11h-23h, lun fermé. Comptant et Interac. Compter autour 12$ le repas, comprenant un plat et un jus santé. Terrasse en été. Pas d'alcool.
Un temple végétalien qui s'attache à rendre ses plats originaux, goûteux et exotiques. Les bols, ces grands plats de légumes, bien assaisonnés, sont un régal. Les préparations servies sont très savoureuses tout en étant hautement nutritives et en grande majorité d'origine biologique. Le chapati, ces galettes indiennes qui tiennent lieu de pain, est étonnant. Le «beurre» qui les accompagne est mystérieusement réussi. La décoration, sobre et élégante, est égayée par une exposition d'artiste qui change tous les mois. Pour étancher sa soif : beau choix de tisanes, de jus de fruits pressés sur place ou de café équitable.

RIVE-SUD

JESSY NATURE
46, avenue Sainte-Anne
Pointe-Claire - 514-428-0286
www.Jessynaturel.com
Lun-ven 10h-19h, sam-dim 10h-17h.
V, MC & Interac.
Un magasin d'aliments de santé et un endroit où grignoter un bout : soupes, sandwiches, hamburgers végétariens, salades et jus de fruits frais. Cours de cuisine végétarienne les mercredis soirs. On pourra également y trouver des vitamines, des bijoux d'artisanat et des chandelles.

SERVICE TRAITEUR

LE CORDON VERT
514-271-5671
www.cordonvert.com
Chantal Laurendeau met tout son talent et toute son énergie depuis près de quinze ans afin de produire ce qu'il y a de meilleur dans les aliments, grâce à une cuisine biologique et végétarienne. Pour les personnes très occupées qui n'ont pas le temps de cuisiner, elle peut composer un menu santé adapté à leurs besoins, et cuisiner chez vous ! On vous propose également un service de Chef privé à domicile pour tous vos évènements mondains : réceptions privées, fêtes d'enfants, congrès, séminaires, etc.. Une commande de cinquante portions repas coûte environ 3,50$ chacune.

L'ÉCOLOGIE AU QUOTIDIEN

LES ÉCO-QUARTIERS

VILLE DE MONTRÉAL
514- 87-ACCES
www.ville.montreal.qc.ca
Le champ d'action de ces organismes sans but lucratif couvre quatre grands volets. En premier lieu : l'implantation de la collecte sélective et le recyclage résidentiel, commercial et institutionnel, mais aussi l'embellissement, la propreté et la nature en ville. Outre la distribution gratuite des bacs verts, les éco-quartiers font la promotion du compostage (vente de compostières domestiques), réalisent des aménagements paysagers, organisent des activités de réemploi (ventes de garage, bazars, etc.), distribuent des fleurs, arbustes et arbres et, d'une manière générale, font la promotion de

BIO & NATURE

tout ce qui a trait aux « 3 R ». Certains d'entre eux effectuent même la collecte de résidus domestiques dangereux ou la vente d'articles usagés. De plus, au-delà de ces missions dites «obligatoires» encadrées par la Ville de Montréal, chaque éco-quartier dispose d'une grande liberté d'action pour développer des projets environnementaux et communautaires, dont beaucoup sont dignes d'intérêt.

LES ÉCO-CENTRES
www.ville.montreal.qc.ca

Les éco-centres, affiliés à la Ville de Montréal, sont destinés à la récupération des objets encombrants et des RDD (Résidus Domestiques Dangereux), à augmenter le potentiel de récupération des matières recyclables ou compostables ainsi qu'à permettre le réemploi de nombreux objets. La liste des nombreuses matières acceptées est disponible dans les éco-quartiers ou en téléphonant à l'éco-centre le plus proche de chez soi.

RÉDUIRE LA CONSOMMATION ET LA PRODUCTION DE DÉCHETS

RÉ-UTILISATION OU RÉ-EMPLOI

GUIDE DU RÉ-EMPLOI
www.guidedureemploi.com

Pour ceux et celles qui ne disposent pas d'internet, ce guide est aussi disponible dans la plupart des éco-quartiers. Plus de 600 adresses de réemploi y sont répertoriées sur le territoire des 27 arrondissements de l'île de Montréal, de manière très pratique grâce à l'utilisation de logos associés à des catégories d'articles usagés : vêtements, meubles, jouets, livres et disques etc. Chaque établissement est classé selon qu'il s'agit d'une boutique (commerce à but lucratif), d'un comptoir (géré par un O.S.B.L. pratiquant le don ou la revente à bas prix) ou d'un dépôt

(articles reçus sous forme de don). Le site internet, quant à lui, explique les « 3 R » sans se priver de faire briller tel un blason le Réemploi, presque assimilé au remède miracle face aux maux de la surconsommation actuelle. Les adresses du guide sont régulièrement remises à jour.

PRODUITS RECYCLÉS

Pour ce qui est du recyclage, de nombreuses compagnies œuvrent dans la récupération et la transformation de produits recyclables comme le papier, le carton, le verre, les textiles, les piles, les métaux (ferreux ou non), le caoutchouc (pneus, etc.), les résidus dangereux (huiles usées, graisses, solvants, peinture, etc.), les cartouches d'imprimantes (laser, à ruban et jet d'encre), les plastiques, le bois, le matériel informatique et les composantes informatiques. Avant d'effectuer un achat, il suffit de rechercher sur son emballage la marque du logo certifiant la provenance du produit recyclé.

RÉPERTOIRE QUÉBÉCOIS DES RÉCUPÉRATEURS, DES RECYCLEURS ET DES VALORISATEURS DE RECYC-QUÉBEC

7171, Jean-Talon E
514-352-5002
www.recyc-quebec.gouv.qc.ca

Vaste répertoire recensant toutes les entreprises de récupération, de recyclage et de valorisation des matières résiduelles à travers le Québec. Très pratique et utile en raison du classement par région administrative et par type de matière disponible. Le répertoire, accessible sur le site internet ou en format papier, fournit aussi une liste des centres de récupération et de tri, des ressourceries, des Centres de formation en entreprise et récupération (CFER) et notamment des entreprises fabriquant du compost.

PAPIER

ATELIER DU SEIGNEUR MASSON

3550, boul. des Entreprises, Terrebonne - 450-477-4270
www.atelierdusegneurmasson.ca
Dans cet atelier, des jeunes de 18 à 30 ans avec des difficultés d'adaptation professionnelle recyclent artisanalement le papier pour le transformer en parchemin, cartes de fêtes et de vœux, trousses de courrier, enveloppes, cartes d'affaires, etc. Vente sur place et dans d'autres commerces de la région.

PILES RECHARGEABLES

SOCIÉTÉ DE RECYCLAGE DES PILES RECHARGEABLES (RBRC)

1-888 –224-9764
www.rbcr.org
Depuis 1997, cet organisme à but non lucratif a mis en place un concept original de recyclage des piles rechargeables : la collecte, le transport et le recyclage de la plupart des piles et accumulateurs (estampillés de son logo) Les consommateurs peuvent visiter leur site internet ou appeler pour connaître le magasin le plus proche participant à la collecte. Le détaillant n'a par la suite qu'à expédier les piles à la RBRC de Toronto pour qu'elles soient finalement recyclées en Pennsylvanie. Un programme similaire est aussi offert aux municipalités, aux organismes publics et aux entreprises.

CARTOUCHES D'IMPRESSION

Une liste très complète des compagnies qui récupèrent et recyclent des cartouches vides d'imprimantes (à laser ou à jet d'encre), des toners de photocopieurs et des rouleaux encreurs de télécopieurs est disponible sur le site de Recyc-Québec, la société québécoise de récupération et de recyclage. De manière générale, ces compagnies proposent un service de collecte des cartouches à partir d'une certaine quantité et remboursent un

Équiterre, sa mission, sa vision

Équiterre contribue à bâtir un mouvement citoyen en prônant des choix individuels et collectifs, à la fois écologiques et socialement justes. Cette mission s'articule autour de quatre programmes correspondant à autant de sphères de la vie quotidienne : l'agriculture écologique, le commerce équitable, l'efficacité énergétique et le transport écologique.

---

petit montant unitaire selon l'origine de la cartouche. On peut aussi apporter ses cartouches à certains commerces spécialisés qui offrent ce service. Sur le territoire de la ville de Montréal, certains éco-quartiers participent également à leur récupération dans leurs propres locaux ou en implantant dans différents lieux stratégiques des lieux de collecte (commerces, institutions etc.)

ECO INKJET

4450, Drolet - 514-571-1422
www.eco-inkjet.com
Eco-Inkjet vous propose de remplir vos cartouches d'imprimante à laser ou à jet d'encre vides dans toutes les grandes marques (HP, Lexmark surtout). Appelez avant de passer, dites quel type d'imprimante vous avez et allez ensuite chercher une nouvelle cartouche. N'oubliez pas de rapporter le contenant vide. L'économie moyenne réalisée est de 40 %.

INFOLASER

7671, boul. Métropolitain E, Anjou
514-352-0858
www.infolaser.com
InfoLaser collecte les cartouches vides originales des marques Canon, Hewlett Packard, Lexmark et Panafax et les paie comptant entre 25 ¢ et 8 $ selon le modèle. Pas besoin de vous déplacer

puisqu'un expert d'Infolaser viendra faire l'évaluation chez vous.

LASER 3R

9691, boul. Métropolitain E
514-356-5656
www.laser3r.com
Fondée depuis plus de 10 ans, cette entreprise s'est donné pour mission de récupérer et de recycler les cartouches d'imprimante laser, de télécopieurs et de photocopieurs. De plus Laser 3R peut vous permettre d'économiser entre 40 % et 60 %, tout en vous offrant des cartouches de qualité. La livraison est gratuite pour des commandes de 75 $ et plus.

ORDINATEURS

MICROSYS CANADA INC.

1615, 55e avenue, Dorval
514-636-9625
www.ecosys.ca
Recyclage et vente de matériels informatiques divers : ordinateurs entre 99 $ et 329 $, ordinateurs portables, imprimantes entre 29 $ et 85 $, disque dur à 21 $, et bien d'autres encore. Évidemment, à ce prix, ce sont là des articles de seconde main !

INSERTECH ANGUS

2600, William-Tremblay, bureau 110
514-596 2842 - www.insertech.qc.ca
Angle Joliette. Lun-ven 8h-17h.
Anciennement CIFER Angus, Insertech Angus est une entreprise d'insertion sociale destinée aux jeunes de 18-30 ans en difficulté qui recycle et remet à niveau les équipements informatiques. Le matériel recyclé de même que certains appareils neufs remis en état sont vendus à des prix intéressants et sont destinés principalement à une clientèle d'écoles, d'organismes sans but lucratif et de particuliers. Installée depuis 1999 sur le site de la Technopole Angus, cette structure constitue le premier volet d'un projet d'entreprise-école adaptée à la formation en informatique.

PC RECYCLÉ

1455, rue Bégin, Ville Saint-Laurent
514-333-7221 - www.pcrecycle.ca
Lun-ven 9h30-18h, sam 10h-17h, dim fermé.
Ce magasin offre un service de récupération, de recyclage, de destruction et de vente de divers produits informatiques tels que disques durs, écrans, imprimantes, cartes de son, cartes vidéo, cartes réseau, cables, etc., pour des prix très abordables. De plus, la maison propose une garantie variant entre 10 et 30 jours selon la catégorie de matériel.

RECYPRO

70, rue Simon, Lachute
450-562-7740
www.recypro.com
Lun-jeu 8h30-16h30, ven 8h30-15h30, sam 9h-16h. Fermé les jours fériés.
Cette entreprise d'insertion professionnelle assure la collecte gratuite de tout matériel de bureau informatique et électronique usagé auprès des compagnies qu'elle sollicite. Après remise en état, nettoyage et vérification, des micro-ordinateurs de seconde main (Pentium 100, 166, 233 ou autres, en fonction des stocks) sont ensuite revendus aux particuliers à partir de 150 $. En outre : bon choix d'imprimantes, de scanners, de matériel informatique en réseau, de télécopieurs ainsi que pièces et composants électroniques ou électriques au détail.

VÉLOS

CYCLO NORD-SUD

7235, Saint Urbain
514-843-0077
www.cyclonordsud.org
M° de Castelnau. Ouvert mer-ven 13h-17h et le jeudi 13h-20h pendant l'été.
Organisme sans but lucratif, Cyclo Nord-Sud récupère votre vélo, le répare si nécessaire et l'expédie dans un pays du Sud où il sera fort appécier ! Pour le bon fonctionnement, le donateur de vélo est prié de reverser 10 $. En contrepartie on obtient pour fins fiscales un reçu équivalant à la valeur du vélo et du don.

Les toits verts ✳✳

Végétaliser sa toiture, climatiser un bâtiment, faciliter la gestion des eaux de pluie, améliorer la qualité de l'air, prolonger la durée de vie des toits et recevoir une subvention de l'Etat pour cela. Comment : grâce aux conseils et formations du :

**CENTRE
D'ÉCOLOGIE URBAINE**
3516, du Parc
www.ecologieurbaine.net

Une solution très appréciable pour tout le monde…

SOS VÉLO
**2085, Bennett, suite 101
514-251-8803
www.sosvelo.ca**
M° Viau. Du 1er nov au 28 fév, ouvert du lun au ven de 9h à 18h, du 1 mars au 31 oct, tous les jours de 9h à 18h. Du 15 avril à fin sept, ouverture jusqu'à 21h jeu et ven.
Organisme sans but lucratif et entreprise d'insertion, SOS Vélo combine avec intelligence le recyclage du bicycle et la « formation et l'accompagnement de personnes à difficultés d'intégration au marché du travail ». Cette ingénieuse alchimie «vélo-sociale» a permis l'accouchement de plusieurs modèles d'Écovélos, reconditionnés en grande partie à partir de composantes recyclées. Compter 179 $ HT pour un vélo recyclé et 299 $ HT pour un neuf. L'originalité du concept ne s'arrête pas là puisque différentes créations sont réalisées à l'aide de produits dérivés issus du deux-roues comme portemanteaux, lampes, bougeoirs mais aussi articles de bureau ou lutrins. De façon plus simple, il est toujours possible de se limiter à l'achat d'un vélo usagé.

ÉNERGIE ET HABITAT

« L'Efficacité énergétique » est un concept de rationalisation des sources d'énergie de consommation au quotidien afin de réduire la pollution liée à la production de cette énergie et à son usage et, par le fait même, sa facture de consommation. Il est donc important de se prémunir contre tout dysfonctionnement du système de chauffage : fuite du conduit d'eau, isolation inefficace, etc. Afin de prévenir ces situations, une analyse détaillée du domicile selon les standards de l'Office de l'efficacité énergétique, de Ressources Naturelles Canada et de l'Agence de l'Efficacité Énergétique du Québec, peut s'avérer indispensable.

AGENCE DE L'EFFICACITÉ ÉNERGÉTIQUE (AEE)
**1 877-727-6655
www.aee.gouv.qc.ca**
Grâce à son programme «Novoclimat», l'AEE permet la construction d'une maison avec une meilleure qualité d'air intérieur et un rendement énergétique supérieur. L'AEE met à la disposition du public un spécialiste indépendant qui évaluera l'adéquation entre vos besoins résidentiels et un plan d'efficacité énergétique. Un projet d'interventions auprès des ménages à faible revenu fournit à ceux-ci des conseils personnalisés

EQUITERRE
**2177, rue Masson, bureau 317
514-522-2000
www.equiterre.qc.ca**
Certifiée en tant qu'agent de livraison du programme «Energuide pour les maisons» dans la région de Montréal, Équiterre visitera votre domicile afin d'y évaluer les changements à y apporter pour atteindre une efficacité énergétique optimale Tarif de la consultation : 172,48 $, taxes incluse. Visites tout l'année. Équiterre propose aussi entre septembre et mars, à domicile, des conseils personnalisés et des petits travaux de calfeutrage aux ménages à revenus modestes.

Diagnostic Résidentiel de Hydro-Québec

La compagnie d'électricité Hydro-Québec propose à tous ses clients un questionnaire permettant d'évaluer leur consommation d'énergie à l'aide de questions très précises, de l'analyser et, par la suite, de faire des recommandations personnalisées (sous forme d'un rapport) afin de réduire ou d'optimiser votre consommation de façon radicale.

Pour recevoir votre Guide du répondant, veuillez contacter le service à la clientèle d'Hydro-Québec au 1 800-363-7443.

OEE (OFFICE DE L'EFFICACITÉ ÉNERGÉTIQUE)

www.oee.nrcan.gc.ca

L'OEE est un organisme public fédéral qui gère plusieurs programmes d'efficacité énergétique (dont le programme «ÉnerGuide» pour les maisons) et offre des conseils professionnels personnalisés pour améliorer l'efficacité énergétique des habitations. Le regroupement de ces programmes sous l'égide d'une seule organisation accroît le rendement de cet organisme chargé de faire la promotion de l'efficacité énergétique, et de répondre d'une façon plus complète aux besoins d'information de leur clientèle courante : consommateurs individuels, conseils scolaires, hôpitaux, grandes entreprises. Consulter sur leur site web afin d'obtenir gratuitement leurs nombreuses publications sur ce sujet.

ÉNERGIES ALTERNATIVES

SOLAIRE

Que ce soit dans le domaine résidentiel, nautique, agricole (chauffage des serres en hiver), les cellules solaires photovoltaïques sont des semi-conducteurs capables de convertir directement la lumière en électricité : par exemple, un chauffe-eau solaire installé sur le toit qui achemine l'eau chaude dans les conduits de tuyauterie des habitations.

ÉNERGIE SOLAIRE QUÉBEC

Case postale 5404, Succursale Saint-Laurent, Ville Saint-Laurent

514-392-0095

www.esq.qc.ca

Organisme sans but lucratif dont le mandat est de promouvoir l'utilisation de l'énergie solaire au Québec. Ses actions s'adressent au public en général et aux divers intervenants des secteurs de l'énergie et du bâtiment.

L'association regroupe des utilisateurs et des fournisseurs de biens et de services liés à l'énergie. Des ateliers sont régulièrement organisés.

MATRIX ENERGY

296, Labrosse. Pointe-Claire.

514-630-5630 / 1-866-630-5630

www.matrixenergy.ca

Matrix Energy se spécialise dans la vente de panneaux photo-voltaïques pour les bâtiments ou les véhicules récréatifs (camping-car, caravanes). Fixés sur le toit de l'habitation ou du véhicule, les plaques captent les rayons solaires et assurent une alimentation de 25 W à 100 W. Coût du matériel : entre 300 $ et 1000 $ pour un mètre carré environ. L'installation n'est pas assurée par l'entreprise mais elle n'est pas très compliquée. Matrix vend également des éoliennes, des génératrices, des régulateurs de charge, des chargeurs de batterie, etc.

SYSTÈMES D'ÉNERGIE RÉONAC

www.reonac-online.com

Réonac offre toute une gamme de panneaux solaires de différentes marques (General Electric, Shell, Siemens, Sunwise) et de puissance variable, de

50 W à 165 W, pour des prix variant entre 330 $ à 1128 $ selon la puissance. Sont vendues également des génératrices éoliennes de 400 W à 1000 W pour des prix compris entre 210 $ et 3440 $.

ÉOLIENNES

Les éoliennes sont installées pour alimenter en électricité une maison, un village ou une communauté plus large. Sachez que si votre terrain ne bénéficie pas d'un vent moyen d'au moins 15 km/h, l'installation d'une éolienne devient inutile, bien que moins chère que des panneaux PV. Une petite éolienne sera installée à 18 mètres de hauteur, c'est-à-dire au moins aussi haut que le sommet des poteaux électriques. Activée par le vent, son hélice (qui peut tourner à plus de 250 tours/minute) est branchée directement sur un alternateur qui transforme l'énergie mécanique en énergie électrique. La puissance énergétique des petites éoliennes à usage résidentiel varie de 150 W à 10KW et les prix, de 800 $ à 20 000 $.

ASSOCIATION CANADIENNE DE L'ÉNERGIE ÉOLIENNE

www.canwea.ca/fr/
Pour tout savoir sur le sujet et pour acquérir votre éolienne, rendez-vous sur le site de l'Association canadienne de l'énergie éolienne.

CENTRE D'INTERPRÉTATION DE L'EAU

**4, rue Hotte Ste-Rose, Laval
450-963-6463
www.cieau.qc.ca**
Situé le long de la Rivière des Mille-Îles et annexé à une usine d'épuration des eaux, ce musée ouvre officiellement ses portes en octobre 2007. Il initie les visiteurs au thème de l'eau et de l'environnement, tant au Québec qu'au niveau planétaire, et vise à sensibiliser la population à cette ressource naturelle indispensable. Une visite permettra entre autres de mieux connaître le processus de traitement de l'eau, sa distribution (d'où elle vient et comment elle arrive à

Les voitures hybrides

nos maisons), l'impact des changements climatiques et de la pollution, l'eau par rapport à la santé. Le centre compte un espace où les participants peuvent réaliser des expériences de laboratoire, ainsi que 10 modules composés de pièces de collection liées à l'eau et à son traitement. Une salle multimédia présente aussi du matériel audiovisuel, des colloques et des conférences liés à cette thématique.

JARDINAGE ET HORTICULTURE

PRATIQUER

ACTION COMMUNITERRE

**2100, Marlowe, bureau 142.
514-484-0223
www.actioncommuniterre.qc.ca**
Organisme à but non-lucratif fondé en 1997 par la municipalité de Notre-Dame-de-Grâce dont l'objectif est de promouvoir et de pérenniser les potagers communautaires sans fertilisant chimique, à diffuser de l'information aux associations, aux groupes et même aux institutions qui désirent réaliser des projets d'horticulture et de maraîchage en milieu urbain. Parmi les multiples interventions menées par l'organisme, les volets «Les jardins de la victoire» et «Initiative» ont retenu notre attention pour leur triple vocation culturelle, sociale et environnementale. Pour la petite histoire, l'origine du nom «Les

BIO & NATURE

Jardins de la Victoire» remonte à la Seconde Guerre mondiale, à une époque où les Canadiens devaient composer avec une certaine restriction des vivres. En effet, les récoltes maraîchères et céréalières servaient à nourrir les troupes d'outre-mer. Ne voyant pas la fin du conflit et redoutant la disette, les autorités publiques et ecclésiastiques ont incité les Canadiens à cultiver leur propre potager. Ainsi, le «Jardin de la victoire» correspondait à une action politique destinée à assurer l'autosuffisance alimentaire du pays et, par conséquent, la victoire des peuples alliés… Des milliers de gens ont relevé le défi, labourant plates-bandes fleuries et terrains vagues pour y faire pousser des légumes. Par le biais du réseau des Jardins de la Victoire, Action Communiterre désire cultiver les liens de solidarité entre les citoyens du quartier, les groupes associatifs, les services publics, verdir la ville et démocratiser la culture des légumes.

FÉDÉRATION DES SOCIÉTÉS D'HORTICULTURE ET D'ÉCOLOGIE DU QUÉBEC
4545, Pierre de Coubertin
514-252-3010
www.fsheq.com
Association à but non lucratif qui regroupe des sociétés d'horticulture locales vouées à la promotion et à la diffusion du jardinage biologique. Conférences, visites et stages d'horticulture figurent au programme toute l'année. Consultez le répertoire des associations adhérentes pour rejoindre le club le plus près de chez vous.

LE PARADIS DES ORCHIDÉES
1280, Montée Champagne, Sainte-Dorothée, Laval
450-689-2244
www.leparadisdesorchidees.com
Ts les jours 9h-17h.
Interac et argent comptant.
Ouverte au public à l'année longue, cette serre d'orchidées est le plus important producteur d'orchidées dans l'Est du Canada. On y retrouve des centaines d'orchidées différentes, certaines ayant été primées lors de concours et étant exposées pour le délice des yeux. Bien sûr, ceux qui veulent repartir avec un joli cadeau le peuvent aussi. Les prix varient grandement, allant de 10 $ à des montants frisant presque les trois chiffres.

LES JARDINS COMMUNAUTAIRES DE LA VILLE DE MONTRÉAL
Le territoire montréalais comporte pas moins de 75 potagers collectifs découpés en 6000 parcelles mises à la disposition des citoyens. Comptez 10 $ de frais de dossier ainsi qu'une cotisation annuelle. En raison de la très forte demande, une liste d'attente d'attribution des parcelles a été constituée par l'administration municipale. Les candidats intéressés doivent contacter le Bureau régional ou la mairie de quartier.

JUNIOR

VÊTEMENTS

APSO BIBI

6627, Saint-Laurent
514-273-3838
www.apsobibi.com
Angle Saint-Zotique. Lun fermé, mar-mer 10h-18h, jeu-ven 10h-21h, sam 10h-17h, dim 12h-17h.V, MC & Interac.
Difficile de croire que cette boutique offre des vêtements pour les futures mamans. Les robes, jeans, camisoles et pulls créés par la propriétaire sont tellement tendances qu'on souhaiterait pouvoir les porter encore après l'accouchement !

BLOOM MATERNITY

4937-B, Sherbrooke O
514-481-5151
www.bloommaternity.com
Entre Claremont et Prince-Albert. Lun-ven 10h-18h, sam 10h-17h, dim 12h-17h. V, MC & Interac.
Bloom est devenue une référence en maternité, tant par sa vingtaine de marques de collections internationales (Michael Kors, Meet me in Miam, Pure T, etc), que par ses services guidant la future maman. On y trouve également la ligne exclusive Charlotte Bloom, une création d'une des copropriétaires. De nombreux services spéciaux, allant de recommandations à la réception-cadeau pour bébé, tout y est pour vous préparer à l'arrivée de junior.

BOUTIQUE BUMMIS

123, Mont-Royal O
514-289-9415
www.boutiquebummis.com
M° Mont-Royal. Lun-ven 10h-18h, jeu-ven 10h-20h, sam 10h-17h, dim fermé. V, MC & Interac.
Charmante boutique avec choix de produits naturels pour maman et bébé. Les couches de coton sont l'un des produits-phare de cette boutique qui a été l'une des premières en 1988, à proposer tout un éventail de couvre-couches. Bummis est devenu une référence en la matière. Grand choix

REGROUPEMENT LES SAGES-FEMMES DU QUÉBEC

6555, Côte-des-Neiges
514-738-8090
www.rsfq.org
On y trouve une liste des sages-femmes (prises en charge ou non par la RAMQ) pratiquant à domicile ou à l'hôpital, ainsi que la liste des maisons de naissances du Québec. Ce site nous en apprend davantage sur l'accouchement naturel et le rôle d'une sage-femme.

d'articles pour les mamans qui allaitent (entre autres, les soutiens-gorge Bravado sexy et pratiques, des coussins d'allaitement, des produits naturels), ainsi que pour le confort de bébé : crèmes à base de plantes, peaux de moutons, chaussons en laine teints à la main.

FORMES PARIS

2185, Crescent
514-843-6996
M° Guy-Concordia. Lun-mer 10h-17h30, jeu-ven 10h-19h, sam 10h-17h, dim 13h-17h.V, MC & Interac.
La seule boutique à Montréal de cette marque française spécialisée en vêtements mode pour femmes enceintes. Les vestes, cardigans, pulls, pantalons, jeans, camisoles, robes… tout est au goût du jour. Une grande qualité à des prix plutôt élevés, mais qui séduira les futures mamans soucieuses de leur apparence, ou qui veulent simplement se gâter.

LA MÈRE HÉLÈNE

7577-A, Édouard, LaSalle
514-368-2959
www.merehelene.com
Entre 1ère et 2e Avenue. Fermé dim-lun, mar-mer 10h-17h, jeu-ven 10h-20h, sam 10h-17h. V, MC & Interac.
Jolie boutique spécialisée dans les vêtements de maternité. Les créations québécoises pour futures mamans sont d'une grande diversité et à prix

modiques. Également en boutique : couches de coton, produits pour allaitement (coussin et kit d'allaitement, tablier de discrétion) ; et pour bébé : porte-bébés, sac à couches, couvertures, etc. Excellent service très professionnel pour tous les besoins des futures mamans. Avantage supplémentaire : les commandes peuvent être faites par Internet.

MARIE-M

5344, Saint-Laurent
514-522-3389
www.mariemdesign.com
Entre Maguire et Saint-Viateur. Fermé dim-lun, mar & jeu-ven 11h-18h, mer 12h-18h, sam 12h-17h. V, MC & Interac.
Récipiendaire de la bourse de la Fondation du Maire de Montréal, Marie-Martine Légaré, alias Marie M, crée des vêtements de maternité selon les dernières tendances de la mode. Souple, extensible, coloré, ses créations font le bonheur de plus d'une. C'est d'ailleurs elle qui a habillé Florence K l'été dernier lors de sa tournée estivale au Québec. Tout simplement ravissant… et féminin.

OONU

155, des Pins E
514-227-1272
www.oonu.com
Angle de Bullion.
Comme dirait Claudella Gillies, designer et propriétaire de la boutique : « Mes clientes ont des formes et tailles différentes, mais ce sont toutes des femmes ». Cette designer vise avant tout le confort et le « fit » des vêtements. Robes, jupes, hauts, pantalons… aucune femme ne devrait compromettre son style parce qu'elle est enceinte. Elle fait du « sur mesure » et les retouches si

nécessaires. Les prix sont raisonnables pour des créations québécoises.

THYME MATERNITÉ

6653, Saint-Hubert, 514-279-2884
682-684, Sainte-Catherine O,
514-866-3521
Marché Central, 514-387-6240
www.thymematernity.com
Contacter les succursales pour les heures d'ouverture. MC, AE & Interac.
Thyme Maternité est implanté partout au Canada et il existe de nombreuses succursales dans la grande région de Montréal. D'abord et avant tout, des lignes simples et confortables, puis des sous-vêtements spécialement conçus, des t-shirts et encore des t-shirts, des accessoires et… des produits pour le corps (crèmes pour les vergetures et les seins, gel tonifiant pour jambes lourdes).

RIVE-NORD

L'ENFANTILLON

3280, Saint-Martin O, Laval
450-978-9199
www.lenfantillon.com
Lun-mer 10h-18h-jeu-ven 10h-21h, sam 9h-17h, dim 11h-17h.
V, MC & Interac.
Une autre boutique qui ne sacrifie ni le confort ni le look. Les lignes de vêtements telles que Ripe Maternity, Jules & Jim, Rebel… rendent la future maman tout simplement resplendissante. Collections de lingeries, maillots de bain, pyjamas, ainsi que la marque Blissfullbabes pour les vêtements d'allaitement. Accessoires d'allaitement aussi disponibles. Quand bébé sera grand, retournez voir leurs lignes de vêtements pour enfants.

JUNIOR

CENTRES DE LA PETITE ENFANCE ET SERVICES DE GARDES

www.mfe.gouv.qc.ca
Très utile ! Vous trouverez la liste des tous les CPE (Centres de la Petite Enfance) et autres services de garde sur le site internet du Ministère de la famille, des aînés et de la condition féminine.

ACTIVITÉS

AQUAFORME PRÉNATAL
514-87-ACCES
Lorsqu'on veut maintenir la forme malgré bébé qui pèse de plus en plus lourd, rien de mieux que de se mouvoir et de faire des exercices dans l'eau ! En groupe de 10 à 20 personnes, les mouvements adaptés aux femmes enceintes s'effectuent dans la piscine au rythme d'une musique entraînante ou relaxante, en fonction de l'intensité des exercices.
Consultez le bureau de votre arrondissement ou le site Internet de la ville (www.ville.montreal.qc.ca) afin de connaître les lieux, horaires et coûts.

YOGA PRÉNATAL
5149, Saint-Denis
514-271-0853
www.yogamaternite.com
M° Laurier.
Dans une petite salle chaleureuse, venez vous détendre et partager votre expérience avec d'autres futures mamans, en effectuant quelques postures de yoga qui vous soulageront tout en vous redonnant le tonus nécessaire à l'arrivée de bébé. Une limite de 7 personnes par groupe favorise une atmosphère conviviale.

BALLON FORME
450-647-4870
www.ballonforme.com
A l'aide d'un gros ballon en vinyle ressemblant à un ballon de plage, on se met en forme pour l'accouchement en faisant travailler certains muscles. Cette technique, élaborée par un médecin suisse dans les années 60, rencontre, depuis plus de 20 ans, un grand succès auprès des physiothérapeutes nord-américains. Pendant l'accouchement, l'utilisation du ballon active l'évolution du travail, minimise la douleur et facilite l'accouchement naturel.

SITES INTERNET

FILLEOUGARCON
www.filleougarcon.com
Dédié aux futures mamans, ce site offre de multiples conseils et informations, ainsi qu'un suivi de votre grossesse très détaillé permettant de suivre l'évolution de bébé in utero, de semaine en semaine. Passionnant !

MA GROSSESSE
www.magrossesse.com
Ce site contient une multitude de conseils et de ressources sur l'alimentation, la beauté, la sexualité et l'accouchement. Le club 'Ma grossesse' offre un suivi personnalisé de votre grossesse. Un forum de discussion permet d'échanger avec d'autres futures mamans.

NEUF MOIS ET PLUS
www.neufmoisetplus.com
Choix entre deux sites : magazine « Neuf mois » où se trouvent une foule d'informations utiles pour les futures mamans ; ou « Maternéo », pour, entre autres, suivre de façon médicale le développement du fœtus au fil des semaines.

PRÉNOM
www.prenom.com
Ce site français peut vous aider à

trouver un prénom et vous apprend sa signification. *D'autres sites vous aident à faire un choix : www.quelprenom.com, www.aufeminin.com (section Maman), www.infobebes.com (section Futé), ou www.naissance.info.gouv.qc.ca (site du Gouvernement du Québec).*

MAGASINAGE

AMEUBLEMENT/ ÉQUIPEMENT

ANAYA

134, Laurier O
514-982-7979
www.anaya.ca
Angle Saint-Urbain. Lun-mer 10h-18h, jeu-ven 10h-20h, sam 10h-17h, dim 12h-17h. V, MC & Interac.
Cette boutique d'accessoires et de mobiliers pour bébés et juniors offre également des vêtements de la marque Tartine et Chocolat. Les prix, bien qu'élevés, ne sont pas exagérés par rapport à la qualité des meubles et des accessoires proposés. On peut s'y procurer de la literie européenne ou craquer pour les doudous et les mobiles Noukie's. Autre boutique aux Promenades Saint-Bruno.

BABY&TWEEN – MORIGEAU LÉPINE

6900, Décarie
514-344-9083
www.morigeau.com

M° Namur. Lun-jeu 10h-18h, ven 10h-17h, sam-dim 12h-17h. V, MC & Interac. À l'intérieur du centre commercial Carré Décarie.
Entrepôt de meubles pour enfants et adolescents de l'entreprise québécoise Morigeau-Lépine. Les meubles sont conçus pour résister au dynamisme de vos enfants. Grande sélection de lits pour bébé ou junior, lits-causeuses, commodes, bibliothèques et accessoires de décoration.

BÉBÉ DÉPÔT PLUS

1104, Saint-Zotique E
514-270-8845
www.bebedepotplus.com
Angle Christophe-Colomb. Lun-mer 10h-18h, jeu-ven 10h-21h, sam 9h-17h, dim 12h-17h. V, MC, Interac.
Biberons et tire-lait Avent, poussettes Bebecar, Peg Pérego, Graco, Mac Laren, porte-bébés Baby Björn, sièges d'auto et traîneau Evenflo… Toutes les marques si familières aux parents sont disponibles dans ce magasin très bien agencé qui vient tout juste de s'agrandir. Sans aucun doute l'un des magasins le mieux fourni en en accessoires de puériculture.

BÉBÉ PLUS

6235, Saint-Hubert
514-271-5200
www.bebeplus.ca
Angle Bellechasse. Lun-mer 10h-17h45, jeu-ven 10h-20h45, sam 10h-16h45, dim 12h-17h. V & Interac.
Un incontournable pour les parents et futurs parents. On trouve tout ce qui

ASSOCIATION QUÉBÉCOISE D'ÉTABLISSEMENTS DE SANTÉ ET DE SERVICES SOCIAUX

www.aqesss.qc.ca
Le site de l'AQESSS répertorie tous les établissements de santé et de services sociaux à la grandeur du Québec. Cliquez sur « nos membres » afin d'obtenir les coordonnées complètes du centre le plus près de chez vous. Multitudes de services pour la famille allant de l'allaitement aux groupes de discussion.

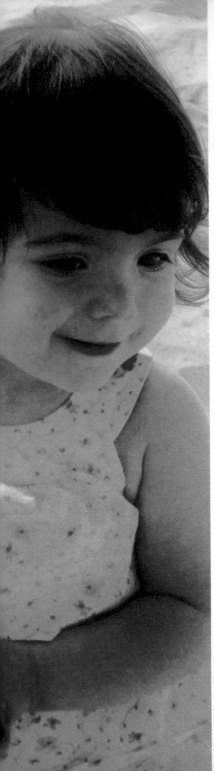

Rose © Aurélie Berhault Lagel

est indispensable à l'aménagement du petit nid douillet de nos chères têtes blondes : lits, tables à langer, commodes ; mais également pour sa sécurité et ses balades : poussettes, sièges d'auto, chaises hautes, baignoires, gamme très complète d'articles Baby Björn (dont le fameux porte-bébé), biberons, bavoirs, sacs à langer, barrières de sécurité. Très grand choix de poussettes et de sièges d'autos. Bébé Plus est un spécialiste qui s'adresse à une clientèle exigeante et soucieuse de s'équiper le mieux possible.

CAROUSSEL DU PARC

5608, du Parc
514-279-3884
www.pjca.com/carrousselduparc
Entre Saint-Viateur et Bernard. Lun-mer 9h-18h, jeu-ven 9h-21h, sam 9h-17h, fermé dim. V, MC, AE & Interac.
« Une petite boutique avec de grands services ». Voilà toute l'essence de ce magasin de poussettes qui s'occupe tant de la vente que de la réparation. Sièges d'auto, balançoires, parcs, chaises hautes, mobiles, sacs de couchage pour bébés… et bien plus encore. Vous hésitez ? Profitez de leurs judicieux conseils pour sauver temps et argent.

CÔTÉ KID

5158, Sherbrooke O
514-489-9930
M° Vendôme. Lun-mer 10h-18h, jeu-ven 10h-19h, sam 10h-17h, dim 12h-17h. V, MC, AE & Interac.
Sympathique boutique de mobilier et d'accessoires pour enfants. Vous y dénicherez facilement lits, commodes, poussettes, tables à langer, lampes et accessoires de goût pour vos petits trésors. Vous avez besoin d'aide pour la déco de la chambre de junior ? Un service de décoration est disponible auprès de la boutique.

IKEA

9191, Cavendish
514-738-2167
www.ikea.ca
Angle Autoroute 40. Lun-ven 10h-21h, sam-dim 9h-17h. V, MC, AE, chèques certifiés & Interac.

Toute une collection en mini pour les tout-petits : tables, chaises, quelques lits, cabanes et même la vaisselle pour jouer à la dinette. La collection change chaque année et pour décorer une chambre d'enfant à moindre frais et de façon originale et ludique, IKEA est là ! Afin de faciliter votre magasinage, poussettes, salle de jeu supervisée, coin-bébé avec chauffe-biberon et menus pour enfants sont mis à votre disposition.

MEUBLE JUVÉNILE DÉCARIE

5167, Décarie
514-482-1586
Lun-mer 9h30-18h, jeu 9h30-21h, ven 9h30-20h sam 9h30-17h, dim 13-17h. V, MC & Interac.
Magasin sur trois étages qui existe depuis une soixantaine d'années. Mobilier et accessoires pour bébés et jeunes : lits, commodes, tables à langer, poussettes, chauffe-biberons, biberons et plusieurs autres produits. Le choix est impressionnant. Les parents magasinent selon leurs goûts, leurs besoins et leur budget. Les prix sont raisonnables.

VÊTEMENTS

AUBAINERIE

1490, Mont-Royal E
514-521-0059
www.aubainerie.com
Angle Garnier. Lun-ven 9h-21h, sam-dim 9h-17h. V, MC & Interac.
Comme son l'indique, l'Aubainerie vise le rapport qualité/prix en offrant une grande sélection de vêtements tendances pour toute la famille. Les vêtements pour bébés et enfants sont très colorés et beaucoup moins chers qu'ailleurs. On y trouve de tout, des chaussures aux bavettes en passant par les jolis pyjamas. Pour la liste des autres succursales, visitez leur site Internet.

CHILDREN'S PLACE

7275, Sherbooke E, Place Versailles
514-352-2069
www.childrensplace.com
M° Radisson.
Cette chaîne américaine possède une

FREECYCLE

www.freecycle.org
Vous avez l'âme environnementaliste ? Vous croyez que presque tout a une 2e vie ? Vous serez comblés sur le site de ce réseau mondial de recycleurs. On y trouve des tonnes d'items usagés (vélos, vêtements, meubles, etc.) et tout à fait gratuitement. Il suffit d'aller consulter les annonces mises par des particuliers et si vous ne trouvez pas ce que vous cherchez, placez votre annonce.

belle sélection de vêtements de qualité pour les enfants de 0 à 10 ans. De style plutôt classique qui ont donc l'avantage d'être indémodables, les maillots, robes, pantalons, salopettes, shorts sont vendus à des prix abordables. Plus d'une dizaine d'adresses au Québec, à découvrir sur leur site Internet.

DESLONGCHAMPS

1007, Laurier O
514-274-2442
Angle Hutchison. Lun-mer 10h-18h, jeu-ven 10h-21h, sam 9h30-17h, dim 13h-17. V, MC & Interac.
Des vêtements de marques françaises (Absorba, Cacharel, Catimini, Elle, Petit Bâteau, Petit Boy, Chipie, Kenzo), québécoises et américaines (DKNY, Ralph Lauren), avec des tenues classiques ou plus à la mode. Les prix sont plus élevés qu'ailleurs, mais ils sont justifiés par la qualité. La boutique vend également des chaussures, des maillots de bains, des vêtements de ski et quelques jouets et accessoires. Livraison sur demande.

GAP KIDS / BABY GAP

Centre Eaton, 514-281-5033
Centre Rockland, 514-737-2334
Carrefour Angrignon, 514-367-1114
Fairview Pointe-Claire, 514-426-8281
Promenades Saint-Bruno,
450-441-7977
Carrefour Laval, 450-686-4031
www.gapcanada.com

V, MC, AE & Interac.

On ne présente plus Gap. Ajoutons néanmoins que la qualité et le style moderne et décontracté des vêtements pour bébés et enfants, font craquer plus d'une maman, et avec raison. Seule réserve, les prix assez élevés. C'est pourquoi il faut y aller régulièrement pour profiter des rabais perpétuels et acheter le premier jean de bébé pour moitié prix. La section « nouveau-né » est bien garnie, avec tous les accessoires d'usage.

H&M

Centre Rockland, 514-787-1726
Fairview Pointe-Claire, 514-630-4800
Galeries d'Anjou, 514-352-8150
Mail Champlain, 450-766-1371
Place Rosemère. 450-435-6473
www.h&m.com
V, MC & Interac.

Enfin ! Le géant suédois de la mode à petits prix, présent dans plus de 20 pays, a ouvert plusieurs magasins à Montréal. Envie d'habiller ses garnements de façon originale sans vous ruiner ? Soyez sûrs d'y dégoter la bonne affaire. Les collections changent très rapidement et des nouveautés sont mises en rayon chaque semaine.

JACADI

1127, Laurier O
514-274-2022
www.jacadi.fr
Angle de l'Épée. Lun-mer 10h-18h, jeu-ven 10h-21h, sam 9h30-17h, dim 12h-17h. V, MC, AE & Interac.

Très belle collection de vêtements, accessoires et objets de décoration de la célèbre marque française. Les prix sont assez élevés mais la qualité, ça se paye ! Une bonne adresse pour faire un cadeau de naissance.

JACOB JR

7999, Galeries d'Anjou
514-493-4757
www.jacob.ca
Lun-ven 10h-21h, sam 9h-17h, dim 10h-17h. V, MC & Interac.

Comme bien d'autres chaînes de prêt-à-porter, Jacob a lancé ses boutiques Junior

pour habiller les petites filles avec goût et il n'y a pas à dire, c'est franchement réussi. Côté prix, c'est abordable et la qualité est bien présente.

LA PETITE FERME DU MOUTON NOIR

1298, Beaubien E
514-271-9760
Angle Chambord. Lun-mer 10h-18h, jeu-ven 10h-20h, sam 10h-17h, dim fermé. V, MC & Interac.

Plus qu'une simple boutique, un véritable atelier débordant de créations québécoises de qualité pour enfants et adolescents. Des coloris au goût du jour, bien sûr, mais un style un tantinet à l'écart des tendances mode qui ont l'inconvénient de mal vieillir. L'expérimentation avec les tissus pousse les créateurs à réaliser de véritables merveilles qui sauront résister à l'usure et au temps.

LA SENZA GIRL

Galeries d'Anjou, 514-351-5693
Marché Central, 514-383-5328
Place Montréal Trust, 514-847-9152
www.lasenzagirl.com
V, MC & Interac.

Boutique très à la mode pour les enfants et adolescentes de 8 à 14 ans. Les vêtements sont colorés, tant pour les vêtements de ville que les tenues plus décontractées. Au fond du magasin se trouve une ligne de sous-vêtements « spécial ado » mais aussi des accessoires tels que des petits sacs, bijoux de fantaisie, chaussettes et chaussures.

LES GAMINERIES

2305, Rockland, Centre Rockland
514-739-6135
Angle l'Acadie. Lun-mar 10h-18h, mer-ven 10h-21h, sam 9h-17h, dim 10h-17h. V, MC, AE & Interac.

Cette adorable boutique vous présente de très belles collections de vêtements pour enfants. Il y en a pour tous les âges et de toutes les couleurs. Que ce soit pour habiller nos bambins, ou bien pour offrir ses premières tenues à un nouveau-né, tout est là pour nous faire craquer. Les prix sont relativement élevés, mais la qualité est au rendez-vous, et pour ce qui est de nos tout-petits, quand on aime, on ne compte pas !

MINI VOGUE

6700, Côte-des-Neiges
514-342-2647
www.minivogue.com
Angle Goyer. Lun-mer 10h-18h, jeu-ven 10h-21h, sam 10h-17h, dim 12h-17h. V, MC & Interac.
À l'intérieur de la Plaza Côte-des-Neiges. Boutique pour les 0 à 16 ans spécialisée dans les petits ensembles mignons pour vos tout-petits. Les prix sont modiques et le choix fort intéressant.

ORCHESTRA

677, Sainte-Catherine O,
Complexe Les Ailes
514-842-5225
www.orchestra.fr
M° McGill, niveau métro. Lun-mar 10h-18h, mer-ven 10h-21h, sam 10h-17h, dim 10h-17.V, MC & Interac.
Boutique pour les 0 à 16 ans qui fait partie d'une chaîne française.
Des lignes décontractées qui plairont à vos plus jeunes : pantacourts, gilets, vestes, de tout à très bon goût. Mais ce qui prime, c'est les magnifiques couleurs ! Autre boutique au Carrefour Laval.

POM'CANNELLE

4860-4960, Sherbrooke O
514-483-1787
Angle Claremont. Lun-ven 10h-18h, sam 10h-17h, dim fermé. V, MC & Interac.
Une boutique, deux adresses, un seul numéro de téléphone et une seule philosophie : l'importation des plus beaux vêtements pour enfants. Au 4860, on habille enfants et adolescents (de 3 à 16 ans), au 4960 (coin de rue suivant) on se consacre aux bébés, de la naissance à 36 mois. La qualité y est irréprochable ; le service, bilingue, très courtois. Une attention particulière est portée au bambin, traité avec respect et beaucoup de patience. Des importations exclusives... pour une clientèle exclusive.

Sabina

ROOTS ENFANTS

1025, Sainte-Catherine O,
514-845-7995
Centre Rockland, 514-737-2211
5415, des Jockeys, 514-906-2823
(Blue Bonet Outlet)
3228, Jean Yves, Kirkland,
514-426-2433 (Kirkland Outlet)
www.roots.com
V, MC & Interac.
Très bonne qualité pour une belle sélection de vêtements confortables pour petits et plus grands. On paie un peu plus cher mais les vêtements résistent plus longtemps aux petits imprévus...

SOURIS MINI

Galeries d'Anjou, 514-354-3425
Complexe Desjardins, 514-842-3814
Place Montréal Trust, 514-982-9027
Carrefour Angrignon, 514-598-4545
Fairview Pointe-Claire, 514-426-8325
Carrefour Laval, 450-686-2212
Place Rosemère, 450-419-8815
Promenades Saint-Bruno,
450-441-9208
www.sourismini.com
V, MC & Interac.
Cette chaîne québécoise, créée en 1991 par une jeune maman designer, conçoit de très jolis vêtements aux tons colorés pour les bébés de 3 à 24 mois, et les filles et garçons de 2 à 12 ans. Maillots de bains et accessoires disponibles.

JUNIOR

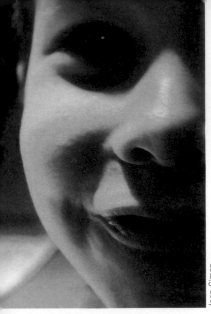
Jean-Simon

des soldes, vous pourrez alors craquer complètement et faire de votre bébé une véritable gravure de mode !

ZÈBRE CONFECTION

4909A, Sherbrooke O
514-481-7338
Angle Prince-Albert. Lun-ven 10h-18h, sam 10h-17h, dim fermé. V, MC & Interac.
Charmants ensembles pour enfants de 0 à14 ans. Un choix d'accessoires et quelques jouets complèteront vos achats dans cette boutique qui offre une bonne sélection.

CHAUSSURES

CHAUSSURES NATURINO

1325, Greene
514-939-0363
www.naturino-montreal.com
M° Atwater. Lun-ven 10h-18h, sam 9h-17h, dim 12h-17h.V, MC & Interac. Boutique pour bébé, enfant et adolescent.
La philosophie de cette entreprise italienne, présente dans un grand nombre de pays, est d'utiliser pour leurs souliers les meilleurs matériaux avec la collaboration de spécialistes. Bon choix avec une grande qualité. Les prix sont un peu plus chers, mais cela en vaut grandement la peine.

Ô JOLIES FRIMOUSSES

6845, Saint-Hubert, 514-270-9886
Pour les plus grands : 6678, Saint-Hubert, 514-490-0098
Lun-mer 9h30-18h, jeu-ven 9h30-21h, sam 9h30-17h, dim 12h-17h. V, MC & Interac. Bébé et enfant.
Voici une petite boutique où les chaussures sont empilées jusqu'au plafond tant le choix est considérable ! Très jolis modèles été/hiver Kickers, Geox, Adidas... Lili sera chaussée confortablement, à bon prix, et, en sus, avec goût !

PANDA AUBAINES

6772, Saint-Hubert, 514-271-8242
Carrefour Angrignon, 514-365-8454
Fairview Pointe-Claire, 514-697-8372

TOMMY HILFIGER

677, Sainte-Catherine O, Complexe Les Ailes, 514-905-0336
Fairview Pointe-Claire, 514-428-1413
Carrefour Laval, 450-902-0174
Promenades Saint-Bruno, 450-653-6644
www.tommy.com
V, MC, AE, Travelers & Interac.
La célèbre marque américaine propose une vaste sélection de vêtements de ville, mais aussi de sport, des jeans et des sous-vêtements. La sélection du rayon bébé fera craquer plus d'une maman !

ZARA

Place Montréal Trust, 514-281-2001
Centre Rockland, 514-904-0771
Carrefour Laval, 450-902-0190
Place Rosemère, 450-435-8255
Mail Champlain, 450-672-4460
www.zara.com
V, MC & Interac.
Déjà très présent à travers le monde, le designer espagnol est parti à l'assaut des garde-robes des jeunes nord-américains branchés. Une belle boutique au design intérieur épuré, tout comme les modèles de vêtements. Une mode pour bébés et enfants à l'image des parents. Prix un peu élevés, mais surveillez la saison

Galeries d'Anjou, 514-352-1272
Plusieurs autres adresses sur la rive-nord et la rive-sud de Montréal
www.chaussurespanda.com
V, MC & Interac. Bébé et enfant.
Vente d'échantillons et grande diversité de modèles et de marques réputées (Geox, Kamik, Bopy...) offerts à des prix très intéressants. La qualité et le vaste choix font la renommée de la maison. Le personnel, prévenant, se plie aux humeurs enfantines avec sourire et compréhension, en y mettant le temps voulu. Grande sélection de bottes d'hiver.

PAYLESS SHOESOURCE

810, Sainte-Catherine, 514-288-0387
Promenade de la Cathédrale,
514-843-7406
Centre Eaton, 514-350-0184
1204, Sainte-Catherine O,
514-394-0633
Place Alexis-Nihon, 514-939-9146
Plusieurs autres succursales dans la région de Montréal.
www.paylessshoesource.com
V, MC, AE & Interac.
Ne vous attendez pas à une boutique au design contemporain mais plutôt à des rangées de souliers, sandales, bottes, chaussures pour enfants et accessoires, le tout à un prix plus que modique. Les modèles suivent les grandes tendances actuelles et le choix est grand.

FRIPERIES

BÉBÉ BOUM

2319, des Ormeaux
514-351-8555
Mº Honoré-Beaugrand. Dim-lun fermé, mar-mer 10h-17, jeu-ven 10h-19h30, sam 10h-17h.
Argent comptant & Interac.
Boutique pratique avec beaucoup de choix pour les enfants de 0 à 14 ans (vêtements, poussettes, jeux, siège d'auto, etc.), ainsi que pour les femmes enceintes. Vous y trouverez également du mobilier, de la literie et des jouets, neufs et recyclés. Vente et achat.

LE GRENIER DE BÉBÉ

3892, Dandurand
514-728-5517
www.legrenierdebebe.ca
Angle Jeanne-D'Arc. Fermé lun-mar, mer-sam 10h-17h, dim 12h-17h.
V, MC & Interac.
Boutique pour les 0-5 ans. Cette entreprise d'économie sociale ramasse à domicile, achète puis recycle les vêtements, meubles, jouets et accessoires divers que vous n'utilisez plus. Les profits générés par la revente des articles sont versés à des organismes qui veillent à nourrir les enfants dans le besoin. Vous y trouverez un choix abondant de vêtements de toutes sortes, meubles, poussettes, jeux, siège d'auto, poubelles à couches, le tout à des prix dérisoires. Alors pourquoi ne pas faire une bonne affaire tout en faisant une bonne action ?

JULIE ET BENJAMIN

1351, Van Horn
514-277-0304
Mº Outremont. Dim-lun fermé, mar-ven 10h-18h, sam 10h-17h.
V, MC & Interac.
Charmante friperie avec vêtements pour enfants de 0 à 16 ans et pour femmes enceintes. Vous y dénicherez également poussettes, jeux, jouets, chaussures, poubelles à couches, livres… Si les prix y sont plus élevés que dans d'autres friperies, c'est qu'on y trouve de grandes marques à coûts réduits. Vente et achat.

PEEK A BOO

807, Rachel E, 514-890-1222
1736, Fleury E, 514-270-4309
www.friperiepeekaboo.ca
Mêmes heures pour les deux adresses: lun-ven 10h-18h, sam 10h-17h, dim 12h-17h. V, MC & Interac.
Dans cette jolie boutique colorée, on peut dénicher des ensembles pour bébés de marque Gap, Du Pareil au Même, Osh Kosh en très bon état à des prix intéressants, ainsi que quelques vêtements de maternité et des accessoires de puériculture. La petite aire de jeux à l'entrée permet aux mamans de rechercher la perle rare en prenant tout son temps.

JUNIOR

SCARLETT JUNIOR

256, Mont-Royal E
514-842-6336

M° Mont-Royal. Lun-mer 11h-18h, jeu-ven 11h-19h, sam 11h-17h, dim 12h-17h. Interac.

La petite sœur de la boutique Scarlett (pour les grands), qui se trouve à côté, offre des tenues pour les 0 à 8 ans, à prix très abordables, ainsi que quelques accessoires et jouets. Comme toutes les friperies, il faut surveiller les nouveaux arrivages le plus souvent possible.

ACCESSOIRES

ARDÈNE

Consultez leur site Internet pour la liste complète de toutes les succursales.
www.ardene.com
V, MC & Interac. Rabais de 15 % pour les étudiants avec la carte Ardène.

Les petits paniers qui s'entassent dans l'entrée sont là pour être remplis : dans cette bijouterie on achète les menus articles par poignées : 5 paires de boucles d'oreille pour 10 $, 3 barrettes pour 10 $, 3 colliers pour 10 $. Achetez 2 bracelets et le 3e est gratuit. Des tonnes d'accessoires : chaussettes, foulards, sacs à main, chapeaux, maquillage…

BIDZ

3945 & 3945-A, Saint-Denis
514-286-2421
www.bidz.ca
Entre Roy et Duluth. Lun-mer & sam 11h-18h, jeu-ven 11h-19h, dim 12h-17h. V, MC & Interac.

Pour occuper sa fille et ses amies quand il fait trop froid pour mettre une moufle dehors et qu'elles en ont assez de regarder la télévision, une petite visite dans ce royaume de la perle en tout genre s'impose ! Les charmantes vendeuses se feront un plaisir de vous faire partager leurs conseils avisés. Pour que la fabrication de bracelets, colliers, broches et bagues n'ait plus aucun secret pour vous, profitez de l'un des nombreux ateliers proposés sur place : création de bagues, tissage de perles de rocaille, tissage de chanvre…

COIFFEURS

BCBG COIFFURE

7125, Saint-Hubert
514-272-9120

M° Jean-Talon. Lun-mer 9h-18h, jeu-ven 9h-21h, sam 9h-17h, dim 10h-17h. V, MC, Interac. 12 $ pour les garçons, 14 $ pour les filles.

Un salon divisé en deux : à gauche pour les parents, à droite pour les enfants. Aucune erreur possible : à droite, Mickey, Donald et leurs amis décorent les sièges miniatures et les murs ! Des écrans vidéo sont placés devant chaque fauteuil… de quoi calmer les plus réticents.

MINIMOD EXPRESS

2305, Rockland, Centre Rockland
514-739-0071
www.minimodcoiffure.com
Angle l'Acadie. Lun-mer 10h-18h, jeu-ven 10h-21h, sam 9h-17h, dim 10h-17h. V, MC & Interac.

Certes, beaucoup de salons de coiffure s'occupent des tout petits, avec un succès plus ou moins grand. Chez Minimod on calme les esprits avec des jouets et la télé. Les enfants sont installés dans un avion, un train ou une voiture, le temps de changer de tête… Tarification en fonction de l'âge de l'enfant et de la longueur de la tignasse : entre 12 $ et 21 $. Ce salon dispose d'une halte-garderie si vous souhaitez en profiter pour aller faire quelques emplettes dans le centre commercial. Réservation non nécessaire en semaine, mais fortement conseillée pour les week-ends. Pour transformer une expérience parfois inondée de larmes en une partie de plaisir… tant pour le bambin que pour le parent.

PETIT VERSAILLES

7275, Sherbrooke E, Place Versailles
514-352-1290

M° Radisson. Lun-ven 9h30-20h30, sam 9h-16h30, dim 10h-16h.V, MC, & Interac. Sur rendez-vous.

Salon de coiffure spécialisé pour les enfants. Installé sur un banc en forme d'animal et dans un décor haut en

RAPLAPLA

Consultez le site Internet pour la liste des distributeurs :
www.raplapla.com.
Raplapla, c'est le projet de la designer de mode Erica Pellot. Des poupées fabriquées au Québec avec un genre différent…et toutes souriantes. Une dizaine de poupées portant chacune leur prénom, et des doudous de toute forme originale. Tout est fabriqué selon les normes avec des produits d'ici, ce qui peut expliquer son coût plus élevé. Les poupées sont lavables.

---

couleurs, ils oublieront rapidement qu'ils sont dans un salon et se feront couper les cheveux sans pleurs.

RIVE-NORD

CALINOURS PLUS

1356, Curé-Labelle, Blainville
450-437-0808
Lun fermé, mar-mer 9h-18h, jeu-ven 9h-20h, sam 9h-17h, dim 10h-17h. Tarifs enfant coupe+shampooing : de 10 $ à 17 $ (jusqu'à 9 ans selon le sexe et l'âge). Avec ou sans rendez-vous.
Un joli salon de coiffure spécialisé pour les enfants et la famille. Tout est pensé pour que les bambins passent un moment agréable. Pour calmer l'attente, un module de jeux avec balles est mis à leur disposition. Le moment venu, les enfants sont placés dans une voiture qui fait office de siège, et peuvent visionner un film pendant la coupe. Sympa, non ? Des accessoires pour cheveux y sont également vendus, et le perçage des oreilles sur place est offert.

PHOTOGRAPHES

STUDIO MAGENTA

67, de la Commune O, 514-282-7575
300, de la Montagne, 514-935-2225
Galeries d'Anjou, 514-356-1113
Centre Rockland, 514-739-9966
Fairview Pointe-Claire, 514-694-1111
Mail Champlain, 450-671-2227
Promenades Saint-Bruno,
450-441-2440
www.magentaphoto.com
Studio de photographie qui réalise des portraits artistiques pour toute la famille. Spécialisé dans la mise en scène des sujets photographiés (bébé déguisé en papillon ou en petit ange, parmi les roses…mais également les futures mamans et leur gros ventre !) Le résultat est superbe et très original. Excellente idée de cadeau.

RIVE-SUD

CHEEZ STUDIO

3324, Taschereau, Greenfield Park
450-677-0005
www.cheez.ca
Ce magnifique studio de 1 500 pieds carrés est la destination de choix pour immortaliser la jolie frimousse de votre enfant, sur réservation bien entendu. Une ambiance chaleureuse et un personnel qui a l'habitude de travailler avec les plus jeunes, c'est ça Cheez. Pour un brin d'originalité, on peut faire imprimer la photo sur un sac à main ou un coussin (de 59 à 159 $, plus taxes).

BOUTIQUES GENERALISTES

GOLDTEXT TEXTILES

8801, Salley, LaSalle
514-365-2121
www.goldtextextiles.com
Angle F-X Prieur. Lun-Mer 10h-17h, jeu-ven 10h-18h, sam 9h-17h. V, MC & Interac.
Magasin en gros ouvert au public. Pour les enfants de 0 à 18 ans. Choix de vêtements sport, robes de baptême, robes et habits de première communion, costumes d'hiver, et d'une multitude d'accessoires (poussettes, siège d'auto, biberons, etc.). Prix abordables pour la famille.

ROSE OU BLEU

3520, Saint-Joseph E
514-948-3666

JUNIOR

369

JOUJOUTHÈQUES

Cette ressource est un service de prêt de jeux et jouets pour enfant de 0 à 12 ans. Il suffit de devenir membre de l'association en payant une cotisation minime, puis de s'inscrire au service de prêt pour environ 15 $ par an, ce qui vous permet d'emprunter 2 jouets par mois. Idéal pour nos petits agités qui se lassent vite de leurs propres joujoux, cela évitera d'en acheter chaque semaine ! *Plusieurs adresses existent selon votre secteur : Joujouthèque Côte-des-Neiges (3600, Barclay, 514-341-2894), Joujouthèque Hochelaga-Maisonneuve (3946, Adam, 514-523-6501), Joujouthèque Rosemont (5675, Laffont, 514-728-0332).*

www.roseoubleu.com
Angle 13e Avenue. Lun-mer 10h-18h jeu-ven 10h-21h, sam 10h-17h, dim 12h-17h. V, MC & Interac.
Vaste sélection de poussettes, meubles pour chambre, accessoires pour l'alimentation du nourrisson, vêtements de marque Gagou Tagou pour les 0-24 mois, tables à langer, chaises hautes, sièges d'auto… Le personnel est spécialement formé pour aider les parents qui ont besoin de conseils. Possibilité d'assister à des séances d'information gratuites les vendredis, dont les thématiques varient : Quelle poussette choisir ? Quel siège d'auto acheter ? Que faut-il, de toute nécessité, pour accueillir bébé ? Une source de conseils non négligeable pour les nouveaux parents.

JOUETS ET JEUX

ATELIER TOUTOU

503, Place d'Armes
514-288-2599
www.ateliertoutou.com
Face à la Place d'Armes. Lun-mer 10h-18h, jeu-ven 10h-21h, sam-dim 10-18h. Visa, MC & Interac.

Comme par magie, cet atelier/usine permet de créer à sa façon son animal de peluche. Parmi une vingtaine de modèles de toutous, on fixe son choix, procède au rembourrage, y insère une âme, prête serment de fidélité. Le tout certifié sur un passeport où figure la photo du toutou de son nouveau maître. Il va sans dire que l'achat de vêtements et d'accessoires est fortement conseillé. Pour habiller Teddy, tous les fantasmes sont permis : pyjama, pantoufles en forme de toutou, bikini, costume d'Halloween, etc. On quitte la boutique la valise bien remplie. Toutes les fantaisies sont de mise dans cet univers féerique !

ART-ENFANT

4968, Sherbrooke O
514-488-1022
Angle Claremont. Lun-mer 10h-18h, jeu-ven 10h-20h, sam-dim 10h-17h. V, MC, AE & Interac.
Charmante petite boutique de jouets et jeux pour enfants de 0 à10 ans. Grand choix : jeux éducatifs et de société, projets de sciences, peluches, casse-tête, adorables maisons de poupées qui feront rêver les petites filles… et les moins grandes !

AU DIABOLO JEUX ET JOUETS

1390, Mont-Royal E
514-528-8889
Angle Garnier. Lun-mer 10h-18h, jeu-ven 10h-21h, sam 10h-17h, dim 12h-17h. V, MC, AE & Interac.
Cette boutique du Plateau Mont-Royal propose une belle sélection de jeux éducatifs, jouets, livres, casse-tête, peluches, collection d'animaux en plastique à faire rêver les enfants, les petits comme les plus grands, tant le choix est impressionnant.

BOUTIQUE CITROUILLE

206, Laurier O
514-948-0555
www.boutiquecitrouille.com
Angle de l'Esplanade. Lun-mer 10h-18h, jeu-ven 10h-20h sam 10h-17h, dim 12h-17h. V, MC & Interac.
Vaste sélection de jouets haut de gamme

en bois et en tissus en provenance d'Europe, plus particulièrement de France et d'Allemagne. Du hochet au puzzle, de la maison de poupées au théâtre de marionnettes, de la boîte à musique au cheval de bois, la variété étonnera et charmera petits et grands. Des accessoires pour chambres d'enfants sont également disponibles : tapis, crochet, toise à mesurer, coussins, pour se limiter à ceux-ci. Les prix ne sont pas forcément à la portée de toutes les bourses, mais la qualité des jouets, sans comparaison avec les jouets fabriqués en usine, se remarque au premier coup d'œil, de même que les matériaux utilisés pour leur confection, tous naturels : bois, laine, coton, couleurs alimentaires.

BOUTIQUE OINK OINK

1343, Greene
514-939-2634
www.oinkoink.com
Mº Atwater. Lun-ven 9h30-18h, sam 9h30-17h, dim 11h-16h.
V, MC, AE & Interac.
Magnifique boutique pour bébés, enfants et adolescents où l'on trouvera tout ce qu'il faut pour succomber au plaisir d'acheter : vêtements, jeux, jouets, accessoires. La décoration est superbe, c'est le paradis pour les enfants. La même boutique vend des livres, à côté. Le service à la clientèle est excellent.

BOUTIQUE STRATÉGIE

3423, Saint-Denis
514-845-8352
www.strategygames.ca
Mº Sherbrooke. Lun-mer de 10h à 18h, jeu-ven de 10h à 21h, sam de 10h à 18h, dim de 12h à 17h. V, MC & AE.
Une adresse où l'amateur des 64 cases peut obtenir satisfaction complète! Les meilleurs modèles y sont vendus, avec un côté librairie pour l'étudiant courageux de cet art de combat pour le moins singulier. Aussi, divers jeux de stratégie, pour parfaire la mise en forme mentale. En prime, un personnel qui s'y connaît, peu avare de judicieux conseils. Une passion qui se partage, avec un babillard des diverses activités régionales de cet univers parallèle, dans lequel on peut disparaître à tout jamais.

BRAULT & BOUTHILLIER

700, Beaumont
514-273-9186
www.braultbouthillier.com
Mº L'Acadie. Lun-mer 9h-18h, sam 9h30-17h, dim fermé. V, MC & Interac.
Entreprise spécialisée dans les articles scolaires depuis 25 ans. Une palette de jouets, du matériel d'artistes, des livres, des jeux de société et divers accessoires qui feront le bonheur des enfants. Une partie de ce matériel, surtout la peinture, est d'une telle qualité qu'il pourra être utilisé aussi par une clientèle adulte. Une place étonnamment importante est aussi accordée aux jeux de rôle, avec beaucoup d'accessoires de cuisine, des bébés et des aliments en plastique.
Plusieurs autres magasins.

ÉDUCA-JEUX

4, Place Ville-Marie
514-871-8818
Mº McGill. Lun-mer 9h30-18h, jeu-ven 9h30-21h, sam 10h-17h, dim 12h-17h. V, MC, AE & Interac.
Ce magasin propose des jeux éducatifs et des jouets de qualité. Vous y trouverez également des livres, des casse-tête, et une collection impressionnante de poupées russes. Le personnel, à l'affût des nouveautés, se fera un plaisir de vous aider dans la recherche du cadeau idéal.

FRANC JEU

4152, Saint-Denis
514-849-9253
Mº Mont-Royal. Lun-mer 10h-18h, jeu-ven 10h-21h, sam 9h-17h, dim 12h-17h. V, MC & Interac.
Une chaîne de boutiques spécialisées dans le jouet éducatif. De beaux jouets répartis sur 2 étages qui se démarquent à la fois par le bon goût et par la qualité. Excellente sélection de jeux de société.
Visitez le web pour obtenir la liste des adresses.

LA GRANDE OURSE

263, Duluth E
514-847-1207
Angle Laval. Fermé lun-mar, mer 12h-18h, jeu-ven 12h-21h, sam-dim 12h-17h. Interac et comptant.

Belle boutique de jouets fabriqués avec des matériaux naturels : poupées en fibres naturelles, jouets de bois, matériel d'art et d'artisanat et livres pédagogiques. Des contes animés ainsi que des ateliers artistiques pour enfants de 4 à 10 ans sont également présentés. Les adultes peuvent aussi s'inscrire à des ateliers artistiques.

PIFPAF

www.pifpaf.ca

Des centaines de produits en ligne : des jouets de bois, des jeux éducatifs, des casse-tête, des jeux pour le bain, des peluches… de tout pour tous les goûts et tous les budgets. Le moteur de recherche sur le site permet de trouver des jouets et jeux soit fonction de l'âge, de la catégorie, ou encore du budget. Aucune heure de fermeture, aucune file à la caisse, le tout depuis le confort de la maison. En plus, 1% du total des ventes annuelles est versé à la Fondation de l'Hôpital Sainte-Justine.

TOUR DE JEUX

705, Sainte-Catherine O, Centre Eaton, 514-987-5103
Centre Rockland, 514-739-9037
Galeries d'Anjou, 514-354-2111
Fairview Pointe-Claire, 514-630-4886
Carrefour Laval, 450-681-0113
Nouvelle boutique au Centre Laval
www.tourdejeux.com
V, MC & Interac.

Une véritable caverne d'Ali Baba avec toutes sortes de jouets et jeux : poupées, jouets de bébé, jeux de société, figurines, bricolage… Les prix sont dans la moyenne et les ventes en valent vraiment le coup. Vous pouvez vous inscrire au bulletin électronique afin de recevoir tous leurs spéciaux et promotions, dans le confort de votre salon.

TOYS'R'US

7125, Newman, LaSalle, 514-366-4532
7200, L-H Lafontaine, Anjou, 514-353-6430
6301, Transcanadienne, Pointe-Claire, 514-694-0020
2600, boul. Daniel-Johnson, Laval, 450-682-6194

6855, boul. Taschereau, Brossard, 450-445-1889
655, des Promenades, Saint-Bruno, 450-441-8697
www.toysrus.ca
V, MC & Interac.

Le grand magasin des jouets pour tous les âges. La section bébé offre poussettes, sièges d'auto et jeux d'éveil Pour les plus grands : vaste sélection de jeux de société, poupées, peluches, jeux éducatifs, consoles de jeux, DVD et CD-Rom. On peut acheter par Internet.

RIVE SUD

CHAT PERCHÉ

406, Victoria
Saint-Lambert
450-671-1145
lechatperche@sympatico.ca
Lun-mar de 10h à 18h, jeu-ven de 10h à 21h, sam de 10h à 17h, dim de 12h à 17h. V, MC & Interac.

Comment ne pas retrouver l'enchantement de son enfance devant tous les petits trésors de cette boutique ? Sur des étagères de bois aux couleurs vives, les oursons en peluches et les poupées de chiffon sont sagement disposés. Les figurines de collection Papo éveillent aussi l'imagination. Tous les animaux de la ferme se rassemblent. Pour célébrer un anniversaire, quelques babioles et jolies cartes s'ajouteront facilement au panier. La propriétaire

SALON MATERNITÉ PATERNITÉ ENFANTS

www.salonmaternitepaterniteenfants.com

Fin mars 2008. Le Salon Maternité Paternité Enfants c'est plus de 250 exposants en santé, en activités de loisir, en ressources, en vêtements et jouets… en plus des défilés, conférences, spectacles pour enfants, et une foule de services pour les parents. Dévoué à la petite enfance, c'est l'endroit idéal pour connaître de nouveaux produits ou pour parler à des professionnels.

---

prend plaisir à conseiller le client avant qu'il fasse son choix parmi les nombreux casse-tête et jeux de société. Si l'objet prisé est manquant, il est possible de passer commande. Vraiment le client est aux petits oignons. Et cela vous est transmis par un sourire ma foi très contagieux.

FRINGALES

BISCUITERIE OSCAR

6356, Saint Hubert, 514-272-8415
3755, Ontario E, 514-527-0415
V, MC, Interac.

Ces confiseries sont les deux dernières survivantes d'une chaîne familiale qui comptait plus de 40 magasins du genre à Montréal, il y a environ 80 ans. Dans la boutique un peu vieillotte de la rue Saint-Hubert, on fait un bond dans le temps en mangeant un bâton de réglisse, un sucre d'orge ou encore des bonbons PEZ dans leur distributeur en forme de personnage de dessin animé. Grand choix de biscuits, thés et chocolats.

CAFÉ LUBU

4556, Sainte-Catherine E
514-253-5828
www.cafelubu.ca
M° Pie-IX, angle Bennett. Mar-ven 9h-18h, sam-dim 9h-17h.

Magnifique café pour tous ceux désirant grignoter une délicieuse pâtisserie (muffin, gâteau, biscuit, tarte) accompagnée d'une boisson, tel le délicieux café équitable. Les enfants adoreront l'espace avec les jouets, aménagé pour eux. Les familles sont invitées à des rencontres informelles le mardi matin. Et, un dimanche par mois, les parents pourront amener leurs enfants voir un petit spectacle pour jeune public.

AVEC BÉBÉ

BÉBÉS NAGEURS

Centre Marcel de la Sablonnière :
4265, Papineau
514-527-1256
www.centresablon.com
Angle Rachel.

Ce centre d'activité physique pour toute la famille accueille nos tout-petits (de 4 mois à 3 ans) pour des cours d'aquabébé. Dans la piscine chauffée, en petits groupes selon l'âge (les Bulles de mer, de 4 à 7 mois, les Étoiles de mer, de 7 à 18 mois…), l'un des parents accompagne son petit pour une séance de 30 minutes et lui fait découvrir les joies des exercices aquatiques. Les bambins adorent et les demandes sont nombreuses ! Inscrivez-vous tôt ! Session de 12 cours : 42 à 47 $.

CARDIO-POUSSETTE

www.cardiopleinair.ca

Pour les nouvelles mamans qui souhaitent se remettre en forme en gardant bébé auprès d'elles tout en se faisant de nouvelles amies, cette activité sportive leur permet de faire de l'exercice cardiovasculaire tandis que l'enfant est dans sa poussette. Pratiqués dans plusieurs parcs de Montréal, été comme hiver, les cours, d'une durée de 1h15, allient marche rapide, exercices d'échauffement sur place, jogging, abdominaux et étirements. Une façon

JUNIOR

ASSOCIATION DES HALTES-GARDERIES COMMUNAUTAIRES DU QUÉBEC

4245, Laval
514-598-1917
www.ahgcq.org
Besoin d'un peu de répit ? Cette association informe et dirige les parents sur les choix de haltes-garderies au Québec. L'association vend le répertoire des haltes-garderies (pour les enfants de 3 mois à 5 ans) pour 20 $.

---

bien sympathique de faire du sport avec bébé ! 10,5 $ par semaine, que preniez un cours ou deux, pour une session de 12 semaines.

CINÉMA BEAUBIEN

2396, Beaubien E
514-721-6060
www.cinemabeaubien.com
Angle Louis-Hébert. Adultes 10 $, en semaine avant 18h : 7 $, week-ends avant 18h : 8 $, 13 ans et moins : 5 $, étudiants, jeunes de 14 à 17 ans, et 65 ans et plus : 7 $. Carte cinéma : 10 films pour 60 $.
Flash back dans les années 60, les néons clignotants de la façade de ce cinéma de quartier, et la guérite à l'entrée auprès de laquelle on achète ses billets, nous transportent instantanément dans « Happy Days ». Gagnant du prix Jutra 2004 du meilleur exploitant de salle au Québec pour son soutien au cinéma québécois, le cinéma Beaubien met à l'affiche des films d'auteur. Pleins feux sur les réflexions intimes de réalisateurs de tous horizons. À noter : seul cinéma à accueillir à toutes les séances les familles avec bébés.

MASSAGE POUR BÉBÉ

514-332-3368
http://www3.sympatico.ca/lefebvre.
dugre/fl/Fassocia.htm
Ce lien propose aux parents une formation de massage pour les bébés de 0 à 12 mois. Ils suivent eux-mêmes la formation pour qu'ils puissent masser leurs enfants. Série de rencontres en groupe (5) ou individuelle (3), à domicile ou dans un centre près de chez vous. Excellent moyen de tisser un lien supplémentaire avec votre enfant et pour apprendre des techniques de relaxation naturelle qui permet de soulager les coliques, diminuer les pleurs et de favoriser le sommeil. Un dépôt de 100 $ est demandé au moment de l'inscription.

PATAUGEOIRE

Stade Olympique :
4141, Pierre-De Coubertin
514-252-4622
www.rio.gouv.qc.ca
M° Pie-IX ou Viau. Contactez-les car leurs horaires changent fréquemment selon les événements sportifs.
Entrée : adulte 4 $, enfant de moins de 17 ans 3 $.
En période de canicule à Montréal, emmenez votre petit bout barboter dans l'eau et profitez-en vous aussi pour vous rafraîchir ! N'oubliez pas d'apporter un cadenas.
(D'autres plus petites pataugeoires, libres d'accès, existent dans les différents parcs de Montréal : Parc Lafontaine, Parc Jeanne-Mance, etc.)

YOGA

CENTRE YOGA MATERNITÉ

5149, Saint-Denis
514-271-0853
www.yogamaternite.com
M° Laurier.
Dans l'intimité de ce centre, les mamans accompagnées de leur bébé s'initient ou s'adonnent à la pratique du yoga.

Excellent pour se remettre doucement de l'accouchement et apprendre à mieux se connaître l'un et l'autre (conseillé pour les bébés entre 6 semaines et 8 mois environ). 105 $ la session de 6 cours avec bébé, 140 $ pour 8 semaines sans bébé. Horaire des cours : lun & mer-sam. Des certificats-cadeaux sont offerts : pensez-y pour le prochain baby-shower de votre amie !

GARDERIES

GARDERIE & JARDIN D'ENFANTS MONTESSORI
514-272-7040
www.montessori.qc.ca
Fondée en 1966 par Ann Lendman à Outremont, la première école Montessori s'est depuis élargie sur quatre autres secteurs. L'école Montessori permet à l'enfant de deux ans et demi à cinq ans de développer sa personnalité et une certaine indépendance, à son rythme. Des cours de musique, d'art ou d'informatique y sont proposés. Les inscriptions se font en général vers la mi-janvier de chaque année. Attention ! Les places sont rares et il faut s'inscrire sur une liste d'attente.

BEACONSFIELD :
109, rue Elm
514-697-9509
GREENFIELD PARK :
793, rue Campbell
450-671-9231
ÎLE DES SŒURS :
1, Place du Commerce
514-762-2169
OUTREMONT :
1357, avenue Van Horne
514-273-3482
VILLE MONT-ROYAL :
900, boulevard Laird
514-731-7120

IDEAL CANADA
1331, Sainte-Catherine E, Loft 1
514-524-3325
www.idealcanada.com
Une centrale de systèmes de garde d'enfants et un lieu de formation. Décidément, rien ne manque à cette charmante équipe quand il s'agit de vous prendre en charge. Les enfants ne sont pas en reste, avec une offre de services intégrés capable de répondre à tous vos besoins, d'une baby-sitter jusqu'aux services de Mary Poppins. Parce que votre enfant est unique, Ideal s'applique !

COUCHES COTON

Il est de plus en plus difficile de répondre à la fois aux exigences d'une vie moderne trépidante et à une conscience écologique saine et naturelle. Pour ceux qui souhaitent utiliser des couches en coton, voici quelques de boutiques spécialisées, de plus en plus nombreuses :

BUMMIS 123, Mont-Royal O 514-289-9415
L'ENTREPÔT DES COUCHES
3333, Crémazie 514-852-0701
MÈRE HÉLÈNE 7577-A Édouard, LaSalle 514-368-2959
BÉBÉ D'AMOUR COUCHES DE COTON 1-800-267-2323
(Service de vente à domicile de couches de coton et d'accessoires de maternité.)
KUSHIES www.kushies.com
LEDOUX REFLEXE 7340, Molière, Brossard 450-676-7474

SITES INTERNET

JEUNE PAPA
www.jeunepapa.com
Ce site répond pertinemment aux questions des futurs ou jeunes pères qui se posent des questions sur la grossesse, l'accouchement, l'arrivée du bébé ainsi que les différents rôles d'un papa.

MAGICMAMAN
www.magicmaman.com
Site très complet qui propose des informations sur la grossesse et sur les enfants, de la naissance à 18 ans. Une foule d'informations, de dossiers, de

JUNIOR

liens utiles à consulter chaque jour. On peut même s'inscrire et y faire son suivi de grossesse.

MAMAN POUR LA VIE

www.mamanpourlavie.com
Les futurs parents s'interrogent sur leur rôle en tant que parent et sur la santé de bébé, l'éducation, le couple et le travail, l'adoption, la grossesse et la maternité, le rôle de papa, etc. Ce forum invite à poser des questions à des parents qui vivent les mêmes situations. Ce site exhaustif est un bijou avec des tonnes d'informations pour aider les parents au quotidien.

PÈRE AU FOYER

www.pereaufoyer.com
Initié par un groupe de PAF (Père Au Foyer), ce site français donne un coup de pouce aux pères pour s'entraider dans l'exécution des différentes tâches paternelles ou tout autre moyen pour se sentir épanoui dans son rôle à la maison.

PETIT MONDE

www.petitmonde.com
Ce site est une véritable mine d'astuces et de conseils pour parents et professionnels de la petite enfance. On y lit de tout, sur tous les sujets, des problèmes de santé, de relations familiales ou de méthodes parentales pour une bonne éducation en passant par l'alimentation, la maternité et les activités à pratiquer en famille.

SOINS DE NOS ENFANTS

www.soinsdenosenfants.cps.ca
Ce site, élaboré par la Société canadienne de pédiatrie, regroupe un tas d'informations sur la santé des enfants : la grossesse, les bébés, les ados, l'alimentation, le comportement et le développement etc. Les informations sont fournies par des pédiatres canadiens. Les parents en quête de réponses trouveront sans aucun doute de quoi les rassurer.

ALLAITEMENT

LA LECHE LIGUE

www.lllfrance.org
Le site français de l'organisation internationale La Leche League. Site incontournable pour toutes celles qui allaitent ou qui souhaitent allaiter.

MON ALLAITEMENT

www.monallaitement.com
L'allaitement est souvent une étape pleine de questions et même d'inquiétudes. Ce site offre des informations sur l'allaitement maternel, artificiel et le bébé. Parmi les sujets abordés : période prénatale, préparation des seins, composition du lait et alimentation de bébé. La maman se sentira très sécurisée grâce à ce site très complet.

LA MAISON BUISSONNIÈRE

5377-A, du Parc
514-276-9779
www.lamaisonbuissonniere.cam.org
Entre Saint-Viateur et Faimount. Ven-sam 9h30-12h30. Cette ressource s'est inspirée de la Maison Verte à Paris qui a comme philosophie d'offrir des services nécessaires à la population. Des parents et leurs enfants, de 0 à 4 ans, peuvent y faire la connaissance d'autres parents comme eux. La solitude est évacuée par l'effet d'une belle dynamique d'échanges et de jeux. D'autres services sont offerts : encadrement par un professionnel, soutien aux activités de groupes. Une contribution volontaire est suggérée aux participants.

ARTS ET CULTURE

CIRCUIT DES FANTÔMES DU VIEUX-MONTRÉAL

Vieux-Port de Montréal (billetterie au Quai Jacques-Cartier)
514-868-0303
www.phvm.qc.ca
M° Champ-de-Mars. Du 22 juin au 26 août 2007 et à l'Halloween. Mer-dim à 20h30 (en juin, tous les sam à 20h30). Prix : adultes 16 $, étudiants 12 $, enfants 7 $. Billets en vente de 18h30 à 20h30. Visites en anglais ou en français d'une durée de 90 min.
Une autre façon de découvrir Montréal où se mêlent frissons, histoire, chimères et autres fantômes. On vous propose quatre circuits différents qui appellent l'interaction entre les personnages et le public : La chasse aux fantômes de la Nouvelle-France, Les crimes historiques de Montréal, Les légendes du Vieux-Montréal et La chasse aux fantômes du Vieux-Port ! Ne vous étonnez donc pas si, au détour d'une rue, vous rencontrez un fantôme ou une sorcière, car une fois la nuit tombée, tous les esprits de la ville viendront à votre rencontre... Disponibilité pour groupes de la mi-avril à la mi-novembre. Surveillez le spécial Halloween qui se déroule dans le cadre du festival La Grande Mascarade.

THÉÂTRE PURPLE DRAGON

5800, boulevard Cavendish, pièce A10 (auditions)
514-995-9924
www.purpledragontheatre.com
Cet endroit offre à votre enfant la possibilité de jouer dans des pièces musicales dans la langue de Shakespeare. Il faut préparer votre enfant à une audition toute simple et le tour est joué. Une sélection est faite par la suite. Les professeurs sont bilingues. Belle activité pour extérioriser les enfants timides, ou peut-être commencer une carrière au théâtre, qui sait ?

Rose © Aurélie Berhault Lagel

SPECTACLES

JEUNESSES MUSICALES DU CANADA

305, Mont-Royal E
514-845-4108
www.jeunessesmusicales.com
M° Mont-Royal.
Cet organisme vise à diffuser la musique classique auprès des jeunes et à soutenir les artistes dans leur carrière tant nationale qu'internationale. Il présente, tout au long de l'année, de nombreux concerts dans les écoles et différentes salles de spectacle. Des concertinos pour les 6 à 12 ans d'une durée maximale de 55 minutes sont au programme, ainsi que des concerts Éveil musical pour les Centres de la Petite Enfance. Concerts pour la famille à 6 $ par personne. Plusieurs spectacles sont donnés durant l'année. Abonnement annuel possible. *Programmation à surveiller sur leur site Internet.*

JUNIOR

CROISIÈRES À MONTRÉAL

Haaa…le majestueux Fleuve Saint-Laurent ! Partez en famille explorer ce cours d'eau, à bord d'un bateau de rafting dans les rapides, ou alors tranquillement en croisière. Quelques bonnes adresses pour profiter des beaux jours sur l'eau en famille :

AMPHIBUS : www.montreal-amphibus-tour.com ou 514-849-5181
BATEAU MOUCHE : www.bateau-mouche.com ou 514-849-9952
CROISIÈRES AML : www.croisieresaml.com ou 1-800-563-4643
DESCENTES SUR LE SAINT-LAURENT : www.raftingmontreal.com ou 514-767-2230
JET BOATING MONTRÉAL : www.jetboatingmontreal.com ou 514-284-9607
NAVETTE FLUVIALE (Montréal-Parc Jean-Drapeau-Longueuil) : www.navettesmaritimes.com ou 514-281-8000

LA MAISON THÉÂTRE

245, Ontario E
514-288-7211
www.maisontheatre.qc.ca
Mᵒ Berri-UQAM. Tarifs : enfants 14,36$, adulte 18,33$, groupe (15 personnes min.) 14,36$ par personne. Abonnements disponibles Billetterie ouverte lun-dim 11h30-16h30.
Depuis plus de 20 ans, ce théâtre fait découvrir aux jeunes de divers milieux culturels d'œuvres classiques et contemporaines. Ayant pour mission de promouvoir le théâtre auprès du jeune public, la programmation offre des pièces pour les 4 à 17 ans. N'hésitez pas, téléphonez ou allez sur le site Internet pour voir la programmation.

L'ILLUSION, THÉÂTRE DES MARIONNETTES

783, de Bienville
514-523-1303
www.illusiontheatre.com
Mᵒ Mont-Royal. Tarif atelier-spectacle : scolaire 7,5$, grand public 12$. Tarifs spéciaux en semaine pour les écoles, les CPE et les garderies. Billetterie ouverte lun-ven 10h16h, et 1h avant le spectacle.
Au cœur du Plateau Mont-Royal, ce petit théâtre donne vie aux objets et explore l'âme humaine à travers des créations originales. Parmi la programmation : *Prêt…pas prêt… j'y vais !* et *Jacques et le haricot magique.*

OSM JEUNESSE

260, de Maisonneuve O, 2e étage
514-842-9951
www.osm.ca
Mᵒ Place-des-Arts. Tarif scolaire : 8,25$ par élève, parent et professeur (Matinées Jeunesse et Répétitions publiques).
L'Orchestre symphonique de Montréal offre la chance aux mélomanes de demain, d'assister à un concert (version écourtée de 60 min) ou à une répétition publique. La série « Jeux d'enfants » offre trois concerts environ par saison destinés au jeune public. Ils ont toujours lieu le dimanche à raison de deux représentations par jour. *Tarifs : 28,5$ adultes, 10,05$ enfants (abonnement possible à la série des trois concerts).*

SONS ET BRIOCHES

260, de Maisonneuve O
514-842-2112
www.pda.qc.ca
Entrée : enfants 8$, famille (2 adultes, 2 enfants) 25 $. 8 fois par année.
La Société de la Place-des-Arts et les Jeunesses Musicales du Canada proposent une série de concerts classique pour toute la famille le dimanche matin, dans le magnifique espace Piano Nobile de la salle Wilfrid-Pelletier. Dès 10h30 vous pourrez, avant de vous laisser transporter dans le bel univers de la musique classique, déguster brioches,

muffins et jus de fruits gratuitement, si vous êtes l'un des cinq cents premiers arrivés !

THÉÂTRE DE L'ESQUISSE

1650, Marie-Anne E
514-527-5797
www.theatredelesquisse.qc.ca
Angle Marquette. Tarifs : enfants 5-10, adultes 7-12, selon les spectacles.

Derrière les tentures, l'imprévu se cache. Depuis 15 ans, ce théâtre monte des spectacles pour les 5 à 105 ans (!) tels les contes du monde pour enfants «Arbraconte». Cette salle de spectacle a été fondée par Sylvie Belleau et Gerardo Sanchez, directeurs artistiques du Théâtre de l'Esquisse et de la compagnie de danse Tango libre. Ce lieu intimiste peut accueillir une quarantaine de spectateurs. Surveillez la programmation pour les divers évènements à venir.

SCIENCES ET TECHNOLOGIE

BIOSPHÈRE

160, Tour-de-l'Isle, Île Sainte-Hélène, Parc Jean-Drapeau
514-283-6000
www.biosphere.ec.gc.ca
M° Jean-Drapeau. Lun & mer-ven 12h-17h, sam-dim 10h17. En été : lun-dim 10h-18h. Adultes 9,5$, jeunes 7-17 ans 5$, gratuit pour les moins de 7 ans, famille 20$.

Situé dans l'ancien pavillon des États-Unis lors de l'expo 67, la Biosphère est un musée de l'environnement traitant des grands enjeux liés à l'eau, à l'air, aux changements climatiques, au développement durable et à la consommation responsable. Beaucoup d'expositions interactives.

CENTRE DES SCIENCES DE MONTRÉAL

Quai King Edward, Vieux-Port de Montréal
514-496-IMAX (4629)
www.centredessciencesdemontreal.com
M° Place d'Armes. Contactez-les

directement ou visitez le site Internet afin de connaître les différents tarifs pour les expositions et le cinéma IMAX.

Les expositions scientifiques du Centre des sciences sont étonnantes, amusantes, surprenantes mais surtout, accessible aux petits comme aux plus grands. Surveillez l'exposition « Le monde du corps 2 » qui se tiendra du 10 mai au 16 septembre 2007. Du « plus vrai que nature » ! On y trouve également une salle de cinéma IMAX qui présente des films en 2D et en 3D, une chaîne alimentaire pour les petits creux (en saison estivale seulement), et un café ouvert à l'année de 8h30 à 18h. Forfait pour fêtes d'enfants à partir de 12,5 $ par personne.

MUSÉUMS NATURE MONTRÉAL

www.museumsnature.ca
Consultez leur site Internet pour la liste complète des tarifs. NOUVEAU : tarif spécial pour les résidents du Québec.

BIODÔME DE MONTRÉAL

4777, Pierre-De Courbertin
514-868-3000
M° Viau. Ouvert lun-dim, 9h-17h (jusqu'à 18h en été), fermé le lundi en automne.

Musée de sciences naturelles et d'environnement contenant des collections vivantes de plantes et d'animaux. Le Biodôme présente quatre écosystèmes différents : la forêt tropicale, la forêt laurentienne, le St-Laurent marin et le monde polaire.

INSECTARIUM DE MONTRÉAL

4581, Sherbrooke E
514-872-1400
Même horaire que le Jardin Botanique.

Unique en Amérique, l'Insectarium vous invite à découvrir un monde d'une toute autre dimension: l'univers étrange et fascinant des insectes. Vous y observerez plusieurs centaines de spécimens vivants. L'entrée à l'Insectarium donne également accès au Jardin Botanique.

JUNIOR

RÉSEAU DES PARCS DE LA VILLE DE MONTRÉAL

De nombreuses activités sont proposées chaque saison dans les parcs de l'île de Montréal, à moins de 45 minutes de voiture du centre-ville. Six parcs-nature offrent entre autres une programmation d'activités tout au long de l'année portant sur le sport, le plein air, l'histoire, l'environnement, la culture… Visite de sites historiques, ferme écologique, plage et location d'embarcations nautiques, visites guidées sur la faune et la flore, camps de jour pour les enfants, ski de fond, raquettes… ne sont que quelques exemples de ce qui est offert. Nombreux services sur place selon les parcs (aire de pique-nique et de restauration, location d'équipements, etc.).

Pour en savoir plus, consultez le site de la ville de Montréal : www. ville.montreal.qc.ca. À surveiller : l'ouverture de 3 nouveaux parcs-nature dans les prochaines années. Voir également la section DÉTENTE du guide pour le détail des parcs de la grande région métropolitaine.

JARDIN BOTANIQUE DE MONTRÉAL

4101, Sherbrooke E
514-872-1400
M° Pie IX. Ouvert mar-dim, 9h-17h (basse saison) ; lun-dim, 9h-18h (saison estivale) & jusqu'à 21h lors de l'événement « La Magie des Lanternes ». Fermé le lundi en basse saison.

Parmi les plus beaux et importants dans le monde, le Jardin Botanique de Montréal présente, à travers une trentaine de jardins et dix serres d'exposition, plus de 22 000 espèces et variétés de la flore du monde entier. Nombreuses activités et expositions proposées au fil des saisons. L'entrée au Jardin Botanique donne également accès à l'Insectarium.

PLANÉTARIUM DE MONTRÉAL

1000, Saint-Jacques O
514-872-4530
M° Bonaventure. Consultez leur site Internet pour les horaires complets selon les saisons. Adultes 8$, enfants 4$, gratuit pour les moins de 5 ans.
Les merveilles de l'univers et de l'exploration spatiale présentées dans un langage clair et imagé ! Les spectacles du Planétarium explorent le temps et l'espace : de la voie lactée aux confins de l'Univers.

RIVE-NORD

MUSÉE POUR ENFANTS DE LAVAL

3805, Curé-Labelle, Laval
450-681-4333
www.museepourenfants.com
Lun-dim 9h-18h. Adultes 7,9$, enfants 10,55$, gratuit pour les moins de 3 ans.
Ce musée s'adresse aux 2 à 10 ans et vise à faire découvrir le quotidien de l'humain, ses métiers et professions, par le biais d'ateliers éducatifs : hôpital vétérinaire, caserne de pompier, studio de télévision, ferme… Pour ceux qui rêvent de mettre les pieds sur scène, costumes et accessoires transformeront vos plus jeunes en personnages aussi cocasses qu'émouvants.

SPORTIVES ET DE PLEIN AIR

AQUADÔME

1411, Lapierre, Lasalle
514-367-6460
www.aquadome-lasalle.com
M° Angrignon, puis bus 113. Horaire variable selon le jour, les installations, les cours et bain libre ainsi que différents créneaux horaires suivant l'âge. Tarifs : adulte 3$, enfant (4-16 ans) et aîné 2$, enfant (- 4 ans) 1$. Prix réduit pour les résidents de Lasalle. Terrasse intérieure.
L'Aquadôme dispose d'une piscine principale de 50 mètres aménagée de

Insectarium © Michel Tremblay

couloirs afin de pouvoir y faire des longueurs, mais aussi d'une pataugeoire immense pour les plus petits.

Peu profonde, elle permet une meilleure sécurité pour les enfants et au milieu se trouve une fontaine en forme de champignon qui fera leur bonheur.

Pour les adultes, des bains à remous sont situés dans les coins de la pataugeoire, histoire d'en profiter tout en ayant un œil sur les petits. L'Aquadôme, c'est aussi divers cours pour enfants et adultes : aquagym, cours de plongeon, de plongée sous-marine, d'aqua-hockey, cours de sauvetage et cours de moniteur de natation.

L'ATRIUM

1000, de la Gauchetière O
514-395-0555
www.le1000.com

M° Bonaventure. Horaire été : mar-ven 11h30-18h, sam 10h30-22h, dim 10h30-18h, fermé lundi. Horaire hiver : lun-jeu 11h30-21h, ven 11h30-minuit, sam 10h30-minuit, dim 10h30-21h.
Tarifs entrée : adulte 5,75 $, étudiant 4,75 $, enfant (- 13 ans) 3,75 $, famille
16 $. Location de patins 5 $. Visa, MC & Interac.

Cette patinoire intérieure, ouverte tout au long de l'année, accueille petits et grands, débutants ou confirmés. On note les soirées avec DJ les vendredis et les samedis (13 ans & + dès 20h, sauf l'été), mais aussi les matinées Bout D'chou de 10h30 à 11h30 les samedis et les dimanches, afin d'initier les plus petits au plaisir du patinage, tout en sécurité. Location d'équipement sur place.

AUTO-CUEILLETTE

www.fraisesetframboisesduquebec.com
www.lapommeduquebec.ca

Pourquoi ne pas emmener vos petits gourmands cueillir eux-mêmes leurs fruits préférés et leur faire ainsi découvrir la verte campagne ?

De nombreuses fermes sont ouvertes à l'auto-cueillette. Les dates sont à vérifier suivant les saisons : en général la saison débute en juin avec les fraises et les framboises, se poursuit en juillet/août avec les bleuets, pour finir en septembre avec la saison des pommes et des poires.

JUNIOR

ÉCOLE DE CIRQUE VERDUN

5190, LaSalle, LaSalle
514-768-5812
www.e-cirqueverdun.com
M° de l'Église. Pour enfants à partir de 3 ans et adultes.

Montréal, ville de cirque ! Un statut qui se confirme encore plus avec cette école à Verdun où petits et plus grands peuvent s'initier aux différentes techniques des arts du cirque. Ateliers d'initiation, cours récréatifs, camps de jour spécialisés, le tout est très populaire et il faut réserver longtemps en avance en raison de la forte demande. Pour les 3 à 5 ans, les parents suivent le cours avec eux. Les prix varient selon les activités. Une idée originale pour les petits actifs qui ont déjà tout essayé.

LA RONDE

Île Sainte-Hélène, Parc Jean-Drapeau
514-397-2000
www.laronde.com
M° Jean-Drapeau, bus 167. Ouvert du 19 mai au 28 octobre 2007 (tous les jours en juin-juillet-août, sinon que les week-ends).
Les horaires variant selon le mois et le jour, il est préférable de consulter le site internet ou de téléphoner avant de se déplacer. Billets à la journée : 1m37 et plus 37 $, moins de 1m37 24,5 $, gratuit pour les moins de 3 ans. Passeport-saison : individuel 81,25 $ jusqu'au 10 juin sinon 90 $, famille 207 $ jusqu'au 10 juin sinon 225 $. Stationnement 13,16 $ la journée ou 57,04 $ pour la saison. V, MC, AE & Interac.

« Emmène-nous à la Ronde, la Ronde de l'expo ! » Cette phrase fera sourire plus d'un parent… mais les temps ont bien changé. Six Flags, qui détient de nombreux parcs en Amérique du Nord, a transformé la Ronde depuis quelques années et c'est maintenant une quarantaine de manèges et d'attractions qui plairont assurément à toute la famille. Le Pays de Ribambelle est le royaume des petits et sa mascotte en charmera plusieurs. Pour les petits creux, une vingtaine de restaurants combleront votre estomac ou vous pouvez simplement apporter votre lunch. Votre bambin est fatigué de marcher ? Louez une poussette sur place. Nombreux événements durant la saison (spectacles de plongeon, feux d'artifice, spécial Halloween en octobre, etc.). L'année 2007 marque les 40 ans de la Ronde… attendez-vous à de grandes festivités pleines de surprises !

PARC DU MONT-ROYAL

514-843-8240
www.lemontroyal.qc.ca

Le poumon vert de Montréal où se côtoient marcheurs et cyclistes durant la belle saison. En l'hiver les sentiers se métamorphosent en pistes de ski de fond et l'étang, en patinoire, sans compter les pistes de luge. De nombreuses activités (randonnées guidées, corvée du mont Royal, observation des oiseaux, etc.) sont organisées à l'année par les Amis de la Montagne et le Centre de la Montagne, deux organismes voués à conservation du patrimoine naturel du mont Royal et à l'éducation environnementale. Deux belvédères offrent une vue exceptionnelle sur la ville. Locations d'équipement en toute saison au Pavillon du lac ; expositions, boutique, café et service d'accueil à la Maison Smith. Parc Jean-Mance adjacent avec de nombreux terrains de sports aménagés. *Sur le web : une section dédiée entièrement aux jeunes pour découvrir le Mont-Royal de façon amusante.*

PLAGE DU PARC JEAN-DRAPEAU

Île Notre-Dame, Parc Jean-Drapeau
514-872-6120
www.parcjeandrapeau.com
M° Parc Jean-Drapeau, puis bus 167. Stationnement P-4 10 $ pour la journée. Lun-dim 10h-19h, de fin juin à fin août. Tarifs : adulte 7.5 $, 6-13 ans 3.75 $, 5 ans & - gratuit, famille 19 $. Sauveteurs en fonction de 10h-19h. Rabais après 16h et pour les détenteurs de la Carte Accès Montréal. Passeport-saison disponible. Service de restauration et location de chaises longues sur place.

Pour passer une journée à se faire

La Ronde a 40 ans

La Ronde, le parc d'attractions numéro un au Québec, célèbre ses 40 ans avec une programmation extraordinaire de 40 événements spéciaux, sans oublier:

- Le géant des montagnes russes : Goliath
- Un secteur familial féerique renouvelé : Au Pays de Ribambelle
- L'International des Feux Loto-Québec présenté par TELUS, du 20 juin au 28 juillet
- La Grande Fête de l'Halloween, tous les week-ends du 6 au 28 octobre
- Spectacles, animation... Et beaucoup plus !

40 ÉVÉNEMENTS SPÉCIAUX

- Fêtes familiales
- Vendredis Rock
- Samedis de l'humour
- Plusieurs festivals

Soyez de la fête !

Ouvert jusqu'au 28 octobre 2007*

www.laronde.com
514 397-2000

Comment s'y rendre:

Métro 🚇 :
Station Jean-Drapeau et autobus 167 OU
Station Papineau et autobus 169

En automobile :
Pont Jacques-Cartier,
sortie « Parc Jean-Drapeau »

* Informez-vous pour connaître le calendrier
et les heures d'ouverture de la saison 2007.

40ᵉ ANNIVERSAIRE
1967   2007
LaRonde
Membre de la Famille Six Flags®

bronzer sur du sable chaud. Les enfants profitent de l'eau et de toutes les activités nautiques disponibles sur le site, comme la planche à voile (14 $/h), le kayak (14 $/h), le voilier (25 $/h) ou encore le pédalo (16 $/h). À noter que les détenteurs de passeport-saison ont droit à un rabais de 3 $ sur la location d'embarcations.

QUAIS DU VIEUX-PORT
514-496-PORT (7678)
www.quaisduvieuxport.com
M° Champ-de-Mars ou Place d'Armes.
Parfait pour passer quelques heures ou une journée entière en famille avec une quantité phénoménale d'activités. En été : location de pédalos, de quadricycles, de vélos, de rollers, de trottinettes électriques, croisières, labyrinthe, animation de rue, festivités… En hiver : patin à glace, symphonies portuaires, feux d'artifice, et encore des festivités. Plusieurs événements animent les quais en toute saison notamment lors du Festival Montréal en Lumière, d'Igloofest, de la Fête du Canada, etc. Le Cirque du Soleil installe d'ailleurs sa grande tente en été pour un spectacle haut en couleurs. Nombreuses aires de restauration et de pique-nique, kiosques d'information, aire de jeux pour les tout-petits, guichets ATM. À noter : le Centre des Sciences est situé sur le quai King-Edward et est ouvert à l'année.

RIVE-SUD

PARC SAFARI
850, route 202, Hemmingford
450-247-2727
www.parcsafari.com
Autoroute 15 sud, sortie 6 à Hemmingford. Ouvert tous les jours : du 18 mai au 23 juin 10h-16h ; du 24 juin au 9 septembre 9h30-19h ; ouvert certaines dates en septembre et octobre 10h-16h. V, MC, AE et Interac. Tarifs : avant le 20 juin, 20 $ pour tous ; adultes (18-64 ans) 35 $; étudiants & enfants (2-17 ans) 20 $; 2 ans et moins : gratuit. Laissez-passer famille (2 adultes, 2 enfants) 86 $.
Beaucoup d'efforts ont été fait pour revitaliser ce parc si connu. Plusieurs

choix d'activités : safari automobile, sentier de chevreuils, observation de la faune, spectacles interactifs avec les animaux, insectarium, et manèges. Parmi le nombre impressionnant d'animaux vous verrez des girafes, des zèbres, des éléphants d'Afrique, des cacatoès, des lamas, des tigres du Bengal : toute une faune. Parc aquatique avec glissades, lac, plage, descentes en chambre à air et pataugeoire. *Boutiques et restaurants sur les lieux.*

ZOO DE GRANBY

525, Saint-Hubert, Granby
1-877-472-6299
www.zoogranby.ca
Autoroute 10, sortie 68. Zoo et parc aquatique : ouverts tous les jours du 2 au 22 juin 10h-17h ; du 23 juin au 26 août 10h-19h. Zoo seulement : tous les jours du 27 août au 3 septembre 10h-17h, week-ends seulement du 8 septembre au 8 octobre. V, MC, AE et Interac. Tarifs : adultes (13 ans et +) 26,49$; jeunes (3-12 ans) 16,49$, enfants de moins de 3 ans gratuit ; forfait 2 enfants/2 jeunes : 79,49$. Ces tarifs incluent l'entrée au parc aquatique Amazoo.

Plus de 800 animaux regroupés en 163 espèces attendent votre visite. En plus des lions, des flamands roses, des crocodiles, des éléphants et des singes, le zoo organise la visite de La petite ferme avec tous les animaux de la basse-cour (lapins, chèvres, cochons, poneys). Nouveauté cette année : une savane africaine pour un safari inoubliable. Pour finir la journée en beauté, pourquoi ne pas passer par le parc aquatique Amazoo et profiter de sa piscine à vagues et de ses bassins de jeux ? La température de l'eau y est en permanence à 26 °C. Aires de pique-nique et de restauration, boutiques, location de poussettes, aires de jeux et manèges. Camps de jour pour enfants de 6 à 10 ans.

JEUX INTÉRIEURS

ARNOLD PAINT BALL

8136, Jean Brillon, LaSalle
Pour le circuit extérieur :
474, chemin Covey Hill, Havelock, dans la région de Hemmingford, à proximité du Parc Safari
514-592-5117
www.arnoldpaintball.com
M° Angrignon. V, MC, AE & Interac. Tarifs forfaits : de 38$ à 155$ selon le nombre de balles de peinture (de 100 à 1 000). Pour les enfants de 10 ans et plus.

Ce jeu stratégique et dynamique se passe en intérieur, dans une réplique d'un village du Far West. Le but est de saisir le drapeau du camp adverse. Or, le chemin n'est pas toujours facile. Il faudra braver les obstacles et les pièges comme des rivières, des ponts, des cavernes. Des heures de plaisir intense vous attendent dans un environnement de 30 000 pieds carrés. Un site extérieur est disponible à Havelock, près d'Hemmingford, à 15 minutes du Parc Safari. Jeu captivant, mais attention les enfants, n'oubliez surtout pas de bien vous protéger les yeux.

FORT ANGRIGNON

Parc Angrignon
514-872-3816
www.fortangrignon.qc.ca
M° Angrignon. Ouvert à l'année. En week-ends, parcours initial : 7$ enfants 4-5 ans et 7,5$ adultes. Parcours complet (8 à 12 participants) : 11,5$ 6-17 ans et 12,5$ adultes. D'autres tarifs selon la taille du groupe, l'âge et la journée. Renseignez-vous sur les heures d'ouverture grand public et sur les réservations de groupes.

Si la France a son Fort Boyard, hé bien nous, Montréalais avons le Fort Angrignon. Un parcours de 18 épreuves, plus folles les unes que les autres, où les jeunes seront mis au défi, tant au niveau physique qu'intellectuel. Grimper, ramper, passer des obstacles, résoudre des problèmes, trouver son chemin dans un labyrinthe… le mot d'ordre est d'abord de s'amuser. Les animateurs font un boulot d'enfer et apportent un grand plus à l'expérience.

LABYRINTHE DU HANGAR 16

Quai de l'Horloge, Vieux-Port
514-499-0099
www.labyrintheduhangar16.com
Mº Champ-de-Mars. Du 12 mai au 17 juin, sam-dim et jours fériés 11h30-17h30 ; du 23 juin au 26 août, lun-dim 11h-21h ; du 1er au 30 septembre, sam-dim et jours fériés 11h30-17h30. V, MC et Interac. Tarifs : enfants 3 ans et moins gratuit, enfants (4-12 ans) 9,75$, ados/aînés 12$, adultes 13$; famille de 3 personnes 32$, de 4 personnes 41$ et de 5 personnes 49,5$.

Cette année, le labyrinthe a fait peau neuve ! C'est maintenant 25% de plus d'air de jeu avec une aire de restauration complètement rénovée, deux salles pour fêtes d'enfants, et un look revampé. La thématique aussi a subi une transformation… Un réseau de faussaire a subtilisé des œuvres d'art dont les originaux seraient cachés à Montréal. Omer St-Laurent a encore une fois sauvé la situation mais il manque le code du coffre-fort des faussaires afin de récupérer les œuvres originales. Votre mission : user de toute votre énergie et de votre esprit pour résoudre les énigmes qui vous mèneront au code du coffre-fort. Bonne chance ! Spécial Halloween du 6 septembre au 28 octobre, tous les samedis et dimanches de 11h30 à 17h30.

LASER QUEST

1226, Sainte-Catherine O
514-393-3000
www.laserquest.com
Mº Peel. Mer-jeu 17h-21h, ven 16h-23h, sam 12h-23h, dim12h-19h, lun-mar sur réservation seulement. V, MC, AE, DC & Interac. Tarifs : adultes, enfants et étudiants, 8$ pour une partie de 25 minutes. Réservations 7j/7, 24h/24.

Le terrain de jeu s'étend sur trois étages. Muni d'un laser et d'une veste au design hi-tech, on se terre contre un mur pour tenter d'échapper aux adversaires ! Prenez garde aux miroirs et aux effets de fumée et de lumière ! L'objectif est d'accumuler le plus de points en visant son adversaire, tout en évitant d'être touché. Parfait pour les jeunes de 7 à 77 ans !

RIVE-NORD

FUNTROPOLIS

3925, Curé-Labelle, Laval
450-688-9222
www.funtropolis.ca
Ouvert dim-jeu 9h-18h, ven-sam 9h-21h, les heures peuvent varier en été. Tarifs : adultes et enfants de moins de 3 ans 5,25$, enfants 3 ans et plus 11,4$. Présence obligatoire d'un adulte en tout temps.

Ouvert depuis quelques mois à peine, ce centre d'amusements, d'une superficie de 20 000 pieds carrés, offre un concept unique et innovateur : une immense zone d'amusement avec des milliers de balles en styromousse multicolores qui virevoltent de partout. Un labyrinthe à niveaux multiples, 4 trampolines avec filet, 3 immenses glissades ondulées, 2 tyroliennes, des obstacles, une section pour les tout-petits (3 ans et moins), casse-croûte, salles de fête… vous n'aurez pas le temps de vous ennuyer. Pour les fêtes d'enfants, Funtropolis prend tout en charge pour une journée mémorable. Le transport des enfants est à vos frais.

RÉCRÉATHÈQUE

900, Curé-Labelle, Laval
450-688-8880
www.recreatheque.com
Angle Notre-Dame. MC, Visa et Interac. Dim-jeu 10h-23h, ven-sam 10h-1h. Fermé l'été.

Vous cherchez un endroit pour un anniversaire d'enfant ou une fête corporative? Ce centre d'amusement pour toute la famille propose différentes activités: grosses quilles, billard, minigolf, bingo, arcades, manèges, patins à roues alignées, jeu laser, structures pneumatiques pour les enfants et bar pour adultes le soir. Les prix (entre 2,50$ et 10$) et les heures d'ouverture varient pour chaque activité. Pour connaître les horaires précis, vous pouvez

ASSOCIATION DES CAMPS DU QUÉBEC

4545, Pierre-De Coubertin
514-252-3113
www.camps.qc.ca

Ce site vous permet de vérifier si le camp dans lequel vous souhaitez envoyer votre enfant est accrédité par cette association et respecte la quarantaine de critères exigés. Ceci permet aux parents de laisser partir leurs enfants l'esprit tranquille dans un camp adapté à leurs besoins. Moteur de recherche pour les camps de vacances, les camps de jour, les classes nature et les camps pour personnes handicapées. Recherche par nom ou par région ; fiche informative pour chaque camp.

consulter le site Internet.
La salle Antoine-Labelle présente aussi divers spectacles, allant de l'humour à la musique.

CAMPS DE JOUR

COURS DE CUISINE DE L'ITHQ

3535, Saint Denis
514-282 5113
www.ithq.qc.ca
M° Sherbrooke. Camps de jour offerts durant la semaine de relâche en mars et du 25 juin au 3 août. Durée de 5 jours, lun-ven 9h-16h. Tarifs pour la semaine : 400$ enfants de 8 à 11 ans, 485$ jeunes de 12 à 17 ans.

L'Institut de tourisme et d'hôtellerie du Québec propose des camps de jour thématiques d'initiation à la cuisine pour les marmitons en herbe. Votre chère tête blonde apprendra à cuisiner sous la direction d'un chef expérimenté. Vous en profiterez aussi puisque votre marmiton ramènera son œuvre à la maison chaque soir ! L'hiver l'emphase est mise sur les soupes et potages, le temps de sucres, la cuisine réconfortante lors des journées froides quoi. L'été c'est les mets légers et la cuisine du monde qui est à l'honneur. Notez que pour les 8-11ans, la moitié de la journée est consacrée à la cuisine et l'autre, aux activités sportives ou artistiques. Les frais d'inscription incluent les taxes, un tablier et une toque, de même que le repas du midi et un souper pour quatre personnes à apporter à la maison.

YMCA

www.ymcamontreal.qc.ca
Du lun au ven de 9h à 17h pour les enfants de 6 à 15 ans.
Tarifs : selon la durée et le type de camps. Au programme : activités artistiques, créatives, éducatives, sportives, aquatiques, et culturelles, danse, cirque, camps linguistiques…

OUEST DE L'ÎLE :
230, Brunswick, Pointe-Claire
514-000-9022
CENTRE-VILLE : 1440, Stanley
514-849-8393
DU PARC : 5550, du Parc
514-271-9622
HOCHELAGA-MAISONNEUVE :
4567, Hochelaga
514-255-4651
NOTRE-DAME-DE-GRÂCE :
4335, Hampton
514-486-7315
POINTE-SAINT-CHARLES :
255, Ash   514-935-4711
SAINT-LAURENT : 1745, Décarie
514-747-9801
WESTMOUNT : 4585, Sherbrooke O
514-931-8046

RIVE-SUD

ART SOLEIL

150, De Gentilly E, local D-0626,
Longueuil
450-679-2966
www.plein-sud.org/seartsoleil.html
Camps de jour offerts du 25 juin au 3 août. Durée de 10 jours, lun-ven 9h-16h30 (service de garde avant et après inclus dans les frais d'inscription). Tarifs pour les deux semaines : 230$ par enfant de 6 à 12

FAMIFUN

514-382-2505
www.famifun.ca
Vous cherchez des idées pour vos vacances ou vos escapades en famille ? C'est tout trouvé ! Cette petite compagnie organisera votre séjour en prenant en considération les besoins de tous les membres de la famille. Le Club Famifun offre également des escapades d'une journée.

---

ans, 210$ pour un 2e enfant.
Ce centre d'exposition en art actuel offre des ateliers et des camps de jour aux artistes en herbe. Des ateliers de création en dessin, peinture, sculpture, gravure et autres font partie des choix proposés. D'autres activités connexes y sont intégrées à titre de complément, telles la baignade, la promenade et les jeux en plein air. Une grande exposition des œuvres de vos petits artistes clôturera la fin du camp.

RIVE-NORD

COSMODÔME
2150, autoroute des Laurentides, Laval
450-978-3600
www.cosmodome.org
Ouvert mar-dim 10h-17h. Ouvert 7 jours durant l'été, de la fin juin à la première semaine de septembre. Stationnement gratuit et accès pour personnes handicapées. Restaurants et boutique sur le site. Offert pour les 9 à 15 ans uniquement.
Pour réveiller l'âme scientifique de chacun, un petit tour au camp spatial est approprié. Comme un vrai astronaute, les jeunes et les adultes subissent un entraînement pour aller dans l'espace. Bien entendu, cet entraînement n'est pas aussi rigoureux et intense que le vrai. Au programme : spectacle multimédia, ateliers scientifiques très bien faits, essai de tous les simulateurs d'entraînements, construction et lancement d'une fusée. Tout ça en 6 jours ou 3 jours,

repas inclus. À la fin du séjour, les astronautes en herbe ont deux missions à accomplir. De quoi susciter des vocations d'astronautes...

FÊTES D'ENFANTS

CLOWN EXPRESS
2019, Aylwin
514-525-4345
www.clownexpress.qc.ca
Mᵒ Joliette.
Une initiative de l'organisme à but non lucratif Folies Mineures qui vise à promouvoir les arts de la scène. Toute la gamme imaginable d'animation est donc disponible, sur demande, des clowns aux échassiers, magiciens ou mimes. Même le Père Noël, la Fée des étoiles et leurs lutins s'y retrouvent. Une gamme d'animations diverses pour enfants, de 30 à 120 minutes, avec jongleries, jeux, chansons et marionnettes. Des spectacles prêts sur commande tels Le Cirque Bobèche ou L'Atelier de Branquignole.

LA SIMAGRÉE – THÉÂTRE DE MARIONNETTES
514-762-2103
www.lasimagree.com
Ce théâtre présente des spectacles de marionnettes pour les 3 à 8 ans dans les Centres de la Petite Enfance, les bibliothèques, les garderies mais également à la maison ! Six spectacles sont proposés ainsi que des ateliers de fabrication de marionnettes. Comptez 250 $ pour une fête privée avec neuf enfants et moins.

CAMIRAND ACADÉMIE DE MAGIE
450-670-6026
www.camirandmagic.ca
Une adresse double. D'une part, le côté éducation, avec une série de cours pour les magiciens en herbe qui aspirent à se professionnaliser ; d'autre part, près de huit magiciens se déplacent pour les fêtes d'enfants et d'adultes dont le populaire Merlinpinpin. On parle ici exclusivement de magie. Fondée il y a plus de 25 ans, cette académie se perpétue grâce à la qualité de ses artistes et de leurs

prestations sans cesse renouvelées.
Les tarifs sont quelque peu élevés mais s'expliquent par la réputation enviable de la boîte.

DIVERS

FESTIVALS/SALONS

FESTIVAL INTERNATIONAL DU FILM POUR ENFANTS
www.fifem.com
Pendant la semaine de relâche en mars 2008. Au cinéma Beaubien.
Un festival mettant en vedette le meilleur de la production cinématographique destinée aux enfants et aux familles. Films en compétition officielle, hors concours et en courts métrages. Un jury d'enfants collabore dans ce festival.

FESTIVAL INTERNATIONAL DES COURSES DE BATEAUX-DRAGONS
514-866-7001
www.montrealdragonboat.com
Les 28 & 29 juillet 2007. Mº Jean-Drapeau. Bassin olympique, Île Notre-Dame, Parc Jean Drapeau.
La célébration du festival est une tradition d'origine chinoise. La légende veut que le festival des bateaux-dragons se déroule le cinquième jour du cinquième mois du calendrier lunaire chinois. Plus de 200 équipes en provenance de partout dans le monde se disputent des courses dans diverses catégories, devant plusieurs milliers de spectateurs. Également au programme : spectacles de danses folkloriques, de la cuisine chinoise, de l'artisanat...

FÊTE DES ENFANTS DE MONTRÉAL
514-872-0060
www.ville.montreal.qc.ca/ fetedesenfants
Les 18 & 19 août 2007. Mº Viau ou Pie-IX. Des centaines d'activités diverses entièrement gratuites pour la famille et les enfants de 9h à 18h.

C'est sur le site du Parc Maisonneuve, spécialement aménagé pour l'occasion, que plus de 207 000 personnes ont été accueillies en 2006. Au programme : jeu de société interactif géant, jeux gonflables gigantesques, ateliers des arts de la scène et de maquillage, spectacles, activités éducatives, sportives et artistiques. Environ 300 tables de pique-nique ainsi que des consignes pour glacières un peu partout. Transport en commun gratuit sur présentation d'un passe disponible dans toutes les pharmacies Jean Coutu, puis navettes gratuites depuis les stations de métro jusqu'au parc.

FÊTE DES NEIGES DE MONTRÉAL
514-872-6120
www.fetedesneiges.com
Du 26 janvier au 10 février 2008. Mº Jean Drapeau. Île Sainte-Hélène, Parc Jean-Drapeau.
Cette grande manifestation donne lieu à des activités hivernales pour toute la famille. C'est le temps de sortir dehors et s'amuser ! Une gamme d'activités viendra réjouir toute la famille : glissade sur tubes, sentier des patineurs, traîneaux à chiens, sculpture sur glace et sur neige, etc.

HALLOWEEN, LE GRAND BAL DES CITROUILLES
514-872-1400
www.museumsnature.ca
Du 5 au 31 octobre 2007. Mº Pie IX. Jardin Botanique de Montréal. Ouvert de 9h à 21h. Consultez leur site Internet pour la liste complète des tarifs. NOUVEAU : tarif spécial pour les résidents du Québec.
Exposition de plus de 600 citrouilles petites et grandes, maquillées et costumées pour l'occasion, et plein d'activités autour du thème de l'Halloween. Retrouvez Pépo-Citrouille et ses nouvelles aventures ainsi que la sympathique sorcière Esméralda qui invite tous les enfants à réciter des formules magiques. Concours de citrouilles décorées.

JUNIOR

L'INTERNATIONAL DES FEUX LOTO-QUÉBEC

514-397-2000
www.internationaldesfeuxloto-quebec.com
Du 20 juin au 28 juillet 2007.
Mᵒ Jean-Drapeau. Île Sainte-Hélène, Parc Jean-Drapeau. Billets disponibles au réseau Admission au (514) 790-1245. Tarifs : à partir de 38,79$ selon les gradins ; enfants (11 ans et moins) 25,54$. La Ronde produit et présente annuellement ce concours international d'art pyrotechnique de Montréal, la plus prestigieuse compétition du genre à travers le monde. La programmation cette année : 20 juin Espagne ; 27 juin Angleterre ; 7 juillet Mexique ; 11 juillet Chine ; 14 juillet États-Unis ; 18 juillet Canada ; 21 juillet France ; 25 juillet Allemagne ; 28 juillet feu de clôture.

Pour une soirée à petit budget, assistez à l'événement depuis le pont Jacques-Cartier ou une des rives du Fleuve St-Laurent... places de choix... et gratuites ! Soyez de la fête, beau temps, mauvais temps !

LES JOURNÉES DE LA CULTURE

514-873-2641
www.culturepourtous.ca/journeesdelaculture
Du 28 au 30 septembre 2007.
Depuis 1997, des centaines d'institutions et d'ateliers d'artistes ouvrent leurs portes aux personnes curieuses de découvrir ou de mieux connaître le milieu culturel de leur ville.
Des activités, ateliers, conférences et autres, partout dans la province, pour tous les âges et tous les goûts.

JOURNÉE DES MUSÉES MONTRÉALAIS

1-877-BONJOUR (266-5687)
www.museesmontreal.org
Le 25 mai 2008 de 9h à 18h.
Cette journée porte ouverte est l'occasion pour le public de découvrir la diversité et la richesse des musées montréalais et de développer le goût de les visiter tout au long de l'année. Chaque année, petits et grands profitent en grand nombre de cette journée pour s'inviter dans 30 musées, avec circuits d'autobus gratuits qui partent de l'immeuble du Journal de Montréal, au 4545 rue Frontenac, à l'angle de la rue Mont-Royal.

NOËL VICTORIEN

514-283-2282
www.pc.gc.ca/cartier
De mi-novembre à fin décembre 2007. Mᵒ Champs-de-Mars. Lieu historique national du Canada Sir-Georges-Étienne-Cartier. Fermé en jan-fév-mars. Ouvert juin-juillet-août lun-dim 10h-18h, hors saison mer-dim 10h-12h & 13h-17h. Tarifs : adultes 3,95$, jeunes (6-16 ans) 1,95$, gratuit pour les moins de 6 ans, famille : 9,9$.
Pour l'occasion, la demeure victorienne de la famille de Georges-Étienne Cartier est parée des plus beaux ornements de Noël, typiques des années 1860 à Montréal. Rien de mieux qu'une animation théâtrale à la Maison Cartier pour vous mettre dans l'ambiance de Noël. Des personnages du XIXe siècle vous attendent pour vous faire revivre et découvrir Noël tel qu'il se célébrait chez Georges-Étienne-Cartier, éminent politicien des années 1860. D'autres activités ont lieu tout au long de l'année. Consultez leur programmation.

PETITS BONHEURS

514-872-7727
www.petitsbonheurs.ca
En mai 2008. Spectacles : 6$, ateliers : 4$ admission générale, 6$ pour un adulte et un enfant.
Enfin une manifestation destinée aux petits de 0 à 6 ans ! Au programme de la 4e édition de ce rendez-vous, des spectacles, du cinéma, des ateliers de création, tout ceci autour de l'art sous toutes ses formes. Ces petits bonheurs ont lieu à divers endroits : bibliothèques, Maison-théâtre, CLSC, Maisons de la Culture. Le programme détaillé est disponible sur le site internet. Inscrivez vite vos enfants car les places s'envolent à la vitesse de l'éclair !

SALON DE LA PASSION MÉDIÉVALE ET HISTORIQUE

514-252-5522

www.salonmedieval.com

Printemps 2008. Mᵒ Namur, Hippodrome de Montréal. Tarifs : adultes 8,75 $, enfants (12-17 ans) 5,75 $, enfants (6-11 ans) 2,75 $; enfants de moins de 5 ans gratuit.

Sortie annuelle pour toute la famille pour vivre un moment d'histoire en découvrant le Moyen Âge. Plusieurs activités pour se mettre dans l'ambiance : clubs de jeux de rôle, films, clubs sociaux, cours et ateliers d'escrime, de danse, de costumes, groupes de musique, etc. Des boutiques de prêt-à-porter, de location de costumes et de meubles viendront compléter cette passion.

L'INTERNATIONAL DE MONTGOLFIÈRES

450-347-9555

www.montgolfieres.com

Du 11 au 19 août 2007. Autoroute 10, sortie 22, puis route 35 Sud, sortie 9, suivre directions pour aéroport municipal. Tarifs Passeport : 37 $ adultes (29 $ en prévente), 18 $ enfants 3-12 ans (13 $ en prévente), gratuit pour enfants de 0 à 2 ans. Tarifs 1 jour : 15 $ adultes, 7 $ enfants 3-12 ans, famille (2 adultes, 2 enfants) 37 $. Stationnement 5 $ par jour.

Manifestation située à environ 20 minutes de Montréal, à Saint-Jean-sur-Richelieu, sur le site de l'aéroport municipal. Plus d'une centaine de montgolfières de tous genres et de toutes formes, venues tout droit de Belgique, du Canada, des États-Unis, de France, des Pays-Bas et du Brésil, vous présentent des spectacles et animations gratuits. Pour les plus fous, partez pour une envolée dans les airs à partir de 150 $ par personne !

REVUES

ENFANTS QUÉBEC

www.enfantsquebec.com

Ce mensuel couvre différents thèmes inspirés par les enfants de 0 à 14 ans.

Festival des montgolfières © Stéphanie Lachance

On aborde l'alimentation, la santé, l'éducation, les sorties et plusieurs autres sujets pertinents. Le site est très complet et franchement pratique. Les informations sont catégorisées selon les différents groupes d'âges : 0-2 ans, 2-6 ans, 6-9 ans, 9-12 ans et 12-14 ans.

MONTRÉAL POUR ENFANTS

www.montrealpourenfants.com

Ce magazine informe les parents sur les différents produits et services offerts sur le Grand Montréal. Vous y trouverez des boutiques, des activités sportives et artistiques, divers évènements. Le site Internet est aussi pratique que la revue.

SITES ÉDUCATIFS POUR ENFANTS

LES DÉBROUILLARDS

www.lesdebrouillards.qc.ca

Ce site présente aux enfants différentes découvertes pour les intriguer et les intéresser. Pour les petits débrouillards, des expériences faciles et non dangereuses leur permettent de faire des découvertes fascinantes. Comment fait-on une marguerite multicolore ou comment fait-on une roche maison ?

L'ESCALE

www.lescale.net

L'Escale est un site pour les jeunes de 4 à 12 ans. Avec le bateau, l'enfant part à la découverte des différentes îles qu'il trouvera sur ta route : île des Vivants (activités sur tout ce qui est vivant sur notre planète), île des Fêtes (Noël et Halloween), île des Écoles (enseignants et parents peuvent y participer), île des Bavards (tout le monde peut discuter). Le choix est considérable.

MOMES

www.momes.net

Le site de la communauté internationale des jeunes francophones. Jeux, chansons, dossiers d'actualité, informations sur le cinéma, les spectacles et les livres conçus spécifiquement pour eux. Mais aussi des discussions sur des thèmes qui touchent directement les enfants.

FRANCOPHONIE EXPRESS

www.francophonieexpress.com

Francophonie Express est un site dédié à la chanson francophone, peu importe d'où elle vienne. La section Jeune Public permet de découvrir une sélection de disques, ainsi que diverses suggestions et chroniques à chaque mois.

MUSÉE VIRTUEL DU CANADA

www.museevirtuel.ca/Francais/

Site Internet des musées canadiens, destiné au jeune public. Informations, calendrier des expositions dans les musées, jeux éducatifs qui traitent de plusieurs sujets mais toujours sur le même thème : l'histoire du Canada. Très beau site au contenu riche qui plaira aux artistes en herbe !

RADIO-CANADA

www.radio-canada.ca/jeunesse

Sur le site de la première chaîne d'information au Québec, la section Jeunesse offre un tas de jeux (arcade, sports, quêtes, matière grise, mots) afin d'associer divertissement et éducation.

Aussi sur le web : liste des émissions jeunesse, concours, blog, RDI Junior, et beaucoup plus. Une zone pour les tout-petits avec chansons, jeux, concours et autres.

TFO

www.tfo.org/jeux

La chaîne de télévision éducative et culturelle de l'Ontario français est également un créateur et un fournisseur de contenu multimédia éducatif mondialement reconnu. Sur la Machine à jeux, l'enfant peut choisir le thème qu'il préfère et s'amuser à La conquête du temps ou le Château magique, mais aussi participer à des activités éducatives pour faire des découvertes ou pour écouter les Contes de Mirouille, tout simplement.

TROUSSES ET LOGICIELS ÉDUCATIFS

AKITA MULTIMÉDIA

514-731-2269

www.akitamultimedia.com

Akita est une compagnie québécoise spécialisée dans les logiciels et jeux multimédia éducatifs. Il y a des jeux pour tous les âges : sudoku, énigmes, suites mystères, cyber Halloween, jeux de logique, etc. Plusieurs versions d'essai gratuites sont disponibles pour téléchargement sur leur site Internet. Ces produits sont vendus dans la plupart des librairies, chez Archambault, Best Buy, Future Shop et Camelot. On peut aussi acheter en ligne.

L'ÎLE AUX DIX ROUES

514-409-2676

www.lileauxdixroues.com

Une autre entreprise d'ici qui conçoit livres, jeux multimédia et activités d'animation pour les enfants de 3 à 6 ans et de 7 à 10 ans. Le merveilleux monde de Dirou favorise l'éveil et stimule la créativité de vos enfants. Pour vous procurer le livre et le cd-rom de « Dirou et le mystère de l'Île de Pâques », visitez les librairies et les magasins de jeux. Bon de commande aussi disponible en ligne.

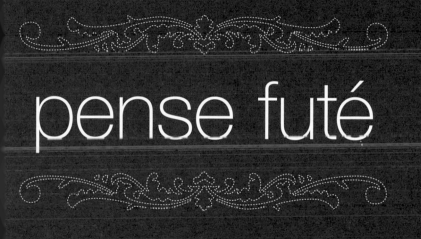

S'INSTALLER À MONTRÉAL

DÉMARCHES ADMINISTRATIVES

IMMIGRATION

POUR LE QUÉBEC

www.immigration-quebec.gouv.qc.ca
Un descriptif complet et sérieux sur les démarches d'immigrations au Québec, que ce soit pour un travail permanent ou temporaire ou même pour les études. Ce site fournit formulaires en lignes, dont un qui permet de calculer soi-même ses chances d'être accepté au Québec.

POUR LE CANADA

www.cic.gc.ca
Ce site est l'équivalent fédéral d'Immigration-quebec.gouv. Il traite de l'immigration au Canada en général.

NUMERO D'ASSURANCE SOCIALE

Ce numéro est indispensable au Canada lorsqu'il s'agit des rapports avec les organismes gouvernementaux, les institutions financières et les employeurs. Pour recevoir la carte plastifiée avec votre numéro, il suffit de se présenter au comptoir d'attribution muni du formulaire remis par les agents de l'immigration du Canada, de votre passeport et de vos documents d'immigration.
Pour trouver le bureau d'attribution du NAS le plus près de chez vous : www.servicecanada.gc.ca 1-800-808-6352

CARTE D'ASSURANCE MALADIE

RAMQ

425, Maisonneuve O
Mº Place des Arts
514-864-3411
www.ramq.gouv.qc.ca
La carte d'assurance maladie est émise par la régie de l'assurance maladie du Québec (RAMQ). C'est une carte personnifiée qui permet d'obtenir la plupart des soins de santé gratuitement.

Prévoyez un délai de 90 jours pour l'obtention de votre carte. La demande doit être faite au bureau de la RAMQ ou par téléphone. Les documents requis pour l'inscription sont un passeport, un permis de travail temporaire ou votre carte de résident permanent, ainsi qu'une attestation de votre employeur.

IMMATRICULATION CONSULAIRE

Cette démarche n'est pas obligatoire lors d'un travail temporaire ou d'un séjour touristique. Par contre elle est vivement conseillée lors d'un établissement définitif. Elle permet, notamment, de faciliter le renouvellement de ses papiers d'identité et de voter au consulat. Pour établir votre carte d'immatriculation consulaire, vous devrez fournir les documents suivants : copie de votre acte de naissance ou livret de famille, votre carte nationale d'identité et/ou votre passeport, votre visa, une preuve de domicile au canada et enfin deux photos d'identité. Pour plus de détails, il est conseillé de contacter votre consulat. (voir la liste dans le chapitre repères).

AIDE AUX NOUVEAUX ARRIVANTS

Au Québec, plusieurs organismes à but non lucratif fournissent gratuitement aux immigrants tous les services nécessaires pour faciliter leur arrivée et leur intégration. Les deux associations ci-dessous sont des bons exemples, mais il en existe plusieurs autres, souvent directement en rapport avec un pays d'émigration particulier.

SANQI INC.

4050, Molson, bureau 330
514-842-6891
www.sanqi.qc.ca
sanqi@sanqi .qc.ca
Accueil, information, référence, service d'aide a l'emploi, intégration, conseil.

L'HIRONDELLE

4652, Jeanne Mance
514-281-2038
www.hirondelle.qc.ca

Organisme multiethnique pour l'accueil, l'information, l'aide à l'emploi, la culture et la formation.

SE LOGER

LOCATION

Prenez votre temps pour découvrir le marché de la location. Pour cela, la solution la plus futée consiste à louer une chambre ou un appartement meublé au mois.

La section des petites annonces des grands quotidiens regorge d'offres de ce type, mais la meilleure source d'information reste internet.

Voici une liste de sites diffusant des annonces d'appartements à louer.

WWW.VOIR.CA

WWW.APPARTALOUER.COM

WWW.MONTOIT.CA

WWW.KIJIJI.CA

Site de petites annonces diverses, il regroupe un grand nombre d'offres immobilières.

WWW.EASYROOMMATE.COM

Une bonne solution temporaire et économique pour le logement à Montréal : la collocation.

Ce site payant propose de mettre en relation les propriétaires ou les locataires désireux de partager leur espace, avec les futurs « colocataires ». Simple et efficace le système fait une près sélection des offres en fonctions des critères de recherche pour vous éviter d'avoir à faire le tri parmi les centaines d'offres disponibles.

Plusieurs forfaits d'abonnement sont possibles, compter environ 15 $ pour 10 jours. Cet abonnement permet de rentrer directement en relation avec *les propriétaires, après avoir repérer les offres intéressantes et s'être assurer de leur disponibilité.*

AGENCES IMMOBILIERES

Pour des solutions plus définitives d'achat ou de location, les agences immobilières sont bien utiles. Au Québec, c'est le vendeur qui verse la commission à l'agent.

REMAX

www.remax.com

ROYAL LEPAGE

www.royallepage.ca

SUTTON

www.sutton.vortex.qc.ca

PROPRIO DIRECT

514-856-4444/1800-465-8040
www.propriodirect.com

DÉMÉNAGEMENT

Le grand mal québécois. Une infection hautement saisonnière qui frappe la population et pousse à la bohème. Comme de raison, une myriade d'entreprises se charge du lest, à des prix variant beaucoup. Le magasinage est fortement recommandé, surtout que la norme est d'offrir une estimation gratuite. Ne pas négliger non plus de payer le petit supplément pour l'assurance; un bris est si vite arrivé. Une seule recommandation, faites une sélection pour obtenir un service professionnel.

LE CLAN PANNETON

2660, Mullins
514-937-0707
www.leclanpanneton.ca
Près du M^{e}Atwater.

Au-delà des clichés et des pubs parfois douteuses et envahissantes, l'une des comagnie de déménagement les plus cotées. Pour un déménagement local ou longue distance, résidentiel ou commercial. Les prix y sont hautement compétitifs, et le service hors pair, de quoi rassurer lorsqu'on s'embarque pour l'inconnu, le temps d'un nouveau bail. Estimation gratuite. Service d'entreposage également disponible.

EUROPACK

625, Meloche, Dorval
514-633-8583
www.europack.ca
Déménageurs et transporteurs internationaux, ils vous permettent de préparer en toute quiétude le grand départ vers l'étranger. De la porte de départ à la porte d'arrivée, ils s'occupent de tout, et vous fournissent l'information nécessaire pour passer les douanes sans encombre. Une compagnie très professionnelle pour ces occasions où l'on ne veut rien laisser au hazard.

LIPARI

104, avenue Doyon, Pointe-Claire
514-637-2333
www.liparigroup.ca
Déménagement résidentiel et commercial incluant l'emballage et l'installation d'équipement de bureau, de matériel électronique et de mise en caisse. Pour le secteur industriel, le service comprend la manutention d'équipement lourd, services de grue, chariot et élévateurs.

U-HAUL

1-800-468-4285
www.uhaul.com
Pour économiser et lorsque l'effort ne vous fait pas peur (ou que le cercle d'amis est important), U-Haul s'impose comme une solution aux coûts du déménagement. Plusieurs volumes de camions disponibles à la location, de même que des remorques et des chariots. La ligne complète des fournitures pour un déménagement organisé et bien planifié. Pour les longues distances, un supplément permet de couvrir la location à sens unique, et ce pour l'ensemble de l'Amérique du Nord. Ouvert 7 jours/7, avec un service routier gratuit en cas de pépins.

ENTREPÔTS

Un entreposage peut vous sauver lorsque vous avez une forte tendance à accumuler les biens matériels. À moins que vous vous envoliez pour de longs moments. Dans ces cas, les effets personnels cherchent logis, et l'entreposage permet de tout conserver à petit prix. L'idéal est de louer un espace approprié, chauffé et surveillé 24 heures, avec accès en tout temps. Voici une sélection des entrepôts de la région les plus recommandés, sélectionnés tant pour la sécurité offerte que l'accessibilité 24h/24 et 7 jours/7. La plupart de ces adresses offrent de généreux rabais pour les baux de longue durée payés d'avance.

GO CUBE

2350, Dickson
514-738-6843
www.gocube.com
Un système très pratique : Go cube vous livre le matin un gros cube dans lequel vous (ou un déménageur que vous engagez chez Go cube) entreposez vos affaires. Le soir, un camion vient chercher le cube et l'amène dans un entrepôt. Bref, pas besoin de louer de camion ni de décharger ses affaires une fois arrivé à l'entrepôt.

ENTREPOSAGE DOMESTIK

255, rue Shannon
514-954-1833
www.domestik.qc.ca
Entreposage Domestik est un système d'entreposage «libre service» qui vous permet de louer un espace correspondant à vos besoins et ce, pour aussi longtemps que vous le désirez.

ENTREPOT PUBLIC

400, de Lasalle
1-877-777-8672
www.publicstorage.ca
Possibilité de garer son véhicule récréatif à la succursale de St-Lambert. *Autres adresses: 5555, d'Iberville 514-598-0682; 380, Wilfred-Laurier, Longueuil 450-465-9970.*

CARTE ACCÈS MONTRÉAL

www.ville.montreal.qc.ca/cam

La carte Accès Montréal permet aux habitants ou aux contribuables de la ville de Montréal uniquement d'obtenir des réductions sur les loisirs et les activités culturelles de la métropole pendant une période d'un an dans plus d'une centaine de lieux. La carte est en vente dans tous les bureaux Accès Montréal et dans plusieurs bureaux d'arrondissement et bibliothèques pour la somme de 7 $ par personne (5 $ seulement pour les autres personnes résidant à la même adresse si les cartes sont achetées en même temps). Afin d'obtenir cette carte, vous devez vous présenter avec les documents suivants:

- photo récente (format passeport)
- preuve de résidence (permis de conduire, facture Bell, Hydro-Québec ou taxes municipales) ; le bail n'est pas accepté.
- preuve d'identité (carte assurance-maladie ou assurance sociale)

Pour obtenir plus de renseignements, composez le 514-872-1111, 8h-17h, ou le 87-ACCÈS (872-2237) #610, 24h/24.

U-HAUL LIBRE ENTREPOSAGE
306, Crémazie O
514-385-6297
www.uhaul.com
Lun-jeu de 7h à 19h, ven de 7h à 20h, sam de 7h à 19h, dim de 7h à 17h.
Avec l'achat des entrepôts Sécurespace, U-Haul semble avoir pris le dessus au niveau de l'entreposage. On recommande, expérience à l'appui.
Autres adresses: 3850, rue Jean-Talon O 514-737-4920; 2771, Mance, St-Hubert 450-465-6702.

SERVICES COURANTS

EAU, ÉLECTRICITÉ ET TÉLÉPHONE

EAU ET ÉLECTRICITÉ

HYDRO-QUEBEC
www.hydroquebec.ca
1-888-385-7252

TÉLÉPHONE ET INTERNET

BELL CANADA
1-800-668-2355
www.bell.ca

PRIMUS CANADA
www.primustel.ca
1-800-670-2266

SPRINT CANADA
www.sprintcanada.ca
1-800-980-5464

VIDEOTRON
www.videotron.ca

TELEPHONE CELLULAIRE

BELL MOBILITE
1-800-667-0123
www.bell.ca

FIDO
1-800-481-3436
www.fido.ca

ROGERS AT&T

1-800-5655-6009
www.rogers.com

SERVICE PUBLICS

HÔTEL DE VILLE

275, Notre-dame E
514-872-1111
www.ville.montreal.qc.ca

URGENCES

Incendie-Police-Ambulance
911

BUREAUX D'ACCES ET ARRONDISSEMENTS

514-872-6395
Ces bureaux sont des points
de centralisation de services et
d'informations pour tous les sujets de
la vie courante à Montréal. Ouvert aux
particuliers comme aux entreprises. Pour
les coordonnées du bureau le plus proche
de chez vous et pour vous assurer des
services fournis, consulter le site de la
ville de Montréal : www.ville.montreal.
qc.ca section accès Montréal.

SERVICES AUX CONSOMMATEURS

OPTION CONSOMMATEURS

2120, Sherbrooke E, bureau 604
514-598-7288
www.option-consommateurs.org
Association qui milite pour le bon
respect de la loi régissant toute
transaction commerciale. Les
membres de l'association ont droit
aux services d'un médiateur en cas
de litige. Publication du magazine
« Consommation ».

OFFICE DE LA PROTECTION DU CONSOMMATEUR

5199, Sherbrooke E,
bureau 3671, Aile A
514-253-6556

UNION DES CONSOMMATEURS

www.consommateur.qc.ca
Regroupement de 25 associations

de protection des consommateurs.
Ces organismes à but non lucratif
offrent des services de consultation
budgétaire en cas d'endettement ou de
problèmes financiers. Ils peuvent aussi
fournir des conseils juridiques dans
tous les domaines qui touchent à la
consommation.

BANQUES

BANQUE CANADIENNE IMPÉRIALE DE COMMERCE (CIBC)

1-800-465-2422
www.cibc.com

BANQUE DE MONTRÉAL

1-800-363-9992
www.bmo.ca

BANQUE LAURENTIENNE DU CANADA

1-077-522-3863
www.banquelaurentienne.com

BANQUE NATIONALE DU CANADA

1-888-835-6281
www.bnc.ca

BANQUE ROYALE

1-800-769-2511
www.banqueroyale.com

BANQUE SCOTIA

1-800-472-6842
www.scotiabank.ca

BANQUE TD CANADA TRUST

1-800-895-4463
www.tdcanadatrust.com

CAISSES DESJARDINS

514-522-2373
www.desjardins.com

ING DIRECT

1-866-464-3473
www.ingdirect.ca

INSTA-CHÈQUES

Encaissement de chèques. De jour comme de nuit, lorsque les besoins sont pressants. Contre une commission de 3% de la valeur du chèque + des frais administratifs, on change le chèque, illico presto.

7166, Saint-Hubert - 514-276-9922
680, Sainte-Catherine O - 514 -871-2274
1481, Sainte-Catherine E - 514 -522-2211
1, Sainte-Catherine O - 514-843-8080
414, Mont-Royal E - 514-499-1019
4052, Jean-Talon E - 514-374-7415
6375, Sherbrooke E - 514-253-7475
601, Henri-Bourassa E - 514-387-6922
8780, Saint-Laurent - 514-387-7676

POSTES

SOCIÉTÉ CANADIENNE DES POSTES
1-800-267-1177
www.postescanada.com
Un seul numéro pour des informations générales ou pour trouver un code postal.

ASSURANCES

Bien qu'il ne soit pas obligatoire d'assurer ses meubles, son appartement ou sa maison, il est fortement conseillé de le faire. Courtiers et compagnies d'assurance privées offrent toute une gamme de protections contre le feu, le vol et la responsabilité civile. Sans ces précautions, vous risquez de vous retrouvez en situation difficile si, par exemple, vous perdez tous vos biens dans un incendie. Par ailleurs, si vous bénéficiez d'un prêt hypothécaire, le prêteur exigera que l'immeuble soit assuré. Avant de contracter une assurance, prenez toutefois le temps de vous renseigner à fond auprès de votre entourage et des assureurs sur les différentes formules possibles. Pour une même couverture générale, le prix des primes peut varier beaucoup. Renseignez-vous au centre d'information du Bureau d'assurance du Canada.

Attention, il peut s'avérer difficile d'assurer un appartement situé dans le même édifice qu'un magasin ou un restaurant. À vérifier avant de signer.

BUREAU D'ASSURANCE DU CANADA
630, René-Lévesque O, bureau 2440
514-933-8953
www.ibc.ca
Ce bureau diffuse de nombreux conseils utiles sur les différents types d'assurance.

ALLSTATE CANADA
1-800-ALLSTATE
www.allstate.ca

AXA ASSURANCES
514-282-1914
www.axa.ca

BANQUE NATIONALE ASSURANCE
1-877-871-7500
www.assurnat.com

LA CAPITALE ASSURANCE
425, de Maisonneuve O
514-906-1700
www.lacapitale.com

LE PIGEONNIER DE GUERRE

05 62 07 29 17. Site : www.chambres-pigeonnier-gers.com – Courriel : eliane.bajon@free.fr
3 épis Gîtes de france. Accès handicapés. Ouvert toute l'année.

Forfait charme et détente : nuit avec repas et petit déjeuner, 110 € pour 2 personnes. « Repas gascon » pour 35 €. Vols directs Montréal-Toulouse.

Au sommet d'un coteau, un superbe pigeonnier de caractère patrimonial et une maison de campagne à la ferme où l'accueil est chaleureux. En 1994 puis en 2003, les anciennes étables du château furent aménagées en chambres d'hôtes au pied du Pigeonnier de Guerre : 2 suites avec terrasse et 3 autres délicieuses chambres. Les chambres sont spacieuses, confortables et possèdent toutes des sanitaires privés. Eliane Bajon régale ses hôtes avec les produits de la ferme. A l'occasion d'un week-end à theme, apprenez à préparer vous-même vos foies gras du mois octobre à Paques, ou alors, avec la formule très tentante beauté et remise en forme, vous aurez droit au repas du soir, à une nuit dans la suite « les roucoulaires », et une heure de soin – au choix soit soin du visage, soit massage détente – pratiqués par des professionnels et à vous détendre dans le jacuzzi...

Offrez-vous un complet dépaysement dans un cadre champêtre et chaleureux, dans un endroit de rêve et de légende. Vous séjournerez à proximité d'un golf, de sentiers pédestres, de châteaux, au cœur d'une région qui peut s'enorgueillir d'abriter des sites aussi prestigieux et aussi chargés d'histoire que Carcassonne, le cirque de Gavarnie, Rocamadour, Montségur... Le pigeonnier de guerre, à 30 minutes de l'aéroport international de Toulouse-Blagnac, l'endroit idéal pour découvrir la Gascogne.

AUTO-MOTO

ASSOCIATION POUR LA PROTECTION DES AUTOMOBILISTES (APA)
292, Saint-Joseph O
514-272-5555
www.apa.ca

L'Association pour la Protection des Automobilistes est LA référence absolue de tout conducteur digne de ce nom. Des renseignements à la tonne, allant de répertoires de garagistes avec cote de fiabilité, jusqu'au guide d'achat de voitures neuves. On peut devenir membre (65 $ + taxes) et profiter d'une kyrielle d'informations, à coût moindre, telles les fiches signalétiques de chaque modèle de voiture présent sur nos routes, avec valeur des diverses options pour les négociateurs invétérés. Compte tenu de l'investissement majeur que représente une automobile (achat et entretien), peut-on vraiment négliger pareille source ?

CENTRE DE VÉRIFICATION TECHNIQUE DU CAA-QUÉBEC
2380, Notre-Dame O
514-937-5341
www.caaquebec.com

Pour une estimation plus neutre avant de se lancer dans les visites hautement émotives des mécaniciens aux dents longues. Un service aux gants blancs qui va dans le détail. L'estimation finale peut parfois faire frémir, mais puisque les réparations ne se feront pas sur place, force est d'admettre l'objectivité du processus.

INFOROUTIÈRE - SAISON HIVERNALE
1-888-355-0511
www.mtq.gouv.qc.ca

Informations 24h/24 sur l'état des routes et sur le site Internet, conditions routières par numéro de route et caméras de circulation. Mise à jour régulière, pour les grands axes routiers de la province. Quant aux routes secondaires, vive la découverte sur le terrain!
Fonctionnel du 8 novembre au 31 mars.

SOCIÉTÉ DE L'ASSURANCE AUTOMOBILE DU QUÉBEC
855, Henri-Bourrassa O, bureau 100
514-873-7620 /1-800-361-7620
www.saaq.gouv.qc.ca
Lun-ven de 8h à 17h30.
Renseignements généraux, immatriculations, permis de conduire.
Autres adresses : 1000, Curé-Poirier E, Longueuil ; 1545, Le Corbusier, bureau 75, Laval.

ACTION COMMUNAUTAIRE

SECRÉTARIAT À L'ACTION COMMUNAUTAIRE ET AUX INITIATIVES SOCIALES
www.benevolat.qc.ca

Ce site référence les organismes nationaux à la recherche de bénévoles. Il propose aussi des conseil pratiques et juridiques pour les futurs bénévoles et fait la liste des prix attribué aux organismes ainsi qu'aux bénévoles pour leurs actions.

CENTRE D'ACTION BÉNÉVOLE DE MONTRÉAL
2015, Drummond, bureau 300
514-842-3351.
www.cabm.net
M° Peel.

Fondé en 1937, ce centre reçoit de nombreuses demandes de bénévoles, venant de plus de 850 organismes, oeuvrant dans des domaines aussi variés que la santé, le développement communautaire, les sports et loisirs, l'éducation, l'environnement, les arts et la culture, etc. Vous pouvez consulter les offres sur Internet ou vous rendre sur place où vous serez aiguillés par des conseiller (ère) s qui vous mettront en contact avec un ou plusieurs organismes. Quelques exemples d'organismes recruteurs :

ALPHABÉTISATION
Le Collège Frontière
www.collegefrontiere.ca

FAITES PARTIE DES GAGNANTS !

Guylain Lapointe, arbitre bénévole, observant les athlètes en pleine action lors du dernier Défi sportif.

Arbitrer une partie de basket, entraîner une équipe de baseball, organiser un événement sportif...
Et vous, **quels sont vos rêves, vos passions ?**

Plusieurs des 700 organismes qui recrutent via le CABM encouragent la participation sportive des Montréalais.

CENTRE D'ACTION BÉNÉVOLE DE MONTRÉAL
VOLUNTEER BUREAU OF MONTREAL

Conception graphique :
Axel Pérez de León

514.842.3351
cabm.net

PAUVRETÉ, PERSONNES DÉMUNIES
La société Saint-Vincent de Paul
www.ssvp-mtl.org

ADULTES HANDICAPÉS PHYSIQUE
Institut de réadaptation de Montréal
www.irm.qc.ca

SPORTS POUR NON-VOYANTS
Association des sports pour aveugles
de Montréal
www.sportsaveugles.qc.ca

ACCUEIL DES ÉTUDIANTS
INTERNATIONAUX
AFS Interculture Canada
www.afscanada.org

CENTRAIDE DU GRAND MONTRÉAL

493, Sherbrooke O
514-288 1261
www.centraide-mtl.org
Centraide assure une double mission.
L'organisme collecte des fonds dans
les entreprises et chez les particuliers
afin de les redistribuer aux associations
qui en ont besoin. Centraide fait en
même temps connaître les différents
organismes oeuvrant pour le bien-être de
la communauté.

INDEX

B

C

415

U

V

W

Y

Z

Collaborez à la prochaine édition
Montréal
édition 2007-2008

Pour compléter la prochaine édition du Petit Futé de Montréal, améliorer les guides du Petit Futé qui seront utilisés par de futurs voyageurs et touristes, nous serions heureux de vous compter parmi notre équipe afin d'augmenter le nombre et la qualité des enquêtes.

Pour cela, nous devons mieux vous connaître et savoir ce que vous pensez, très objectivement, des guides du Petit Futé en général et de celui que vous avez entre les mains en particulier. Nous répondrons à tous les courriers qui nous seront envoyés dès qu'ils seront accompagnés d'au moins une adresse inédite ou futée qui mérite d'être publiée.-

Dès lors que vous nous adressez des informations, bonnes adresses... vous nous autorisez par le fait même à les publier gracieusement en courrier des lecteurs dans les guides correspondants.

■ **Qui êtes-vous ?**

Nom et prénom ....

Adresse ....

....

E-mail .... Quel âge avez-vous ? ....

Avez-vous des enfants ? ❏ Oui (combien ?)......... ❏ Non

Comment voyagez-vous ? ❏ Seul ❏ En voyage organisé

Profession : ❏ Etudiant ❏ Sans profession ❏ Retraité

❏ Profession libérale ❏ Fonctionnaire ❏ Commerçant

❏ Autres ....

■ **Comment avez-vous connu les guides du Petit Futé ?**

❏ Par un ami ou une relation ❏ Par un article de presse

❏ Par une émission à la radio ❏ A la TV

❏ Dans une librairie ❏ Dans une grande surface

❏ Par une publicité, laquelle ? ....

■ **Durant votre voyage,**

Vous consultez le Petit Futé environ.. fois

Combien de personnes le lisent ? ....

■ **Vous utilisez ce guide surtout :**

❏ Pour vos déplacements professionnels ❏ Pour vos loisirs et vacances

■ **Comment avez-vous acheté le Petit Futé ?**

❏ Vous étiez décidé à l'acheter ❏ Vous n'aviez pas prévu de l'acheter

❏ Il vous a été offert

■ **Utilisez-vous d'autres guides pour voyager ?**

❏ Oui Si oui, lesquels ? ....

❏ Non

■ **Le prix du Petit Futé vous paraît-il ?**

❏ Cher ❏ Pas cher ❏ Raisonnable

■ Comptez-vous acheter d'autres guides du Petit Futé ?

❏ Oui, lesquels :
❏ City Guides ❏ Guides Département ❏ Guides Région ❏ Country Guides
❏ Non Si non, pourquoi ? ....

■ Quels sont, à votre avis, ses qualités et ses défauts ?

Qualités ....

Défauts ....

■ Date et lieu d'achat ....

Testez vos talents de critique

Faites-nous part de vos expériences et découvertes. N'oubliez pas, plus particulièrement pour les hôtels, restaurants et commerces, de préciser avant votre commentaire détaillé (5 à 15 lignes) l'adresse complète, le téléphone et les moyens de transport pour s'y rendre ainsi qu'une indication de prix.

Nom de l'établissement ....

Adresse exacte et complète ....

....

Téléphone .... Fax ....

■ Votre avis en fonction de l'établissement :

	Très bon	Bon	Moyen	Mauvais
Accueil :	❏	❏	❏	❏
Cuisine :	❏	❏	❏	❏
Rapport qualité/prix :	❏	❏	❏	❏
Confort :	❏	❏	❏	❏
Service :	❏	❏	❏	❏
Calme :	❏	❏	❏	❏
Cadre :	❏	❏	❏	❏
Ambiance :	❏	❏	❏	❏

■ Remarques et observations personnelles, proposition de commentaire :

....
....
....
....
....
....
....

Afin d'accuser réception de votre courrier, merci de retourner ce document avec vos coordonnées

LE PETIT FUTE COUNTRY GUIDE
18, rue des Volontaires • 75015 Paris • FRANCE
soit par fax : 01 53 69 70 62 ou par E-mail : infopays@petitfute.com

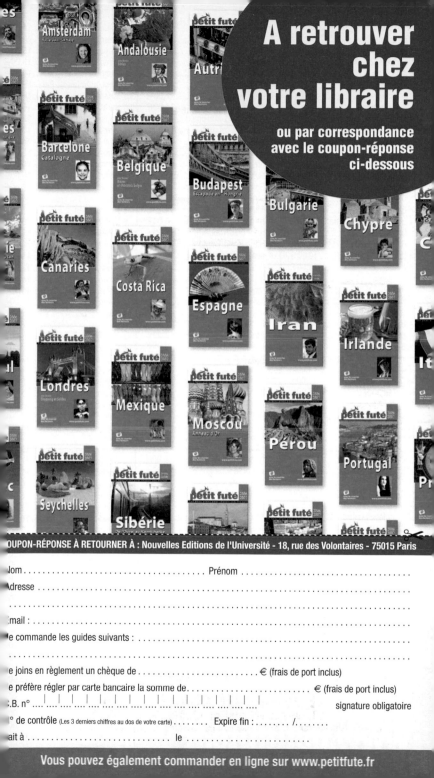

A retrouver chez votre libraire

ou par correspondance avec le coupon-réponse ci-dessous